한 권 으 로 끝 내 기

한끝

비상교육 교과서편

중등 국어 3-2

이 책의
구성과 특징

◆ **새 교육과정**과 그에 따른 **교과서의 내용**을 충실하게 담은 교재
◆ **다양한 유형의 문제**를 충분하게 수록한 교재
◆ **학습에 대한 흥미**를 돋우는 교재

1 교과서 내용 완벽 분석 및 정리_본책(진도 교재)

교육과정이 바뀌어도 새 교육과정과 그에 따른 새 교과서의 내용을 꼼꼼하게 정리한 한끝만 있다면 문제없어!

① 소단원 개념 길잡이
소단원의 학습 요소와 갈래에 대한 내용을 확인할 수 있습니다.

② 교과서 본문 학습
[학습 포인트]와 [학습콕]을 통해 교과서 본문을 꼼꼼하게 학습하고, [간단 체크 내용 문제], [간단 체크 어휘 문제], [간단 체크 활동 문제]를 풀어 보면서 배운 내용을 확인할 수 있습니다.

③ 학습 활동
학습 활동의 예시 답안을 확인하고, 활동을 응용한 문제를 풀어 볼 수 있습니다.

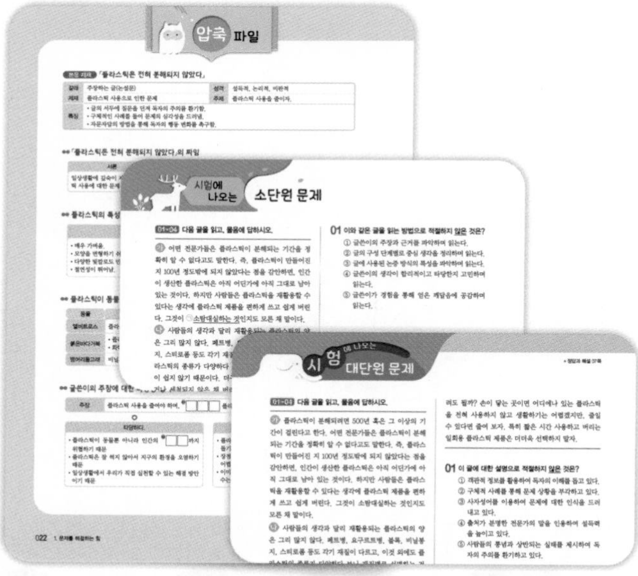

④ 압축 파일
각 소단원의 주요 내용만을 뽑아 정리하여 핵심을 한눈에 파악할 수 있습니다.

⑤ 시험에 나오는 소단원 문제 / 시험에 나오는 대단원 문제
출제 가능성이 높은 소단원 문제와 대단원 문제를 풀어 보면서 배운 내용을 확인할 수 있습니다.

이렇게 다양한 문제가
수록되어 있다니!
문제를 풀면서 내 실력이 어느 정도인지
확인해 볼 수 있겠는걸?
한끝 한 권만으로도 시험 준비 끝!

2 철저한 시험 대비_시험 대비 문제집

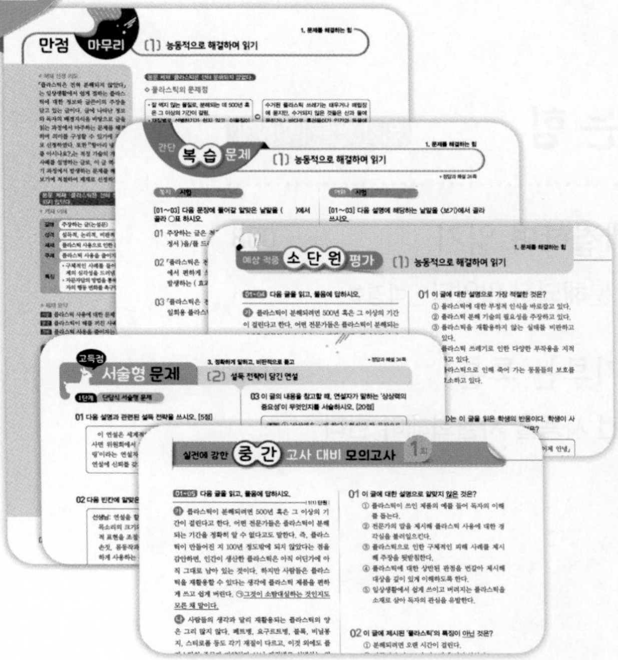

1 만점 마무리
소단원의 학습 내용을 정리한 코너로, 시험 전 핵심 정리에 유용합니다.

2 간단 복습 문제
간단한 확인 문제를 통해 스스로 복습할 수 있습니다.

3 예상 적중 소단원 평가 / 예상 적중 대단원 평가
시험에 나올 만한 문제들을 엄선하였습니다.

4 고득점 서술형 문제
단계별 서술형 문제를 통해 고득점에 한발 다가갈 수 있습니다.

5 실전에 강한 모의고사
실제 시험과 유사한 모의고사로 시험 직전 마무리 문제 풀이로 사용하면 좋습니다.

한끝은 재미도 놓치지 않았어!
소설은 길어서 내용 정리가 쉽지 않았는데,
'한끝의 한 끗'과 함께라면
재미있게 공부할 수 있어.

3 공부에 대한 흥미 유발

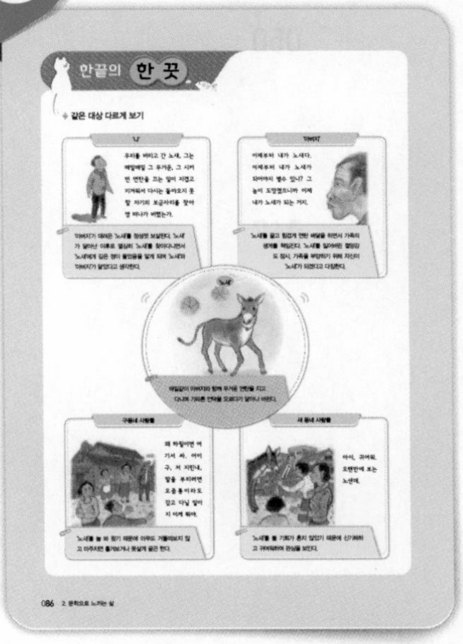

1 한끝의 한 끗
한끝만의 특별한 '한 끗'을 제공하여 좀 더 재미있게 공부할 수 있도록 하였습니다.

- '2(2) 삶을 말하는 문학'에서는 소설 「노새 두 마리」의 중심 소재인 '노새'에 대해 등장인물들이 갖고 있는 서로 다른 생각들을 간략하게 보여 줌으로써 소설의 내용을 한눈에 정리해 볼 수 있도록 하였습니다.

이 책의

차례

즐겁게 책 읽기

1

비판적·창의적 사고 역량

문제를 해결하는 힘

읽기

(1) 능동적으로 해결하며 읽기

_ 플라스틱은 전혀 분해되지 않았다(박경화)

- 문제 해결 과정으로서의 읽기의 특성 이해하기
- 글에 나타난 정보와 자신의 배경지식을 활용하여 글 읽기

듣기·말하기

(2) 설득의 힘을 기르는 토론

_ 교실에서의 에어컨 사용을 자율화해야 한다

- 토론 내용을 이해하고 주장과 근거를 비판적으로 분석하기
- 타당한 근거를 들어 상대방의 주장을 논리적으로 반박하기

왜 배울까?

우리는 글을 읽으며 의미를 구성하는 과정에서 여러 어려움에 부딪힌다. 모르는 단어나 의미가 모호한 문장을 만나기도 하고, 글쓴이가 말하고자 하는 바를 쉽게 이해하지 못할 때도 있다. 단순히 글자를 눈으로 읽었다고 하여 글을 온전히 읽었다고 보기 어려운 것은 이 때문이다. 한편 특정 문제에 대한 입장이나 의견이 다른 사람과 토론을 할 때에도 어려움에 부딪힐 수 있다. 자신의 주장을 논리적으로 펼치지 못하거나 상대방의 주장에 적절하게 반박하지 못하는 경우처럼 말이다. 이처럼 글을 읽거나 토론을 할 때 부딪히는 어려움을 해결하기 위해서는 비판적으로 읽고 듣는 힘이 필요하다. 글이나 말을 비판적으로 이해하고 논리적으로 구성하는 활동을 하면, 한 편의 글을 제대로 이해하는 능력과 자신의 입장을 설득력 있게 제시하는 능력을 기를 수 있을 것이다.

뭘 배울까?

이 단원에서는 비판적·창의적 사고 역량을 기르기 위해 문제 해결 과정으로서의 읽기의 특성을 이해하고, 글에 나타난 정보와 자신의 배경지식을 활용하여 능동적으로 글을 읽어 볼 것이다. 그리고 타당한 근거를 들어 상대방의 주장을 논리적으로 반박하는 방법을 알아보고, 이를 바탕으로 독서 토론을 해 볼 것이다.

소단원 개념 길잡이

주장하는 글이란

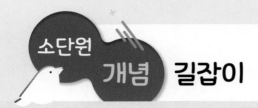

어떤 문제에 대하여 글쓴이가 자신의 주장이나 의견을 내세우고, 타당한 근거를 들어 독자를 설득하기 위한 글을 말한다.

주장하는 글의 특성

주관성	글쓴이의 주관적인 생각과 의견이 드러남.
논리성	적절한 논증의 방식을 사용하여 논리에 맞게 주장을 펼침.
명확성	글쓴이의 주장과 근거가 분명하고 명료하게 드러남.
타당성	객관적이고 이치에 맞는 근거를 이용하여 주장이나 의견을 뒷받침함.

주장하는 글의 구성

서론	글에서 다룰 문제를 명확하게 제기하고, 글을 쓴 목적을 밝힘.
본론	제기된 문제에 대해 자신의 주장을 밝히고, 이를 뒷받침할 수 있는 논리적인 근거를 제시함.
결론	글 전체 내용을 종합하고, 자신의 주장을 분명히 밝힘.

문제 해결 과정으로서의 읽기의 특성

문제 해결 과정으로서의 읽기는 글을 읽으면서 발생하는 여러 가지 인지적인 문제를 해결함으로써 글 내용을 명확하게 이해하게 되는 과정이라고 할 수 있다.

글을 읽고 의미를 구성하는 과정에서 만나는 문제	• 글을 읽을 때 모르는 단어가 나옴. • 문장의 의미가 애매하거나 모호한 경우가 있음. • 주제나 중심 생각이 직접 드러나 있지 않아서 그것을 추론해야 하는 경우가 있음. • 글쓴이의 주장이 합리적이고 타당한지 판단해야 함.
문제 해결	글에 나타난 정보를 단서로 독자 자신의 배경지식을 활용해야 함.

문제 해결 과정으로서의 읽기가 우리 삶에 미치는 영향

글에는 우리 삶의 문제에 대한 글쓴이의 생각이나 주장이 담겨 있다. 그러므로 독자는 독서를 통해 새로운 지식이나 정보를 얻을 수 있을 뿐만 아니라 이를 바탕으로 개인이나 사회가 안고 있는 문제를 해결하기 위한 방안을 모색할 수 있다. 또한 글쓴이의 생각이나 주장을 보완하거나 대체할 수 있는 창의적 방안을 발견할 수 있다.

간단 체크 개념 문제

1 다음 설명이 맞으면 ○표, 틀리면 ×표 하시오.

(1) 주장하는 글은 독자를 설득하기 위해 적절한 논증 방식을 사용한다. (　　　)

(2) 주장이나 의견을 뒷받침하는 근거는 객관적이고 이치에 맞아야 한다. (　　　)

(3) 주장하는 글은 비교적 자유로운 구성을 지닌다. (　　　)

2 다음 빈칸에 들어갈 알맞은 말을 쓰시오.

> 주장하는 글의 □□ 단계에서는 글에서 다룰 문제 상황을 제기하고 글을 쓴 동기와 목적을 제시한다.

3 다음 중 문제 해결 과정으로서의 읽기에 해당하지 않는 것은?

① 사전을 찾아 모르는 단어의 의미를 파악함.
② 글쓴이의 주장이 합리적이고 타당한지 판단함.
③ 글에 나타난 정보를 단서로 문장의 의미를 파악함.
④ 자신의 배경지식을 활용하여 글의 주제를 추론함.
⑤ 글의 내용 중 재미가 없는 부분을 제외하고 읽음.

● 정답과 해설 02쪽

●● 설명하는 글이란

어떤 사실이나 대상과 관련된 정보를 독자가 알기 쉽게 풀어 씀으로써 독자에게 객관적이고 사실적인 정보를 제공하는 글을 말한다.

●● 설명하는 글의 특성

객관성	개인의 의견이나 감정보다 사실에 바탕을 두고 있음.
정확성	설명하는 대상에 대한 정확하고 신뢰성 있는 정보가 바탕이 됨.
체계성	독자가 내용을 쉽게 이해할 수 있도록 짜임새 있게 조직됨.

●● 설명하는 글의 구성

처음	설명 대상을 소개하고, 글을 쓰게 된 동기나 목적 등을 제시함.
가운데	설명하려는 대상에 대해 구체적으로 설명함.
끝	글의 주요 내용을 요약하고 평가하거나, 앞으로의 과제를 덧붙이면서 글을 정리함.

●● 다양한 설명 방법

정의	'무엇은 무엇이다'의 방식으로, 대상의 본질과 뜻을 밝혀 설명하는 방법 예 씨름은 모래판에서 두 사람이 서로의 샅바를 붙잡고 겨루는 경기이다.
예시	구체적이고 대표적인 예를 들어 대상을 설명하는 방법 예 한식에는 불고기, 비빔밥, 김치찌개, 파전 등이 있다.
비교	둘 이상의 대상을 견주어서 공통점이나 비슷한 점을 중심으로 설명하는 방법 예 숟가락과 젓가락은 둘 다 밥을 먹을 때 쓰는 도구이다.
대조	둘 이상의 대상을 견주어서 차이점을 중심으로 설명하는 방법 예 개는 주로 낮에 활동하는 데 반해, 고양이는 주로 밤에 활동한다.
분류	여러 가지 대상을 일정한 기준에 따라 나누거나 묶어서 설명하는 방법 예 자동차는 용도에 따라 승용차, 승합차, 화물차, 특수차로 나눌 수 있다.
분석	하나의 대상을 이루고 있는 구성 요소를 나누어 설명하는 방법 예 시계는 태엽, 초침, 분침, 시침 등으로 구성되어 있다.
인과	어떤 결과를 가져오는 원인, 또는 원인에 따른 결과를 밝혀 설명하는 방법 예 이곳에서 교통사고가 많이 일어나는 것은 교통 신호 체계에 문제가 있기 때문이다.
과정	목표나 결과에 도달하기 위한 행동, 변화, 단계 등을 순서대로 설명하는 방법 예 자유형을 할 때에는 최대한 몸에 힘을 빼면서 팔을 쭉쭉 앞으로 민다. 이 동작에 익숙해지면 발을 조금씩 차면서 앞으로 나아간다.

간단 체크 개념 문제

4 다음 설명이 맞으면 ○표, 틀리면 ×표 하시오.

(1) 설명하는 글은 개인의 의견이나 감정에 바탕을 두고 있다. (　　)

(2) 설명하는 글은 정확하고 신뢰성 있는 정보가 바탕이 된다. (　　)

(3) 설명하는 글은 처음, 가운데, 끝의 구성 단계에 따라 내용을 조직한다. (　　)

5 다음 빈칸에 들어갈 알맞은 말을 쓰시오.

> □□은(는) 둘 이상의 대상을 견주어서 공통점이나 비슷한 점을 중심으로 설명하는 방법이다.

6 〈보기〉에 사용된 설명 방법으로 알맞은 것은?

> 보기
>
> 자유형을 할 때에는 최대한 몸에 힘을 빼면서 팔을 쭉쭉 앞으로 민다. 이 동작에 익숙해지면 발을 조금씩 차면서 앞으로 나아간다.

① 정의
② 과정
③ 분석
④ 인과
⑤ 분류

(1) 능동적으로 해결하며 읽기 _ 플라스틱은 전혀 분해되지 않았다

학습 목표 읽기는 글에 나타난 정보와 독자의 배경지식을 활용하여 문제를 해결하는 과정임을 이해하고 글을 읽을 수 있다.

즐겁게 책 읽기 책을 읽으며 인상 깊었던 문장을 친구들과 공유할 수 있다.

박경화(1972~)
환경 운동가. 환경 단체에서 활동하면서 환경 보호 관련 강연 및 저술 활동을 하고 있다.

서론 학습 포인트

❶ 플라스틱의 장점 및 특성
❷ 글쓴이가 지적하는 현대 사회의 문제점

(가) 인류 역사는 구석기, 신석기, 청동기, 철기 시대를 거쳐 오늘날에 이르렀다. 그렇다면 지금 우리는 어떤 시대를 살고 있을까? 전문가들은 플라스틱 시대라고 말한다. 전자 제품뿐 아니라 각종 주방 용품이나 생활용품 등 다양한 물건에 플라스틱이 쓰이고 있기 때문이다. 이런 상황에서 과연 플라스틱이 없는 생활을 상상할 수 있을까?

(나) 플라스틱은 석유에서 추출한 원료를 결합하여 만든 고분자(화합물 가운데 분자량이 대략 1만 이상인 분자) 화합물의 한 종류이다. 이 고분자 물질은 대부분 합성수지(유기 화합물의 합성으로 만들어진 수지 모양의 고분자 화합물을 통틀어 이르는 말)인데, 합성수지를 열 가공하거나 경화제(경도를 높이거나 경화를 촉진하기 위하여 첨가하는 물질), 촉매, 중합체(분자가 기본 단위의 반복으로 이루어진 화합물) 등을 사용하여 일정한 형상으로 성형한 것 또는 그 원료인 고분자 재료를 플라스틱이라고 한다. 플라스틱은 매우 가벼운 데다 모양을 변형하기도 쉽고 다양한 빛깔로도 만들 수 있다. 게다가 절연성(전기가 통하지 아니하는 성질)도 뛰어나니 플라스틱이 우리 생활 깊숙이 자리 잡은 것은 어쩌면 당연한 일처럼 보인다.

> 모르는 단어가 나오면 문맥을 살피거나 사전을 찾아 의미를 파악하며 읽어 보자.

(다) 이렇듯 일상생활에서 흔히 사용하는 플라스틱이 문제가 되는 이유는 바로 플라스틱이 잘 썩지 않는 물질이라는 데 있다. 플라스틱이 분해되려면 500년 혹은 그 이상의 기간이 걸린다고 한다. 어떤 전문가들은 플라스틱이 분해되는 기간을 정확히 알 수 없다고도 말한다. 즉, 플라스틱이 만들어진 지 100년 정도밖에 되지 않았다는 점을 감안하면(여러 사정을 참고하여 생각하면), 인간이 생산한 플라스틱은 아직 어딘가에 아직 그대로 남아 있는 것이다. 하지만 사람들은 플라스틱을 재활용할 수 있다는 생각에 플라스틱 제품을 편하게 쓰고 쉽게 버린다. 그것이 소탐대실하는 것인지도 모른 채 말이다.

> 글에 나타난 정보를 단서로 문장의 의미를 파악하며 읽어 보자.

학습콕 서론 | 소주제: 일상생활에 깊숙이 자리한 □□□□ 사용에 대한 문제 제기

❶ 플라스틱의 장점 및 특성

장점	• 매우 가볍고 모양을 변형하기 쉬우며 다양한 빛깔로 만들 수 있음. • □□□이 뛰어남.
특성	잘 썩지 않는 물질로, 분해되려면 500년 혹은 그 이상의 기간이 걸림.

❷ 글쓴이가 지적하는 현대 사회의 문제점

현대 사회의 특성		글쓴이가 지적하는 현대 사회의 문제점
일상생활 속에 플라스틱 제품이 깊숙이 자리하고 있는 '플라스틱 시대'임.	→	플라스틱이 잘 썩지 않는 물질이라는 것을 인식하지 못하고, 플라스틱을 재활용할 수 있다고 생각하여 플라스틱 제품을 편하게 쓰고 쉽게 버리고 있음.

간단 체크 내용 문제

01 (가)에서 다루고 있는 문제 상황으로 가장 적절한 것은?
① 전자 제품에 지나치게 의존한다.
② 다양한 생활용품을 낭비하고 있다.
③ 플라스틱이 없는 생활에 익숙해지고 있다.
④ 일상생활에서 플라스틱을 많이 사용한다.
⑤ 주방 용품의 사용으로 환경이 오염되고 있다.

02 (나)와 (다)를 통해 알 수 있는 내용이 아닌 것은?
① 플라스틱의 개념
② 플라스틱의 장점
③ 플라스틱을 분해하는 방법
④ 플라스틱이 만들어진 시기
⑤ 플라스틱이 문제가 되는 이유

중요
03 (다)를 읽는 방법으로 적절하지 않은 것은?
① 글쓴이의 의도를 추론하며 읽는다.
② 글의 핵심 내용을 요약하며 읽는다.
③ 글쓴이의 경험과 정서에 공감하며 읽는다.
④ 사전을 찾아 모르는 단어의 의미를 파악하며 읽는다.
⑤ 글에 나타난 정보를 단서로 문장의 의미를 파악하며 읽는다.

본론 학습 포인트

❶ 플라스틱 쓰레기의 처리 실태
❷ 플라스틱 쓰레기가 동물과 인간의 삶에 해를 끼친 사례

라 사람들의 생각과 달리 ㉠재활용되는 플라스틱의 양은 그리 많지 않다. 페트병, 요구르트병, 블록, 비닐봉지, 스티로폼 등도 각기 재질이 다르고, 이것 외에도 플라스틱의 종류가 다양하다 보니 재질별로 선별하는 것이 쉽지 않기 때문이다. 더구나 이물질이 많이 묻어 있거나 세척되지 않은 채 버려지는 용기류가 많아, 재활용을 하더라도 플라스틱 함지나 정화조처럼 품질이 떨어지는 제품을 만들 수밖에 없다. 재활용률이 70 퍼센트 정도로 비교적 높은 편인 페트병도 다시 페트병이 되지는 못하고 화학 솜이나 노끈 등으로 만들어진다. 재활용되지 않은 플라스틱 쓰레기는 태우거나 매립장에 묻는데, 이는 그나마 수거된 플라스틱 쓰레기에 국한된 이야기이다. 수거되지 않은 플라스틱은 산과 들에 아무렇게나 묻히거나 어딘가를 떠돌아다니다 바다로 흘러들어 간다.

함지: 나무로 네모지게 짜서 만든 그릇
정화조: 불순물 따위를 제거하기 위하여 액체를 일시적으로 저장하여 두는 수조

마 미국의 사진작가 크리스 조던은 2009년에 북태평양 미드웨이섬에서 촬영한 충격적인 사진을 인터넷에 공개했다. 사진 속에는 멸종 위기종인 앨버트로스가 죽어 있었는데, 그 몸속에는 플라스틱 뚜껑과 작게 부서진 플라스틱 조각들이 가득 차 있었다. 미드웨이섬은 아시아와 아메리카 대륙의 중간 지점에 있어서 미드웨이라는 이름이 붙었다. 이름처럼 태평양 한가운데에 있는 이 섬에는 세계 곳곳에서 버려진 쓰레기들이 바람과 해류를 따라 휩쓸려 온다. 바다를 떠다니는 동안 단단했던 플라스틱 쓰레기는 깨지고 닳아 작은 크기로 부서진 채 물속을 떠다닌다. 앨버트로스는 이 플라스틱의 알록달록한 빛깔에 이끌려 그것이 얼마나 위험한 것인지도 모른 채 꿀꺽 삼키고 말았던 것이다. 플라스틱 조각을 먹이로 착각하여 삼킨 앨버트로스는 결국 영양실조에 걸려 서서히 죽어 갔을 것이다.

멸종: 생물의 한 종류가 아주 없어짐.

배경지식 미세 플라스틱

미세 플라스틱이란 5 밀리미터 미만의 작은 플라스틱으로, 처음부터 미세 플라스틱으로 제조되거나, 플라스틱 제품이 부서지면서 만들어진다. 미세 플라스틱은 너무 작아 하수 처리 시설에서 걸러지지 않고, 바다와 강으로 그대로 유입된다. 2015년 영국에서 발표된 「해양 속 작은 플라스틱 쓰레기에 관한 국제 목록」이라는 논문에서는 바다 속에 최소 15조에서 최대 51조 개의 미세 플라스틱이 있는 것으로 추정하고 있다. 미세 플라스틱은 환경을 파괴할 뿐만 아니라, 인간의 건강을 위협한다는 점에서도 문제가 된다. 강과 바다의 생물들은 미세 플라스틱을 먹이로 착각하여 먹고 위장 장애 및 영양실조 등의 문제를 겪으면서 서서히 죽어 간다. 더 큰 문제는 그렇게 미세 플라스틱을 먹은 생물들을 인간이 섭취하게 된다는 데 있다.

– 시사 상식 사전(https://terms.naver.com)

글의 내용과 관련된 배경지식을 활용하며 읽어 보자.

간단 체크 내용 문제

04 〈보기〉에서 ㉠의 이유로 적절한 것을 골라 바르게 묶은 것은?

| 보기 |
ㄱ. 페트병을 제외하고는 수거가 되지 않으므로
ㄴ. 플라스틱을 재질별로 선별하는 것이 쉽지 않으므로
ㄷ. 플라스틱을 태우거나 매립장에 묻는 경우가 많으므로
ㄹ. 재활용을 통해 이전처럼 품질이 좋은 제품을 만들 수 없으므로

① ㄱ, ㄴ ② ㄱ, ㄷ
③ ㄱ, ㄹ ④ ㄴ, ㄹ
⑤ ㄷ, ㄹ

중요

05 글의 내용과 관련된 배경지식을 활용하여 (마)를 이해한 내용에 해당하는 것은?

① 앨버트로스는 멸종 위기종으로 지정되어 있군.
② 미드웨이섬은 아시아와 아메리카 대륙의 중간 지점에 있군.
③ 크리스 조던의 사진은 죽은 앨버트로스의 몸속을 찍은 것이군.
④ 앨버트로스가 먹이로 착각하여 삼킨 것은 미세 플라스틱이군.
⑤ 미드웨이섬의 쓰레기는 바람과 해류를 따라 휩쓸려 온 것이군.

06 (마)에 사용된 설명 방법을 한 단어로 쓰시오.

글의 구성 단계별로 중심 생각을 정리하며 읽어 보자.

바 플라스틱은 또 다른 멸종 위기종인 붉은바다거북의 생존도 위협하고 있다. 산란기(알을 낳을 시기)를 맞은 바다거북은 많으면 한 번에 백 개가량의 알을 일곱 번까지 낳는다. 알에서 깨어난 새끼 거북은 모래 구덩이에서 나와 6 센티미터가량 자랐을 때 바다로 떠났다가, 30년이 지나서야 자신이 태어났던 바닷가를 다시 찾아온다. 이때 바다거북이 살아서 돌아올 확률은 5000분의 1에 지나지 않는다. 플라스틱은 이렇게 낮은 바다거북의 생존율을 더 낮추고 있다. 바다거북은 바다를 떠돌아다니는 플라스틱 조각과 비닐, 풍선 등의 쓰레기를 해파리와 같은 먹이로 착각해서 삼키고 만다. 소화되지 않는 쓰레기를 먹은 바다거북은 영양분을 흡수하기는커녕 화학 물질만 몸속에 쌓여 이상 행동을 보이기도 하고, 껍질이 약한 알을 낳거나 죽기도 한다.

사 플라스틱이 동물에게 해를 끼친 사례는 해외에서만 찾을 수 있는 것이 아니다. 2012년 8월 제주 김녕 앞바다에 어린 암컷 뱀머리돌고래가 바닷가로 떠밀려 왔다. 해양 경찰과 지역 주민들은 마르고 기운이 없어 보이는 뱀머리돌고래를 치료했지만, 이 돌고래는 구조된 지 얼마 지나지 않아 그만 죽고 말았다. 사람들은 돌고래가 죽은 원인을 밝히기 위해 이 돌고래를 부검했는데(해부하여 검사했는데), 이 돌고래는 근육량과 지방층이 부족했고, 팽창한 위 속에는 비닐과 엉킨 끈 뭉치가 들어 있었다. 뱀머리돌고래는 위 속에 들어 있는 이와 같은 이물질 때문에 먹이를 제대로 먹지 못하다가 결국 영양이 부족하여 죽은 것이다.

아 해양 쓰레기의 60에서 80 퍼센트는 플라스틱이 차지하고 있다. 플라스틱 쓰레기는 바다를 떠다니다가 잘게 부서져 새와 바다거북, 돌고래와 같은 동물들에게 해를 끼치고 있다. 또한 흉물스럽게(모양이 흉하고 괴상한 데가 있게) 버려진 플라스틱 쓰레기는 자연 경관을 해쳐 관광 산업에도 피해를 주며, 선박의 안전도 위협한다. 그뿐만 아니라, 사람의 눈에 잘 보이지 않는 미세 플라스틱은 물고기의 내장이나 싱싱한 굴 속에도 유입되어 우리의 식탁에 오른다. 결국은 우리의 건강까지 위협하는 것이다.

간단 체크 내용 문제

07 (중요) **(바)에 소제목을 붙인다고 할 때, 그 내용으로 가장 적절한 것은?**

① 붉은바다거북의 먹이 종류
② 붉은바다거북의 생태적 특성
③ 붉은바다거북의 낮은 생존율
④ 붉은바다거북이 멸종 위기종이 된 이유
⑤ 붉은바다거북의 생존을 위협하는 플라스틱

08 **(사)에서 국내의 사례를 제시하여 얻을 수 있는 효과로 적절한 것은?**

① 새로운 주장과 근거를 제시할 수 있다.
② 어려운 내용을 더 쉽게 설명할 수 있다.
③ 화제를 전환하여 독자의 주의를 환기할 수 있다.
④ 이전 사례와의 대조를 통해 차이점을 부각할 수 있다.
⑤ 독자 주변의 사례를 통해 문제에 대한 독자의 경각심을 불러일으킬 수 있다.

09 **(아)에서 플라스틱의 문제점으로 언급하지 <u>않은</u> 것은?**

① 미세 먼지를 유발한다.
② 인간의 건강을 해친다.
③ 선박의 안전을 위협한다.
④ 동물들에게 해를 끼친다.
⑤ 관광 산업에 피해를 준다.

학습콕 **본론 | 소주제:** ☐☐와 ☐☐☐☐이 어려운 플라스틱이 동물과 인간에게 해를 끼친 사례

❶ 플라스틱 쓰레기의 처리 실태

플라스틱 재활용이 어려운 까닭
• 플라스틱의 종류가 다양하여 재질별로 선별하는 것이 쉽지 않음. • ☐☐☐이 묻어 있거나 세척되지 않고 버려지는 용기류가 많아, 재활용을 하더라도 품질이 떨어지는 제품을 만들 수밖에 없음. • 재활용률이 높은 페트병도 다시 페트병이 되지 못하고 화학 솜, 노끈 등으로 만들어짐.

⬇

재활용되지 않은 플라스틱 쓰레기의 처리 실태
• 수거된 플라스틱 쓰레기: 태우거나 매립장에 묻음. • 수거되지 않은 플라스틱: 산과 들에 묻히거나 바다로 흘러들어 감.

❷ 플라스틱 쓰레기가 동물과 인간의 삶에 해를 끼친 사례

동물	앨버트로스	플라스틱 조각을 먹이로 착각하여 삼킨 후, ☐☐☐☐에 걸려 죽음.
	붉은바다거북	• 플라스틱 조각, 비닐, 풍선 등의 쓰레기를 먹이로 착각하여 삼킨 후, 영양분을 흡수하지 못함. • 화학 물질이 몸속에 쌓여 이상 행동을 보이기도 하고, 껍질이 약한 알을 낳거나 죽기도 함.
	밤머리돌고래	비닐과 끈 뭉치를 삼킨 후, 다른 먹이를 제대로 먹지 못해 죽음.
인간	관광 산업 및 선박 운행	자연 경관을 해쳐 관광 산업에 피해를 주고, 선박의 안전을 위협함.
	인간의 건강	미세 플라스틱을 섭취한 물고기의 내장이나 굴 등이 식탁에 올라 건강을 위협함.

결론 학습 포인트

❶ 플라스틱 사용 문제에 대한 글쓴이의 주장

(자) 지질 시대에 만들어진 석유는 지구가 매우 오랜 기간에 걸쳐 만들어 낸 소중한 자원이다. 하지만 우리는 이 소중한 석유를 겨우 10분가량 사용할 플라스틱으로 만들었다가, 다시 수백 년 동안 분해되지 않는 쓰레기로 만들고 있다. 길바닥에 나뒹구는 쓰레기로, 바다를 떠다니는 해양 쓰레기로, 매립장에 가득 쌓인 쓰레기로 말이다. 지금까지 사람들이 만들어 낸 모든 플라스틱 쓰레기는 썩지 않고 이 지구 어딘가에 존재하고 있다. 그런데도 계속해서 플라스틱을 이렇게 편하게 쓰고 쉽게 버려도 될까? 손이 닿는 곳이면 어디에나 있는 플라스틱을 전혀 사용하지 않고 생활하기는 어렵겠지만, 줄일 수 있다면 줄여 보자. 특히 짧은 시간 사용하고 버리는 일회용 플라스틱 제품은 더더욱 선택하지 말자.

> 글쓴이의 주장이 합리적이고 타당한지 판단하며 읽어 보자.

학습콕 **결론 | 소주제:** 플라스틱 사용을 줄이자는 글쓴이의 주장

❶ 플라스틱 사용 문제에 대한 글쓴이의 주장

플라스틱 쓰레기는 썩지 않고 지구 어딘가에 존재하고 있으며, 우리에게 다양한 피해를 입힘. ➡ 플라스틱 사용을 줄이고, ☐☐☐ ☐☐ ☐☐ 제품은 더더욱 선택하지 않도록 노력해야 함.

간단 체크 내용 문제

중요

10 다음은 (자)를 읽은 학생의 반응이다. 학생의 읽기 방법으로 가장 적절한 것은?

> 글쓴이의 주장은 인류와 지구를 보호하기 위한 방안이라는 점에서 누구나 받아들일 수 있는 내용이라고 생각해.

① 글쓴이의 주장이 합리적이고 타당한지 판단하면서 읽었다.
② 글쓴이의 주장이 명료하고 구체적인지 판단하면서 읽었다.
③ 글쓴이의 주장에 사실과 다른 정보가 있는지 판단하면서 읽었다.
④ 글쓴이의 주장을 뒷받침하는 근거가 충분한지 판단하면서 읽었다.
⑤ 글쓴이의 주장이 처음부터 끝까지 하나의 관점으로 유지되었는지 판단하면서 읽었다.

11 (자)에 나타난 글쓴이의 주장으로 가장 적절한 것은?

① 플라스틱을 사용하지 말자.
② 플라스틱의 사용을 줄이자.
③ 석유로 플라스틱을 만들지 말자.
④ 플라스틱 쓰레기를 버리지 말자.
⑤ 일회용 플라스틱 제품을 만들지 말자.

학습 활동

교과서 18~29쪽

이해
❶ 이 글에 나타난 정보와 배경지식을 바탕으로 글의 중심 내용 파악하기
❷ 글쓴이의 주장을 비판적으로 수용하고 평가하기

1 이 글의 내용을 정리해 보자.

(1) 다음 빈칸을 채우면서, 플라스틱의 특성을 파악해 보자.

플라스틱

플라스틱이 쓰이는 제품
- 전자 제품, 주방 용품, 생활용품
- 페트병, 요구르트병, 블록, 비닐 봉지, 스티로폼
- 함지, 정화조, 화학 솜, 노끈

플라스틱이 다양한 제품에 사용되는 까닭

답 • 매우 가벼움.
- 모양을 변형하기 쉬움.
- 다양한 빛깔로도 만들 수 있음.
- 절연성이 뛰어남.

플라스틱이 분해되는 데 걸리는 시간

답 • 500년 혹은 그 이상임.
- 어떤 전문가들은 분해되는 기간을 정확히 알 수 없다고 말함.

플라스틱을 재활용하기 어려운 까닭

답 • 종류가 많아 재질별로 선별하는 것이 어려움.
- 이물질이 묻어 있거나 세척되지 않은 채 버려지는 용기류가 많고, □□□을 하더라도 원래의 제품으로 다시 만들기 어려움.

(2) 플라스틱이 동물에게 피해를 준 사례를 정리해 보자.

앨버트로스 ·········· 알록달록한 플라스틱 조각을 먹이로 착각하여 먹고, 영양실조에 걸려 서서히 죽음.

붉은바다거북 ·········· 답 플라스틱 조각, 비닐, 풍선 등의 쓰레기를 □□로 착각하고 삼켜 영양분을 흡수하지 못함. 화학 물질이 몸에 쌓여 이상 행동을 보이거나, 껍질이 약한 알을 낳거나, 죽음.

뱀머리돌고래 ·········· 답 비닐과 끈 뭉치를 먹고, 다른 먹이를 제대로 먹지 못해 영양 부족으로 죽음.

간단 체크 활동 문제

01 이 글을 통해 알 수 있는 플라스틱의 특성으로 적절하지 않은 것은?

① 분해되는 데 500년 이상의 시간이 걸린다.
② 재활용을 통해 원래의 제품으로 다시 만들 수 있다.
③ 전자 제품, 주방 용품, 생활용품 등 다양한 물건에 쓰인다.
④ 종류가 다양하여 재질별로 선별해 재활용하는 것이 쉽지 않다.
⑤ 매우 가볍고 모양을 변형하기가 쉽다는 장점을 지닌 재료이다.

02 다음 사례들을 통해 이끌어 낼 수 있는 결론을 한 문장으로 쓰시오.

- 플라스틱 조각을 먹이로 착각하여 먹고, 영양실조에 걸려 죽은 앨버트로스
- 플라스틱 조각, 비닐, 풍선 등의 쓰레기를 먹이로 착각하고 삼켜 영양분을 흡수하지 못한 채 이상 행동을 보이거나 죽은 붉은바다거북
- 비닐과 엉킨 끈 뭉치를 먹고, 다른 먹이를 제대로 먹지 못해 영양 부족으로 죽은 뱀머리돌고래

2 다음 단계에 따라 이 글에 사용된 문장의 의미를 추론해 보자.

그것이 소탐대실하는 것인지도 모른 채 말이다.

(1) 이 문장에서 '그것'이 가리키는 내용과 '소탐대실'의 뜻을 써 보자.

• '그것'이 가리키는 내용:

답 □□□□□ 제품을 편하게 쓰고 쉽게 버리는 것

• '소탐대실'의 뜻:

답 작은 것을 탐하다가 큰 것을 잃음.

(2) 이 문장과 관련된 정보인 다음 내용을 이 글에서 찾아 정리해 보자.

플라스틱 사용으로 인한 피해

• 새, 바다거북, 돌고래와 같은 동물에게 해를 끼치고 있음.

답 • 자연 경관을 해쳐 관광 산업에 피해를 주고, 선박의 안전을 위협함.

• 사람의 눈에 잘 보이지 않는 미세 플라스틱은 동물에 유입되어 우리의 식탁에 오르고 결국 우리의 □□까지 해침.

(3) (1)과 (2)를 단서로 하여, 이 문장의 의미를 파악해 보자.

답 • '소탐대실'의 뜻에서 '작은 것을 탐하다가'는 플라스틱을 편하게 쓰고 쉽게 버리는 행태를, '큰 것을 잃음'은 환경이 오염되고 동물과 사람의 건강이 위협받게 된 상황을 의미한다. 따라서 이 문장의 의미는 편하다고 무분별하게 플라스틱을 사용하다 보면 결국 그 피해는 □□에게 더 크게 돌아오게 된다는 것임을 알 수 있다.

• 글쓴이는 이 문장의 앞부분에서 주로 플라스틱의 장점을 이야기했지만, 뒷부분부터는 주로 플라스틱이 주는 피해를 이야기하고 있다. 따라서 이 문장의 의미는 우리가 편하게 쓰는 플라스틱이 사실은 심각한 문제를 야기한다는 것임을 알 수 있다.

3 이 글을 이해할 때 도움이 되었던 배경지식을 말해 보자.

미세 플라스틱에 관한 인터넷 백과사전의 글을 읽은 것이 도움이 되었어.

얼마 전에 민간 자연 보호 단체인 세계 자연 기금(WWF)의 누리집을 둘러보았던 것이 도움이 되었어.

예시 답›› • 환경부 누리집에서 「플라스틱 용기와 기타 플라스틱류, 같이 버려도 될까?」라는 카드 뉴스를 본 적이 있어. 왜 플라스틱 재활용이 쉽지 않은지 더 잘 와닿았어.

• 나는 한 누리집에서 「플라스틱 쓰레기! 이제 안녕」과 「플라스틱의 역습」이라는 동영상을 본 적이 있어. 그 내용을 떠올리며 글을 읽으니 글쓴이가 주장하는 내용을 더욱 명확하게 알 수 있었어.

간단 체크 활동 문제

03 다음 중 플라스틱을 바라보는 관점이 다른 것은?

① 자연 경관을 해쳐 관광 산업에 피해를 준다.
② 해양 쓰레기가 되어 선박의 안전을 위협한다.
③ 다양한 빛깔로 만들 수 있으며 절연성이 뛰어나다.
④ 새, 바다거북, 돌고래와 같은 동물에게 해를 끼친다.
⑤ 동물에 유입되어 식탁에 오르고 인간의 건강을 해친다.

04 글의 내용과 문맥을 고려할 때, ㉠의 의미로 적절한 것은?

> 사람들은 플라스틱을 재활용할 수 있다는 생각에 플라스틱 제품을 편하게 쓰고 쉽게 버린다. ㉠그것이 소탐대실하는 것인지도 모른 채 말이다.

① 플라스틱 제품은 쓰기 편리한 만큼 쉽게 버려진다.
② 플라스틱은 인간의 삶에 아무런 도움이 되지 않는다.
③ 플라스틱은 사용하기가 매우 까다롭지만 버리기도 쉽지 않다.
④ 플라스틱을 재활용하여 제품을 만드는 것이 플라스틱을 버리는 것보다 더 손해다.
⑤ 편하다고 플라스틱을 무분별하게 사용하면 결국 그 피해가 인간에게 돌아온다.

4 주장하는 글의 구성 단계에 따라 중심 내용을 요약해 보자.

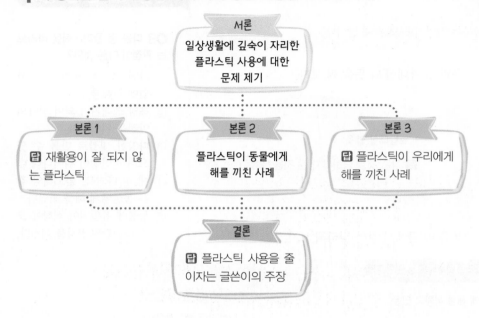

서론
일상생활에 깊숙이 자리한 플라스틱 사용에 대한 문제 제기

본론 1
답 재활용이 잘 되지 않는 플라스틱

본론 2
플라스틱이 동물에게 해를 끼친 사례

본론 3
답 플라스틱이 우리에게 해를 끼친 사례

결론
답 플라스틱 사용을 줄이자는 글쓴이의 주장

5 글쓴이의 주장을 파악하고, 글쓴이의 주장이 타당한지 평가해 보자.

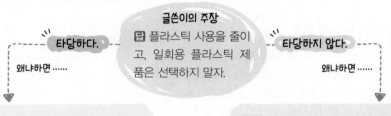

글쓴이의 주장
답 플라스틱 사용을 줄이고, 일회용 플라스틱 제품은 선택하지 말자.

타당하다. 왜냐하면 ……

- 플라스틱이 동물뿐만 아니라 인간의 건강까지 위협하기 때문이다.
- 예시 답» 플라스틱은 잘 썩지 않아서 환경을 오염하기 때문이다.
- 예시 답» 일상생활에서 우리가 직접 실천할 수 있는 해결 방안이기 때문이다.

타당하지 않다. 왜냐하면 ……

- 플라스틱으로 만들어진 물건이 많아 쉽게 줄이기 힘들기 때문이다.
- 예시 답» 플라스틱을 대체할 물질을 찾기 어렵기 때문이다.
- 예시 답» 우리가 플라스틱 사용을 줄여도 이미 만들어진 플라스틱이 일으키는 문제를 해결할 수는 없기 때문이다.

학습콕

❶ 문제 해결 과정으로서의 읽기의 특성

글의 의미를 구성하는 과정에서 만나는 문제	• 글을 읽을 때 모르는 단어를 만나거나 의미가 모호한 문장을 만남. • 주제나 중심 생각이 직접 드러나 있지 않아서 이를 추론해야 하는 경우가 있음. • 글쓴이의 주장이 합리적이고 타당한지 판단해야 함.

⬇

문제 해결	글에 나타난 정보를 단서로 독자 자신의 배경지식을 활용해야 함.

간단 체크 활동 문제

05 '플라스틱 사용을 줄이자.'라는 의도의 주장하는 글을 쓰기 위한 계획으로 적절하지 않은 것은?

① '서론'에서 일상생활에 깊숙이 자리한 플라스틱 사용에 대한 문제를 제기한다.
② '본론'에서 재활용이 잘 되지 않는 플라스틱의 처리 실태를 제시한다.
③ '본론'에서 플라스틱이 동물에게 해를 끼친 구체적 사례를 제시한다.
④ '본론'에서 플라스틱 사용으로 얻을 수 있는 경제적 이익을 제시한다.
⑤ '결론'에서 일회용 플라스틱 제품을 선택하지 말자는 당부를 제시한다.

06 다음 중 글쓴이의 주장을 '타당하지 않다.'라고 평가하기 위한 근거로 적절한 것을 모두 골라 기호를 쓰시오.

ㄱ. 플라스틱은 동물뿐만 아니라 인간의 건강까지 위협하기 때문이다.
ㄴ. 장점이 많은 플라스틱을 대체할 수 있는 물질을 찾기 어렵기 때문이다.
ㄷ. 이미 플라스틱으로 만들어진 물건이 많아 사용량을 줄이기가 쉽지 않기 때문이다.
ㄹ. 일상생활에서 플라스틱이 쓰이지 않은 제품을 사용하는 것은 실천이 가능한 방안이기 때문이다.

적용

❶ 이 글의 중심 내용과 글쓴이의 의견을 파악하고, 이를 비판적으로 수용하기
❷ 문제를 능동적으로 해결하며 글을 읽었을 때의 효과 이해하기

다음은 적정 기술의 긍정적 측면을 설명한 글이다. 글에 나타난 정보를 자신의 배경지식과 관련지으면서 이 글을 읽어 보자.

갈래	설명하는 글(설명문)	성격	체계적, 예시적, 실용적
제재	적정 기술		
주제	과학적 사고를 바탕으로 개발된 다양한 적정 기술에 대한 소개		
특징	• 적정 기술이 적용된 발명품을 나열함. • 적정 기술이 적용된 건축물의 형태와 원리를 구체적으로 설명함.		

'항아리 냉장고'를 아시나요?

이원춘·전윤영·김경희

가 요즘은 집집마다 다양한 전기 제품을 사용하고 있다. 음식을 보관하기 위한 냉장고, 실내 온도를 조절하기 위한 에어컨, 그 밖에도 세탁기, 텔레비전, 컴퓨터 등 우리가 사용하는 전기 제품은 셀 수 없이 많다. 이처럼 전기는 생활을 편리하게 해 주는 소중한 자원이지만, 에너지는 유한하기 때문에 우리는 항상 전기를 절약하는 방법을 고민하곤 한다.

내가 찾은 단어

예시 답 》 • 모색: 일이나 사건 따위를 해결할 수 있는 방법이나 실마리를 더듬어 찾음.

나 이처럼 유한한 자원을 효율적으로 이용하기 위해 다양한 방법이 모색되고 있는데, 그중 하나가 바로 적정 기술이다. 적정 기술은 한 공동체의 문화·정치·환경적인 면들을 종합적으로 고려하여 개발된 기술을 일컫는다. 현지에서 구할 수 있는 재료를 사용하고 자본을 적게 투자하면서도, 누구나 쉽게 배우고 쓸 수 있다는 장점이 있다.

내가 확인한 문장

• 누구나 쉽게 배우고 쓸 수 있다는 장점이 있다.: 적정 기술을 쉽게 배우고 쓸 수 있다는 말이 이해가 잘 되지 않았는데, 이어지는 '항아리 냉장고'의 원리를 읽으니 이해가 되었어.

다 적정 기술의 예로는 나이지리아의 교사인 모하메드 바 압바가 개발한 '항아리 냉장고'가 유명하다. '항아리 냉장고'는 냉장고가 없는 지역이나 냉장고가 있더라도 전기가 제대로 공급되지 않아 음식물 보관에 어려움을 겪는 사람들에게 매우 유용한 발명품이다. 보관 기간이 3일 정도밖에 되지 않는 토마토나 후추와 같은 식품을 이 냉장고에 보관하면 무려 21일 정도까지나 신선하게 보관할 수 있다고 하니, 그야말로 획기적인 기술이라고 할 수 있다.

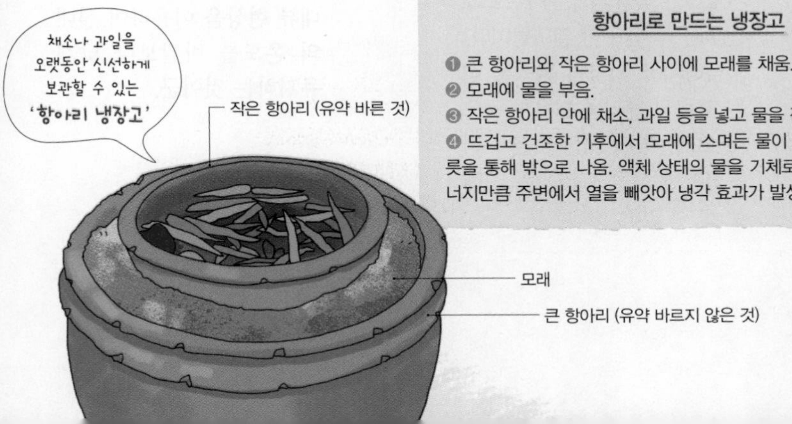

항아리로 만드는 냉장고

❶ 큰 항아리와 작은 항아리 사이에 모래를 채움.
❷ 모래에 물을 부음.
❸ 작은 항아리 안에 채소, 과일 등을 넣고 물을 적신 천으로 덮음.
❹ 뜨겁고 건조한 기후에서 모래에 스며든 물이 증발하면서 큰 질그릇을 통해 밖으로 나옴. 액체 상태의 물을 기체로 만들 때 들어간 에너지만큼 주변에서 열을 빼앗아 냉각 효과가 발생함.

간단 체크 활동 문제

07 글의 구성 단계를 고려할 때, (가)와 (나)의 중심 내용으로 가장 적절한 것은?

① 에너지의 유한성
② 전기 절약의 필요성
③ 적정 기술의 개념과 장점
④ 적정 기술이 적용된 발명품
⑤ 일상생활에서 전기를 효율적으로 사용하는 방법

08 다음은 (나)와 (다)를 읽은 후, 학생이 메모한 내용이다. 적절하지 않은 것은?

〈항아리 냉장고〉
ㄱ. 적정 기술의 예에 해당함.
ㄴ. 나이지리아의 한 과학자가 개발한 획기적인 기술임.
ㄷ. 전기를 이용하지 않고도 식품을 오랫동안 신선하게 보관할 수 있음.
ㄹ. 냉장고가 없거나 전기가 제대로 공급되지 않는 환경적 특징을 고려한 발명품임.
ㅁ. 현지에서 구할 수 있는 재료를 사용하여 만든 것으로 누구나 쉽게 배우고 쓸 수 있음.

① ㄱ ② ㄴ ③ ㄷ
④ ㄹ ⑤ ㅁ

라 '항아리 냉장고'의 원리는 간단하다. 먼저 큰 항아리 속에 작은 항아리를 집어넣는다. 그리고 두 항아리 사이의 공간을 젖은 모래로 채운 다음, 젖은 헝겊으로 작은 항아리를 덮는다. 진흙으로 빚은 항아리는 단열 작용을 하여 외부 열을 차단하는 역할을 하고, 모래 속의 물은 증발하면서 열을 빼앗아 가는 역할을 한다. 이 덕분에 작은 항아리 안의 온도가 낮아져 채소나 과일을 오랫동안 신선하게 보관할 수 있는 것이다.

내가 찾은 단어

- 단열: 물체와 물체 사이에 열이 서로 통하지 않도록 막음. 또는 그렇게 하는 일.
- 정화: 불순하거나 더러운 것을 깨끗하게 함.
- 간이: 간단하고 편리함. 물건의 내용, 형식이나 시설 따위를 줄이거나 간편하게 하여 이용하기 쉽게 한 상태를 이른다.

마 또 다른 예로는 오염된 물을 정화할 수 있는 휴대용 물 정화 장치인 '라이프 스트로'가 있다. 빨대처럼 생긴 '라이프 스트로'로 물을 빨아들이면, 물이 간이 정화 장치를 통과하면서 깨끗해져 오염된 물도 안전하게 마실 수 있다. 그리고 멀리까지 가서 식수를 길어 와야 하는 사람들을 위해 만든 '큐 드럼'이라는 물통도 있다. '큐 드럼'은 자동차 바퀴처럼 둥글게 생긴 통으로 가운데에 구멍이 뚫렸다. 이 구멍에 줄을 엮어서 끌면 물통을 굴리면서 운반할 수 있다. '큐 드럼' 덕분에 힘이 약한 아이들도 많은 양의 물을 물통에 담아 손쉽게 이동할 수 있게 되었다.

내가 확인한 문장

예시 답 》 • '큐 드럼' 덕분에 ~ 이동할 수 있게 되었다.: '큐 드럼'의 좋은 점이 잘 이해되지 않았는데, 이 문장을 읽고 물통이 바퀴처럼 생긴 덕분에 힘이 약한 아이들도 물통을 손쉽게 굴릴 수 있게 되었다는 점을 깨달았어.

바 이와 같은 적정 기술은 사실 오늘날에 새롭게 등장한 것은 아니다. 적정 기술은 아주 오래전부터 세계 곳곳에서 활용되어 왔던 기술로, 인간이 끊임없이 과학적으로 사고하고 탐구한 결과물이다.

내가 찾은 단어

예시 답 》 • 사고: 생각하고 궁리함.
• 기화: 액체가 기체로 변함. 또는 그런 현상

사 예를 들면 덥고 건조한 서남아시아 지역에서는 주변의 흙을 이용하여 만든 흙벽돌로 집을 지었다. 흙으로 만든 벽돌로 벽을 두껍게 쌓고 천장을 높인 다음, 창문을 꼭대기에 설치하였다. 그리고 집 안의 벽에는 호리병 모양의 물병을 적당한 높이에 걸어 두었다. 이렇게 하여 바깥 기온이 40도가 넘는 더위에도 실내 온도는 25도 정도로 시원한 상태를 유지할 수 있었다. 그 원리는 간단하다. 우선 단열 효과가 큰 흙벽돌을 사용하여 더운 바깥 공기가 실내로 들어오는 것을 차단한다. 그리고 공기의 대류 현상을 이용하여 상승한 더운 공기가 위쪽에 있는 창문으로 빠져나가게 한 것이다. 이때 벽에 걸어 놓은 호리병 속의 물은 실내의 열에너지를 흡수하면서 기화되어 수증기로 빠져나간다. 서남아시아 지역의 사람들은 이러한 과학적 원리를 이용하여 사막의 덥고 건조한 기후에서도 시원하게 생활할 수 있었던 것이다.

내가 확인한 문장

예시 답 》 • 적정 기술은 아주 오래전부터 ~ 탐구한 결과물이다.: 서남아시아 지역의 흙벽돌 집은 과학적 원리를 활용한 것으로 오래전부터 적정 기술이 이용되어 왔음을 드러내는 사례로 볼 수 있어.

간단 체크 활동 문제

09 〈보기〉에서 학생이 사용한 읽기 방법으로 가장 적절한 것은?

〈보기〉
'단열'은 내가 의미를 잘 모르는 단어야. 앞뒤 문맥을 살펴볼 때, 열이 통하지 않도록 막는다는 의미를 지닌 단어인 것 같아.

① 글쓴이의 주장이 타당한지 따져 본다.
② 글의 구성 단계별로 중심 내용을 요약한다.
③ 글에 나타난 정보를 단서로 단어의 의미를 파악한다.
④ 사전을 찾아 모르는 단어의 의미를 정확히 이해한다.
⑤ 배경지식을 활용하여 글쓴이가 이 글을 쓴 의도를 추론한다.

10 (마)~(사)를 읽은 학생의 반응으로 적절하지 않은 것은?

① 라이프 스트로는 오염된 물을 정화하는 기능을 지니고 있군.
② 적정 기술은 과학적으로 사고하고 탐구한 노력의 결과물이로군.
③ 적정 기술은 과학 기술이 발달한 오늘날에 이르러 처음 등장하게 된 것이군.
④ 큐 드럼을 이용하면 힘이 약한 아이들도 많은 양의 물을 손쉽게 이동할 수 있겠군.
⑤ 서남아시아의 흙벽돌 집은 대류 현상을 이용하여 실내의 온도를 바깥보다 낮게 유지하는 것이군.

내가 활용한 배경지식

물의 대류 현상

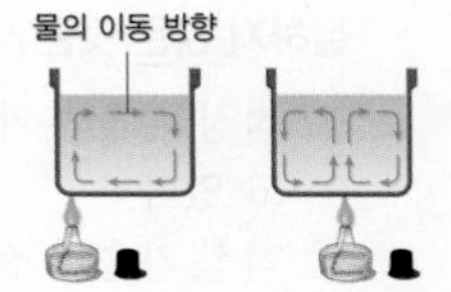

액체와 기체를 가열하면, 가열된 물질은 위로 올라가고 차가운 물질은 아래로 내려오면서 전체 온도가 올라가게 된다. 이와 같이 물질이 직접 이동하면서 열이 이동하는 것을 대류라고 한다. 물을 가열하면 뜨거워진 물은 위로 올라가고, 차가운 물은 아래로 내려온다.

상태 변화와 열에너지

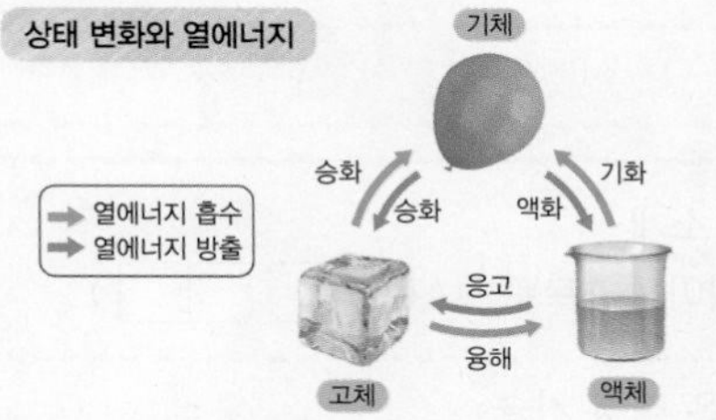

고체가 열에너지를 얻으면 액체 또는 기체가 되고, 반대로 기체가 열에너지를 잃으면 액체 또는 고체가 된다. 그리고 액체가 열에너지를 얻으면 기체로, 열에너지를 잃으면 고체로 상태가 변한다.

아 지구상에서 가장 추운 지역에서 살고 있는 이누이트들은 ㉠이글루라고 부르는 집을 짓는다. 이글루의 재료는 주변에서 쉽게 구할 수 있는 눈이다. 이들은 눈을 다듬어 벽돌 모양으로 다져서 둥근 반원 모양의 집을 짓는다. 그런 다음에 이글루의 내부 벽에 물을 뿌려 주면, 그 물이 차가운 눈얼음을 만나 얼면서 응고열을 방출한다.
(응고열: 액체나 기체 따위가 고체로 될 때 내는 열량)
그 결과 내부 기온이 올라가면서 실내가 따뜻해진다. 겨울에 눈이 내리면 다른 날보다 다소 포근하다고 느끼는 것도 이 때문이다. 물은 얼 때 열을 밖으로 내보내므로 기온이 낮은 겨울철에는 공기 중의 물방울이 얼음으로 바뀌면서 열을 방출한다. 그래서 눈이 내리는 날은 눈이 내리지 않는 다른 날보다 기온이 올라가게 된다.

> **내가 찾은 단어**
> • 이누이트: 북극, 캐나다, 그린란드 및 시베리아의 북극 지방에 사는 인종. 피부는 황색으로 주로 수렵·어로에 종사하고, 여름에는 흩어져 살다가 겨울에는 집단으로 거주한다.

자 이처럼 과학은 다양한 모습으로 우리의 삶 깊숙한 곳에서 함께하고 있다. 세계 구석구석에서 활용되고 있는 적정 기술의 밑바탕에도 과학이 숨어 있다. 우리도 과학적인 사고를 바탕으로 우리의 삶을 위한 적정 기술을 개발하여, 현대 사회의 부족한 에너지를 보충할 수 있는 방법을 함께 모색해 보자.

> **내가 확인한 문장**
> 예시 답 》 • 우리도 과학적인 사고를 ~ 함께 모색해 보자.: '처음' 부분에서 글쓴이는 에너지가 유한하기 때문에 우리는 이를 절약하는 방법을 고민한다고 했어. 그리고 이에 대한 해결책으로 '끝' 부분에서 적정 기술을 개발하자고 제안하고 있어.

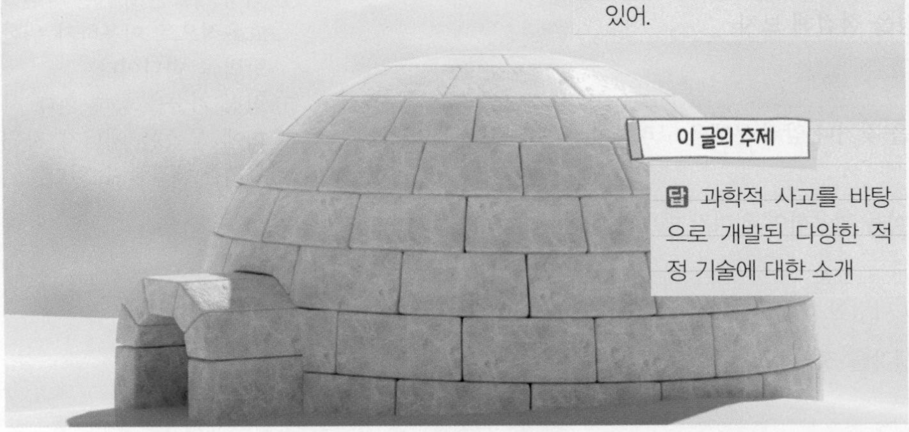

> **이 글의 주제**
> 답 과학적 사고를 바탕으로 개발된 다양한 적정 기술에 대한 소개

간단 체크 활동 문제

11 ㉠에 대한 설명으로 적절한 것을 〈보기〉에서 모두 골라 바르게 묶은 것은?

보기
ㄱ. 주변에서 쉽게 구할 수 있는 재료로 만든다.
ㄴ. 벽돌의 특성을 이용하여 실내 기온을 높인다.
ㄷ. 물이 눈얼음을 만나 얼 때 열을 방출하는 원리를 이용한다.
ㄹ. 눈이 내리지 않는 날에는 바깥과 실내 온도가 서로 같다.

① ㄱ, ㄴ ② ㄱ, ㄷ
③ ㄱ, ㄹ ④ ㄴ, ㄷ
⑤ ㄷ, ㄹ

12 (자)에 나타난 글쓴이의 생각으로 적절하지 않은 것은?

① 적정 기술은 과학적 원리를 이용한다.
② 적정 기술은 세계 곳곳에서 활용되고 있다.
③ 적정 기술을 개발하는 데에는 많은 자본이 든다.
④ 적정 기술을 개발하려면 과학적 사고가 필요하다.
⑤ 적정 기술을 이용하면 부족한 에너지를 보충할 수 있다.

학습 활동

1 설명하는 글의 구성 단계에 따라 이 글의 내용을 정리해 보자.

처음	(답 적정 기술)의 개념
가운데	• 적정 기술을 사용한 사례 소개 – 항아리 냉장고 / (답 라이프 스트로) / (답 □ □□) • 세계 곳곳에서 활용되어 온 적정 기술 – 서남아시아 지역에서 흙벽돌로 지은 집 – 이누이트들이 눈으로 만든 벽돌로 지은 (답 이글루)
끝	적정 기술을 개발하여 에너지 보충 방안을 모색하자는 글쓴이의 제안

2 이 글의 마지막에 제시된 글쓴이의 제안과 관련하여 자신의 생각을 정리해 보자.

예시 답 〉〉

글쓴이의 제안

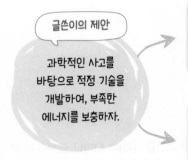

과학적인 사고를 바탕으로 적정 기술을 개발하여, 부족한 에너지를 보충하자.

→ 적정 기술을 개발하자는 생각에 동의해. 왜냐하면 적정 기술은 현대 사회에서 턱없이 부족한 에너지 자원 문제를 해결할 수 있는 기술이기 때문이야.

→ 적정 기술을 개발하자는 생각에 동의하지 않아. 왜냐하면 적정 기술이 실패하는 경우도 있고, 우리 삶과 관련 없는 기술도 많으니 현재 부족한 자원을 대체할 에너지를 찾는 게 더 시급해 보여.

3 다음 기준에 따라 자신의 읽기 과정을 점검해 보고, 이러한 해결 과정을 거치며 글을 읽었을 때의 효과를 말해 보자.

(1) 다음 평가 기준에 따라 읽기 과정을 점검해 보자.

예시 답 〉〉

평가 기준	• 모르는 단어가 나오면 사전을 찾거나 앞뒤 문맥을 고려하여 그 의미를 파악하며 읽었다.	★★★☆☆
	• 글에 나타난 정보나 배경지식을 활용하여 의미가 애매한 문장의 뜻을 파악하며 읽었다.	★★★★☆
	• 글쓴이의 생각이 합리적이고 타당한지 고민하면서 읽었다.	★★☆☆☆
	• 글의 구성 단계별로 중심 생각을 정리하고 글 전체의 주제를 파악하며 읽었다.	★★☆☆☆

간단 체크 활동 문제

13 이 글에 대한 설명으로 적절하지 않은 것은?

① 적정 기술의 개념을 설명하고 있다.
② 적정 기술의 전망과 한계를 제시하고 있다.
③ 적정 기술이 적용된 발명품을 나열하고 있다.
④ 처음, 가운데, 끝의 구성에 따라 내용을 조직하고 있다.
⑤ 세계 곳곳에서 활용되어 온 적정 기술의 예를 들고 있다.

14 〈보기〉는 이 글을 읽은 독자의 평가이다. 평가의 근거로 가장 적절한 것은?

보기
나는 적정 기술을 개발하자는 글쓴이의 제안에 동의하지 않아.

① 적정 기술 중 실패하거나 우리 삶과 관련이 없는 것들이 많다.
② 적정 기술은 누구나 쉽게 배우고 이용할 수 있는 장점이 있다.
③ 적정 기술은 환경을 파괴하지 않는 선에서 인간의 삶의 질을 향상한다.
④ 적정 기술은 유한한 자원을 효율적으로 이용하기 위한 방법 중 하나이다.
⑤ 적정 기술을 통해 현대 사회에 부족한 에너지 자원 문제를 해결할 수 있다.

(2) 문제를 능동적으로 해결하며 글을 읽었을 때의 효과를 말해 보자.

글에 나타난 정보와 내 배경지식을 관련지으면서 글을 읽으니 내용을 더 깊이 있게 이해할 수 있었어. 앞으로도 내 경험이나 배경지식을 적극적으로 활용하면서 글을 읽을 거야.

예시 답〉〉 • 모르는 단어의 뜻을 찾으며 읽으니 글의 정보를 정확하게 이해할 수 있었고, 글쓴이가 무엇을 말하고자 하는지 쉽게 파악할 수 있었어. 앞으로도 글을 읽다가 모르는 단어가 나오면 바로 □□을 찾아보거나, 앞뒤 문맥을 고려하여 그 의미를 파악하며 글을 읽을 거야.

• 글쓴이의 생각이 합리적이고 타당한지 고민하면서 읽으니 관련된 다른 정보도 찾아보게 되고, 내 생각의 폭을 확장할 수 있었어. 앞으로도 글을 읽을 때에는 주체적인 관점을 가지고 글쓴이의 생각을 비판적으로 수용해 볼 거야.

간단 체크 활동 문제

15 **문제를 능동적으로 해결하며 글을 읽는 방법으로 적절하지 않은 것은?**

① 모르는 단어의 뜻을 찾으며 읽는다.
② 글에서 자신의 생각과 다른 내용은 건너뛰고 읽는다.
③ 글에 나타난 정보와 배경지식을 관련지으면서 읽는다.
④ 글의 구성 단계를 고려하여 중심 내용을 파악하며 읽는다.
⑤ 글쓴이의 생각이 합리적이고 타당한지 고민하면서 읽는다.

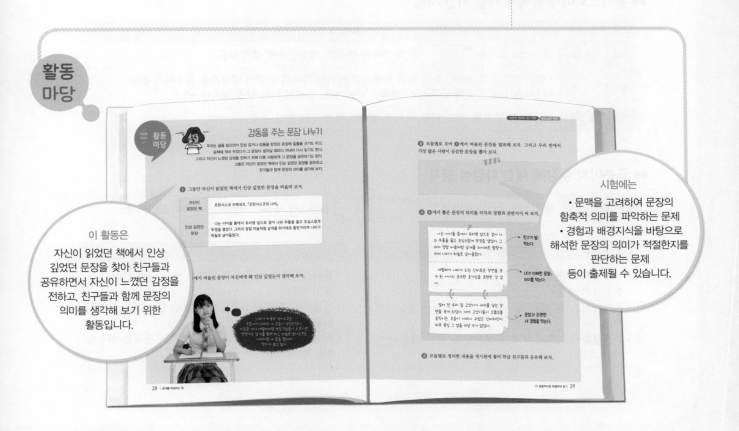

활동 마당

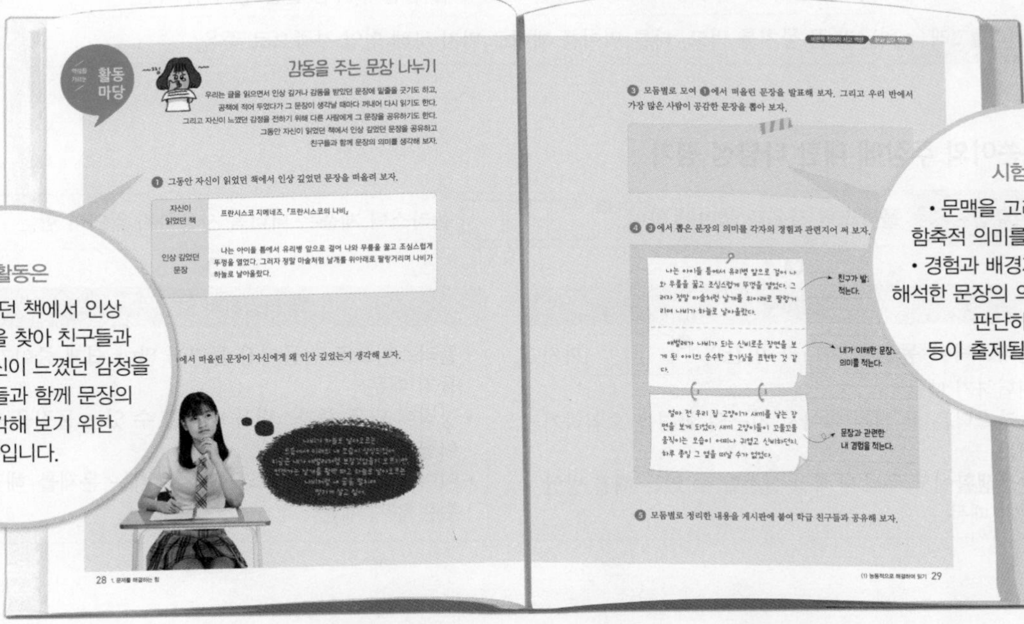

이 활동은

자신이 읽었던 책에서 인상 깊었던 문장을 찾아 친구들과 공유하면서 자신이 느꼈던 감정을 전하고, 친구들과 함께 문장의 의미를 생각해 보기 위한 활동입니다.

시험에는

• 문맥을 고려하여 문장의 함축적 의미를 파악하는 문제
• 경험과 배경지식을 바탕으로 해석한 문장의 의미가 적절한지를 판단하는 문제

등이 출제될 수 있습니다.

압축 파일

본문 제재 「플라스틱은 전혀 분해되지 않았다」

갈래	주장하는 글(논설문)	성격	설득적, 논리적, 비판적
제재	플라스틱 사용으로 인한 문제	주제	플라스틱 사용을 줄이자.
특징	• 글의 서두에 질문을 던져 독자의 주의를 환기함. • 구체적인 사례를 들어 문제의 심각성을 드러냄. • 자문자답의 방법을 통해 독자의 행동 변화를 촉구함.		

「플라스틱은 전혀 분해되지 않았다」의 짜임

서론	본론	결론
일상생활에 깊숙이 자리한 플라스틱 사용에 대한 문제 제기	분해와 재활용이 어려운 플라스틱이 동물과 인간에게 해를 끼친 사례	플라스틱 사용을 줄여 보자는 글쓴이의 주장

플라스틱의 특성

❶ □□	단점
• 매우 가벼움. • 모양을 변형하기 쉬움. • 다양한 빛깔로도 만들 수 있음. • 절연성이 뛰어남.	• 분해되는 데 500년 혹은 그 이상의 기간이 걸림. • ❷ □□□하기가 어려워 남겨진 쓰레기들이 환경을 오염함. → 재질별로 선별하는 것이 쉽지 않고, 재활용을 하더라도 품질이 떨어지는 제품이 만들어짐.

플라스틱이 동물에게 해를 끼친 사례

동물	피해의 구체적 내용
앨버트로스	플라스틱 조각을 ❸ □□로 착각해서 삼키고, 영양실조에 걸려 죽음.
붉은바다거북	• 플라스틱 조각, 비닐, 풍선 등의 쓰레기를 먹이로 착각해서 삼켜 영양분을 흡수하지 못함. • 화학 물질이 몸속에 쌓여 이상 행동을 보이거나, 껍질이 약한 알을 낳거나, 죽음.
뱀머리돌고래	비닐과 끈 뭉치를 먹고, 다른 먹이를 제대로 먹지 못해 영양 부족으로 죽음.

글쓴이의 주장에 대한 타당성 평가

주장 플라스틱 사용을 줄여야 하며, ❹ □□□ 플라스틱 제품은 더더욱 사용하지 않아야 함.

타당하다.	타당하지 않다.
• 플라스틱이 동물뿐 아니라 인간의 ❺ □□까지 위협하기 때문 • 플라스틱은 잘 썩지 않아서 지구의 환경을 오염하기 때문 • 일상생활에서 우리가 직접 실천할 수 있는 해결 방안이기 때문	• 플라스틱으로 만들어진 물건이 많아 쉽게 줄이기 힘들기 때문 • 장점이 많은 플라스틱을 대체할 수 있는 물질을 찾기 어렵기 때문 • 이미 만들어진 플라스틱이 일으키는 문제를 해결할 수는 없기 때문

적용 제재 「'항아리 냉장고'를 아시나요?」

갈래	설명하는 글(설명문)	성격	체계적, 예시적, 실용적
제재	적정 기술		
주제	과학적 사고를 바탕으로 개발된 다양한 적정 기술에 대한 소개		
특징	• 적정 기술이 적용된 발명품을 나열함. • 적정 기술이 적용된 건축물의 형태와 원리를 구체적으로 설명함.		

「'항아리 냉장고'를 아시나요?」의 짜임

처음		가운데		끝
적정 기술의 개념과 장점	➜	적정 기술을 사용한 발명품의 사례 및 세계 곳곳에서 활용되어 온 적정 기술	➜	적정 기술을 이용하여 ❻ ☐☐ ☐ 보충 방안을 모색하자는 제안

적정 기술을 사용한 ❼ ☐☐☐

항아리 냉장고	냉장고가 없는 지역이나 냉장고가 있더라도 전기가 제대로 공급되지 않는 지역에서 음식물을 신선하게 보관할 수 있도록 만든 냉장고
라이프 스트로	오염된 물을 정화하여 안전하게 마실 수 있게 해 주는, 빨대처럼 생긴 간이 정화 장치
큐 드럼	멀리까지 가서 식수를 길어 와야 하는 사람들을 위해 만든, 자동차 바퀴처럼 둥글게 생긴 물통

세계 곳곳에서 활용되어 온 적정 기술

적정 기술	특징	사용된 과학적 원리
서남아시아에서 흙벽돌로 지은 집	• 흙으로 만든 벽돌로 벽을 두껍게 쌓고, 천장을 높이고, 창문을 꼭대기에 설치함. • 집 안의 벽에 호리병 모양의 물병을 적당한 높이에 걸어 둠.	• 물질이 직접 이동하면서 열이 이동하는 대류 현상 • 액체가 열에너지를 흡수하면서 기체로 상태가 변하는 원리
이누이트들이 지은 ❽ ☐☐☐	눈을 다듬어 벽돌 모양으로 다져서 둥근 반원 모양으로 집을 지음.	액체가 고체로 변하면서 열을 방출하는 원리

문제를 능동적으로 해결하며 글을 읽는 방법과 효과

읽기 방법		효과
모르는 단어는 사전을 찾아 의미를 파악하며 읽고, 의미가 모호한 문장의 뜻은 글에 나타난 정보를 단서로 추론하며 읽거나 ❾ ☐☐☐☐을 활용하며 읽기	➜	• 글의 정보를 정확하게 이해할 수 있음. • 글쓴이의 생각과 글의 주제를 쉽게 파악할 수 있음.
글쓴이의 생각이 합리적이고 ❿ ☐☐한지 고민하며 읽기		• 관련된 다른 정보도 찾을 수 있음. • 생각의 폭을 확장할 수 있음.

시험에 나오는 소단원 문제

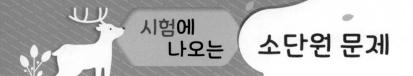

01~04 다음 글을 읽고, 물음에 답하시오.

가 어떤 전문가들은 플라스틱이 분해되는 기간을 정확히 알 수 없다고도 말한다. 즉, 플라스틱이 만들어진 지 100년 정도밖에 되지 않았다는 점을 감안하면, 인간이 생산한 플라스틱은 아직 어딘가에 아직 그대로 남아 있는 것이다. 하지만 사람들은 플라스틱을 재활용할 수 있다는 생각에 플라스틱 제품을 편하게 쓰고 쉽게 버린다. 그것이 ㉠소탐대실하는 것인지도 모른 채 말이다.

나 사람들의 생각과 달리 재활용되는 플라스틱의 양은 그리 많지 않다. 페트병, 요구르트병, 블록, 비닐봉지, 스티로폼 등도 각기 재질이 다르고, 이것 외에도 플라스틱의 종류가 다양하다 보니 재질별로 선별하는 것이 쉽지 않기 때문이다. 더구나 이물질이 많이 묻어 있거나 세척되지 않은 채 버려지는 용기류가 많아, 재활용을 하더라도 플라스틱 함지나 정화조처럼 품질이 떨어지는 제품을 만들 수밖에 없다.

다 미국의 사진작가 크리스 조던은 2009년에 북태평양 미드웨이섬에서 촬영한 충격적인 사진을 인터넷에 공개했다. 사진 속에는 멸종 위기종인 앨버트로스가 죽어 있었는데, 그 몸속에는 플라스틱 뚜껑과 작게 부서진 플라스틱 조각들이 가득 차 있었다.

라 해양 쓰레기의 60에서 80 퍼센트는 플라스틱이 차지하고 있다. 플라스틱 쓰레기는 바다를 떠다니다가 잘게 부서져 새와 바다거북, 돌고래와 같은 동물들에게 해를 끼치고 있다. 또한 흉물스럽게 버려진 플라스틱 쓰레기는 자연 경관을 해쳐 관광 산업에도 피해를 주며, 선박의 안전도 위협한다. 그뿐만 아니라, 사람의 눈에 잘 보이지 않는 미세 플라스틱은 물고기의 내장이나 싱싱한 굴 속에도 유입되어 우리의 식탁에 오른다. 결국은 우리의 건강까지 위협하는 것이다.

마 지금까지 사람들이 만들어 낸 모든 플라스틱 쓰레기는 썩지 않고 이 지구 어딘가에 존재하고 있다. 그런데도 계속해서 플라스틱을 이렇게 편하게 쓰고 쉽게 버려도 될까? 손이 닿는 곳이면 어디에나 있는 플라스틱을 전혀 사용하지 않고 생활하기는 어렵겠지만, 줄일 수 있다면 줄여 보자. 특히 짧은 시간 사용하고 버리는 일회용 플라스틱 제품은 더더욱 선택하지 말자.

01 이와 같은 글을 읽는 방법으로 적절하지 않은 것은?

① 글쓴이의 주장과 근거를 파악하며 읽는다.
② 글의 구성 단계별로 중심 생각을 정리하며 읽는다.
③ 글에 사용된 논증 방식의 특성을 파악하며 읽는다.
④ 글쓴이의 생각이 합리적이고 타당한지 고민하며 읽는다.
⑤ 글쓴이가 경험을 통해 얻은 깨달음에 공감하며 읽는다.

02 이 글을 읽고 추론한 내용으로 적절하지 않은 것은?

① 아직 분해되지 않은 플라스틱이 많이 존재하겠군.
② 재활용한 플라스틱으로 원래의 제품을 만들 수 없겠군.
③ 앨버트로스는 플라스틱 조각을 먹이로 착각하고 삼킨 것이겠군.
④ 수거되지 않은 플라스틱 쓰레기의 경우 바다로 흘러가 해양을 오염시킬 수 있겠군.
⑤ 플라스틱이 인간의 건강에 미치는 영향보다 동물의 생존에 미치는 영향이 더 크겠군.

학습 활동 응용

03 다음 중 ㉠의 근거로 적절하지 않은 것은?

① 해양 동물들의 생존에 해를 끼친다.
② 자연 경관을 해쳐 관광 산업에 피해를 준다.
③ 배의 스크루에 감길 수 있어 선박의 안전을 위협한다.
④ 이물질이 많이 묻어 있거나 세척되지 않아 비위생적이다.
⑤ 수산물에 유입되어 그것을 먹는 인간의 건강을 위협한다.

서술형

04 다음은 학생이 이 글을 읽고 글쓴이의 주장을 파악한 내용이다. 학생이 파악한 내용이 잘못된 이유와 함께 글쓴이의 주장을 쓰시오.

> 용한: 일상생활에서 플라스틱을 사용하지 말자.

05~08 다음 글을 읽고, 물음에 답하시오.

가 적정 기술은 한 공동체의 문화·정치·환경적인 면들을 종합적으로 고려하여 개발된 기술을 일컫는다. 현지에서 구할 수 있는 재료를 사용하고 자본을 적게 투자하면서도, 누구나 쉽게 배우고 쓸 수 있다는 장점이 있다.

나 ㉠'항아리 냉장고'의 원리는 간단하다. 먼저 큰 항아리 속에 작은 항아리를 집어넣는다. 그리고 두 항아리 사이의 공간을 젖은 모래로 채운 다음, 젖은 헝겊으로 작은 항아리를 덮는다. 진흙으로 빚은 항아리는 단열 작용을 하여 외부 열을 차단하는 역할을 하고, 모래 속의 물은 증발하면서 열을 빼앗아 가는 역할을 한다. 이 덕분에 작은 항아리 안의 온도가 낮아져 채소나 과일을 오랫동안 신선하게 보관할 수 있는 것이다.

다 또 다른 예로는 오염된 물을 정화할 수 있는 휴대용 물 정화 장치인 ㉡'라이프 스트로'가 있다. 빨대처럼 생긴 '라이프 스트로'로 물을 빨아들이면, 물이 간이 정화 장치를 통과하면서 깨끗해져 오염된 물도 안전하게 마실 수 있다. 그리고 멀리까지 가서 식수를 길어 와야 하는 사람들을 위해 만든 ㉢'큐 드럼'이라는 물통도 있다. '큐 드럼'은 자동차 바퀴처럼 둥글게 생긴 통으로 가운데에 구멍이 뚫렸다. 이 구멍에 줄을 엮어서 끌면 물통을 굴리면서 운반할 수 있다.

라 예를 들면 덥고 건조한 ㉣서남아시아 지역에서는 주변의 흙을 이용하여 만든 흙벽돌로 집을 지었다. 흙으로 만든 벽돌로 벽을 두껍게 쌓고 천장을 높인 다음, 창문을 꼭대기에 설치하였다. 그리고 집 안의 벽에는 호리병 모양의 물병을 적당한 높이에 걸어 두었다. 이렇게 하여 바깥 기온이 40도가 넘는 더위에도 실내 온도는 25도 정도로 시원한 상태를 유지할 수 있었다.

마 지구상에서 가장 추운 지역에서 살고 있는 이누이트들은 ㉤이글루라고 부르는 집을 짓는다. 이글루의 재료는 주변에서 쉽게 구할 수 있는 눈이다. 이들은 눈을 다듬어 벽돌 모양으로 다져서 둥근 반원 모양의 집을 짓는다. 그런 다음에 이글루의 내부 벽에 물을 뿌려 주면, 그 물이 차가운 눈얼음을 만나 얼면서 응고열을 방출한다. 그 결과 내부 기온이 올라가면서 실내가 따뜻해진다.

05 이 글에 대한 설명으로 가장 적절한 것은?

① 서로 다른 대상을 견주어 차이점을 대조하고 있다.
② 대상의 개념을 설명한 후 사례를 제시하고 있다.
③ 대상이 역사적으로 변화해 온 과정을 설명하고 있다.
④ 대상의 특징을 중심으로 그 장점과 단점을 분석하고 있다.
⑤ 대상에 대한 상반된 관점을 절충하여 새로운 의견을 제시하고 있다.

06 <보기>에서 ㉠~㉤의 공통점으로 적절한 것을 골라 바르게 묶은 것은?

보기
ㄱ. 누구나 쉽게 배우고 쓸 수 있도록 만들었다.
ㄴ. 사회적 약자를 보호하려는 목적으로 만들었다.
ㄷ. 현지에서 구할 수 있는 재료를 사용해 만들었다.
ㄹ. 전기를 효율적으로 이용할 수 있는 원리를 적용하여 만들었다.

① ㄱ, ㄴ　② ㄱ, ㄷ　③ ㄴ, ㄷ
④ ㄴ, ㄹ　⑤ ㄷ, ㄹ

학습 활동 응용

07 <보기>는 이 글을 읽으면서 학생이 활용한 배경지식이다. ㉠~㉤ 중, <보기>를 활용하기에 적절한 것은?

보기
고체가 열에너지를 얻으면 액체 또는 기체가 되고, 반대로 기체가 열에너지를 잃으면 액체 또는 고체가 된다. 그리고 액체가 열에너지를 얻으면 기체로, 열에너지를 잃으면 고체로 상태가 변한다.

① ㉠　② ㉡　③ ㉢　④ ㉣　⑤ ㉤

서술형 학습 활동 응용

08 다음은 학생이 이 글을 읽는 과정에서 겪은 문제이다. 이를 해결할 수 있는 읽기 방법을 쓰시오.

지운: '모색', '응고열'이 무슨 뜻이지? 모르는 단어들 때문에 글을 정확하게 이해하기 어려워.

• 정답과 해설 04쪽

소단원 개념 길잡이

토론이란

찬성과 반대의 입장으로 나뉘는 논제에 대해 각 토론자가 근거를 들어 자신의 주장이 타당함을 내세우고, 상대측의 주장이나 논거가 부당함을 증명하는 말하기이다.

토론의 기본 요소

논제	토론에서 해결하고자 하는 문제로, 찬성이나 반대의 입장을 취할 수 있는 쟁점이어야 함.
사회자	토론을 진행하는 사람으로, 중립적인 입장에서 토론을 이끌어야 함.
토론자	토론에 직접 참여하는 사람으로, 찬성 또는 반대의 의견을 명확하게 내세울 수 있어야 함.
토론 규칙	원활한 토론의 진행을 위해 준수해야 하는 규칙들로, 토론자의 발언 시간, 발언 순서 등을 공평하게 정해 두어야 함.
청중	토론을 관람하는 사람들로, 토론자들의 주장과 근거를 비판적으로 수용해야 함.

토론의 유형

고전적 토론	전통적 토론이라고도 불리며, 어떤 논제에 대하여 찬성 측 2명, 반대 측 2명이 각각 한 조가 되어 번갈아 입론과 반론을 하는 방식임.
반대 신문식 토론	고전적 토론의 입론 단계에서 바로 앞 토론자에 대한 반대 신문을 추가한 방식임. 토론자 각 개인은 입론, 반대 신문, 반론의 기회를 가짐.

토론 참여자의 역할과 태도

사회자	• 토론이 열리게 된 배경과 토론의 논제를 소개함. • 토론자들이 토론의 규칙과 순서를 잘 지키도록 유도하고, 토론이 원만하게 진행되도록 공정한 태도를 유지함. • 질문과 요약 등을 이용하여 토론의 진행을 도움. • 토론자가 논제에서 벗어난 의견을 내세울 경우, 논점을 정리해서 알려 줌.
토론자	• 토론의 쟁점을 분명히 파악하고, 논거를 충분히 준비함. • 상대방의 주장을 논박하기 위해 필요한 자료를 수집하여 정리함. • 상대방의 발언을 경청하고 논리적인 허점이나 오류를 발견하여 논박함. • 토론의 질서를 지키고 예의를 갖춤.
청중	• 중립적이고 객관적인 입장에서 토론자의 발언을 경청하고, 주장의 타당성, 신뢰성, 공정성 등을 판단함. • 토론 참여자들의 토론 규칙 준수 여부 등을 살피고 토론자를 평가함.

간단 체크 개념 문제

1 다음 설명이 맞으면 ○표, 틀리면 ×표 하시오.

(1) 토론은 어떤 문제를 해결하기 위해 다양한 의견들을 공유하고 협의를 통해 최선의 방안을 도출하는 말하기이다. ( )

(2) 고전적 토론의 참여자는 입론, 반대 신문, 반론의 기회를 갖는다. ( )

(3) 토론의 논제는 토론에서 해결하고자 하는 문제를 의미한다. ( )

2 다음 빈칸에 들어갈 알맞은 말을 쓰시오.

> 토론의 논제는 토론자들이 찬성이나 반대의 입장을 취할 수 있는 ☐☐이어야 한다.

3 다음 중 토론에서 사회자의 역할로 적절하지 <u>않은</u> 것은?

① 질문과 요약 등을 이용하여 토론의 진행을 돕는다.
② 토론이 열리게 된 배경과 토론의 논제를 소개한다.
③ 토론자가 토론의 규칙과 순서를 잘 지키도록 유도한다.
④ 토론자가 논제에서 벗어나면 논점을 정리하여 알려 준다.
⑤ 토론 규칙의 준수 여부 등을 살피고 토론자를 평가한다.

(2) 설득의 힘을 기르는 토론 _ 교실에서의 에어컨 사용을 자율화해야 한다

학습 목표 토론에서 타당한 근거를 들어 논박할 수 있다.

즐겁게 책 읽기 함께 읽은 책을 바탕으로 적절한 논제를 선정하여 토론할 수 있다.

알고 보면 더 재미있는 토론!

토론에는 다양한 형식이 있는데, 다음 토론과 같은 고전적 토론은 찬성 측과 반대 측이 각각 두 번의 입론과 반론을 펼치게 되어 있어.

① 찬성 측 입론 1 → ② 반대 측 입론 1 → ③ 찬성 측 입론 2 → ④ 반대 측 입론 2 → ⑤ 반대 측 반론 1 → ⑥ 찬성 측 반론 1 → ⑦ 반대 측 반론 2 → ⑧ 찬성 측 반론 2

입론은 양측의 토론자가 자기 쪽의 주장을 밝히는 단계야. 이때 토론자는 주장을 뒷받침하는 근거나 사례를 들기도 하지.

반론은 상대측의 주장을 조리 있게 비판하면서 자기 측 주장을 변호하는 단계야. 상대의 주장을 반박하기 위해서는, 상대의 주장에 논리적 허점이나 오류가 있는지 살펴보아야 해.

토론의 개회 학습 포인트

❶ 사회자의 역할 ①
❷ 토론 개회의 배경 및 토론의 논제

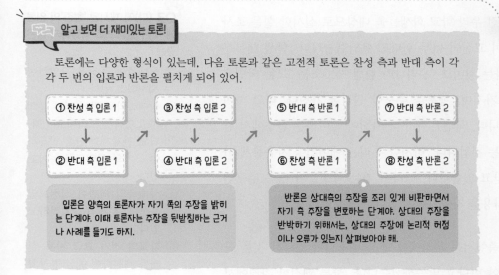

가 **사회자**: 안녕하세요. 이번 토론의 사회를 맡은 양세민입니다. 우리 학교는 전체 학급의 냉방 상태를 중앙에서 제어하는데요. 최근에 중앙 냉방 방식에 불만이 있는 학생들이 많아지면서 학생들 스스로 에어컨의 온도를 조절할 수 있게 해 달라는 목소리가 높아지고 있습니다. 그래서 오늘은 '교실에서의 에어컨 사용을 자율화해야 한다.'라는 논제로 토론을 하겠습니다. 토론자들은 토론 규칙과 예절을 잘 지켜 주십시오. 그럼 먼저 찬성 측의 입론을 들어 보겠습니다.

학습콕 토론의 개회 | 소주제: 토론의 배경과 논제 제시 및 토론의 개회

❶ 사회자의 역할 ①
- 토론의 시작을 알리고, 토론의 ☐☐를 제시함.
- 토론의 규칙과 토론자의 발언 순서를 제시함.

❷ 토론 개회의 배경 및 토론의 논제

토론 개회의 배경	학교의 중앙 냉방 방식에 불만이 있는 학생들이 많아지면서 학생들 스스로 에어컨 온도를 조절할 수 있게 해 달라는 요청이 늘어남.
토론의 논제	교실에서의 에어컨 사용을 ☐☐☐해야 한다.

간단 체크 내용 문제

01 이와 같은 유형의 토론에 대한 설명으로 적절하지 않은 것은?

① 참여자: 찬성 측과 반대 측이 각각 두 사람씩 한편이 된다.
② 입론: 찬성 측부터 시작하며, 찬반 양측이 각각 두 번씩 실시한다.
③ 입론: 주장을 뒷받침하는 근거나 사례를 들어 자기 쪽의 주장을 밝힌다.
④ 반론: 찬성 측부터 시작하며, 찬반 양측이 각각 두 번씩 실시한다.
⑤ 반론: 상대의 주장이 지닌 논리적 허점이나 오류에 대해 조리 있게 비판한다.

중요

02 (가)에서 '사회자'가 수행한 역할로 적절하지 않은 것은?

① 토론의 논제를 제시하였다.
② 자신과 토론자들을 청중에게 소개하였다.
③ 토론을 하게 된 배경과 취지를 설명하였다.
④ 토론자들에게 토론 규칙을 잘 지켜 줄 것을 당부하였다.
⑤ 토론자들의 발언 순서를 짚어 주며 발언권을 부여하였다.

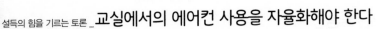

입론 학습 포인트

❶ 사회자의 역할 ② ❷ 토론의 쟁점에 대한 양측의 입론

나 찬성 측 입론 1 **나현:** 얼마 전 우리 학교 학생들을 대상으로 실시한 설문 조사에서 약 72 퍼센트의 학생들이 교실이 너무 덥다고 응답했습니다. 학생 대부분이 교실 온도에 만족하지 못하는 것이죠. 우리나라 헌법 제10조는 "모든 국민은 인간으로서의 존엄과 가치를 가지며, 행복을 추구할 권리를 가진다."라고 하여 행복 추구권을 규정하고 있습니다. 국민은 누구나 자신이 좋아하는 환경에서 만족스럽게 생활할 권리가 있다는 것입니다. 하지만 우리는 에어컨을 자유롭게 사용하지 못한 채 더위에 고통받고 있습니다. 따라서 저는 학생들이 행복 추구권을 실현할 수 있도록 에어컨 사용을 자율화해야 한다고 생각합니다.

다 반대 측 입론 1 **현중:** 찬성 측에서는 우리에게 행복 추구권이 있다는 것을 근거로 에어컨 사용을 자율화해야 한다고 말씀하셨습니다. 물론 쾌적한 환경에서 공부하는 것은 중요합니다. 그래야 학습에 더욱 집중할 수 있을 테니까요. 하지만 에어컨을 자율적으로 사용하여 전기 요금이 늘어난다면 어떻게 될까요? 행정 실장님 말씀에 따르면 학교 운영 예산에서 전기 요금이 차지하는 비율은 약 10 퍼센트인데, 여름철에는 에어컨 사용으로 그 비율이 많이 올라간다고 합니다. 학교를 운영하는 예산은 한정되어 있는데 에어컨을 자율적으로 사용하면 전기 요금이 더 올라갈 것이고, 그만큼 학생들을 위한 교육 예산은 줄어들 수밖에 없습니다. 결국 우리는 다양한 지식을 배우고 활동을 경험할 수 있는 기회, 즉 학습권을 잃게 됩니다. 그래서 저는 중앙에서 에어컨을 관리하는 방식을 유지해야 한다고 생각합니다.

라 **사회자:** 지금까지 '학생들의 권리를 보호하기 위해 에어컨 사용을 자율화해야 한다.'라는 쟁점으로 찬성 측과 반대 측이 각각 입론을 펼쳤습니다. 그럼 찬성 측 두 번째 입론을 발표해 주세요.

마 찬성 측 입론 2 **미르:** 반대 측에서도 말씀하셨다시피 쾌적한 환경일 때 우리는 공부에 더욱 집중할 수 있습니다. 이를 뒷받침하는 연구 결과도 있는데요. 미국의 한 경제 연구소에서 2005년부터 2011년까지 시행된 중국의 입학 시험 점수를 분석한 결과, 온도가

㉠

▲ 실외 온도에 따른 중국의 시험 점수 (『워싱턴 포스트』, 2018. 7. 20.)

간단 체크 내용 문제

중요

03 (다)에 제시된 '현중'의 입론에 대한 설명으로 적절하지 않은 것은?

① 상대측의 주장을 요약하여 제시하고 있다.
② 상대측의 의견에 일부 동의하고 있음을 드러내고 있다.
③ 학교 관계자의 말을 인용하여 근거의 신뢰도를 높이고 있다.
④ 상대측의 의견이 실현되었을 때의 문제점을 지적하고 있다.
⑤ 학교의 전기 요금 사용 실태를 제시하여 예산 절약의 필요성을 부각하고 있다.

04 ㉠의 자료에 대한 이해로 적절한 것을 골라 바르게 묶은 것은?

ㄱ. 평균 실외 온도가 낮을수록 시험 점수가 점점 낮아짐을 보여 준다.
ㄴ. 2005년부터 2011년까지 시험 점수가 점점 낮아졌음을 보여 준다.
ㄷ. 평균 실외 온도와 평균 시험 점수 대비 분포 차 간의 관계를 보여 준다.
ㄹ. 평균 실외 온도가 12~14℃일 때, 시험 점수를 제일 잘 받았음을 보여 준다.

① ㄱ, ㄴ ② ㄱ, ㄷ
③ ㄱ, ㄹ ④ ㄴ, ㄷ
⑤ ㄷ, ㄹ

● 정답과 해설 04쪽

낮을 때 학생들의 시험 점수가 높아졌다고 합니다. 이는 미국 학생들을 대상으로 조사한 결과에서도 마찬가지였고요. 온도가 높을 때 시험 점수가 낮아진 까닭은 우리 몸이 두뇌 활동에 쓸 에너지를 체온을 낮추는 데 썼기 때문이라고 합니다. 따라서 학습 효과를 높이기 위해서라도 에어컨 사용을 자율화하여 쾌적한 교실 환경을 유지해야 합니다.

바 **반대 측 입론 2** **정은:** 학습 효과를 높이는 건 물론 중요한 일이겠죠. 하지만 우리에게 공부만이 전부인가요? 이 세상에는 우리가 지켜야 할 것들이 정말 많습니다. 그중 하나가 바로 지구 환경이죠. 여러분은 혹시 ㉡'지구 생태 용량 초과의 날'이라는 말을 들어 보셨나요? 인간이 사용하는 자원의 양이 지구가 1년 동안 회복할 수 있는 양을 초과하는 날입니다. 2016년에는 8월 8일이었던 이 날이, 2018년에는 8월 1일로 앞당겨졌다고 합니다. 그만큼 자원 소모가 빨라지고 있다는 의미입니다. 이에 전 세계는 환경 문제의 심각성을 인식하고 자원을 아끼기 위해 노력하고 있습니다. 학교도 환경을 지키는 일에 동참해야 합니다. 학교에서 배워야 하는 것은 교과서에 수록된 지식이 전부가 아닙니다. 우리를 둘러싸고 있는 자연환경을 소중히 아끼고 가꾸어 가는 자세도 배워야 합니다. 그런데 찬성 측이 말씀하셨듯 대부분의 학생들이 덥다고 느끼는 상황에서 에어컨 사용을 자율화하면, 우리 학교의 에너지 사용량은 늘어날 것이 뻔합니다. 따라서 에어컨 사용을 자율화하지 말아야 합니다.

학습콕 입론 | 소주제: 토론의 쟁점에 대한 양측의 □□

❶ 사회자의 역할 ②
- 토론의 □□을 정리하여 알려 줌.
- 토론자의 발언 순서를 짚어 주며 발언권을 부여함.

❷ 토론의 쟁점에 대한 양측의 입론
- 첫 번째 쟁점

쟁점 ①	학생들의 권리를 보호하기 위해 에어컨 사용을 자율화해야 한다.
찬성	• 주장: 학생들이 행복 추구권을 실현할 수 있도록 에어컨 사용을 자율화해야 함. • 근거: 우리나라 헌법 제10조에서는 모든 국민에게 행복 추구권이 있음을 규정하고 있음.
반대	• 주장: 학생들의 □□□을 보호하기 위해 에어컨 사용을 자율화하면 안 됨. • 근거: 한정된 학교 운영 예산에서 전기 요금 비율이 커지면 교육 예산이 줄어듦.

- 두 번째 쟁점

쟁점 ②	학습 효과를 높이기 위해 에어컨 사용을 자율화해야 한다.
찬성	• 주장: 학습 효과를 높이기 위해 에어컨 사용을 자율화해야 함. • 근거: 미국의 한 경제 연구소의 분석 결과에 따르면, 실외 온도가 낮을 때 학생들의 시험 점수가 높아졌음.
반대	• 주장: 지구 환경을 보호하기 위해 에어컨 사용을 자율화하면 안 됨. • 근거: '지구 생태 용량 초과의 날'이 앞당겨질 만큼 전 세계의 환경 문제가 심각하므로, 학교도 □□을 지키는 일에 동참해야 함.

간단 체크 내용 문제

중요
05 '정은'이 입론에서 사용한 근거들을 골라 바르게 묶은 것은?

ㄱ. 학교도 환경을 지키는 일에 동참해야 한다.
ㄴ. 학교에서 교과 지식을 충실하게 배워야 한다.
ㄷ. 매년 지구의 기온이 상승할 만큼 환경 문제가 심각해지고 있다.
ㄹ. '지구 생태 용량 초과의 날'이 앞당겨질 만큼 자원 소모가 빨라지고 있다.

① ㄱ, ㄴ ② ㄱ, ㄷ
③ ㄱ, ㄹ ④ ㄴ, ㄷ
⑤ ㄷ, ㄹ

06 ㉡에 대한 설명으로 가장 적절한 것은?

① 자원 소모의 속도를 고려하여 선정한다.
② 에너지 자원의 효율적 관리 방법을 제안한다.
③ 전 세계의 환경 문제들을 공유하는 데 목적이 있다.
④ 각 나라의 합의에 따라 매년마다 날짜를 새로 정한다.
⑤ 지구가 1년 동안 회복할 수 있는 자원의 양이 인간이 사용하는 자원의 양을 초과하는 날이다.

반론 학습 포인트

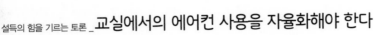

❶ 양측의 첫 번째 반론
❷ 양측의 두 번째 반론

(사) **사회자:** '학습 효과를 높이기 위해 에어컨 사용을 자율화해야 한다.'라는 쟁점에 대해 찬성 측과 반대 측이 두 번째 입론을 펼쳤습니다. 그럼 지금부터 반론을 시작하겠습니다. 반대 측 토론자 발표해 주세요.

(아) **반대 측 반론 1** **현중:** ㉠학습 효과를 높이기 위해 온도를 낮추어야 한다니 어이가 없습니다. 찬성 측 토론자는 평소 수업 시간에 딴짓을 많이 하는데, 실내 온도가 낮아진다고 공부에 집중할까요? 저는 그 점이 매우 의문스럽습니다.

또한 찬성 측 토론자께서는 학생들의 행복 추구권을 근거로 들었지만, 에어컨을 자율적으로 사용한다고 모든 학생이 만족할 수 있을까요? ㉡네덜란드의 한 의과 대학 연구팀의 연구 결과에 따르면, 같은 옷차림을 했을 때 남성은 22도를, 여성은 24.5도를 적당한 실내 온도로 여겼다고 합니다. 이는 사람마다 추위나 더위를 느끼는 온도가 다르다는 것을 뜻합니다. 그러므로 학생들이 에어컨의 온도를 자율적으로 조절한다고 해도 모두가 만족할 수는 없습니다. 오히려 일부 학생들은 자신의 권리를 침해당할 수도 있지요. 학생 대부분이 교실이 덥다고 느낀다면, 과연 그들이 덥지 않다고 느끼는 소수의 학생들을 배려해 줄까요? 결국 다수를 위해 소수가 희생해야 하는데, 학생들 사이에 갈등이 발생할까 봐 걱정스럽습니다.

(자) **찬성 측 반론 1** **나현:** 반대 측에서 걱정하는 것처럼 에어컨 사용을 자율화한다고 하여 모두가 만족할 수도 없고, 학생들 간에 갈등이 발생할 수도 있습니다. 하지만 우리는 그동안 서로의 의견 차이를 조정하는 방법을 배우고, 서로를 배려하며 함께 살아가는 태도를 길러 왔습니다. 지금까지 배우고 익혔던 것들을 토대로 모두가 만족할 수 있는 규칙을 정한다면 그러한 문제는 쉽게 해결할 수 있습니다. 그리고 그 과정에서 우리는 성숙한 시민 의식을 갖추게 될 것입니다.

그럼 반대 측에게 묻겠습니다. 학교의 설립 목적이 무엇이라고 생각하나요? 초·중등 교육법 제2조에 따르면 학교는 학생들을 교육하는 것을 목적으로 설립된 기관을 가리킵니다. 그런데 최근 폭염이 지속되자 일부 학교가 휴교를 하거나 단축 수업을 했다고 합니다. 폭염 때문에 어쩔 수 없이 취한 조치라고 해도, 학교가 교육 활동을 할 수 없는 환경을 제공한다면 문제가 있는 것이 아닐까요? 그야말로 우리의 학습권이 침해당한다는 생각이 드는군요.

간단 체크 내용 문제

07 '현중'과 '나현'의 반론에 대한 설명으로 가장 적절한 것은?

① '현중'과 '나현' 모두 상대측 주장의 신뢰성을 문제 삼고 있다.
② '현중'과 '나현' 모두 상대측의 의견에 일부 동의하고 있다.
③ '현중'은 '나현'과 달리 객관적 근거 자료를 활용하고 있다.
④ '나현'은 '현중'과 달리 상대측 주장의 논리적 허점을 언급하고 있다.
⑤ '현중'은 상대측 주장의 공평성을, '나현'은 상대측 주장의 타당성을 지적하고 있다.

중요

08 ㉠과 같은 발언에 담긴 문제점을 골라 바르게 묶은 것은?

ㄱ. 상대방과 타협하는 데 방해가 된다.
ㄴ. 상대방의 감정을 자극하여 갈등을 유발할 수 있다.
ㄷ. 논점을 흐리거나 주장의 설득력을 떨어뜨릴 수 있다.
ㄹ. 중의적 표현으로 인해 주장의 명료성을 떨어뜨릴 수 있다.

① ㄱ, ㄴ ② ㄱ, ㄷ
③ ㄱ, ㄹ ④ ㄴ, ㄷ
⑤ ㄷ, ㄹ

09 '현중'이 반론에서 ㉡을 활용한 효과를 한 문장으로 쓰시오.

차 **사회자:** 반대 측에서는 에어컨 사용을 자율화하더라도 모두가 만족할 수 없다고 반론하였습니다. 반면에 찬성 측에서는 학교 설립 목적을 근거로 들어 에어컨 사용을 자율화해야 우리의 학습권을 보호할 수 있다고 반론하였습니다. 그럼, 반대 측 두 번째 반론을 말씀해 주세요.

카 **반대 측 반론 2** **정은:** 해가 지날수록 폭염이 극심해지는 근본적인 원인은 환경 오염과 지구 온난화 때문입니다. 이 문제가 해결되지 않는다면, 학교 입장에서는 학생들의 건강을 위해 휴교나 단축 수업을 할 수밖에 없습니다. 한편 우리나라는 대부분 화력 발전소에서 전기를 생산하고 있습니다. 텔레비전 뉴스 보도에 따르면, 화력 발전소에서 전기를 생산할 때 초미세 먼지나 오존과 같은 오염 물질이 발생하고, 이런 물질 때문에 지구 온난화가 가속화된다고 합니다. 그리고 에어컨 온도를 1도 낮출 때마다 전력이 7 퍼센트나 더 소비된다고 합니다. 즉, 당장 조금 더 시원하게 지내려고 에어컨을 마구 사용하다 보면 지구 온난화가 더욱 심해지게 되고, 결국 올여름과 같은 더위가 반복될 것입니다. 이런 악순환을 끊기 위해서라도 우리는 어느 정도의 불편함은 감수해야 합니다.

또한 찬성 측에서 언급했던 것과 달리, 여름철 실내 온도가 무조건 낮다고 해서 학습 효과가 높아지는 것은 아닙니다. 한 실험에 따르면 실내 온도가 적정 온도인 26도일 때 뇌 활성도가 가장 높아진다고 하는데요. 뇌 활성도가 높아지면 학습과 집중력에 영향을 미치는 '베타파'가 나와 학습 효과를 높일 수 있습니다. 따라서 학습 효과를 높이기 위해서라도 중앙 제어 방식을 유지해야 한다고 생각합니다.

타 **찬성 측 반론 2** **미르:** 에어컨 사용을 자율화한다고 해서 무조건 낮은 온도로 설정하겠다는 것이 아닙니다. 다만 우리가 원하는 시간에 필요한 만큼 에어컨을 사용하고 싶다는 것입니다. 또 에어컨 청소를 자주 하면 에너지를 절감하는 효과를 낸다고 해요. 이처럼 자유롭게 에어컨을 쓰면서도 전기 에너지 소비량을 줄일 수 있도록 학생들이 실천 가능한 방법을 고민해 보겠습니다. 또한 최근에 정부와 기업이 협력하여 학교에 친환경적으로 전기 에너지를 생산할 수 있는 태양광 발전기를 설치해 주고 있습니다. 우리 학교에 태양광 발전기를 설치한다면 전기 요금을 아낄 수 있을 뿐만 아니라 걱정스러웠던 환경 오염 문제도 해소할 수 있습니다.

간단 체크 내용 문제

10 (차)~(타)에 나타난 토론 참여자에 대한 설명으로 적절한 것은?

① 정은: 논제에서 벗어난 의견을 내세우고 있다.
② 사회자: 토론자의 발언을 요약하여 제시하고 있다.
③ 미르: 상대측이 제시한 근거 자료를 신뢰하지 않고 있다.
④ 정은: 질문을 통해 상대측 주장의 허점을 지적하고 있다.
⑤ 미르: 전문가의 말을 인용해 자신의 주장을 보완하고 있다.

중요

11 (카)에 제시된 '정은'의 반론에 대한 설명으로 적절하지 않은 것은?

① 에어컨의 과다 사용이 환경에 미치는 부작용을 부각하고 있다.
② 찬성 측에서 제기한 문제가 발생한 근본적인 원인을 밝히고 있다.
③ 학생들의 건강을 위해 휴교나 단축 수업을 늘려야 함을 강조하고 있다.
④ 실내 온도가 뇌에 미치는 영향을 보여 주는 연구 결과를 활용하고 있다.
⑤ 에너지 사용과 환경 문제의 관련성을 보여 주는 객관적 자료를 활용하고 있다.

간단 체크 어휘 문제

다음 뜻풀이에 알맞은 낱말에 ○ 표 하시오.

(1) 아끼어 줄이다.
(절가하다 / 절감하다)

(2) 남의 논설이나 비난, 논평 따위에 대하여 반박하다.
(반론하다 / 반색하다)

온도에 따른 학습 효과는 의견의 차이가 있겠지만, 자신이 만족하는 환경일 때 가장 학습 효과가 좋지 않을까요? 아무리 적정 온도가 26도라고 하더라도 더위에 몸과 마음이 지쳤는데 우리의 집중력이 높아지지는 않을 듯합니다. 따라서 저는 교실에서의 에어컨 사용을 자율화해야 한다고 생각합니다.

학습콕 반론 | 소주제: 상대측 주장에 대한 반론

❶ 양측의 첫 번째 반론

반대 측	• 찬성 측 토론자의 평상시 □□ □□가 성실하지 못한 점을 근거로 들어, 찬성 측의 주장을 반박함. • 네덜란드의 한 의과 대학 연구팀의 연구 결과를 근거로 들어, 찬성 측의 주장이 공정하지 못하다고 반론을 제기함.
찬성 측	• 성숙한 태도로 반대 측이 예상하는 문제를 해결해 나갈 수 있음을 강조하면서 반대 측의 반론을 반박함. • 학교의 설립 목적을 근거로 들어, 반대 측의 주장에 따르면 오히려 우리의 학습권이 침해당하는 것이므로 타당하지 않다고 □□을 제기함.

❷ 양측의 두 번째 반론

반대 측	• 환경 오염과 지구 온난화 문제를 근거로 들어, 에어컨 사용을 자율화하는 것이 바람직하지 못하다고 반박함. • 적정 온도일 때 □ □□□가 가장 높아진다는 실험 결과를 근거로 들어, 찬성 측에서 제시한 주장과 근거를 신뢰할 수 없다고 반론을 제기함.
찬성 측	• 태양광 발전기 같은 □□□□ 방법으로 반대 측이 제기한 문제를 해결할 수 있다고 반박함. • 반대 측에서 근거로 제시한 연구 결과를 인정하면서도 이에 대한 의문을 제기하여 에어컨 사용을 자율화해야 하는 까닭을 다시 강조함.

토론의 마무리 학습 포인트

❶ 사회자의 역할 ③

파 **사회자**: 네. 반대 측에서는 지구 온난화 문제와 학습 적정 온도를 근거로 반론을 제기하였습니다. 찬성 측에서는 에어컨을 충분히 쓰면서도 환경 오염 문제를 예방할 수 있는 대안을 제시하면서, 에어컨 사용을 자율화해야 하는 까닭을 다시 한번 말씀해 주었습니다. 지금까지 '교실에서의 에어컨 사용을 자율화해야 한다.'라는 논제에 대한 찬성 측과 반대 측의 의견을 모두 들어보았습니다. 청중 여러분께서는 이번 토론에 대한 판정을 내려 주시기 바랍니다. 모두 수고하셨습니다.

학습콕 토론의 마무리 | 소주제: 토론 내용의 정리 및 마무리

❶ 사회자의 역할 ③
토론 내용을 정리하고 토론의 끝을 알림.

간단 체크 내용 문제

12 (파)에서 '사회자'가 수행한 역할에 해당하는 것을 모두 골라 바르게 묶은 것은?

ㄱ. 토론자의 반론 내용을 정리하고 있다.
ㄴ. 토론의 논제를 언급하며 토론을 마무리하고 있다.
ㄷ. 토론자들이 규칙과 시간을 지키도록 이끌고 있다.
ㄹ. 청중에게 토론 판정의 기준과 방법을 안내하고 있다.
ㅁ. 토론의 내용에 대한 청중의 질문을 유도하며 발언권을 부여하고 있다.

① ㄱ, ㄴ
② ㄱ, ㄹ
③ ㄷ, ㅁ
④ ㄴ, ㄷ, ㄹ
⑤ ㄷ, ㄹ, ㅁ

간단 체크 어휘 문제

다음 낱말의 뜻풀이가 맞으면 ○표, 틀리면 ×표 하시오.

(1) 적정: 알맞고 바른 정도 (　　)

(2) 판정: 판별하여 결정함. (　　)

(3) 해소하다: 까닭이나 내용을 풀어서 밝히다. (　　)

(4) 자율화하다: 어떤 일을 구속하지 아니하고 자기 스스로의 원칙에 따라 하도록 하다. (　　)

학습 활동

교과서 37~45쪽

• 정답과 해설 05쪽

이해

❶ 토론의 주요 쟁점 및 양측의 주장과 근거를 파악하기
❷ 토론의 쟁점에 대한 입장을 정하여 상대편 주장에 논박하기

1 이 토론의 주요 쟁점에 대한 찬성 측과 반대 측의 주장과 근거를 정리해 보자.

논제 교실에서의 에어컨 사용을 자율화해야 한다.

쟁점 1 학생들의 권리를 보호하기 위해 에어컨 사용을 자율화해야 한다.

찬성
- 주장: 학생들의 행복 추구권을 실현할 수 있도록 에어컨 사용을 자율화해야 한다.
- 근거: 우리나라 헌법 제10조에서는 모든 국민에게 (답 □□ □□□) 이/가 있음을 규정하고 있다.

반대
- 주장: 학생들의 (답 학습권)을/를 보호하기 위해 에어컨 사용을 자율화하면 안 된다.
- 근거: 한정된 학교의 운영 예산에서 전기 요금의 비율이 커지면, 학생들을 위한 (답 교육) 예산이 줄어든다.

쟁점 2 학습 효과를 높이기 위해 에어컨 사용을 자율화해야 한다.

찬성
- 주장: (답 학습 효과)을/를 높이기 위해 에어컨 사용을 자율화해야 한다.
- 근거: 미국의 한 경제 연구소의 분석 결과에 따르면 온도가 (답 낮을) 때 학생들의 시험 점수가 높아졌다.

반대
- 주장: (답 □□ □□)을/를 보호하기 위해 에어컨 사용을 자율화하면 안 된다.
- 근거: 전 세계의 환경 문제가 심각하므로 학교도 환경을 지키는 일에 동참해야 한다.

2 다음 토론자의 주장을 살펴보면서, 토론에서 타당한 근거를 들어 논박하는 방법을 알아보자.

(1) 다음 토론자가 어떤 기준으로 상대측 주장을 비판하는지 정리해 보자.

주장이 공평하지 않다

주장과 근거를 신뢰할 수 없다

주장이나 근거가 합리적이지 않다

간단 체크 활동 문제

01 이 토론에서 〈보기〉를 근거로 활용하기 위한 방안을 제시한 것으로 적절한 것은?

보기
우리나라 헌법 제10조에서는 모든 국민에게 행복 추구권이 있음을 규정하고 있다.

① 찬성 측에서 학습 효과를 높이기 위해 에어컨 사용을 자율화해야 함을 강조할 때 활용한다.
② 반대 측에서 학교의 예산 절약을 위해 에어컨 사용을 중앙에서 통제해야 함을 부각할 때 활용한다.
③ 찬성 측에서 에어컨 사용을 자율화하는 것이 학생들의 권리를 보호하는 것임을 부각할 때 활용한다.
④ 반대 측에서 에어컨 사용 자율화를 위해 학생들을 위한 교육 예산을 먼저 확보해야 함을 강조할 때 활용한다.
⑤ 반대 측에서 학생들의 행복 추구권을 실현할 수 있도록 에어컨 사용을 자율화해야 함을 부각할 때 활용한다.

02 다음 빈칸에 들어갈 알맞은 말을 차례대로 쓰시오.

이 토론의 두 번째 쟁점을 입론하는 과정에서 □□ 측 토론자는 주장의 □□ □을/를 높이기 위해 미국의 한 경제 연구소의 분석 결과를 근거로 제시하여 '학습 효과를 높이기 위해 에어컨 사용을 자율화해야 한다.'라고 주장하였다.

학습 활동

찬성 측 주장

학생들이 행복 추구권을 실현할 수 있도록 에어컨 사용을 자율화해야 한다.

반대 측 반론 1

사람마다 추위나 더위를 느끼는 온도가 다르므로 에어컨을 자율적으로 사용한다고 해도 모두가 만족할 수는 없다.

논박 1

반대 1 토론자는 실내 온도에 대한 만족도는 상대적이라는 점을 근거로 들고 있다. 따라서 찬성 측의 답 주장이 공평하지 않다 는 점을 비판하고 있다.

반대 측 주장

학생들의 학습권을 보호하기 위해 에어컨 사용을 자율화하면 안 된다.

찬성 측 반론 1

학교는 학생들을 교육하는 것을 목적으로 설립된 기관이다. 그런데 학교가 더위로 인해 교육 활동을 할 수 없는 환경을 제공한다면 우리의 학습권이 침해당하는 것이다.

논박 2

찬성 1 토론자는 학교의 설립 목적을 근거로 들고 있다. 따라서 반대 측의 답 주장이나 근거가 합리적이지 않다 는 점을 비판하고 있다.

찬성 측 근거

미국의 한 경제 연구소가 중국의 입학시험 점수를 분석한 결과에 따르면, 온도가 낮을 때 학생들의 시험 점수가 높아졌다고 한다.

반대 측 반론 2

한 실험에 따르면 실내 온도가 적정 온도인 26도일 때 뇌 활성도가 높아지며, 이로 인해 학습과 집중력에 영향을 미치는 '베타파'가 나와 학습 효과를 높인다고 한다.

논박 3

반대 2 토론자는 또 다른 실험 결과를 근거로 들고 있다. 따라서 찬성 측의 답 주장과 근거를 □□할 수 없다 는 점을 비판하고 있다.

(2) 다음은 반대 측 토론자의 논박이다. 이 토론자의 논박이 제대로 이루어졌는지 생각해 보고, 그렇게 생각한 까닭을 말해 보자.

학습 효과를 높이기 위해 온도를 낮추어야 한다니 어이가 없습니다. 찬성 측 토론자는 평소 수업 시간에 딴짓을 많이 하는데, 실내 온도가 낮아진다고 공부에 집중할까요? 저는 그 점이 매우 의문스럽습니다.

예시 답 ›› 이 토론자의 반박은 논리적이지 않다. 왜냐하면 찬성 측에서 주장한 내용을 논리적으로 분석하고 타당한 근거를 들어 그 허점을 지적하지 않았기 때문이다. 또한 논제와 관련 없는 찬성 측 토론자의 평소 학습 태도를 근거로 들어 찬성 측 토론자의 주장이 잘못되었다고 비난하는 것은 올바른 토론 태도라고 볼 수 없다.

간단 체크 활동 문제

03 〈보기〉의 토론자가 사용한 논박의 방법에 해당하는 것은?

보기

찬성 측에서는 학생들이 행복 추구권을 실현할 수 있도록 에어컨 사용을 자율화해야 한다고 주장하고 있지만, 사람마다 추위나 더위를 느끼는 온도가 다르므로 에어컨을 자율적으로 사용한다고 해도 모두가 만족할 수는 없습니다.

① 주장이 공평하지 않다는 점을 비판하고 있다.
② 주장이 합리적이지 않다는 점을 비판하고 있다.
③ 주장과 근거를 신뢰할 수 없다는 점을 비판하고 있다.
④ 논제와 관련이 없는 주장이라는 점을 비판하고 있다.
⑤ 주장을 뒷받침하는 근거가 객관적이지 않다는 점을 비판하고 있다.

04 2-(2)에 제시된 토론자의 논박이 지닌 문제점을 분석한 내용으로 적절한 것은?

① 상대측의 주장을 잘못 파악하고 있다.
② 상대측 발언에서 사실과 의견을 구분하지 못하고 있다.
③ 상대측의 주장을 신뢰하지 않고 논리적 허점만 지적하고 있다.
④ 논제와 상관없는 내용을 근거로 들어 상대방을 비난하고 있다.
⑤ 상대측의 논리를 반박하지 않고 상대측의 주장에 동조하고 있다.

3 이 토론의 논제에 대해 자신은 어떤 입장인지 정리한 후에, 적절한 근거를 들어 상대방의 주장을 반박해 보자.

예시 답 〉〉

저는 ((찬성) / 반대) 측의 ((첫 번째) / 두 번째) (입론 / (반론))이/가 잘못되었다고 생각합니다. 왜냐하면 찬성 측은 학교가 교육 활동을 할 수 없는 환경을 제공한다면 우리의 학습권이 침해당하는 것이라고 하였지만, 이는 폭염이 지속될 때에만 해당하는 특정한 상황일 뿐 학교에서 단축 수업이나 휴교를 하는 것은 어디까지나 학생들의 건강을 지키기 위한 조치입니다. 이를 우리의 학습권이 침해당한다고 주장하는 것은 논리적으로 맞지 않습니다.

따라서 저는 학생들이 에어컨을 자율적으로 사용하는 것에 (찬성 / (반대))합니다.

학습콕

❶ 논박하기의 개념

토론에서 상대방의 주장과 근거가 지닌 논리적 허점이나 오류에 대해 타당한 근거를 들어 비판하고, 자신의 주장이 옳다는 것을 입증하는 말하기임.

❷ 상대방의 주장과 근거를 비판적으로 분석하기 위한 판단 기준

신뢰성	인정이나 권위에 호소하지 않고, 믿을 만한 자료를 바탕으로 주장하고 있는가?
타당성	주장과 근거가 연관되어 있으며, 근거가 주장을 논리적으로 뒷받침하고 있는가?
공정성	어느 한쪽의 이념, 가치관에 치우치지 않고, 정의롭고 공평한 주장을 펼치고 있는가?

적용

❶ 우리 사회와 관련된 책을 읽고, 토론할 논제를 선정하기
❷ 토론자의 역할을 정해 토론을 진행하고, 토론 과정을 평가하기

모둠별로 우리 사회와 관련된 책을 찾아 읽어 보고, 읽은 책에서 적절한 논제를 선정하여 토론해 보자.

1 모둠별로 함께 읽을 책을 찾아보고, 〈책 읽기 제안서〉를 작성해 보자.

(1) 다음을 참고하여 모둠별로 어떤 주제로 책을 읽을지 논의해 보자.

- ☐ 대중문화와 청소년
- ☐ 생명 과학과 윤리
- ☐ 인공 지능과 미래 사회
- ☑ 언론의 역할과 나쁜 뉴스
- ☐ 기타: ....

(2) (1)을 바탕으로 각자 책을 찾아 〈책 읽기 제안서〉를 작성해 보자.

- **책 제목과 글쓴이:** 『가짜 뉴스, 처벌만으로 해결이 될까?』 / 금준경
- **책에 대한 간단한 소개:** '가짜 뉴스'가 무엇인지 설명하고, 우리가 언론을 어떠한 태도로 대해야 하는지 이야기한 내용이다.
- **이 책을 제안하는 까닭:** 최근 '가짜 뉴스'가 사회적으로 큰 문제가 되고 있다. 이 책을 읽으면서 '가짜 뉴스'가 무엇인지 알고, 이를 비판적으로 판단할 수 있는 안목을 기르고 싶다.

간단 체크 활동 문제

05 모둠별로 독서 토론을 실시하기 위한 계획으로 적절하지 않은 것은?

① 모둠원들의 논의를 통해 독서 토론을 진행하기 위한 책의 주제를 선정한다.
② 주제와 관련된 책을 각자 찾아 읽는다.
③ 자신이 읽은 책의 내용을 바탕으로 책 읽기 제안서를 작성한다.
④ 책 읽기 제안서를 돌려 읽은 후, 모둠에서 함께 읽을 책을 선정한다.
⑤ 찬반의 대립이 적고 합의가 가능한 내용을 토론의 논제로 선정한다.

06 〈보기〉는 모둠에서 선정한 주제를 바탕으로 작성한 '책 읽기 제안서'이다. 모둠에서 선정한 주제로 가장 적절한 것은?

보기

• 책에 대한 간단한 소개
'가짜 뉴스'가 무엇인지 설명하고, 우리가 언론을 어떠한 태도로 대해야 하는지 이야기한 내용이다.
• 이 책을 제안하는 까닭
최근 '가짜 뉴스'가 사회적으로 큰 문제가 되고 있다. 이 책을 읽으면서 '가짜 뉴스'가 무엇인지 알고, 이를 비판적으로 판단할 수 있는 안목을 기르고 싶다.

① 생명 과학과 윤리
② 대중문화와 청소년
③ 인공 지능과 미래 사회
④ 언론의 역할과 표현의 자유
⑤ 개인 정보 유출의 실태와 개인 정보 보호의 중요성

학습 활동

2 〈책 읽기 제안서〉를 바꾸어 읽어 보고, 함께 읽을 책을 선정해 보자.

예시 답〉〉 • 책 제목: 『가짜 뉴스, 처벌만으로 해결이 될까?』
• 글쓴이: 금준경

3 각자 책을 읽으면서 다음 항목에 따라 책 내용을 정리해 보자.

○ 동의하는 내용

가짜 뉴스를 믿는 사람들이 늘어나면서 피해를 입는 사람이 많아졌다.

× 동의하지 않는 내용

글쓴이는 가짜 뉴스를 처벌하는 데에 어려움이 있다고 말하였지만, 가짜 뉴스를 더욱 강력하게 처벌해야 그 피해를 줄일 수 있다고 생각한다.

? 이해되지 않는 내용

예시 답〉〉 가짜 뉴스에 속지 않기 위해 개인적 차원의 노력이 필요하다고 했는데, 가짜 뉴스가 진짜처럼 포장되고 있는 상황에서 그것을 구분해 낼 수 있을지 궁금하다.

새로운 생각

가짜 뉴스를 구분하려면 그 뉴스와 관련된 다양한 정보를 수집하여 뉴스를 비판적으로 받아들여야 함을 깨달았다.

※ 인상 깊은 내용

예시 답〉〉 가짜 뉴스의 사례가 인상적이었다. 미국, 유럽과 같이 언론이 발달한 나라뿐만 아니라 우리나라도 오래전부터 가짜 뉴스가 많았다니 다소 충격적이었다.

책 내용과 관련한 경험

예시 답〉〉 좋아하는 연예인에 대한 가짜 뉴스를 읽고, 실망감을 표현하는 글을 올린 적이 있는데, 알고 보니 가짜 뉴스여서 그 연예인에게 미안함을 느꼈고 내가 가짜 뉴스를 퍼뜨렸다는 생각에 죄책감도 들었다.

4 3에서 정리한 '동의하는 내용'과 '동의하지 않는 내용'을 바탕으로 토론할 논제를 정하고, 토론에서 어떤 역할을 맡을지 정해 보자.

토론 논제	가짜 뉴스를 만든 사람을 강력하게 처벌해야 한다.
내 역할	☐ 사회자 ☑ 찬성 측 토론자 ☐ 청중 ☐ 반대 측 토론자

간단 체크 활동 문제

07 〈보기〉는 주어진 항목에 따라 책의 내용을 정리한 것이다. 항목의 제목으로 적절한 것은?

보기

글쓴이는 가짜 뉴스를 처벌하는 데에 어려움이 있다고 말하였지만, 가짜 뉴스를 더욱 강력하게 처벌해야 그 피해를 줄일 수 있다고 생각한다.

① 동의하는 내용
② 인상 깊은 내용
③ 동의하지 않는 내용
④ 책 내용과 관련한 경험
⑤ 이해가 되지 않는 내용

08 독서 토론을 진행하기 전, 책의 내용을 정리하기 위해 고려할 사항이 아닌 것은?

① 책의 판매량과 주요 독자층은 어떠한가?
② 책의 내용 중 동의하는 내용은 무엇인가?
③ 책을 읽고 새롭게 알게 된 내용은 무엇인가?
④ 책 내용과 관련한 경험으로는 어떤 것이 있는가?
⑤ 글쓴이의 생각 중 동의하지 않는 내용은 무엇인가?

09 다음 빈칸에 들어갈 알맞은 말을 쓰시오.

독서 토론을 준비할 때에는 책의 내용 중에서 상반된 의견이 나타나는 내용을 중심으로 토론의 ☐☐을/를 선정해야 한다.

• 정답과 해설 05쪽

5 각자 맡은 역할에 따라 토론을 준비해 보자.

(1) 토론 논제의 주요 쟁점을 정리해 보고, 쟁점에 따라 자신의 주장을 정리해 보자.

쟁점 1 가짜 뉴스를 규제할 수 있는 법률을 강화해야 한다.

주장 가짜 뉴스로 피해를 입는 사람이 늘고 있으므로 더 강력하게 규제해야 한다.

쟁점 2 예시 답〉〉 가짜 뉴스를 규제하는 것은 표현의 자유를 침해한다.

주장 예시 답〉〉 허위 사실을 유포해 타인의 권리를 침해하는 가짜 뉴스를 막는 일은 표현의 자유를 침해하는 것이 아니다.

(2) 자신의 주장에 대한 근거를 찾아 정리해 보자.

예시 답〉〉

쟁점	근거 자료	출처
쟁점 1	누리 소통망에 올라온 가짜 뉴스의 거짓 정보 때문에 피해를 입은 학생의 사례	『이비에스(EBS) 뉴스』, 2018. 9. 25.
쟁점 2	가짜 뉴스 처벌을 강화한 독일의 사례	『중앙일보』, 2018. 10. 24.

(3) 상대방의 주장을 예측해 보고, 그에 대한 반론을 마련해 보자.

상대방 주장
가짜 뉴스와 진짜 뉴스를 구분하기가 사실상 어렵다. 언론은 정황을 증거로 하여 의심을 제기하는 경우도 있기 때문이다.

↔

반론
가짜 뉴스를 구분하는 것은 어렵지만, 가짜 뉴스를 만들거나 퍼뜨린 사람에게 법적 처벌을 강화하면 가짜 뉴스가 생산되는 것을 막을 수 있다.

상대방 주장
예시 답〉〉 가짜 뉴스를 처벌하면, 어떤 문제에 대한 의혹을 제기하는 것이 어렵게 된다. 이는 자유롭게 표현할 수 있는 자유를 억제하는 것이다.

↔

반론
예시 답〉〉 가짜 뉴스 처벌은 사실 왜곡이나 허위 정보 유포 행위를 처벌하자는 것이지, 합리적인 의혹 제기를 막자는 의미가 아니다.

간단 체크 활동 문제

10 〈보기〉에 따라 토론을 실시할 때, 찬성 측 토론자가 내세울 주장으로 가장 적절한 것은?

보기
• 토론 논제
가짜 뉴스를 만든 사람을 강력하게 처벌해야 한다.

① 가짜 뉴스를 규제하는 것은 표현의 자유를 침해한다.
② 가짜 뉴스를 규제하는 것은 현실적으로 어려움이 있다.
③ 가짜 뉴스를 비판적으로 수용하는 교육을 실시하는 것이 더 효과적이다.
④ 가짜 뉴스는 언론이 발달한 선진국에서도 보편적으로 나타나는 현상이다.
⑤ 가짜 뉴스로 인한 피해 사례가 늘고 있으므로 가짜 뉴스에 대한 규제 법률을 강화해야 한다.

11 〈보기〉의 주장에 대한 반론 내용으로 가장 적절한 것은?

보기
가짜 뉴스를 처벌하면, 어떤 문제에 대한 의혹을 제기하는 것이 어렵게 된다. 이는 자유롭게 표현할 수 있는 자유를 억제하는 것이다.

① 가짜 뉴스와 진짜 뉴스를 구분하는 것은 사실상 어렵다.
② 언론은 정황을 증거로 하여 의심을 제기하는 경우도 있다.
③ 표현의 자유는 헌법에서 보장하는 권리이므로 존중되어야 한다.
④ 가짜 뉴스에 대한 법적 처벌을 강화하면 의혹을 제기하는 행위를 차단할 수 있다.
⑤ 허위 정보 유포 행위를 처벌하자는 것이지 합리적 의혹 제기를 막자는 것은 아니다.

6 준비한 내용을 바탕으로 토론을 진행해 보자.

예시 답》 생략

7 청중은 토론을 경청하면서, 다음 기준에 따라 토론자를 평가해 보자.

평가 기준	찬성 측	반대 측
• 논제에 대해 자신의 주장을 명확히 밝혔는가?	◯ 예 ◯ 아니요	◯ 예 ◯ 아니요
• 주장과 근거를 타당하게 제시하였는가?	◯ 예 ◯ 아니요	◯ 예 ◯ 아니요
• 적절한 근거를 들어 상대의 주장을 논박하였는가?	◯ 예 ◯ 아니요	◯ 예 ◯ 아니요
• 상대의 발언을 경청하고 예의를 갖추어 토론에 참여하였는가?	◯ 예 ◯ 아니요	◯ 예 ◯ 아니요

예시 답》 생략

간단 체크 활동 문제

12 토론자를 평가하는 기준으로 적절하지 않은 것은?

① 주장과 근거를 타당하게 제시하였는가?
② 논제에 대해 자신의 주장을 명확히 밝혔는가?
③ 적절한 근거를 들어 상대의 주장을 논박하였는가?
④ 상대의 발언을 경청하고 예의를 갖추어 토론에 참여하였는가?
⑤ 문제를 해결할 수 있는 최선의 방안을 찾기 위해 협력하였는가?

활동 마당

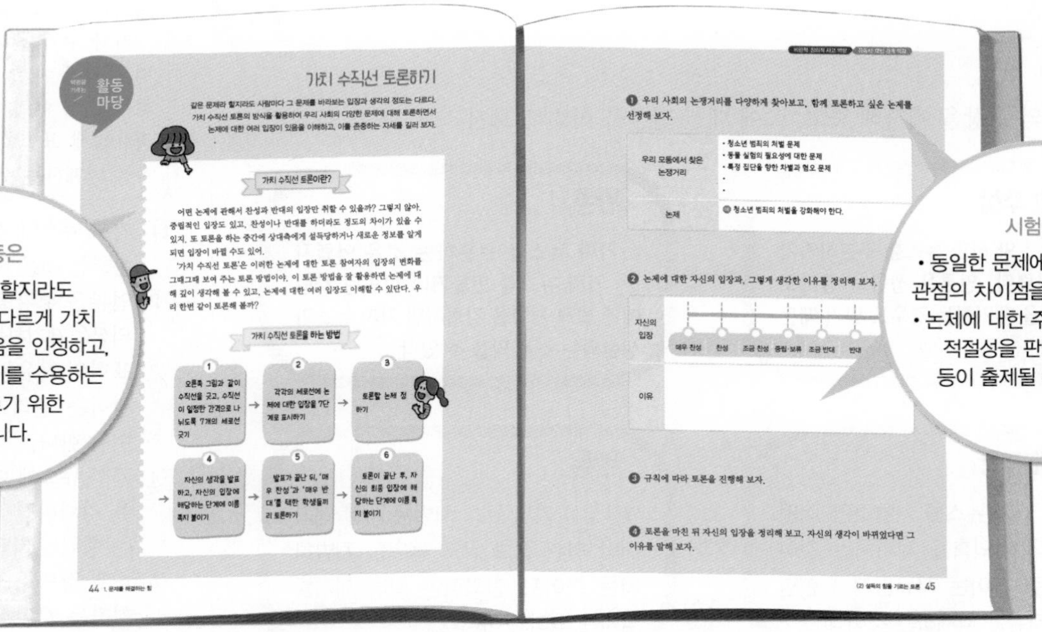

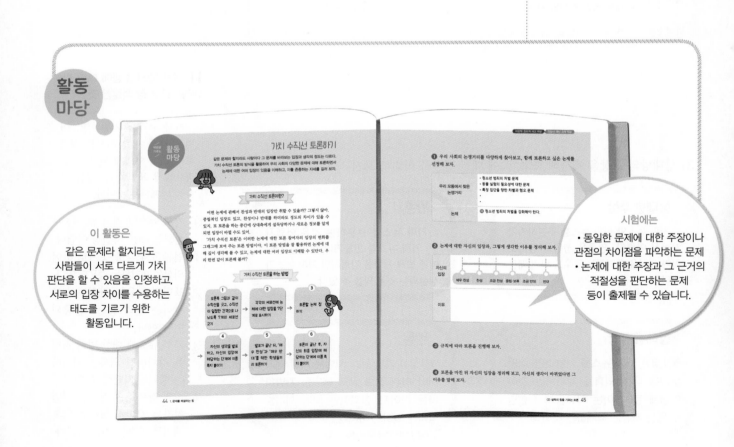

이 활동은
같은 문제라 할지라도 사람들이 서로 다르게 가치 판단을 할 수 있음을 인정하고, 서로의 입장 차이를 수용하는 태도를 기르기 위한 활동입니다.

시험에는
• 동일한 문제에 대한 주장이나 관점의 차이점을 파악하는 문제
• 논제에 대한 주장과 그 근거의 적절성을 판단하는 문제
등이 출제될 수 있습니다.

압축 파일

• 정답과 해설 06쪽

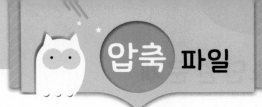

갈래	고전적 토론	성격	설득적, 논리적
제재	교실에서의 에어컨 사용 자율화	논제	교실에서의 에어컨 사용을 자율화해야 한다.
특징	• 논제의 주요 쟁점을 중심으로 찬성 측과 반대 측이 근거를 들어 주장을 펼침. • 상대측 주장이나 근거에 대해 신뢰성, 타당성, 공정성 등을 판단하여 논박함.		

이 토론의 주요 쟁점에 따른 찬성 측과 반대 측의 주장과 근거

쟁점 ① 학생들의 ❶[ ][ ]를 보호하기 위해 에어컨 사용을 자율화해야 한다.

	찬성 측	반대 측
주장	학생들의 ❷[ ][ ] 추구권을 실현할 수 있도록 에어컨 사용을 자율화해야 함.	학생들의 학습권을 보호하기 위해 에어컨 사용을 자율화하면 안 됨.
근거	우리나라 헌법 제10조에서는 모든 국민에게 행복 추구권이 있음을 규정하고 있음.	한정된 학교의 운영 예산에서 전기 요금의 비율이 커지면, 학생들을 위한 교육 예산이 줄어듦.

쟁점 ② 학습 ❸[ ][ ]를 높이기 위해 에어컨 사용을 자율화해야 한다.

	찬성 측	반대 측
주장	학습 효과를 높이기 위해 에어컨 사용을 자율화해야 함.	지구 환경을 보호하기 위해 에어컨 사용을 자율화하면 안 됨.
근거	미국의 한 경제 연구소의 분석 결과에 따르면 온도가 낮을 때 학생들의 시험 점수가 높아졌음.	전 세계의 ❹[ ][ ] 문제가 심각하므로 학교도 환경을 지키는 일에 동참해야 함.

상대측 주장이나 근거에 대한 논박

찬성 측 주장

학생들이 행복 추구권을 실현할 수 있도록 에어컨 사용을 자율화해야 함.

반대 측 반론 1

내용	사람마다 추위나 더위를 느끼는 온도가 다르므로 에어컨을 자율적으로 사용한다고 해도 모두가 만족할 수는 없음.
논박의 방법	찬성 측의 주장이 ❺[ ][ ]하지 않다는 점을 비판하고 있음.

반대 측 주장

학생들의 학습권을 보호하기 위해 에어컨 사용을 자율화하면 안 됨.

찬성 측 반론 1

내용	학교가 더위로 인해 교육 활동을 할 수 없는 환경을 제공할 경우 오히려 학생의 학습권이 침해당하게 됨.
논박의 방법	반대 측의 주장이나 근거가 ❻[ ][ ][ ]이지 않다는 점을 비판하고 있음.

찬성 측 근거

미국의 한 경제 연구소의 연구 결과에 따르면 온도가 낮을 때 학생들의 시험 점수가 높아졌다고 함.

반대 측 반론 2

내용	한 실험에 따르면 실내 온도가 적정 온도인 26도일 때 뇌 활성도가 높아져 학습 효과를 높일 수 있다고 함.
논박의 방법	찬성 측의 주장과 근거를 ❼[ ][ ]할 수 없다는 점을 비판하고 있음.

시험에 나오는 소단원 문제

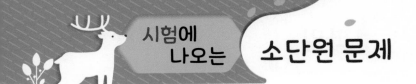

01~04 다음을 읽고, 물음에 답하시오.

(가) 나현: 얼마 전 우리 학교 학생들을 대상으로 실시한 설문 조사에서 약 72 퍼센트의 학생들이 교실이 너무 덥다고 응답했습니다. 학생 대부분이 교실 온도에 만족하지 못하는 것이죠. 우리나라 헌법 제10조는 "모든 국민은 인간으로서의 존엄과 가치를 가지며, 행복을 추구할 권리를 가진다."라고 하여 행복 추구권을 규정하고 있습니다. 국민은 누구나 자신이 좋아하는 환경에서 만족스럽게 생활할 권리가 있다는 것입니다. 하지만 우리는 에어컨을 자유롭게 사용하지 못한 채 더위에 고통받고 있습니다. 따라서 저는 학생들이 행복 추구권을 실현할 수 있도록 에어컨 사용을 자율화해야 한다고 생각합니다.

(나) 현중: 찬성 측에서는 우리에게 행복 추구권이 있다는 것을 근거로 에어컨 사용을 자율화해야 한다고 말씀하셨습니다. 물론 쾌적한 환경에서 공부하는 것은 중요합니다. 그래야 학습에 더욱 집중할 수 있을 테니까요. 하지만 에어컨을 자율적으로 사용하여 전기 요금이 늘어난다면 어떻게 될까요? 행정실장님 말씀에 따르면 학교 운영 예산에서 전기 요금이 차지하는 비율은 약 10 퍼센트인데, 여름철에는 에어컨 사용으로 그 비율이 많이 올라간다고 합니다. 학교를 운영하는 예산은 한정되어 있는데 에어컨을 자율적으로 사용하면 전기 요금이 더 올라갈 것이고, 그만큼 학생들을 위한 교육 예산은 줄어들 수밖에 없습니다. 결국 우리는 다양한 지식을 배우고 활동을 경험할 수 있는 기회, 즉 학습권을 잃게 됩니다. 그래서 저는 중앙에서 에어컨을 관리하는 방식을 유지해야 한다고 생각합니다.

(다) 미르: 반대 측에서도 말씀하셨다시피 쾌적한 환경일 때 우리는 공부에 더욱 집중할 수 있습니다. 이를 뒷받침하는 연구 결과도 있는데요. 미국의 한 경제 연구소에서 2005년부터 2011년까지 시행된 중국의 입학시험 점수를 분석한 결과, 온도가 낮을 때 학생들의 시험 점수가 높아졌다고 합니다. 〈중략〉 따라서 학습 효과를 높이기 위해서라도 에어컨 사용을 자율화하여 쾌적한 교실 환경을 유지해야 합니다.

01 이와 같은 말하기에서 참여자의 역할로 적절하지 <u>않은</u> 것은?

① 상대측과의 의견 차이를 절충해 나간다.
② 쟁점에 대한 자신의 주장이 타당함을 내세운다.
③ 상대측의 주장이 지닌 모순점을 논리적으로 지적한다.
④ 한 조가 된 두 사람이 번갈아 가면서 예의를 갖춰 발언한다.
⑤ 상대측의 주장을 예상하고, 이를 논박하는 데에 필요한 자료를 수집한다.

서술형 | 학습 활동 응용

02 (가)와 (나)에서 다루고 있는 쟁점을 쓰시오.

03 (가)~(다)의 토론자에 대한 설명으로 적절하지 <u>않은</u> 것은?

① '나현'은 학생들의 설문 조사 결과를 활용하여 문제 상황의 심각성을 부각하고 있다.
② '나현'은 헌법에 명시된 학교의 설립 목적을 근거로 들어 주장의 타당성을 강조하고 있다.
③ '현중'은 학교 관계자의 말을 인용하여 주장의 신뢰도를 높이고 있다.
④ '현중'은 상대측의 주장이 실현되었을 때의 문제점을 제시하여 자신의 주장을 강화하고 있다.
⑤ '미르'는 권위 있는 기관의 연구 결과를 활용하여 주장의 신뢰성을 확보하고 있다.

04 (나)의 '현중'과 (다)의 '미르'가 모두 동의할 수 있는 내용을 골라 바르게 묶은 것은?

ㄱ. 쾌적한 교실 환경을 조성하는 것은 중요하다.
ㄴ. 교육 예산을 늘릴수록 시험 점수가 올라간다.
ㄷ. 학교는 학생들의 학습을 위해 노력해야 한다.
ㄹ. 에어컨 사용은 학생들의 행복에 영향을 끼친다.

① ㄱ, ㄴ ② ㄱ, ㄷ ③ ㄱ, ㄹ
④ ㄴ, ㄷ ⑤ ㄷ, ㄹ

● 정답과 해설 06쪽

05~07 다음을 읽고, 물음에 답하시오.

가 현중: ㉠학습 효과를 높이기 위해 온도를 낮추어야 한다니 어이가 없습니다. 찬성 측 토론자는 평소 수업 시간에 딴짓을 많이 하는데, 실내 온도가 낮아진다고 공부에 집중할까요? 저는 그 점이 매우 의문스럽습니다. / 또한 찬성 측 토론자께서는 학생들의 행복 추구권을 근거로 들었지만, 에어컨을 자율적으로 사용한다고 모든 학생이 만족할 수 있을까요? 〈중략〉 학생들이 에어컨의 온도를 자율적으로 조절한다고 해도 모두가 만족할 수는 없습니다. 오히려 일부 학생들은 자신의 권리를 침해당할 수도 있지요.

나 나현: 그럼 반대 측에게 묻겠습니다. 학교의 설립 목적이 무엇이라고 생각하나요? 초·중등 교육법 제2조에 따르면 학교는 학생들을 교육하는 것을 목적으로 설립된 기관을 가리킵니다. 그런데 최근 폭염이 지속되자 일부 학교가 휴교를 하거나 단축 수업을 했다고 합니다. 폭염 때문에 어쩔 수 없이 취한 조치라고 해도, 학교가 교육 활동을 할 수 없는 환경을 제공한다면 문제가 있는 것이 아닐까요? 그야말로 우리의 학습권이 침해당한다는 생각이 드는군요.

다 정은: 또한 찬성 측에서 언급했던 것과 달리, 여름철 실내 온도가 무조건 낮다고 해서 학습 효과가 높아지는 것은 아닙니다. 한 실험에 따르면 실내 온도가 적정 온도인 26도일 때 뇌 활성도가 가장 높아진다고 하는데요. 뇌 활성도가 높아지면 학습과 집중력에 영향을 미치는 '베타파'가 나와 학습 효과를 높일 수 있습니다. 따라서 학습 효과를 높이기 위해서라도 중앙 제어 방식을 유지해야 한다고 생각합니다.

라 미르: 에어컨 사용을 자율화한다고 해서 무조건 낮은 온도로 설정하겠다는 것이 아닙니다. 다만 우리가 원하는 시간에 필요한 만큼 에어컨을 사용하고 싶다는 것입니다. 또 에어컨 청소를 자주 하면 에너지를 절감하는 효과를 낸다고 해요. 이처럼 자유롭게 에어컨을 쓰면서도 전기 에너지 소비량을 줄일 수 있도록 학생들이 실천 가능한 방법을 고민해 보겠습니다. 또한 최근에 정부와 기업이 협력하여 학교에 친환경적으로 전기 에너지를 생산할 수 있는 태양광 발전기를 설치해 주고 있습니다. 우리 학교에 태양광 발전기를 설치한다면 전기 요금을 아낄 수 있을 뿐만 아니라 걱정스러웠던 환경 오염 문제도 해소할 수 있습니다.

학습 활동 응용

05 (나)와 (다)에 나타난 논박의 방법으로 적절한 것은?

① (나)와 (다) 모두 상대측 주장의 공정성을 비판하고 있다.
② (나)와 (다) 모두 상대측 주장에 허위 정보가 있음을 지적하고 있다.
③ (나)는 (다)와 달리 연구 결과를 인용하여 상대측 주장을 반박하고 있다.
④ (다)는 (나)와 달리 출처가 분명한 자료를 활용하여 상대측 주장과 근거의 정확성을 문제 삼고 있다.
⑤ (나)는 상대측 주장과 근거의 타당성을, (다)는 상대측 주장과 근거의 신뢰성을 지적하고 있다.

06 (라)에 나타난 말하기 방식에 해당하는 것을 골라 바르게 묶은 것은?

ㄱ. 상대측 주장이 실현되었을 때의 부작용을 강조하고 있다.
ㄴ. 상대측의 지적을 수용하여 자신의 주장을 수정하고 있다.
ㄷ. 상대측이 제기한 문제에 대해 학생들 스스로 실천 가능한 해결 방안을 제시하고 있다.
ㄹ. 자신의 주장을 효과적으로 실현하는 데에 도움이 되는 정책을 소개하고, 이에 따르는 기대 효과를 부각하고 있다.

① ㄱ, ㄴ ② ㄱ, ㄷ ③ ㄱ, ㄹ
④ ㄴ, ㄷ ⑤ ㄷ, ㄹ

서술형 학습 활동 응용

07 토론의 태도 측면에서 ㉠의 적절성이 떨어지는 이유를 한 문장으로 쓰시오.

어휘력 키우기

교과서 46~47쪽

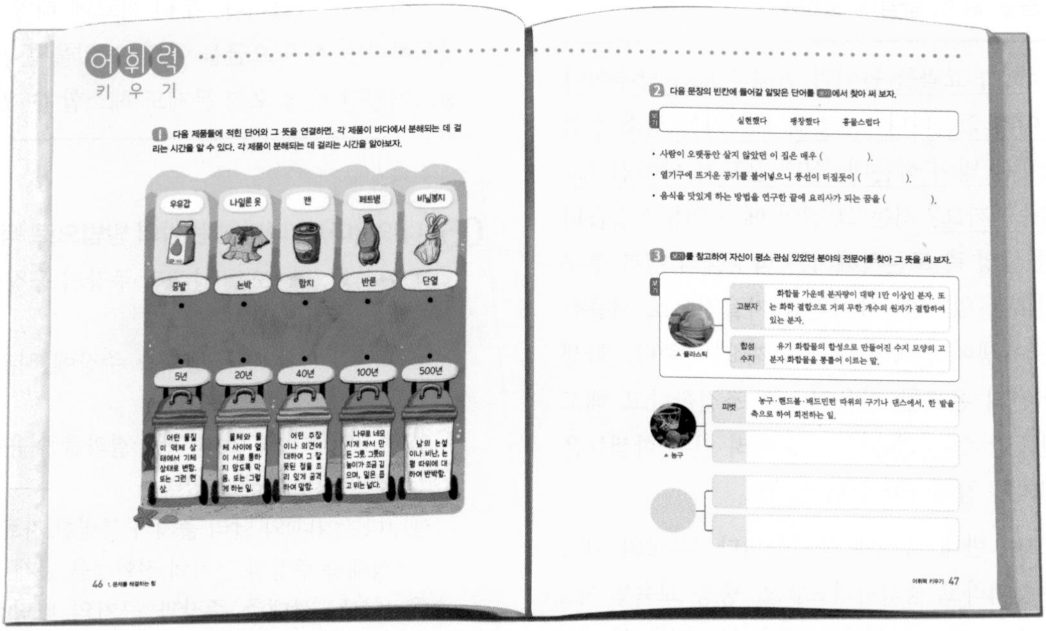
어휘력 키우기

1 다음 제품들에 적힌 단어와 그 뜻을 연결하면, 각 제품이 바다에서 분해되는 데 걸리는 시간을 알 수 있다. 각 제품이 분해되는 데 걸리는 시간을 알아보자.

2 다음 문장의 빈칸에 들어갈 알맞은 단어를 보기에서 찾아 써 보자.

보기: 실현했다 팽창했다 흉물스럽다

• 사람이 오랫동안 살지 않았던 이 집은 매우 (   ).
• 열기구에 뜨거운 공기를 불어넣으니 풍선이 터질듯이 (   ).
• 음식을 맛있게 하는 방법을 연구한 끝에 요리사가 되는 꿈을 (   ).

3 보기를 참고하여 자신이 평소 관심 있었던 분야의 전문어를 찾아 그 뜻을 써 보자.

보기
▲ 플라스틱
고분자: 화합물 가운데 분자량이 대략 1만 이상인 분자. 또는 화학 결합으로 거의 무한 개수의 원자가 결합하여 있는 분자.
합성 수지: 유기 화합물의 합성으로 만들어진 수지 모양의 고분자 화합물을 통틀어 이르는 말.

▲ 농구
피벗: 농구·핸드볼·배드민턴 따위의 구기나 댄스에서, 한 발을 축으로 하여 회전하는 일.

46 1. 문제를 해결하는 힘 / 어휘력 키우기 47

예시답안

1.

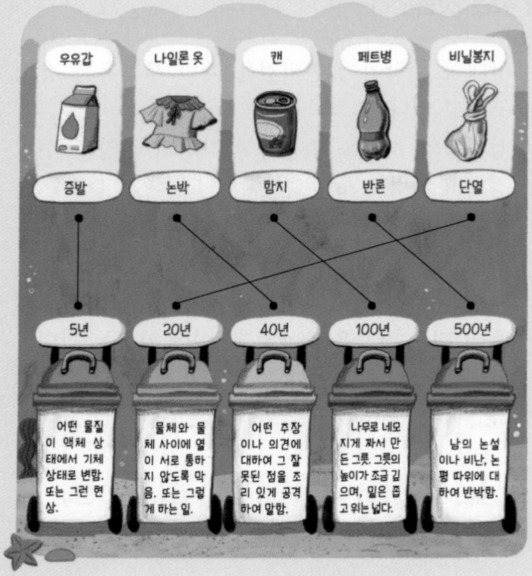

2.

• 사람이 오랫동안 살지 않았던 이 집은 매우 (흉물스럽다).
• 열기구에 뜨거운 공기를 불어넣으니 풍선이 터질듯이 (팽창했다).
• 음식을 맛있게 하는 방법을 연구한 끝에 요리사가 되는 꿈을 (실현했다).

3.

농구	가드	상대편이 자기편 바스켓에 공을 넣지 못하게 하는 역할.
영화	시놉시스	영화나 드라마의 간단한 줄거리나 개요.
	카메오	인기 배우가 극 중 예기치 않은 순간에 등장해 아주 짧은 동안만 하는 연기나 역할.

확인 문제

01 낱말의 뜻풀이가 바르지 않은 것은?

① 팽창하다: 양이나 수치가 늘다.
② 실현하다: 꿈, 기대 따위를 실제로 이루다.
③ 흉물스럽다: 모양이 흉하고 괴상한 데가 있다.
④ 증발: 어떤 물질이 액체 상태에서 기체 상태로 변함.
⑤ 논박: 어떤 주장이나 의견에 대하여 그 잘못된 점을 조리 있게 공격하여 말함.

• 정답과 해설 07쪽

01~04 다음 글을 읽고, 물음에 답하시오.

가 플라스틱이 분해되려면 500년 혹은 그 이상의 기간이 걸린다고 한다. 어떤 전문가들은 플라스틱이 분해되는 기간을 정확히 알 수 없다고도 말한다. 즉, 플라스틱이 만들어진 지 100년 정도밖에 되지 않았다는 점을 감안하면, 인간이 생산한 플라스틱은 아직 어딘가에 아직 그대로 남아 있는 것이다. 하지만 사람들은 플라스틱을 재활용할 수 있다는 생각에 플라스틱 제품을 편하게 쓰고 쉽게 버린다. 그것이 소탐대실하는 것인지도 모른 채 말이다.

나 사람들의 생각과 달리 재활용되는 플라스틱의 양은 그리 많지 않다. 페트병, 요구르트병, 블록, 비닐봉지, 스티로폼 등도 각기 재질이 다르고, 이것 외에도 플라스틱의 종류가 다양하다 보니 재질별로 선별하는 것이 쉽지 않기 때문이다. 더구나 이물질이 많이 묻어 있거나 세척되지 않은 채 버려지는 용기류가 많아, 재활용을 하더라도 플라스틱 함지나 정화조처럼 품질이 떨어지는 제품을 만들 수밖에 없다.

다 미국의 사진작가 크리스 조던은 2009년에 북태평양 미드웨이섬에서 촬영한 충격적인 사진을 인터넷에 공개했다. 사진 속에는 멸종 위기종인 앨버트로스가 죽어 있었는데, 그 몸속에는 플라스틱 뚜껑과 작게 부서진 플라스틱 조각들이 가득 차 있었다. 〈중략〉 앨버트로스는 이 플라스틱의 알록달록한 빛깔에 이끌려 그것이 얼마나 위험한 것인지도 모른 채 꿀꺽 삼키고 말았던 것이다.

라 플라스틱 쓰레기는 바다를 떠다니다가 잘게 부서져 새와 바다거북, 돌고래와 같은 동물들에게 해를 끼치고 있다. 또한 흉물스럽게 버려진 플라스틱 쓰레기는 자연 경관을 해쳐 관광 산업에도 피해를 주며, 선박의 안전도 위협한다. 그뿐만 아니라, 사람의 눈에 잘 보이지 않는 미세 플라스틱은 물고기의 내장이나 싱싱한 굴 속에도 유입되어 우리의 식탁에 오른다. 결국은 ㉠<u>우리의 건강까지 위협하는 것</u>이다.

마 지금까지 사람들이 만들어 낸 모든 플라스틱 쓰레기는 썩지 않고 이 지구 어딘가에 존재하고 있다. 그런데도 계속해서 플라스틱을 이렇게 편하게 쓰고 쉽게 버려도 될까? 손이 닿는 곳이면 어디에나 있는 플라스틱을 전혀 사용하지 않고 생활하기는 어렵겠지만, 줄일 수 있다면 줄여 보자. 특히 짧은 시간 사용하고 버리는 일회용 플라스틱 제품은 더더욱 선택하지 말자.

01 이 글에 대한 설명으로 적절하지 <u>않은</u> 것은?

① 객관적 정보를 활용하여 독자의 이해를 돕고 있다.
② 구체적 사례를 통해 문제 상황을 부각하고 있다.
③ 사자성어를 이용하여 문제에 대한 인식을 드러내고 있다.
④ 출처가 분명한 전문가의 말을 인용하여 설득력을 높이고 있다.
⑤ 사람들의 통념과 상반되는 실태를 제시하여 독자의 주의를 환기하고 있다.

02 이 글에서 답을 구할 수 있는 질문이 <u>아닌</u> 것은?

① 플라스틱이 만들어진 지는 얼마나 되었을까?
② 왜 재활용되는 플라스틱의 양은 많지 않을까?
③ 플라스틱 쓰레기가 문제가 되는 이유는 무엇일까?
④ 재활용한 플라스틱으로는 어떤 제품을 만들까?
⑤ 플라스틱이 선박의 안전을 위협하는 이유는 무엇일까?

서술형

03 이 글의 글쓴이가 주장하고 있는 바를 청유형 문장으로 쓰시오.

04 ㉠의 이유로 가장 적절한 것은?

① 플라스틱의 위험성을 인지하지 못했기 때문에
② 먹을 수 있는 동물의 수가 줄어들었기 때문에
③ 플라스틱을 대체할 물질을 찾지 못했기 때문에
④ 바다가 분해할 수 있는 쓰레기의 양을 넘어섰기 때문에
⑤ 미세 플라스틱을 섭취한 어패류를 결국 인간이 섭취하게 되기 때문에

05~07 다음 글을 읽고, 물음에 답하시오.

가 이처럼 유한한 자원을 효율적으로 이용하기 위해 다양한 방법이 모색되고 있는데, 그중 하나가 바로 적정 기술이다. 적정 기술은 한 공동체의 문화·정치·환경적인 면들을 종합적으로 고려하여 개발된 기술을 일컫는다. 현지에서 구할 수 있는 재료를 사용하고 자본을 적게 투자하면서도, 누구나 쉽게 배우고 쓸 수 있다는 장점이 있다.

나 '항아리 냉장고'의 원리는 간단하다. 먼저 큰 항아리 속에 작은 항아리를 집어넣는다. 그리고 두 항아리 사이의 공간을 젖은 모래로 채운 다음, 젖은 헝겊으로 작은 항아리를 덮는다. 진흙으로 빚은 항아리는 단열 작용을 하여 외부 열을 차단하는 역할을 하고, 모래 속의 물은 증발하면서 열을 빼앗아 가는 역할을 한다. 이 덕분에 작은 항아리 안의 온도가 낮아져 채소나 과일을 오랫동안 신선하게 보관할 수 있는 것이다.

다 또 다른 예로는 오염된 물을 정화할 수 있는 휴대용 물 정화 장치인 '라이프 스트로'가 있다. 빨대처럼 생긴 '라이프 스트로'로 물을 빨아들이면, 물이 간이 정화 장치를 통과하면서 깨끗해져 오염된 물도 안전하게 마실 수 있다. 그리고 멀리까지 가서 식수를 길어 와야 하는 사람들을 위해 만든 '큐 드럼'이라는 물통도 있다. '큐 드럼'은 자동차 바퀴처럼 둥글게 생긴 통으로 가운데에 구멍이 뚫렸다. 이 구멍에 줄을 엮어서 끌면 물통을 굴리면서 운반할 수 있다.

라 예를 들면 덥고 건조한 서남아시아 지역에서는 주변의 흙을 이용하여 만든 흙벽돌로 집을 지었다. 흙으로 만든 벽돌로 벽을 두껍게 쌓고 천장을 높인 다음, 창문을 꼭대기에 설치하였다. 그리고 집 안의 벽에는 호리병 모양의 물병을 적당한 높이에 걸어 두었다. 이렇게 하여 바깥 기온이 40도가 넘는 더위에도 실내 온도는 25도 정도로 시원한 상태를 유지할 수 있었다.

마 이글루의 재료는 주변에서 쉽게 구할 수 있는 눈이다. 이들은 눈을 다듬어 벽돌 모양으로 다져서 둥근 반원 모양의 집을 짓는다. 그런 다음에 이글루의 내부 벽에 물을 뿌려 주면, 그 물이 차가운 눈얼음을 만나 얼면서 응고열을 방출한다. 그 결과 내부 기온이 올라가면서 실내가 따뜻해진다.

05 이 글의 내용과 일치하지 않는 것은?

① '큐 드럼'은 첨단 과학 기술을 응용하여 개발된 제품이다.
② '라이프 스트로'는 사람들이 휴대하여 쓸 수 있도록 만들어졌다.
③ '흙벽돌 집'과 '이글루'는 실내 온도를 조절하는 기능을 지니고 있다.
④ '항아리 냉장고'를 이용하면 식품을 오랫동안 신선하게 보관할 수 있다.
⑤ 적정 기술은 유한한 자원을 효율적으로 이용하기 위해 고안한 방법이다.

06 (나)~(마)를 묶을 수 있는 중심 내용으로 가장 적절한 것은?

① 적정 기술의 개념과 역사
② 적정 기술 개발의 가능성과 한계
③ 적정 기술 개발에 영향을 미치는 요인
④ 세계 곳곳에서 사용되고 있는 적정 기술
⑤ 물의 대류 현상을 이용한 적정 기술의 사례

고난도 서술형

07 다음은 이 글을 읽은 학생의 반응이다. 학생의 읽기 방법과 그 효과를 서술하시오.

> 나는 적정 기술을 개발하자는 글쓴이의 생각에 동의하지 않아. 왜냐하면 적정 기술의 사례를 보면 실패한 경우도 있고, 우리 삶과는 관련이 없는 기술이 많아. 현재 부족한 자원을 대체할 수 있는 에너지를 찾는 것이 더 시급해 보여.

조건
① 문제 해결 과정으로서의 읽기의 특성과 관련지어 서술할 것

08~10 **다음을 읽고, 물음에 답하시오.**

가 나현: 우리나라 헌법 제10조는 "모든 국민은 인간으로서의 존엄과 가치를 가지며, 행복을 추구할 권리를 가진다."라고 하여 행복 추구권을 규정하고 있습니다. 국민은 누구나 자신이 좋아하는 환경에서 만족스럽게 생활할 권리가 있다는 것입니다. 하지만 우리는 에어컨을 자유롭게 사용하지 못한 채 더위에 고통받고 있습니다. 따라서 저는 학생들이 행복 추구권을 실현할 수 있도록 에어컨 사용을 자율화해야 한다고 생각합니다.

나 현중: 찬성 측에서는 우리에게 행복 추구권이 있다는 것을 근거로 에어컨 사용을 자율화해야 한다고 말씀하셨습니다. ㉠물론 쾌적한 환경에서 공부하는 것은 중요합니다. 그래야 학습에 더욱 집중할 수 있을 테니까요. 하지만 에어컨을 자율적으로 사용하여 전기 요금이 늘어난다면 어떻게 될까요? 행정실장님 말씀에 따르면 학교 운영 예산에서 전기 요금이 차지하는 비율은 약 10 퍼센트인데, 여름철에는 에어컨 사용으로 그 비율이 많이 올라간다고 합니다. 학교를 운영하는 예산은 한정되어 있는데 에어컨을 자율적으로 사용하면 전기 요금이 더 올라갈 것이고, 그만큼 학생들을 위한 교육 예산은 줄어들 수밖에 없습니다. 결국 우리는 다양한 지식을 배우고 활동을 경험할 수 있는 기회, 즉 학습권을 잃게 됩니다. 그래서 저는 중앙에서 에어컨을 관리하는 방식을 유지해야 한다고 생각합니다.

다 미르: 반대 측에서도 말씀하셨다시피 쾌적한 환경일 때 우리는 공부에 더욱 집중할 수 있습니다. 이를 뒷받침하는 연구 결과도 있는데요. 미국의 한 경제 연구소에서 2005년부터 2011년까지 시행된 중국의 입학시험 점수를 분석한 결과, 온도가 낮을 때 학생들의 시험 점수가 높아졌다고 합니다. 이는 미국 학생들을 대상으로 조사한 결과에서도 마찬가지였고요.

라 정은: ㉡학습 효과를 높이는 건 물론 중요한 일이겠죠. 하지만 우리에게 공부만이 전부인가요? 이 세상에는 우리가 지켜야 할 것들이 정말 많습니다. 그중 하나가 바로 지구 환경이죠. 〈중략〉 그런데 찬성 측이 말씀하셨듯 대부분의 학생들이 덥다고 느끼는 상황에서 에어컨 사용을 자율화하면, 우리 학교의 에너지 사용량은 늘어날 것이 뻔합니다. 따라서 에어컨 사용을 자율화하지 말아야 합니다.

08 **이 토론의 쟁점을 모두 골라 바르게 묶은 것은?**

> ㄱ. 학습 효과를 높이기 위해 에어컨 사용을 자율화해야 한다.
> ㄴ. 학생들의 권리를 보호하기 위해 에어컨 사용을 자율화해야 한다.
> ㄷ. 교육 예산을 효율적으로 사용하기 위해 에어컨 사용을 자율화해야 한다.
> ㄹ. 학교생활에 대한 만족도를 높이기 위해 에어컨 사용을 자율화해야 한다.

① ㄱ, ㄴ ② ㄱ, ㄷ ③ ㄱ, ㄹ
④ ㄴ, ㄷ ⑤ ㄷ, ㄹ

09 **(나)의 '현중'과 (다)의 '미르'가 공통적으로 사용하고 있는 말하기 방법으로 가장 적절한 것은?**

① 상대방의 발언을 요약한 후 이를 반박하고 있다.
② 연구 결과를 인용하여 자신의 주장을 뒷받침하고 있다.
③ 질문의 방식을 통해 상대방 주장이 지닌 문제점을 부각하고 있다.
④ 출처가 분명한 근거 자료를 활용하여 주장의 신뢰도를 높이고 있다.
⑤ 상대방이 언급한 사실과 상반되는 자료를 활용하여 입론을 펼치고 있다.

서술형

10 **토론의 태도 측면에서 ㉠, ㉡과 같은 발언의 효과를 쓰시오.**

11~13 다음을 읽고, 물음에 답하시오.

(가) 현중: 네덜란드의 한 의과 대학 연구팀의 연구 결과에 따르면, 같은 옷차림을 했을 때 남성은 22도를, 여성은 24.5도를 적당한 실내 온도로 여겼다고 합니다. 이는 사람마다 추위나 더위를 느끼는 온도가 다르다는 것을 뜻합니다. 그러므로 학생들이 에어컨의 온도를 자율적으로 조절한다고 해도 모두가 만족할 수는 없습니다. 오히려 일부 학생들은 자신의 권리를 침해당할 수도 있지요. 학생 대부분이 교실이 덥다고 느낀다면, 과연 그들이 덥지 않다고 느끼는 소수의 학생들을 배려해 줄까요? 결국 다수를 위해 소수가 희생해야 하는데, 학생들 사이에 갈등이 발생할까 봐 걱정스럽습니다.

(나) 나현: 그럼 반대 측에게 묻겠습니다. 학교의 설립 목적이 무엇이라고 생각하나요? 초·중등 교육법 제2조에 따르면 학교는 학생들을 교육하는 것을 목적으로 설립된 기관을 가리킵니다. 그런데 최근 폭염이 지속되자 일부 학교가 휴교를 하거나 단축 수업을 했다고 합니다. 폭염 때문에 어쩔 수 없이 취한 조치라고 해도, 학교가 교육 활동을 할 수 없는 환경을 제공한다면 문제가 있는 것이 아닐까요? 그야말로 우리의 학습권이 침해당한다는 생각이 드는군요.

(다) 정은: 또한 찬성 측에서 언급했던 것과 달리, 여름철 실내 온도가 무조건 낮다고 해서 학습 효과가 높아지는 것은 아닙니다. 한 실험에 따르면 실내 온도가 적정 온도인 26도일 때 뇌 활성도가 가장 높아진다고 하는데요. 뇌 활성도가 높아지면 학습과 집중력에 영향을 미치는 '베타파'가 나와 학습 효과를 높일 수 있습니다. 따라서 학습 효과를 높이기 위해서라도 중앙 제어 방식을 유지해야 한다고 생각합니다.

(라) 미르: 에어컨 사용을 자율화한다고 해서 무조건 낮은 온도로 설정하겠다는 것이 아닙니다. 다만 우리가 원하는 시간에 필요한 만큼 에어컨을 사용하고 싶다는 것입니다. 또 에어컨 청소를 자주 하면 에너지를 절감하는 효과를 낸다고 해요. 이처럼 자유롭게 에어컨을 쓰면서도 전기 에너지 소비량을 줄일 수 있도록 학생들이 실천 가능한 방법을 고민해 보겠습니다. 또한 최근에 정부와 기업이 협력하여 학교에 친환경적으로 전기 에너지를 생산할 수 있는 태양광 발전기를 설치해 주고 있습니다. 우리 학교에 태양광 발전기를 설치한다면 전기 요금을 아낄 수 있을 뿐만 아니라 걱정스러웠던 환경 오염 문제도 해소할 수 있습니다.

11 토론의 단계를 고려할 때, (가)~(라)의 단계에 해당하는 설명으로 가장 적절한 것은?

① 타당한 근거를 들어 자신의 주장이 타당함을 입증한다.
② 토론이 열리게 된 배경과 토론의 논제를 정확하게 제시한다.
③ 토론의 주요 내용을 요약하여 전달하고, 청중의 평가를 유도한다.
④ 서로가 제시한 의견의 적절성을 평가한 후 최선의 방안을 선택한다.
⑤ 상대방 주장의 논리적 허점에 대해 논박하며 자신의 주장을 강화한다.

서술형

12 (나)에서 '나현'이 상대측의 주장을 비판한 기준을 한 문장으로 쓰시오.

13 (라)에 제시된 '미르'의 발언에 대한 설명으로 가장 적절한 것은?

① 에어컨 사용의 자율화는 전기 에너지 소비량과 관련이 없음을 밝히고 있다.
② 에어컨 사용의 자율화를 위해 정부와 기업이 먼저 나서야 함을 주장하고 있다.
③ 에어컨 사용의 자율화에 따른 문제점을 최소화하는 방안이 존재함을 강조하고 있다.
④ 교실의 환경 오염 문제를 해소하기 위해서 에어컨 청소를 자주 해야 함을 강조하고 있다.
⑤ 에어컨 온도를 무조건 낮게 설정하지 말고 자유롭게 조절할 수 있도록 해야 함을 주장하고 있다.

창의적 사고력을 키우는

창의·융합

교과서 50~53쪽

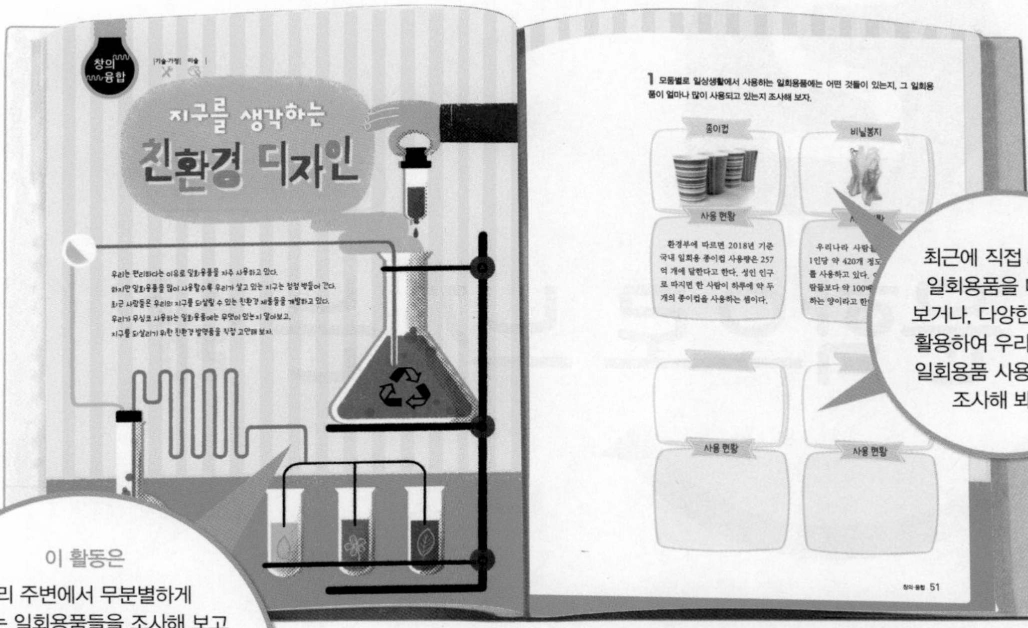

최근에 직접 사용한 일회용품을 떠올려 보거나, 다양한 매체를 활용하여 우리 주변의 일회용품 사용 실태를 조사해 봐요.

이 활동은

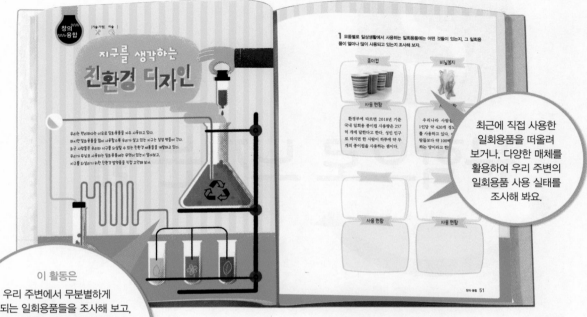

우리 주변에서 무분별하게 사용되는 일회용품들을 조사해 보고, 그것을 대체할 만한 친환경 제품을 고안해 보는 활동입니다. 일회용품 사용 실태를 분석하고, 지구를 살리기 위한 발명품을 고안함으로써 비판적·창의적으로 사고하는 능력을 기를 수 있습니다.

작성한 친환경 제품 개발 계획서를 발표해 보고, 제품 개선점에 대해 논의해 봐요.

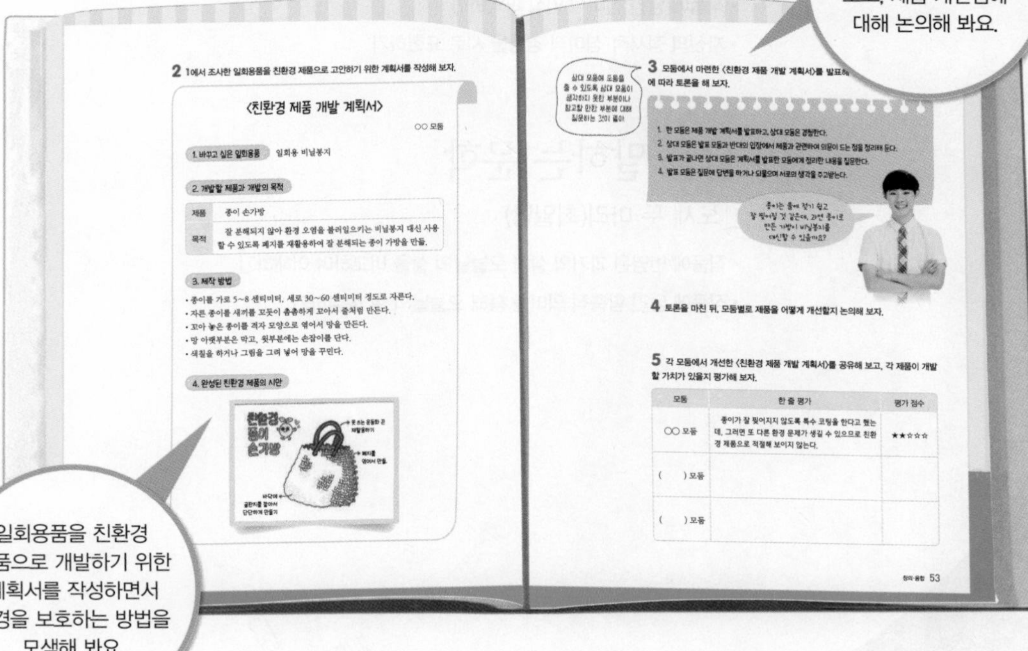

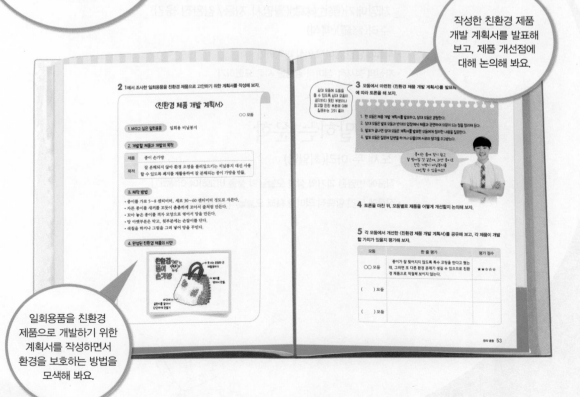

일회용품을 친환경 제품으로 개발하기 위한 계획서를 작성하면서 환경을 보호하는 방법을 모색해 봐요.

2

자기 성찰·계발 역량

문학으로 느끼는 삶

문학

(1) 마음을 나누는 문학

_ 제망매가(祭亡妹歌)(월명사 지음 / 김완진 옮김)
_ 수라(修羅)(백석)

• 작품에 담긴 심미적 인식 파악하기
• 자신의 정서적·심미적 경험을 시로 표현하기

문학

(2) 삶을 말하는 문학

_ 노새 두 마리(최일남)

• 작품에 반영된 과거의 삶과 오늘날의 삶을 비교하며 이해하기
• 작품에 담긴 함축적 의미를 통해 오늘날의 삶 성찰하기

왜 배울까?

문학 작품은 인간의 삶에 대한 심미적 인식을 언어로 형상화한 것으로, 우리는 문학 작품을 읽거나 혹은 창작하면서 감동과 즐거움을 얻을 수 있다. 작가와 독자 혹은 독자와 독자는 이러한 문학 활동을 통해 인간의 삶에 대한 인식을 공유함으로써 우리가 사는 세계를 이해하고, 삶의 의미를 생각해 볼 수 있다. 또한 문학 작품에는 현실이 반영되어 있으므로 과거와 오늘날의 모습을 비교하면서 주체적인 관점에서 작품을 감상하면, 오늘날 우리에게 필요한 가치를 발견할 수 있다. 이처럼 문학 작품을 통해 다양한 아름다움을 느끼고, 작품에 드러난 현실을 오늘날의 삶에 비추어 보며 문학 작품을 감상한다면 정서적 경험의 폭을 넓히고, 우리의 삶을 깊이 있게 성찰할 수 있을 것이다.

뭘 배울까?

이 단원에서는 자기 성찰·계발 역량을 기르기 위해 문학의 아름다움을 느끼며 작품을 읽어 보고, 작품에 담긴 정서적·심미적 인식을 자신의 삶으로 확장해 볼 것이다. 그리고 과거의 삶과 오늘날의 삶을 비교하며 문학 작품을 감상하고, 작품 속에 담긴 가치를 발견해 볼 것이다.

소단원 개념 길잡이

시란

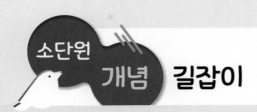

마음속에 떠오르는 생각이나 느낌을 운율이 있는 언어로 압축하여 표현한 글을 말한다.

시의 구성 요소

시의 3요소

- **주제(의미적 요소)**: 시인이 시를 통해 나타내고자 하는 중심 생각
- **운율(음악적 요소)**: 시를 읽을 때 느껴지는 말의 가락(리듬)
- **심상(회화적 요소)**: 시를 읽을 때 마음속에 떠오르는 감각적인 모습이나 느낌

시의 종류

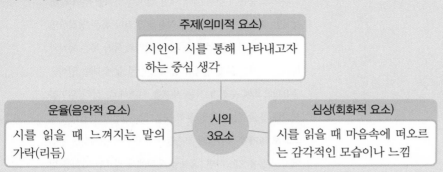

형식에 따라	정형시	일정한 형식과 규칙에 맞추어 쓴 시
	자유시	일정한 형식과 규칙의 제한 없이 자유로운 형식으로 쓴 시
	산문시	행과 연의 구분 없이 산문처럼 줄글로 쓴 시
내용에 따라	서정시	개인의 감정이나 정서를 주관적으로 표현한 시
	서사시	역사적 사실이나 신화 등을 시간의 흐름에 따라 이야기한 시
	극시	희곡의 형식을 갖추고 운문체의 대사로 이루어진 시

시의 전달자 – 말하는 이(시적 화자)

시의 내용을 전달하는 인물이나 사물로, 시인이 자신의 생각과 느낌을 효과적으로 드러내기 위해 특정한 성격, 태도, 목소리를 부여한 시의 장치이다.

시적 상황과 말하는 이의 정서 및 태도

상황	말하는 이가 처해 있는 시간적, 공간적, 심리적 상황 등을 말함.
정서	말하는 이가 시적 대상이나 상황으로부터 느끼는 다양한 감정을 말함.
태도	말하는 이가 시적 대상이나 상황에 대해 보이는 대응 방식으로, 말하는 이의 정서와 관련이 있고, 주로 어조를 통해 드러남.

간단 체크 개념 문제

1 다음 설명이 맞으면 ○표, 틀리면 ×표 하시오.

(1) 주제, 운율, 함축성을 시의 3요소라고 한다.(　　　)

(2) 행과 연을 나누지 않고, 산문처럼 줄글로 쓴 시를 서사시라고 한다. (　　　)

(3) 시인의 의도에 따라 시의 내용을 효과적으로 전달하기 위해 설정된 인물이나 사물을 '말하는 이'라고 한다. (　　　)

2 다음 빈칸에 들어갈 알맞은 말을 쓰시오.

> 시의 말하는 이가 시적 대상이나 시적 상황에 대해서 느끼는 다양한 감정을 ☐☐(이)라고 한다.

3 〈보기〉의 시에 나타난 말하는 이의 태도로 알맞지 않은 것은?

〈보기〉

죽는 날까지 하늘을 우러러
한 점 부끄럼이 없기를,
잎새에 이는 바람에도
나는 괴로워했다.
별을 노래하는 마음으로
모든 죽어 가는 것들을 사랑해야지.
그리고 나한테 주어진 길을
걸어가야겠다.

오늘 밤에도 별이 바람에 스치운다.

① 고백적　② 성찰적
③ 의지적　④ 희망적
⑤ 반성적

• 정답과 해설 08쪽

향가란

신라 시대에 생겨나 고려 시대까지 이어진 노래로, 주로 향찰로 기록되었다.

향가의 특징

작자층	신라 시대의 학식과 덕망을 겸비한 승려, 화랑 등이 주된 작자층임.
형식	• 4구체 향가, 8구체 향가, 10구체 향가가 있음. • 4구체 향가는 비교적 초기의 형식이며, 8구체, 10구체 향가로 발전함. • 10구체 향가는 대부분 '기(1~4구) – 서(5~8구) – 결(9~10구)'의 3단 구성으로 결사에 해당하는 낙구(9~10구)의 첫머리는 감탄사로 시작함.
주제	불교적 세계관, 신성에 대한 경외심, 나라에 대한 걱정 등 숭고한 이상에 대한 추구가 주로 다루어짐.
작품	「제망매가」, 「서동요」 등 현재까지 전해져 내려오는 향가는 모두 25수임.

고전 소설이란

19세기 이전에 창작된 소설을 이르는 말로, 우리나라에서는 신소설이 나오기 전까지 창작된 소설을 말한다.

고전 소설의 특징

주제	권선징악(勸善懲惡)적, 교훈적	사건	우연적, 비현실적
문체	문어체, 운문체, 낭송체	배경	시·공간이 막연하고 비현실적
구성	일대기적 구성	인물	전형적, 평면적
내용	비현실적 세계, 유교적 이념	결말	대부분 행복한 결말

문학 작품을 통한 심미적 체험의 의미와 효과

인간과 세계의 진실에 대한 심미적 인식을 형상화한 언어 예술인 문학 작품을 통해 감동이나 깨달음을 얻으며 아름다움을 느끼는 것을 말한다.

문학 작품에 담긴 심미적 인식	문학 작품에는 어떤 대상에 대해 아름답다거나, 추하다거나, 숭고하다거나, 비장하다거나, 조화롭다거나, 우스꽝스럽다거나 하는 등의 심미적 인식이 담겨 있음.

⬇

문학 작품을 통한 심미적 체험의 효과	• 작가와 독자, 독자와 독자는 문학 작품을 통해서 심미적 인식을 공유하며, 우리가 사는 세계를 이해하고 삶의 의미를 성찰함. • 독자는 작품에 담긴 심미적 인식을 바탕으로 정서적·심미적 경험을 확장할 수 있고, 이를 다양하게 표현할 수 있음.

간단 체크 개념 문제

4 향가에 대한 설명으로 알맞지 않은 것은?

① 주로 향찰로 기록되었다.
② 4구체, 8구체, 10구체 향가가 있다.
③ 신라 시대에 창작되기 시작하였다.
④ 당대의 승려, 화랑 등이 주된 창작자였다.
⑤ 모든 향가는 낙구의 첫머리에 감탄사가 온다.

5 고전 소설의 특징으로 볼 수 없는 것은?

① 행복한 결말
② 권선징악적 주제
③ 개성적, 입체적인 인물
④ 문어체, 운문체의 문체
⑤ 우연적, 비현실적인 사건

6 문학 작품을 통한 심미적 체험과 관련한 설명이 잘못된 것은?

① 문학은 인간과 세계에 대한 심미적 인식이 형상화된 언어 예술이다.
② 문학 작품에 담긴 심미적 인식을 파악함으로써 감동과 깨달음을 얻을 수 있다.
③ 문학 작품에는 아름다움과 추함, 숭고함, 비장함 같은 심미적 인식이 담겨 있다.
④ 문학 작품을 통한 심미적 체험의 목적은 비유나 상징 같은 형식적 아름다움을 파악하는 것이다.
⑤ 작가와 독자, 독자와 독자가 작품을 통해 심미적 인식을 공유하면 정서적·심미적 경험이 확장될 수 있다.

교과서 60~61쪽

01

마음을 나누는 문학 _ 죽은 누이를 위해 제사를 지내며 부르는 노래 제재 ❶

제망매가(祭亡妹歌)

학습 목표 - 문학은 심미적 체험을 바탕으로 한 다양한 소통 활동임을 알고 문학 활동을 할 수 있다.

월명사(?~?)
승려. 신라 경덕왕 시대의 이름 높은 고승이자 향가 작가이다. 작품으로는 「제망매가」와 「도솔가」가 있다.

학습 포인트

❶ 제목의 의미와 말하는 이가 처한 상황
❷ 누이의 죽음을 대하는 말하는 이의 태도와 정서

생사(生死) 길은
예 있으매 머뭇거리고,
나는 간다는 말도
몯다 이르고 어찌 갑니까.
어느 가을 ㉠이른 바람에
이에 저에 떨어질 잎처럼,
(이에 저에: 여기저기에)
한 가지에 나고
가는 곳 모르온저.
아아, 미타찰(彌陀刹)에서 만날 나
(미타찰: 아미타 부처님이 계시는 서방 극락 세계)
도(道) 닦아 기다리겠노라.

「제망매가」 배경 설화

신라 시대의 고승인 월명사가 죽은 누이를 추모하기 위해 제사를 지낼 때였다. 월명사가 이 노래를 지어 불렀더니, 갑자기 회오리바람이 일어났다. 그러자 신기하게도 저승 가는 길에 여비로 쓰라고 관 속에 넣어 두었던 종이돈이 극락세계가 있다고 알려진 서쪽으로 날아갔다고 한다.

학습콕

❶ 제목의 의미와 말하는 이가 처한 상황

제망매가(祭亡妹歌)	죽은 누이를 위해 ☐☐를 지내며 부르는 노래
말하는 이의 처지	누이의 때 이른 죽음을 겪고, 누이를 추모하고자 함.

❷ 누이의 죽음을 대하는 말하는 이의 태도와 정서

누이의 죽음	1~8구	누이의 죽음에 대한 안타까움과 슬픔, 삶에 대한 무상함·허무함을 느낌.
		⬇ 감탄사 '아아' 이후 태도 변화
	9~10구	종교적 신념(불교적 사상)으로 ☐☐을 극복하고 재회를 기약함.

간단 체크 내용 문제

01 이 시가에 대한 설명으로 알맞지 않은 것은?

① 10구체 향가이다.
② 창작자는 신라 경덕왕 때의 승려이다.
③ 오랜 시간 구전되다 한글로 기록되었다.
④ 누이의 죽음을 추모하기 위한 노래이다.
⑤ 뛰어난 비유로 말하는 이의 정서를 감각적으로 형상화하였다.

중요
02 이 시가에서 시적 상황에 대한 말하는 이의 태도와 정서의 전환이 드러나는 시어를 찾아 쓰시오.

03 ㉠이 의미하는 바로 가장 알맞은 것은?

① 죽은 누이
② 같은 부모
③ 혈육의 정
④ 불행한 운명
⑤ 누이의 이른 죽음

학습 활동

• 정답과 해설 08쪽

이해
❶ 이 시가의 시상 전개 과정을 이해하기
❷ 이 시가에 나타난 말하는 이의 태도 변화를 파악하고 이에 대한 자신의 감정을 정리하기
❸ 이 시가와 유사한 심미적 체험을 할 수 있는 작품을 찾아 공유하기

1 이 시가의 내용과 말하는 이의 태도를 정리하면서 이 시가를 읽고 느낄 수 있는 아름다움을 파악해 보자.

(1) 이 시가를 세 부분으로 나누어 내용을 정리해 보자.

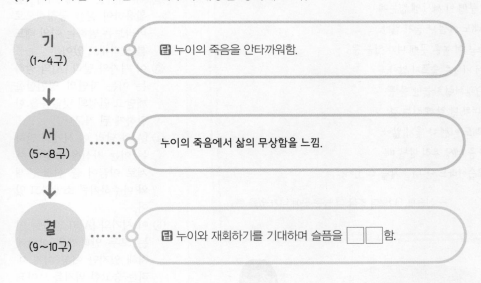

- **기 (1~4구)** …… 답 누이의 죽음을 안타까워함.
- **서 (5~8구)** …… 누이의 죽음에서 삶의 무상함을 느낌.
- **결 (9~10구)** …… 답 누이와 재회하기를 기대하며 슬픔을 □□함.

(2) 누이의 죽음에 대한 말하는 이의 태도가 어떻게 변하는지 정리하고, 말하는 이의 태도에서 느껴지는 자신의 감정을 써 보자.

누이의 죽음

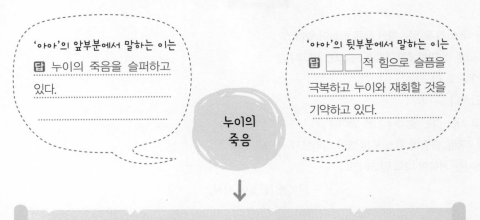

'아아'의 앞부분에서 말하는 이는
답 누이의 죽음을 슬퍼하고 있다.

'아아'의 뒷부분에서 말하는 이는
답 □□적 힘으로 슬픔을 극복하고 누이와 재회할 것을 기약하고 있다.

↓

말하는 이의 태도에서 느껴지는 자신의 감정

예시 답 ›› 말하는 이는 가족인 누이의 죽음을 슬퍼하며 명복을 빌고 있어. 내가 비슷한 상황에 놓였다면 그 슬픔에서 빠져나오기 어려웠을 거야. 하지만 말하는 이는 종교의 힘으로 이 슬픔을 극복하고 누이와 극락에서 만날 것을 다짐하고 있어. 인간이 느끼는 고통을 종교적으로 승화하는 말하는 이의 태도에서 그가 정말 대단한 사람이라고 생각했고, 이 작품에서 숭고한 아름다움을 느낄 수 있었어.

간단 체크 활동 문제

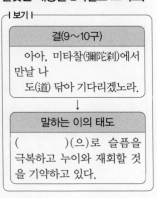

01 이 시가의 '결' 부분에 나타난 말하는 이의 태도를 〈보기〉와 같이 정리할 때, 빈칸에 들어갈 알맞은 내용을 2어절로 쓰시오.

보기

결(9~10구)
아아, 미타찰(彌陀刹)에서 만날 나 도(道) 닦아 기다리겠노라.

↓

말하는 이의 태도
(　　　　)(으)로 슬픔을 극복하고 누이와 재회할 것을 기약하고 있다.

02 이 시가에서 나타나는 말하는 이의 정서로 볼 수 없는 것은?

① 누이를 잃은 슬픔
② 죽음에 대한 두려움
③ 인생의 무상함과 허망함
④ 절대자로부터의 구원을 바라는 마음
⑤ 누이의 갑작스런 죽음에 대한 안타까움

학습 활동

• 정답과 해설 08쪽

2 이 시가의 말하는 이와 유사한 태도가 나타나는 노랫말이나 시를 찾아 친구들과 공유해 보자.

예 다시는 볼 수 없다는 걸 알고 있어.
너의 숨결도 마지막이란 것을
하지만 난 지금 헤매고 있어.
넌 분명 이 세상엔 없는데
그래도 이젠 나 울지 않아.
나보다 조금 더 높은 곳에 니가 있을 뿐
더 이상은 슬프지 않아.
습관처럼 하늘만 볼 뿐
너와 난 함께 있는 걸
그래도 이젠 나 울지 않아.
다음 세상 우리 만날 때
서로 다른 모습이라도 난 너를 찾을 수 있어.

– 신승훈, 「나보다 조금 더 높은 곳에 니가 있을 뿐」

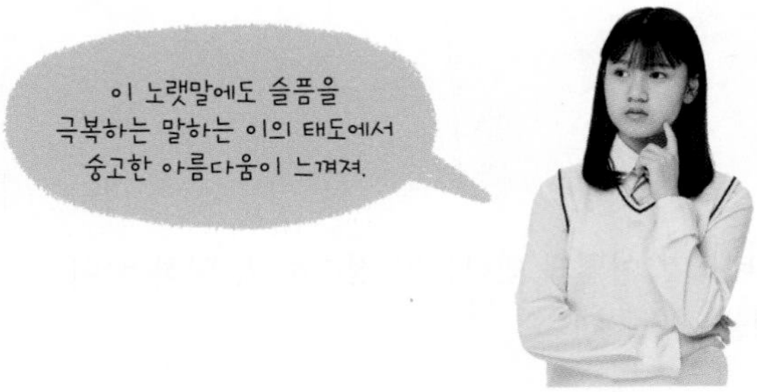

이 노랫말에도 슬픔을
극복하는 말하는 이의 태도에서
숭고한 아름다움이 느껴져.

예시 답〉〉

[A]
푸른 산이 흰 구름을 지니고 살 듯 / 내 머리 우에는 항상 푸른 하늘이 있다 //
하늘을 향하고 삼림처럼 두 팔을 드러낼 수 있는 것이 얼마나 숭고한 일이냐 //
두 다리는 비록 연약하지만 젊은 산맥으로 삼고
부절히 움직인다는 둥근 지구를 밟았거니…… //
푸른 산처럼 든든하게 지구를 디디고 사는 것은 얼마나 기쁜 일이냐 //
뼈에 저리도록 '생활'은 슬퍼도 좋다 / 저문 들길에 서서 푸른 별을 바라보자…… //
푸른 별을 바라보는 것은 하늘 아래 사는 거룩한 나의 일과이거니……

– 신석정, 「들길에 서서」

학습콕

❶ **향가의 개념**
신라 시대에 생겨나 고려 시대까지 이어진 노래로, 주로 향찰로 기록됨.

❷ **향가의 특징**
- 작자층: 신라 시대의 학식과 덕망을 겸비한 승려, 화랑 등이 향가의 주된 작자층임.
- 주제: 불교적 세계관, 신성에 대한 경외심, 나라에 대한 걱정 등 숭고한 이상에 대한 추구가 주됨.
- 작품: 「제망매가」를 포함하여 현재까지 전해지는 향가는 25수임.

간단 체크 활동 문제

03 이 시가와 [A]를 비교하여 감상한 내용으로 알맞은 것은?

① [A]는 이 시가의 형식적 특징을 계승했다고 볼 수 있겠구나.
② 이 시가는 색채 이미지를 활용하여 삶을 긍정적으로 바라보는 말하는 이의 태도를 드러내고 있어.
③ 이 시가와 달리 [A]의 말하는 이는 자연의 영원함을 깨닫고 인생의 덧없음을 한탄하게 된 거구나.
④ [A]와 달리 이 시가의 말하는 이는 자신을 초월적 세계로 이끌어 줄 신적 존재와 마주하기를 소망하고 있어.
⑤ 이 시가와 [A]의 말하는 이는 모두 안타까운 상황에 처해 있지만 이를 이겨 내려는 숭고한 의지를 보이고 있어.

(1) 마음을 나누는 문학 _ 수라(修羅)

교과서 64~65쪽

아수라. 싸움 따위로 혼잡하고 어지러운 상태에 빠진 곳이나 그러한 상태를 말함. 제재 ❷

• 정답과 해설 08쪽

학습 목표 문학은 심미적 체험을 바탕으로 한 다양한 소통 활동임을 알고 문학 활동을 할 수 있다.

백석(1912~1996)
시인. 본명은 기행. 향토색 짙은 평안도 방언을 즐겨 쓰면서도 모더니즘을 발전적으로 수용한 시들을 발표하였다. 주요 작품으로는 「여우난 골족」, 「고향」, 「흰 바람벽이 있어」 등이 있다.

학습 포인트

❶ 거미 가족에 대한 말하는 이의 행동과 정서
❷ 제목의 의미와 말하는 이의 소망

거미 새끼 하나 방바닥에 나린(내려온) 것을 나는 아무 생각 없이 문밖으로 쓸어 버린다
차디찬 밤이다

언제인가 새끼 거미 쓸려 나간 곳에 큰 거미가 왔다
나는 가슴이 짜릿한다
나는 또 큰 거미를 쓸어 문밖으로 버리며
찬 밖이라도 새끼 있는 데로 가라고 하며 서러워한다

이렇게 해서 아린 가슴이 싹기도(긴장이나 화가 풀려 마음이 가라앉기도) 전이다
어데서 좁쌀알만 한 알에서 가제(갓, '방금'의 평안도 방언) 깨인 듯한 발이 채 서지도 못한 무척 작은 새끼 거미가 이번엔 큰 거미 없어진 곳으로 와서 아물거린다(좀스럽게 움직인다)
나는 가슴이 메이는 듯하다
내 손에 오르기라도 하라고 나는 손을 내어미나 분명히 울고불고 할 이 작은 것은 나를 무서우이(무섭게 여기며) 달어나 버리며 나를 서럽게 한다
나는 이 작은 것을 고이 보드러운 종이에 받어 또 문밖으로 버리며
이것의 엄마와 누나나 형이 가까이 이것의 걱정을 하며 있다가 쉬이 만나기나 했으면 좋으련만 하고 슬퍼한다

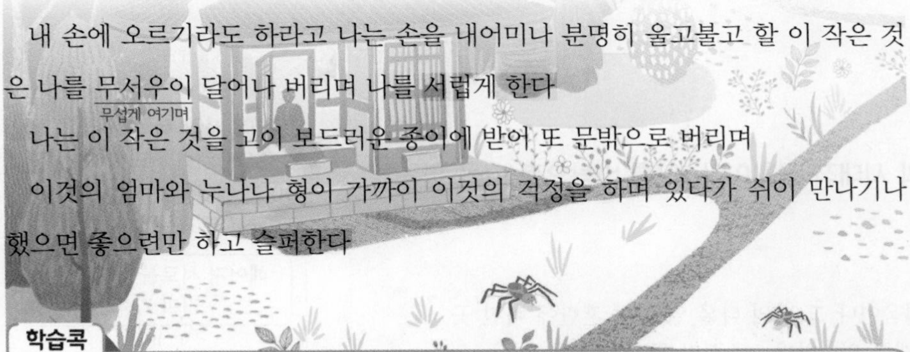

학습콕

❶ 거미 가족에 대한 말하는 이의 행동과 정서

	1연	2연	3연
대상	거미 새끼	큰 거미	무척 작은 새끼 거미
말하는 이의 행동	문밖으로 쓸어 버림.	□□ 있는 데로 가라고 하며 문밖으로 버림.	보드라운 종이에 받아 문밖으로 버림.
말하는 이의 정서	아무 생각이 없음 (□□함).	가슴이 짜릿함, 서러워함.	가슴이 메이는 듯함, 서러워함, 슬퍼함

→ 1연에서 3연으로 갈수록 정서가 심화됨.

❷ 제목의 의미와 말하는 이의 소망

수라(修羅)	일제 강점기 당시 우리 민족은 거미 가족처럼 가족 공동체가 해체되는 비극을 겪고 있었음. 시인은 이와 같은 공통점을 바탕으로 거미 가족과 당시 우리 민족의 상태가 모두 '수라'와 같이 큰 혼란에 빠진 상태임을 표현함.

⬇

말하는 이의 소망	말하는 이가 거미 가족이 다시 만나기를 기원하는 것은 곧 우리 민족이 □□□적 삶을 회복하기를 바라는 말하는 이의 소망이 나타난 것으로 볼 수 있음.

간단 체크 내용 문제

01 이 시를 이해한 내용으로 알맞지 않은 것은?

① 1, 2, 3연 모두 말하는 이가 시 속에 등장한다.
② 1연에서 3연으로 갈수록 말하는 이의 정서가 심화된다.
③ 1, 2, 3연에서는 각각 말하는 이의 동일한 행위가 반복된다.
④ 1, 2, 3연에서는 공간의 이동에 따른 말하는 이의 감정 변화가 나타난다.
⑤ 1연에서 3연으로 갈수록 대상에 대한 말하는 이의 심리적 거리가 가까워진다.

중요
02 다음 시어 중, 말하는 이가 거미 가족에 대해 느끼는 정서의 성격이 다른 것은?

① 아린 가슴
② 서러워한다
③ 아무 생각 없이
④ 가슴이 짜릿한다
⑤ 가슴이 메이는 듯하다

03 이 시에서 거미 가족을 대상으로 말하는 이의 소망이 형상화된 시행을 찾아 첫 어절과 끝 어절을 쓰시오.

교과서 66~75쪽

학습 활동

이해
❶ 이 시의 시상 전개 과정을 이해하기
❷ 시대적 상황을 바탕으로 이 시의 창작 의도 파악하기
❸ 이 시와 유사한 심미적 체험을 떠올려 글로 표현하기

1 말하는 이를 중심으로 이 시의 내용을 정리해 보자.

	말하는 이가 바라보는 대상	말하는 이의 행동	말하는 이의 정서
1연	거미 새끼	문밖으로 쓸어 버림.	무심함
2연	답 □□□	답 새끼 있는 데로 가라고 문밖으로 버림.	답 가슴이 짜릿함, 서러움
3연	답 무척 작은 새끼 거미	답 보드라운 종이에 받아 문밖으로 버림.	답 가슴이 □□, 서러움, 슬픔

2 다음은 이 시가 창작될 당시의 시대적 상황이다. 이를 바탕으로 다음 활동을 해 보자.

이 시의 제목인 '수라(修羅)'는 싸움이나 그 밖의 다른 일로 큰 혼란에 빠진 곳, 또는 그런 세계나 그곳에 사는 존재를 의미한다. 이 시가 창작된 1930년대는 20여 년이 넘는 식민 통치하에서 일제의 수탈이 절정에 이른 시기로, 생계를 유지하기 어려워진 가족이 해체되는 비극적 상황이 빈번하게 일어났다.

(1) 시인이 이 시의 제목을 '수라'로 지은 이유를 써 보자.

예시 답›› 시인은 가족들끼리 흩어져 혼란에 빠진 거미 가족의 모습을 통해 일제의 수탈로 가족이 해체된 □□ □□의 모습을 표현하고 있다. 그리고 이런 상황이 마치 큰 혼란에 빠진 것과 같다고 생각하여 '수라'라는 제목을 지었을 것이다.

(2) 이 시를 읽고 어떤 감정이 들었는지 이야기해 보자.

예시 답›› 이 시를 읽고 마음이 아팠다. 가족을 잃은 새끼 거미, 새끼를 찾으러 온 어미 거미, 가족을 찾으러 온 더 작은 새끼 거미의 모습이 머릿속에 그려져 가슴이 찡하고 슬퍼졌다. 또한 창작 당시의 시대적 상황까지 알고 나니 가족이 뿔뿔이 흩어져 살아야 했던 일제 강점기의 우리 민족의 모습이 연상되어 당시 현실이 매우 비극적이라는 생각이 들었다. 가족을 잃은 우리 민족이 절망적인 현실 속에서 얼마나 좌절했을지를 생각하니 너무 안타까웠다.

간단 체크 활동 문제

01 이 시의 말하는 이의 행동과 그에 담긴 정서가 알맞게 연결되지 않은 것은?

① 거미 새끼를 문밖으로 쓸어 버림. → 무심함.
② 큰 거미가 온 것을 봄. → 가슴이 짜릿하고 무서움.
③ 큰 거미를 다시 문밖으로 쓸어 버림. → 서러워함.
④ 무척 작은 새끼 거미가 나타난 것을 봄. → 가슴이 메임.
⑤ 작은 새끼 거미를 보드라운 종이에 싸서 문밖으로 버림. → 슬퍼함.

02 이 시의 제목 '수라'의 의미를 〈보기〉처럼 정리할 때, 빈칸에 들어갈 알맞은 내용을 쓰시오.

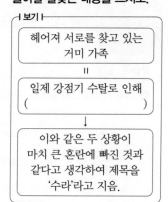

보기
헤어져 서로를 찾고 있는 거미 가족
=
일제 강점기 수탈로 인해 (   )
↓
이와 같은 두 상황이 마치 큰 혼란에 빠진 것과 같다고 생각하여 제목을 '수라'라고 지음.

3 **다음 대화를 참고하여 슬프지만 아름답다고 느꼈던 경험을 떠올려 글로 표현해 보자.**

문학에서는 곱고 예쁜 것만이 아닌 고귀하거나 슬픈 모습에서도 아름다움을 느낄 수 있다고 해.

맞아. 이 시에는 슬픈 내용이 담겨 있지만, 나는 이 슬픔에서 아름다움을 느꼈어.

나의 경험 예시 답 》 나는 영화 「로미오와 줄리엣」을 보고 비슷한 감정을 느꼈어. 주인공의 사랑이 이루어지지 않고 죽음으로 끝나는 결말이었지만, 오히려 이런 비극적 결말을 통해 그들의 사랑이 더 아름답게 느껴지고, 더 큰 감동을 받을 수 있었던 것 같아.

학습콕

❶ 문학과 심미적 체험

문학을 통한 심미적 체험	문학 작품을 읽고 어떤 대상에 대해 아름다움이나, 추함, 숭고함, 비장함, 조화로움, 우스꽝스러움 등의 감정을 느끼는 것
문학 활동	작가와 독자, 독자와 독자가 인간의 삶에 대한 심미적 인식을 공유함으로써, 우리가 사는 세계를 깊이 있게 이해하고 삶의 의미를 성찰하는 언어 활동

적용

❶ '흥부'의 처지와 대응 방식을 중심으로 이 소설의 내용 정리하기
❷ 해학에 대해 이해하고, 이 소설에서 해학미를 느낄 수 있는 부분 찾아보기
❸ 자신의 경험을 바탕으로 즐거움을 줄 수 있는 시 창작하기

다음은 고전 소설 「흥부전」의 일부이다. 이 소설에 등장하는 인물들의 처지를 파악하고, 등장인물의 말과 행동이 주는 즐거움을 느끼며 글을 읽어 보자.

갈래	판소리계 소설, 국문 소설	성격	풍자적, 해학적, 교훈적
배경	조선 후기, 충청, 경상, 전라의 경계 지역		
시점	전지적 작가 시점	제재	'흥부'의 선행과 '놀부'의 악행
주제	권선징악, 형제간의 우애, 인과응보 사상과 유교적 생활관		
특징	• 해학미가 잘 표현되어 있음. • 판소리의 특징이 남아 있는 판소리계 소설임.		

흥부전

앞부분 줄거리 옛날에 흥부와 놀부 형제가 있었다. 욕심 많은 형 놀부는 부모님이 물려준 재산을 독차지하고 흥부 가족을 집에서 쫓아낸다. 흥부는 여러 자식을 먹여 살리기 위해 아내와 함께 온갖 일을 다해 보지만 가난을 면치 못한다. 흥부의 자식들은 흥부와 아내에게 배고픔을 호소하고, 아내는 자식들에게 집안 사정을 설명하며 타이르다가 울음을 터뜨린다.

간단 체크 활동 문제

03 이 시에 대한 감상으로 알맞지 않은 것은?

① 태형: 이 시를 읽고 뿔뿔이 흩어져 차디찬 밖으로 떠밀린 거미 가족을 생각하니 마음이 아팠어.
② 지민: 발이 채 서지도 못한 새끼 거미가 어미를 찾으러 온 모습을 상상하니 가슴이 찡하기도 했어.
③ 남준: 말하는 이 역시 자신이 무심코 한 행동이 뜻하지 않은 비극을 낳은 것 같아 서러워하고 있어.
④ 석진: 그럼에도 말하는 이가 계속해서 거미들을 문밖으로 버리는 행동은 잔인해서 공감하기가 어려워.
⑤ 윤기: 하지만 말하는 이도 생이별한 거미 가족이 서로를 찾는 모습을 보며 가족에 대한 그리움을 느꼈을 거야.

04 이와 같은 글에 대한 설명으로 알맞지 않은 것은?

① 판소리계 소설이다.
② 행복한 결말로 끝맺는다.
③ 대부분 작가가 분명하지 않다.
④ 사건 전개가 현실적이고 필연적이다.
⑤ 일반적으로 문어체, 운문체가 혼합되어 나타난다.

가 흥부 아내의 말이 변하여 울음이 되니 흥부가 말없이 듣고 있다가 자리에서 일어섰다. / "여보 마누라, 울지 말아요. 내가 오늘 읍내를 나갔다 오리다."

"읍내는 무엇 하러요?" / "양식을 좀 꾸어서라도 얻어 와야 저 자식들을 먹이지."

"여보 영감, 그 모양에 곡식 먹고 도망한다고 안 줄 테니 가 보아야 소용없는 일입니다."

"가장이 나서는데 그게 무슨 소리! 어찌 될지는 가 봐야 아는 일이니 장 안에서 도포나 꺼내 와요." / "아이고, 우리 집에 무슨 장이 있단 말이오?"

(도포: 예전에, 통상예복으로 입던 남자의 겉옷)

"어허, 닭장은 장이 아닌가? 가서 내 갓도 챙겨 내와요." / "갓은 또 어디에 있답니까?"

"뒤뜰 굴뚝 속에 가 봐요." / "세상에, 갓을 어찌 굴뚝 속에 두었단 말입니까?"

"그런 게 아니라 지난번 국상 뒤에 어느 친구한테 흰 갓 하나를 얻었는데 우리 형편에 칠해 쓸 수도 없고 연기에 그을려 쓰려고 굴뚝 속에 넣어 둔 지 벌써 오래요."

(국상: 국민 전체가 상중에 상복을 입던 왕실의 초상)

나 흥부가 그렇게 저렇게 의관을 갖추는데 모양이 볼만했다.

헌 망건을 꺼내 쓸 때 물레 줄로 줄을 삼고 박 조각으로 관자 달아서 상투를 매어 쓰고, 갓 테 떨어진 파립은 노끈을 총총 매어 갓끈 삼아 달아 쓰고, 다 떨어진 고의적삼 살점이 울긋불긋, 발바닥은 뻥 뚫리고 목만 남은 헌 버선에 짚 대님이 희한하다. 헐고 헌 베 도포에 구멍이 숭숭, 열두 도막 이은 띠 가슴에 둘러 질끈 매고, 한 손에다가 곱돌 담뱃대 들고, 또 한 손에다 떨어진 부채 들고 곧 죽어도 양반이라고 여덟 팔 자 걸음으로 어식비식이 내려간다.

(관자: 망건에 달아 상투에 동여매는 줄인 당줄을 꿰는 작은 단추 모양의 고리)

다 흥부가 관가를 향해 한참을 가다가 별안간 걱정이 하나 생겨났다.

(관가: 옛날에, 벼슬아치들이 나랏일을 보던 집)

'내가 아무리 빈털터리가 되었을망정 나는 반남 박씨 양반이 아닌가. 아전들한테 존대를 할 수 없고 그렇다고 반말을 하면 저 사람들이 싫어해서 곡식을 안 줄 테니 이 일을 어찌하나?' / 곰곰 생각하다가 무릎을 탁 쳤다.

'옳다구나! 아전들을 보고 인사를 할 때 말끝을 '고' 와 '제'로 달아서 웃음으로 닦는 것밖에 수가 없다.' / 흥부가 관가에 들어가자 아전들이 일어나며 맞이한다.

(아전: 조선 시대에, 중앙과 지방의 관아에 속한 구실아치)

"아니 박 생원 아니시오?"

(생원: 예전에, 나이 많은 선비를 대접하여 이르던 말)

"거 참 여러분네들 본 지가 경세우경년이로고 하하하. 그래 각 댁은 다 태평하신지 모르제 하하하." / "아 우리야 편합니다만 백씨장 기후 안녕하시오?"

"우리 백씨장이사 여전하시제 하하하하."

(백씨장: 남의 형을 일컫는 말)

라 "그런데 박 생원 이게 어쩐 걸음이시오?"

"글쎄, 권솔은 많고 양도가 부족하여 환자 섬이나 얻을까 하고 왔제마는 여러분 처분이 어떨는지 모르제 하하하하."

(양도: 일정한 기간 동안 먹고 살아갈 양식)

(환자: 환곡. 조선 시대에, 곡식을 사창(社倉)에 저장하였다가 백성들에게 봄에 꾸어 주고 가을에 이자를 붙여 거두던 일. 또는 그 곡식)

"아니 백씨장이 만석 거부인데 박 생원이 환자 얻는단 말이 어쩐 말이오?"

"글쎄 형제간이라도 너무 자주 얻어다 먹고 보니 염치가 없더라고 하하하."

"그도 그럴 것이오. 백씨장 속을 누가 모르겠소. 그런데 참 박 생원, 매 더러 맞아 봤소?"

"아니 매 맞는 말은 또 무슨 말?"/ "갚기 어려운 환자를 얻을 게 아니라 내려오신 김에 매 좀 맞으시오."

간단 체크 활동 문제

05 이 글에서 알 수 있는 '흥부'의 처지로 알맞지 않은 것은?

① 양식이 없어 자식들이 굶고 있다.
② 곡식을 꾸어 먹고 도망친 이력이 있다.
③ 관아로 찾아가 환자를 얻으려 하고 있다.
④ 양반으로서의 체면을 차리려고 노력하고 있다.
⑤ 만석 거부인 형 '놀부'로부터 외면을 받고 있다.

06 다음 설명의 빈칸에 들어갈 알맞은 말들을 (가)에서 찾아 쓰시오.

> 이 글에서는 집 안의 옷장을 의미하는 ☐와/과 ☐☐의 발음의 유사성을 연결한 언어유희를 통해 독자에게 웃음을 주고 있다.

07 (나)와 (다)에 두드러진 표현상의 특징으로 알맞은 것은?

① 사실적 묘사
② 해학적 표현
③ 상황적 역설
④ 반어적 표현
⑤ 비현실적 사건

"아니 환자 대신 매를 맞다니? 내가 밥을 굶었다니까 매를 굶은 사람인 줄 아나?"

"그런 게 아니라 우리 고을 좌수가 병영에서 그만 죄를 얻었는데 좌수 대신으로 곤장 열 대만 맞고 오면 한 대에 석 냥씩 서른 냥은 굳은 돈이오. 누가 가든 말 타고 가라고 마삯 닷 냥까지 얹어서 서른닷 냥을 주기로 했으니 한번 다녀오시려오?"

조선 시대에, 지방의 자치 기구인 향청(鄕廳)의 우두머리

흥부가 돈 말을 듣더니 대번에 말투가 존대가 되어 '하시오'로 올라갔다.

"여보시오, 가고 말고요. 그건 그러려니와 내 아니꼽게 말 타고 갈 것이 아니라 정강이말로 다녀올 테니 그 돈 닷 냥을 나를 주시오." / "아, 그것일랑 그리하구려."

아전이 궤짝을 절컥 열고 엽전 닷 냥을 내어 주니 흥부가 덥석 받아 들고서,

"내 다녀오리다." / "예, 평안히 다녀오오."

흥부가 밖으로 썩 나서더니 돈을 들어 보며 어깨춤을 추었다.

"얼씨구나, 얼씨구나, 얼씨구나 좋네. 지화자 좋을시고. 돈 봐라. 돈. 돈 봐라. 돈. 돈 돈 돈, 돈 봐라. 돈. 오늘 걸음은 잘 걸었다. 이 돈 닷 냥을 가지고 가면 열흘은 살겠구나."

마 자기 집으로 들어가며, / "여보 마누라! 어디 갔소? 대장부 한 번 걸음에 엽전 서른닷 냥이 들어온다네. 거적문 여소. 돈 들어가요."

흥부 아내가 반겨 맞으며 / "어디 돈, 어디 돈, 돈 봅시다, 돈 봐. 이 돈이 웬 돈이오? 일수 월수 이자를 얻었소, 체계 이잣돈 얻었소?"

장체계. 예전에, 장에서 비싼 이자로 돈을 꾸어 주고 장날마다 본전의 일부와 이자를 받아들이던 일

"아니 그런 돈이 아니로세. 이 돈 근본을 이를진대 대장부 한 번 걸음에 공돈같이 생긴 돈이라오. 돈 돈 돈, 돈 봐라. 돈. 못난 사람도 잘난 돈, 잘난 사람은 더 잘난 돈. 생살지권을 가진 돈, 부귀공명이 붙은 돈. 맹상군의 수레바퀴처럼 둥글둥글 도는 돈. 얼씨구 좋구나, 지화자 좋네. 얼씨구나 돈 봐라. 자, 이 돈 가지고 양식을 팔아다 한번 배불리 먹어 봅시다."

사람을 죽이고 살리는 권세

중국 전국 시대 제나라의 공족(公族)이며, 사군(四君)의 한 사람

바 흥부 아내가 쌀을 팔고 고기를 사다가 자식들 배부르게 먹여 재운 뒤에, 아무래도 궁금해서 돈 사연을 물었다.

돈을 주고 곡식을 사고

"여보 영감, 배부르게 먹으니 좋긴 합니다만 그 돈이 어디서 난 건가요?"

"여보. 이게 비밀이니 말을 내면 안 돼요. 우리 고을 좌수가 병영에 죄를 얻었는데, 내가 좌수 대신 가서 곤장 열 개만 맞고 오면 한 개에 석 냥씩 모두 서른 냥인데, 말 타고 다녀오라고 마삯 닷 냥을 미리 받았지 뭐요. 만약 뒷집 꾀수 아비가 알면 발등거리를 할 테니, 쉬—." / 흥부 아내가 이 말을 듣고 펄쩍 뛰어 일어섰다.

남이 하려는 일을 앞질러서 함.

"허허, 아이고, 이것이 웬 말인가. 그리 말아요. 가지 말아요. 아무리 죽게 된 들 매품 말이 웬 말이오. 맞을 일이 있다 해도 집을 팔아서라도 그 일 모면할 텐데 번연히 아는 일을 매 맞으러 간다고 하니 당신은 어찌하여 죽으려고 야단인가. 못 갑니다, 못 갑니다. 굶으면 그냥 굶고 죽으면 좋게 죽지, 불쌍한 저 모양에 매란 말이 웬 말이오! 여보, 영감, 병영 곤장을 한 개만 맞아도 평생 골병이 든답니다. 바짝 마른 저 볼기에 곤장 열 개를 맞게 되면 영락없이 죽을 테니 돈 닷 냥 도로 주고 제발 부디 가지 말아요." / 흥부가 듣고 하는 말이

"돈은 벌써 축났으니 도로 줄 수도 없는 일이고, 대관절 이 볼기를 두었다가 어디다 쓰겠소? 쓸데없는 이 내 볼기, 이렇게 궁한 판에 매품이나 팔아먹지 그냥 두어 무엇할까. 괜찮으니 걱정 말아요."

간단 체크 활동 문제

08 (라)~(바)의 내용과 일치하지 않는 것은?

① 아전들은 '흥부'에게 환자를 얻는 대신 매품을 팔 것을 제안한다.
② '흥부'는 엽전 닷 냥을 들고 춤을 추며 의기양양하게 집으로 돌아온다.
③ '흥부' 아내는 마삯으로 쌀을 팔고 고기를 사다 자식들을 배불리 먹인다.
④ 돈의 출처를 듣게 된 '흥부'의 아내는 매품을 팔겠다는 '흥부'를 말리며 걱정한다.
⑤ '흥부'는 아내와 자식들을 위해 매품을 팔 결심을 하지만, 내심으로는 매 맞을 일을 걱정한다.

09 (라)에서 '흥부'가 돈을 얻는 대가로 고을 좌수 대신 수행하기로 한 일을 찾아 한 문장으로 쓰시오.

학습 활동

뒷부분 줄거리 흥부는 뒷집 꾀수 아비가 관가에 먼저 가서 매품을 파는 바람에 매품마저 팔지 못하게 된다. 가난을 벗어나지 못하며 지내던 중, 둥지에서 떨어져 다리가 부러진 제비를 우연히 발견하여 치료해 준다. 제비는 이에 대한 보답으로 흥부에게 박씨를 물어다 주고, 이 박씨를 심어 자란 박을 타자 그 속에서 금은보화가 나와 흥부는 부자가 된다. 이 사연을 들은 놀부가 일부러 제비 다리를 부러뜨린 후 고쳐 주자, 역시 제비가 박씨를 물어다 준다. 하지만 이 박씨를 심어 자란 박에서는 노승, 왈패 등이 나와 놀부의 재산을 모두 빼앗아 간다. 흥부는 놀부에게 자신의 재산을 나누어 주고, 놀부도 마음을 고쳐먹고 흥부와 우애 깊게 지낸다.

1 '흥부'가 처한 상황과 그에 대한 '흥부'의 대응 방식을 중심으로 이 소설의 내용을 정리해 보자.

	'흥부'가 처한 상황	'흥부'의 대응 방식
❶	아내와 자식들이 배고픔에 시달림.	우스꽝스러운 의관을 갖추고 관가로 곡식을 꾸러 감.
❷	환자를 얻기 위해 신분이 낮은 아전들에게 잘 보여야 함.	답 □□을 차리기 위해 말끝을 '고'와 '제'로 닮.
❸	답 아전들에게 좌수 대신 매를 맞으면 돈을 받을 수 있다는 이야기를 들음.	아전들에게 존대 말투를 씀.
❹	아내가 매품을 팔겠다는 '흥부'를 말림.	답 '□□'를 가지고 농담을 하며 걱정하는 아내를 달램.

2 다음은 이 소설에 사용된 표현 방법인 해학에 대한 설명이다. 이러한 해학이 잘 나타난 부분을 찾아보자.

해학은 우스꽝스러운 상황에서 생기는 즐거움이다. 해학은 대상을 긍정적으로 바라보는 웃음으로, 인물의 약점이나 실수를 부드럽게 감싼다.

읍내에 가는 '흥부'의 옷차림
답 • '장'과 '닭장'을 활용한 □□□□

답 • '흥부'가 도포를 보관해 둔 장소
• '흥부'가 갓을 굴뚝 속에 보관해 둔 이유

답 • '흥부'가 아전을 대하는 태도 변화
• '흥부'가 말하는 볼기의 쓰임

간단 체크 활동 문제

10 이 글에서 '흥부'가 처한 상황과 '흥부'의 대응 방식을 알맞게 연결하지 않은 것은?

① 아내와 자식들이 굶주림. → 우스꽝스러운 의관을 갖추고 관가로 곡식을 꾸러 감.
② 환자를 얻기 위해 신분이 낮은 아전들에게 잘 보여야 함. → 체면을 차리려고 말끝을 '고'와 '제'로 닮.
③ 아전들에게 고을 좌수 대신 매를 맞으면 돈을 받을 수 있다는 말을 들음. → 아전들에게 엎드려 절을 함.
④ 아전이 내 준 마삯 닷 냥을 받아 들고 관가를 나섬. → 가족들을 배부르게 먹일 생각에 들떠 노래를 부름.
⑤ 아내가 매품을 팔겠다는 '흥부'를 간곡하게 말림. → '볼기'를 가지고 농담을 하며 걱정하는 아내를 달램.

11 이 글에서 해학이 나타난 부분에 해당하지 않는 것은?

① '흥부'가 도포를 보관한 장소
② '흥부'가 말하는 볼기의 쓰임새
③ 읍내에 가는 '흥부'의 의관 차림새
④ '흥부'가 마삯 닷 냥을 굴뚝 속에 보관해 둔 이유
⑤ 관가에서 만난 아전들을 대하는 '흥부'의 태도 변화

3 자신의 경험을 바탕으로 다음과 같이 친구들에게 즐거움을 줄 수 있는 짧은 시를 지어 보자.

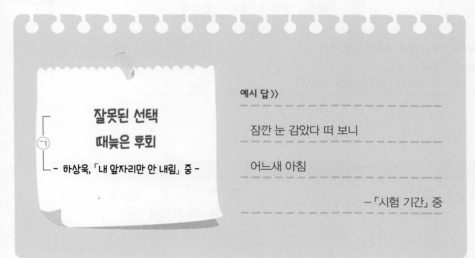

㉠ 잘못된 선택
때늦은 후회

- 하상욱, 「내 앞자리만 안 내림」 중 -

예시 답 〉〉

잠깐 눈 감았다 떠 보니

어느새 아침

– 「시험 기간」 중

간단 체크 활동 문제

12 ㉠에서 작가가 심미적 인식을 표현한 방법으로 적절한 것은?

① 대상의 행위를 과장하여 해학성을 높이고 있다.
② 참뜻과는 반대되는 표현을 써서 주제를 부각하고 있다.
③ 설의적 표현을 사용하여 말하는 이의 마음을 강조하고 있다.
④ 대상의 의인화를 통해 시적 상황을 선명하게 드러내고 있다.
⑤ 시의 내용을 재치 있게 담아낸 제목을 통해 웃음을 유발하고 있다.

활동 마당

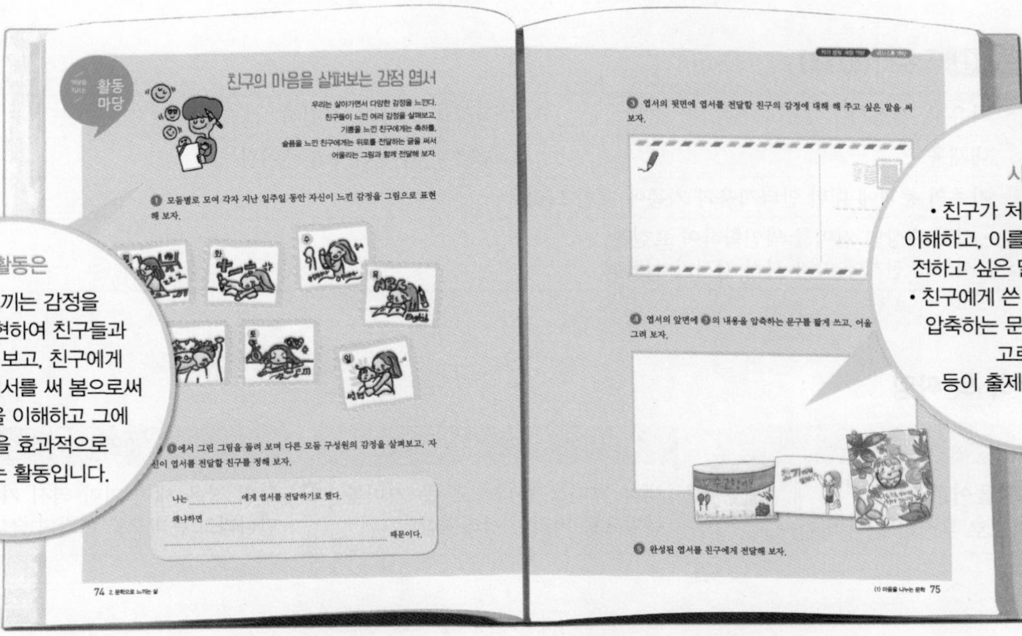

이 활동은

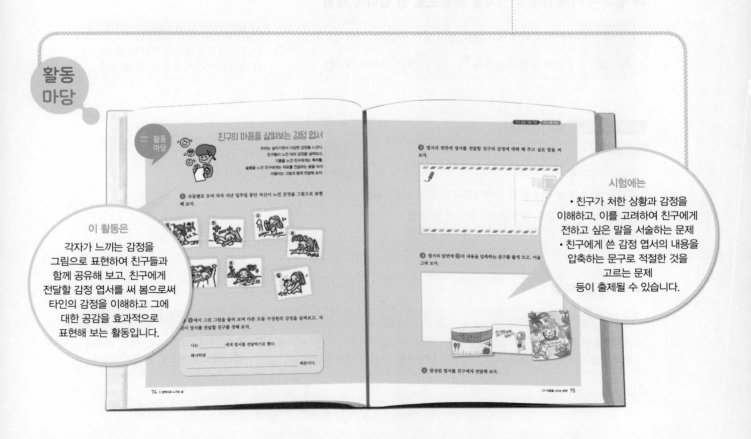

각자가 느끼는 감정을 그림으로 표현하여 친구들과 함께 공유해 보고, 친구에게 전달할 감정 엽서를 써 봄으로써 타인의 감정을 이해하고 그에 대한 공감을 효과적으로 표현해 보는 활동입니다.

시험에는

• 친구가 처한 상황과 감정을 이해하고, 이를 고려하여 친구에게 전하고 싶은 말을 서술하는 문제
• 친구에게 쓴 감정 엽서의 내용을 압축하는 문구로 적절한 것을 고르는 문제
등이 출제될 수 있습니다.

압축 파일

본문 제재 ❶ 「제망매가(祭亡妹歌)」

갈래	향가(10구체)	성격	추모적, 애상적, 불교적
제재	누이의 죽음		
주제	죽은 누이를 추모함, 누이의 죽음을 종교적으로 극복함.		
특징	• 비유적 표현을 활용하여 서정성을 높임. • 불교의 윤회 사상을 바탕으로 재회에 대한 소망을 드러냄.		

「제망매가」의 짜임

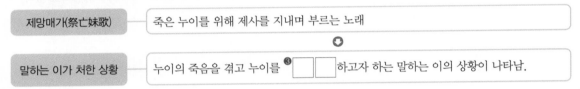

기(1~4구)		서(5~8구)		결(9~10구)
누이의 ❶□□으로 인한 슬픔과 고뇌	→	삶의 허무함과 무상함	→	❷□□□ 사상을 통한 슬픔과 고뇌의 극복

제목의 의미와 말하는 이가 처한 상황

제망매가(祭亡妹歌)	죽은 누이를 위해 제사를 지내며 부르는 노래
	↓
말하는 이가 처한 상황	누이의 죽음을 겪고 누이를 ❸□□하고자 하는 말하는 이의 상황이 나타남.

말하는 이의 태도와 정서를 바탕으로 한 심미적 체험

			심미적 체험
1~8구	누이의 죽음에 대한 슬픔, 삶에 대한 무상함과 허망함을 느낌.	→	인간의 고통을 종교적으로 승화하는 데서 숭고한 아름다움을 느낄 수 있음.
9~10구	종교적 힘으로 슬픔을 ❹□□하고 재회를 기약함.		

본문 제재 ❷ 「수라(修羅)」

갈래	자유시, 서정시	성격	서사적, 상징적
운율	내재율	제재	거미 가족의 헤어짐.
주제	가족의 붕괴에 대한 안타까움과 가족에 대한 그리움		
특징	• 시적 대상인 거미를 의인화하여 표현함. • 시상의 전개에 따라 시적 정서가 심화됨.		

「수라」의 짜임

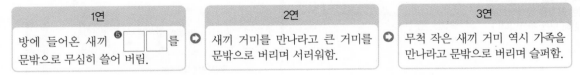

1연		2연		3연
방에 들어온 새끼 ❺□□를 문밖으로 무심히 쓸어 버림.	→	새끼 거미를 만나라고 큰 거미를 문밖으로 버리며 서러워함.	→	무척 작은 새끼 거미 역시 가족을 만나라고 문밖으로 버리며 슬퍼함.

●● 거미 가족에 대한 말하는 이의 행동과 정서

	1연	2연	3연
대상	거미 새끼	큰 거미	무척 작은 새끼 거미
말하는 이의 행동	문밖으로 쓸어 버림.	새끼에게 가라고 문밖으로 버림.	보드라운 종이에 받아 문밖으로 버림.
말하는 이의 정서	무심함. →	가슴이 짜릿함, 서러워함. →	가슴이 메이는 듯함, 서러워함, 슬픔.

1연에서 3연으로 갈수록 말하는 이의 정서가 ❻ □□ 됨.

적용 제재 「흥부전」

갈래	판소리계 소설, 국문 소설	성격	풍자적, 해학적, 교훈적
배경	조선 후기, 충청·경상·전라의 경계 지역	시점	전지적 작가 시점
제재	'흥부'의 선행과 '놀부'의 악행	주제	권선징악, 형제간의 우애, 인과응보 사상
특징	• 해학미가 잘 표현되어 있음. • 판소리의 특징이 남아 있는 판소리계 소설임.		

●●「흥부전」의 짜임

발단	전개	위기	절정	결말
'놀부'가 유산을 독차지하고 '흥부'를 내쫓음.	'흥부'는 아내와 여러 자식을 데리고 매우 가난하게 살아감.	'흥부'는 다리가 부러진 제비를 치료해 주고, 제비가 그 보답으로 박씨를 물어다 줌.	제비의 보은으로 '흥부'는 부자가 되고, 이를 시샘한 '놀부' 역시 제비 다리를 부러뜨림.	'놀부'는 패가망신하게 되지만, '흥부'는 '놀부'를 도와주고, '놀부'는 잘못을 뉘우침.

●● '흥부'가 처한 상황과 '흥부'의 대응 방식

'흥부'가 처한 상황	'흥부'의 대응 방식
아내와 자식들이 배고픔에 시달림.	우스꽝스러운 ❼ □□을 갖추고 관가로 곡식을 꾸러 감.
환자를 얻기 위해 신분이 낮은 아전들에게 잘 보여야 함.	체면을 차리기 위해 말끝을 '고'와 '제'로 달아서 말함.
아전들에게 좌수 대신 매를 맞으면 돈을 받을 수 있다는 이야기를 들음.	아전들에게 ❽ □□ 말투를 씀.
아내가 매품을 팔겠다는 '흥부'를 말림.	'볼기'를 가지고 농담을 하며, 걱정하는 아내를 달램.

→ '흥부'의 대응 방식을 과장하거나 우스꽝스럽게 표현하는 데서 ❾ □□□를 느낄 수 있음.

시험에 나오는 소단원 문제

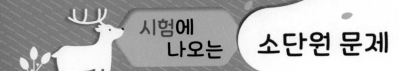

01~06 다음 시를 읽고, 물음에 답하시오.

ⓐ생사(生死) 길은
ⓑ예 있으매 ㉠머뭇거리고,
ⓒ나는 간다는 말도
몯다 이르고 어찌 갑니까.
어느 가을 이른 바람에
㉡이에 저에 떨어질 잎처럼,
ⓓ한 가지에 나고
가는 곳 모르온저.
아아, ⓔ미타찰(彌陀刹)에서 만날 나
도(道) 닦아 기다리겠노라.

01 이와 같은 갈래의 특징으로 알맞지 않은 것은?

① 신라 시대에 발생하여 조선 초기까지 이어졌다.
② 25수의 작품이 현재까지 남아 전해져 내려오고 있다.
③ 학식과 덕망을 겸비한 당대의 승려, 화랑 등이 주로 창작하였다.
④ 한자의 음과 뜻을 빌려 우리말을 적은 표기법인 향찰로 기록되었다.
⑤ 초기에는 4구체의 형식을 갖추고 있었고, 점차 8구체, 10구체 형식으로 발전하였다.

학습 활동 응용

02 이 시가의 시상 전개에 따른 말하는 이의 태도와 정서를 다음과 같이 정리할 때, 알맞지 않은 것은?

	말하는 이의 정서와 태도
1~4구	• 누이의 죽음을 안타까워함. ········ ①
5~8구	• 혈육에 대한 정과 혈육을 잃은 허망함. ········ ② • 누이의 죽음에서 삶의 무상함을 느낌. ········ ③
9~10구	• 슬픔을 자연에 대한 동화(同化)로 극복함. ········ ④ • 누이와의 재회를 기약함. ········ ⑤

서술형 학습 활동 응용

03 〈보기〉에서 설명하는 시어를 이 시가에서 찾아 쓰시오.

보기
- 10구체 향가의 형식적 특징에 해당한다.
- 말하는 이의 정서와 시상의 흐름을 전환한다.
- 앞부분에서 심화된 고뇌와 슬픔에서 오는 탄식이다.

04 ㉠에 두드러진 말하는 이의 심정으로 알맞은 것은?

① 슬픔 ② 두려움
③ 망설임 ④ 허망함
⑤ 안타까움

05 다음 중 ㉡과 같은 표현 방법이 쓰인 것은?

① 가랑잎 편지를 전해 주는 / 바람은 가을 우체부
② 아아, 님은 갔지마는 나는 님을 보내지 아니하였습니다.
③ 밤하늘은 / 별들의 운동장 / 오늘따라 별들 부산하게 바자닌다.
④ 나 보기가 역겨워 / 가실 때에는 / 죽어도 아니 눈물 흘리우리다.
⑤ 금방울과 같이 호동그란 고양이의 눈에 / 미친 봄의 불길이 흐르도다.

06 ⓐ~ⓔ의 의미로 알맞지 않은 것은?

① ⓐ: '삶과 죽음, 죽고 사는 것의 갈림길'을 의미한다.
② ⓑ: '여기에'라는 의미로, '여기'는 지금 살고 있는 세상, 즉 '이승'을 가리킨다.
③ ⓒ: 누이의 죽음을 안타까워하는 말하는 이 자신이다.
④ ⓓ: 말하는 이와 누이가 '같은 부모'에게서 태어났음을 비유한다.
⑤ ⓔ: 불교에서 부처님이 계시는 서방 극락 세계를 말한다.

07~10 다음 시를 읽고, 물음에 답하시오.

거미 새끼 하나 방바닥에 나린 것을 나는 아무 생각 없이 문밖으로 쓸어 버린다 / 차디찬 밤이다

언제인가 새끼 거미 쓸려 나간 곳에 큰 거미가 왔다
나는 가슴이 짜릿한다
나는 또 큰 거미를 쓸어 문밖으로 버리며 / 찬 밖이라도 새끼 있는 데로 가라고 하며 서러워한다

이렇게 해서 아린 가슴이 싹기도 전이다
어데서 좁쌀알만 한 알에서 가제 깨인 듯한 발이 채 서지도 못한 무척 작은 새끼 거미가 이번엔 큰 거미 없어진 곳으로 와서 아물거린다
나는 가슴이 메이는 듯하다
내 손에 오르기라도 하라고 나는 손을 내어미나 분명히 울고불고 할 이 작은 것은 나를 무서우이 달어나 버리며 나를 서럽게 한다 / 나는 이 작은 것을 고이 보드러운 종이에 받어 또 문밖으로 버리며
<u>㉠이것의 엄마와 누나나 형이 가까이 이것의 걱정을 하며 있다가 쉬이 만나기나 했으면 좋으련만</u> 하고 슬퍼한다

학습 활동 응용

07 이 시의 내용을 〈보기〉와 같이 구조화할 때, ⓐ~ⓔ에 들어갈 내용으로 알맞지 <u>않은</u> 것은?

보기

〈대상에 대한 말하는 이의 행동과 그에 담긴 정서의 변화〉

	1연	2연	3연
대상	거미 새끼	큰 거미	(ⓐ)
행동	문밖으로 쓸어 버림.	(ⓑ)	(ⓒ)
정서	(ⓓ)	가슴이 짜릿함, 서러워함.	(ⓔ) 서러워함, 슬픔.

① ⓐ: 무척 작은 새끼 거미
② ⓑ: 새끼 있는 데로 가라고 문밖으로 쓸어 버림.
③ ⓒ: 보드라운 종이에 받아 문밖으로 버림.
④ ⓓ: 가슴이 시림.
⑤ ⓔ: 가슴이 메임.

08 이 시의 표현상 특징으로 알맞지 <u>않은</u> 것은?

① 현재형 어미 사용
② 촉각적 심상 사용
③ 역설적 표현 사용
④ 시상의 점층적 전개
⑤ 시적 대상의 의인화

학습 활동 응용

09 〈보기〉를 바탕으로 하여 이 시를 감상한 내용으로 알맞지 <u>않은</u> 것은?

보기

이 시의 제목인 '수라(修羅)'는 싸움이나 그 밖의 다른 일로 큰 혼란에 빠진 곳, 또는 그런 세계나 그곳에 사는 존재를 의미한다. 이 시가 창작된 1930년대는 20여 년이 넘는 식민 통치하에서 일제의 수탈이 절정에 이른 시기로, 생계를 유지하기 어려워진 가족이 해체되는 비극적 상황이 빈번하게 일어났다.

① '수라'는 가족들이 뿔뿔이 흩어져 혼란에 빠진 거미 가족의 모습을 비유한 표현이야.
② '수라'는 차디찬 밤에 문밖으로 내몰린 거미 가족의 처지를 좀 더 비장하게 느껴지게 해.
③ 이 시가 창작된 시대 배경을 고려하면 '수라'와 같은 세계란 당시 우리 민족이 처한 현실로 볼 수 있어.
④ 시인은 가족과 떨어져 혼자 살면서 흉측한 거미들과 마주쳐야 하는 자신의 삶을 '수라'라고 인식하는 것 같아.
⑤ 일제의 수탈이 절정에 이른 절망적인 현실 속에서 가족을 잃은 우리 민족이 얼마나 좌절감을 느꼈을지 떠올려 보니 너무 안타까워.

서술형

10 이 시가 창작된 시대 상황을 고려할 때, ㉠에서 짐작할 수 있는 말하는 이의 소망을 '~것'의 형태로 쓰시오.

11~13 다음 글을 읽고, 물음에 답하시오.

가 "여보 영감, 그 모양에 곡식 먹고 도망한다고 안 줄 테니 가 보아야 소용없는 일입니다."

"가장이 나서는데 그게 무슨 소리! 어찌 될지는 가 봐야 아는 일이니 장 안에서 ⓐ도포나 꺼내 와요."

"아이고, 우리 집에 무슨 장이 있단 말이오?"

"어허, 닭장은 장이 아닌가? 가서 내 갓도 챙겨 내와요."

〈중략〉 "세상에, 갓을 어찌 굴뚝 속에 두었단 말입니까?"

"그런 게 아니라 지난번 ⓑ국상 뒤에 어느 친구한테 흰 갓 하나를 얻었는데 우리 형편에 칠해 쓸 수도 없고 연기에 그을려 쓰려고 굴뚝 속에 넣어 둔 지 벌써 오래요."

나 흥부가 그렇게 저렇게 의관을 갖추는데 모양이 볼만했다. 〈중략〉 헐고 헌 베 도포에 구멍이 숭숭, 열두 도막 이은 띠 가슴에 둘러 질끈 매고, 한 손에다가 곱돌 담뱃대 들고, 또 한 손에다 떨어진 부채 들고 곧 죽어도 양반이라고 여덟 팔 자 걸음으로 어식비식이 내려간다.

다 "아니 ⓒ백씨장이 만석 거부인데 박 생원이 환자 얻는단 말이 어쩐 말이오?" / "글쎄 형제간이라도 너무 자주 얻어다 먹고 보니 염치가 없더라고 하하하." 〈중략〉

"아니 ⓓ환자 대신 매를 맞다니? 내가 밥을 굶었다니까 매를 굶은 사람인 줄 아나?"

"그런 게 아니라 우리 고을 ⓔ좌수가 병영에서 그만 죄를 얻었는데 좌수 대신으로 곤장 열 대만 맞고 오면 한 대에 석 냥씩 서른 냥은 굳은 돈이오. 누가 가든 말 타고 가라고 마삯 닷 냥까지 얹어서 서른닷 냥을 주기로 했으니 한번 다녀오시려오?"

흥부가 돈 말을 듣더니 대번에 말투가 존대가 되어 '하시오'로 올라갔다. / "여보시오, 가고 말고요. 그건 그러려니와 내 아니꼽게 말 타고 갈 것이 아니라 정강이말로 다녀올 테니 그 돈 닷 냥을 나를 주시오."

라 "여보, 영감, 병영 곤장을 한 개만 맞아도 평생 골병이 든답니다. 바짝 마른 저 볼기에 곤장 열 개를 맞게 되면 영락없이 죽을 테니 돈 닷 냥 도로 주고 제발 부디 가지 말아요." / 흥부가 듣고 하는 말이

"돈은 벌써 축났으니 도로 줄 수도 없는 일이고, 대관절 이 볼기를 두었다가 어디다 쓰겠소? 쓸데없는 이 내 볼기, 이렇게 궁한 판에 매품이나 팔아먹지 그냥 두어 무엇 할까. 괜찮으니 걱정 말아요."

서술형

11 이 글에 대한 설명으로 알맞은 것을 〈보기〉에서 모두 골라 그 기호를 쓰시오.

보기
ㄱ. 판소리 사설의 영향을 받은 고전 소설이다.
ㄴ. 산문이면서도 운율감이 느껴지는 어투가 사용되고 있다.
ㄷ. 자신이 처한 상황에 대한 인물의 부정적인 태도가 나타나 있다.
ㄹ. 비극적 상황에서 과장된 표현을 사용해 비장미를 부각하고 있다.

학습 활동 응용

12 이 글에서 〈보기〉의 표현 방법이 잘 나타난 부분을 찾아 설명한 내용으로 적절하지 않은 것은?

보기
해학은 우스꽝스러운 상황에서 생기는 즐거움이다. 해학은 대상을 긍정적으로 바라보는 웃음으로, 인물의 약점이나 실수를 부드럽게 감싼다.

① (가)에 '장'과 '닭장'의 유사성을 활용한 언어유희가 나타나 있다.
② (가)에서 '흥부'가 도포를 둔 장소가 '흥부'의 곤궁한 처지를 우스꽝스럽게 드러내고 있다.
③ (가)에서 '흥부'가 '갓'을 굴뚝 속에 보관한 이유를 설명하는 부분에서 웃음을 유발하고 있다.
④ (다)에서 양반 신분인 '흥부'가 매품팔이를 하겠다고 말하는 장면에서 해학미를 느낄 수 있다.
⑤ (라)에서 '흥부'가 '볼기'를 가지고 농담을 하며 아내를 달래는 모습이 독자에게 웃음을 주고 있다.

13 ⓐ~ⓔ의 의미로 알맞지 않은 것은?

① ⓐ: 예전에, 통상예복으로 입던 남자의 겉옷
② ⓑ: 국민 전체가 상중에 상복을 입던 왕실의 초상
③ ⓒ: 남의 형을 일컫는 말
④ ⓓ: 병들거나 다쳐서 치료를 받아야 할 사람
⑤ ⓔ: 조선 시대 지방 자치 기구인 향청의 우두머리

소단원 개념 길잡이

• 정답과 해설 10쪽

소설이란

현실 세계에 있음 직한 일을 작가가 상상하여 꾸며 쓴 이야기를 말한다.

소설의 3요소

주제	작품을 통해 작가가 말하고자 하는 중심 생각
구성	일정한 흐름에 따라 배열된 이야기의 짜임새. 인물, 사건, 배경이 3요소임.
문체	작가의 개성이 드러나는 글투나 문장의 구성 방식

소설의 배경

시간적 배경	작품 속에서 사건이 전개되는 때. 시간, 시대, 계절
공간적 배경	작품 속에서 인물이 활동하고 사건이 전개되는 공간(장소)
사회적 배경	작품의 배경이 되는 시대적, 역사적, 문화적 상황

소설의 서술자란

소설의 내용을 전달하기 위해 작가가 내세운 대리인으로, 작가를 대신하여 이야기를 전달하는 존재를 말한다.

소설의 서술 시점

1인칭 주인공 시점	• 작품 속의 주인공인 '나'가 자신의 이야기를 전달함. • '나'가 직접 자신의 내면 심리까지 전달하므로, 독자에게 친근감과 신뢰감을 줌.
1인칭 관찰자 시점	• 작품 속의 등장인물(주변 인물)인 '나'가 주인공과 사건을 관찰하여 전달함. • '나'의 눈에 관찰된 내용을 전달하므로, 독자에게 상상의 여지를 줌.
3인칭 관찰자 시점	• 작품 밖의 서술자가 객관적인 입장에서 인물의 행동을 관찰하여 전달함. • 외부로 드러나는 사실만 전달하므로, 독자가 상상할 여지가 많음.
전지적 작가 시점	• 작품 밖의 서술자가 전지전능한 신과 같은 위치에서 인물의 심리와 행동을 구체적으로 전달함. • 서술자가 모든 것을 전달하므로, 독자의 상상력을 제한함.

소설의 인물 제시 방법

직접적 제시	서술자가 등장인물의 성격이나 심리를 직접 설명해 주는 방식
간접적 제시	인물의 행동, 대화, 외양 묘사 등을 통해 독자가 인물의 성격이나 심리를 짐작하게 하는 방식

간단 체크 개념 문제

1 다음 설명이 맞으면 ○표, 틀리면 ×표 하시오.

(1) 소설은 작가가 상상하여 꾸며 낸 허구의 이야기이다. (　　)

(2) 소설의 3요소는 인물, 사건, 배경을 말한다. (　　)

(3) 인물들이 활동하고 사건이 일어나는 시간과 장소, 문화적 상황을 소설의 배경이라고 한다. (　　)

2 다음 빈칸에 들어갈 알맞은 말을 쓰시오.

> 소설의 내용을 전달하기 위해 작가가 내세운 대리인을 소설의 □□□(이)라고 한다.

3 〈보기〉의 글에서 사용된 서술 시점으로 알맞은 것은?

> 보기
> 나는 아버지 말대로 미옥이에게 정중하게 편지를 썼다. 나는 사실 겨울 방학 내내 미옥이만 생각했다. 나는 나중에 꼭 미옥이와 결혼하리라는 결심을 굳히고 또 굳혔다.

① 이중 시점
② 전지적 작가 시점
③ 3인칭 관찰자 시점
④ 1인칭 주인공 시점
⑤ 1인칭 관찰자 시점

수필이란

글쓴이가 생활 속에서 얻은 생각과 느낌을 일정한 형식에 얽매이지 않고 자유롭게 표현한 글을 말한다.

수필의 특징

자기 고백적	글쓴이 자신의 생각과 정서를 솔직하게 표현함.
개성적	글쓴이의 체험이나 생각, 가치관, 관심사, 문체 등이 잘 드러남.
사실적	글쓴이가 직접 체험한 사실을 바탕으로 씀.
비전문적	전문가가 아니더라도 누구나 쉽게 쓸 수 있는 비전문적인 글임.
소재의 다양성	일상의 다양한 체험이나 생활 주변의 사물이 모두 글의 소재가 됨.
자유로운 형식	일정한 형식에 구애받지 않고 비교적 자유롭게 표현할 수 있음.

수필을 감상하는 방법

- 글쓴이의 가치관과 인생관을 파악하며 읽는다.
- 글쓴이의 개성적인 문체와 참신한 표현 등을 살피며 읽는다.
- 글쓴이가 글을 통해 전달하고자 하는 중심 생각을 파악하며 읽는다.
- 글에 담긴 심미적 인식을 바탕으로 감동과 깨달음을 느끼며 읽는다.

문학 작품과 사회 · 문화적 배경의 관계

문학 작품을 창작할 때 작가는 특정한 시대와 공간, 당대의 문화적 상황 등을 작품의 배경으로 설정하여 이야기를 전개한다. 이와 같은 설정을 통해 작가는 작품의 사실성과 현장성을 높이고, 주제를 더욱 효과적으로 전달할 수 있다. 또한 독자는 작품을 감상하며 인물들이 처한 당대의 사회·문화적 상황을 간접 체험하고, 인물들의 삶에 공감함으로써 작품 전체의 의미를 깊이 있게 이해할 수 있다.

과거의 삶이 반영된 문학 작품을 감상하는 방법

과거의 삶이 반영된 문학 작품 감상	• 작품에 반영된 과거의 삶과 오늘날의 삶을 서로 비교해 봄. • 작품 속의 상황을 자신의 상황에 비추어 보며 주체적으로 수용함.

⇩

문학 작품 속에 반영된 가치 파악	• 시대의 흐름에 따른 인식의 변화 속에서도 오늘날까지 변하지 않는 가치를 발견함으로써 삶의 보편성을 이해함. • 오늘날 우리의 관점에서 새롭게 평가될 수 있는 당대의 가치를 발견하고 통찰함으로써 삶의 특수성을 이해함.

간단 체크 개념 문제

4 수필의 특성으로 알맞지 않은 것은?

① 개성적이다.
② 비전문적이다.
③ 자기 고백적이다.
④ 형식이 자유롭다.
⑤ 갈등의 문학이다.

5 수필을 감상하는 일반적인 방법으로 알맞지 않은 것은?

① 글쓴이의 개성을 파악하며 읽는다.
② 글에 담긴 가치와 감동을 느끼며 읽는다.
③ 글쓴이의 주장이 지닌 타당성을 평가하며 읽는다.
④ 글을 통해 전달하려는 중심 생각을 파악하며 읽는다.
⑤ 글에 담긴 글쓴이의 심미적 인식을 이해하며 읽는다.

6 다음 빈칸에 들어갈 내용으로 알맞은 것은?

> 과거의 삶이 반영된 문학 작품을 감상함으로써, 시대에 따른 인식의 변화 속에서도 오늘날까지 변하지 않는 ☐☐을/를 찾아내고 인간 삶의 보편성을 이해할 수 있다.

① 정서 ② 문화
③ 가치 ④ 배경
⑤ 세태

교과서 77~103쪽

• 정답과 해설 10쪽

(2) 삶을 말하는 문학 _ 노새 두 마리

학습 목표 과거의 삶이 반영된 작품을 오늘날의 삶에 비추어 감상할 수 있다.

최일남(1932~)

소설가. 1970년대 산업화와 도시화에 적응하지 못한 소시민의 삶과 애환을 표현한 작품들을 주로 썼다. 주요 작품으로는 「흐르는 북」, 「서울 사람들」, 「누님의 겨울」 등이 있다.

발단 학습 포인트

❶ 이 글의 배경과 발단에 나타난 사회·문화적 상황
❷ 구동네와 새 동네의 차이
❸ 새 동네가 생기면서 나타난 변화

(가) 그 골목은 몹시도 가팔랐다. 아버지는 그 골목에 들어서기만 하면 미리 저만치 앞에서부터 마차를 세게 몰아 가지고는 그 힘으로 하여 단숨에 올라가곤 했다. 그러나 이 작전이 매번 성공하는 것은 아니고, 더러는 마차가 언덕의 중간쯤에서 더 올라가지를 못하고 주춤거릴 때도 있었다. 그러면 아버지는 이마에 심줄을 잔뜩 돋우며, / "이랴 이랴!" / 하면서 노새의 잔등을 손에 휘감고 있는 긴 고삐 줄로 세 번 네 번 후려쳤다. 노새는 그럴 때마다 뒷다리를 바득바득 바둥거리며 안간힘을 쓰는 듯했으나 그쯤 되면 마차가 슬슬 아래쪽으로 미끄러져 내리기는 할망정 조금씩이라도 올라가는 일은 드물었다.

- 심줄: 힘줄의 변한 말. 근육의 기초가 되는 희고 질긴 살의 줄
- 고삐: 말이나 소를 몰거나 부리려고 재갈이나 코뚜레에 잡아매는 줄
- 바득바득: 악착스럽게 애쓰는 모양

물론 마차에 연탄을 많이 실었을 때와 적게 실었을 때에도 차이는 있었다. 적게 실었을 때는 그깟 것 달랑달랑 단숨에 오르기도 했지만, 그런 때는 드물고 대개는 짐을 가득가득 싣고 다녔다. 가득 실으면 대충 오백 장에서 육백 장까지 실었는데 아버지는 그래야만 다소 신명이 나지 이백 장이나 삼백 장 같은 것은 처음부터 성이 안 차는 눈치였으며, 백 장쯤은 누가 부탁도 안 할뿐더러 아버지도 아예 실으려고 하지도 않았다.

(나) 우리 동네는 변두리였으므로 얼마 전까지도 모두 그날그날 벌어먹고 사는 사람들이 많아 연탄 배달도 일거리가 그리 많지 않았다. 기껏해야 구멍가게에서 두서너 장을 사서는 새끼줄에 대롱대롱 매달고 가는 게 고작이었다. 그랬는데 이삼 년 전부터 아직도 많은 빈터에 집터가 다져지고, 하나둘 문화 주택이 들어서더니 이제는 제법 그럴듯한 동네꼴이 잡혀 갔다. 원래부터 있던 허름한 집들과 새로 생긴 집들과는 골목 하나를 경계로 하여 금을 긋듯 나누어져 있었는데, 먼 데서 보면 제법 그럴싸한 동네로 보였다. 일단 들어와 보면 지저분한 헌 동네가 이웃에 널려 있지만, 그냥 먼발치로만 보면 2층 슬래브 집들에 가려 닥지닥지 붙은 판잣집 등속이 보이지 않았으므로 서울의 변두리에 흔한 여느 신흥 부락으로만 보였다.

- 문화 주택: 국가 정책에 따라 1950년대 후반부터 등장한, 생활하기에 편리하고 보건 위생에 알맞은 새로운 형식의 주택
- 슬래브 집: 슬래브(slab)로 만든 집. 슬래브는 콘크리트 바닥이나 양옥의 지붕처럼 콘크리트를 부어서 한 장의 판처럼 만든 구조물임.
- 등속: 나열한 사물과 같은 종류의 것들을 몰아서 이르는 말

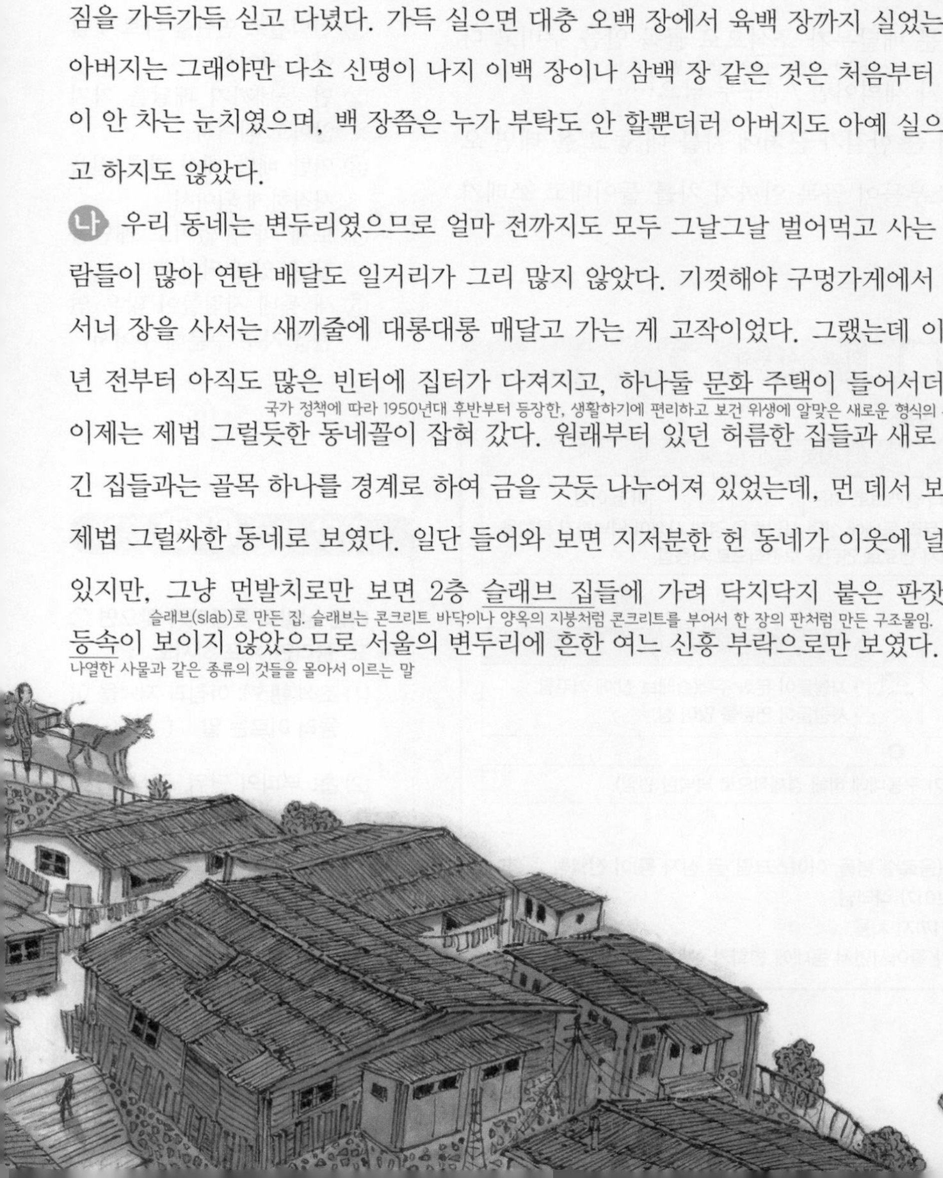

간단 체크 내용 문제

중요 **01** 이 글의 사회·문화적 상황을 짐작할 수 있는 소재가 아닌 것은?

① 마차 ② 연탄
③ 변두리 ④ 판잣집
⑤ 문화 주택

02 다음 설명에 해당하는 문장을 (가)에서 찾아 쓰시오.

• '아버지'의 힘겹고 고단한 삶을 짐작하게 함.
• 우리 동네에 생긴 보이지 않는 경계가 언급됨.

중요 **03** (나)에 나타난 우리 동네에 생긴 변화가 아닌 것은?

① 2층 슬래브 집들이 지어졌다.
② 낡은 판잣집들이 전부 허물어졌다.
③ 빈터에 문화 주택이 하나둘 들어섰다.
④ 서울 변두리의 여느 신흥 부락의 모양새를 갖추었다.
⑤ 원래 있던 집들과 새로 생긴 집들이 골목을 경계로 나뉘었다.

다 동네가 이렇게 바뀌자 ㉠그것을 가장 좋아한 사람 중의 하나가 아버지였다. 아까 말한 대로 그전에는 동네 사람들이 연탄을 두서너 장, 많아야 이삼십 장씩만 사 가는 터여서 아버지의 일거리가 적고, 따라서 이곳에서 이삼 킬로나 떨어진 딴 동네까지 배달을 가야 했는데 동네에 새 집이 들어서면서부터는 그렇게 먼 걸음을 하지 않아도 되었기 때문이다. 그런 집에서 연탄을 한번 들여놓았다 하면 몇 달씩 때니까 자주 주문을 하지 않아서 아버지의 일감이 이 동네에서 끝나는 것만은 아니고, 여전히 타 동네까지 노새 마차를 몰기는 했지만 그전보다는 자주 먼 곳까지 가지 않아도 된 것만은 사실이었다.

새 동네(우리는 우리가 그전부터 살던 동네를 구동네, 문화 주택들이 차지하고 들어선 동네를 새 동네라 불렀다.)가 생기면서 좋아한 것은 비단(부정하는 말 앞에서 '다만', '오직'의 뜻으로 쓰이는 말) 아버지만은 아니었다. 구동네에 두 곳 있던 구멍가게 주인들도 은근히 무언가를 기대하는 눈치였다. 그전까지는 가게의 물건들이 뽀얗게 먼지를 쓰고 있었고, 두 홉(부피의 단위. 곡식, 가루, 액체 따위의 부피를 잴 때 씀.)짜리 소주병만 육실하게 많았는데 그 병들 사이에 차츰 환타니 미린다니 하는 음료수 병들이며 퍼머스트(아이스크림 상표 이름) 아이스크림도 섞이고, 할머니의 주름살처럼 주름이 쫙쫙 가 말라비틀어진 사과 사이에 귤 상자도 끼이게 되었다. 그전에는 볼 수 없었던 우유 배달부가 아침마다 골목을 드나들고, 갖가지 신문 배달부가 조석(아침과 저녁을 아울러 이르는 말)으로 골목 안을 누비고 다녔다. 전에는 얼씬도 않던 슈샤인 보이('구두닦이'를 뜻하는 말)가 새벽이면 / "구두 닦으……."

하면서 외치고 다녔다. 전에는 저 아래 큰 한길가 근처에 차를 대 놓고 올 테면 오고 말 테면 말라는 식으로 버티던 청소부들이 골목 안까지 차를 들이대고 쓰레기를 퍼 갔다.

학습콕 발단 | 소주제: 새 동네가 들어서면서 ☐☐의 모습이 변화함.

❶ 이 글의 배경과 발단에 나타난 사회·문화적 상황

이 글의 배경	사회·문화적 상황
도시화·산업화가 급격하게 진행되던 1970년대 도시(서울) 변두리 동네	• 2, 3년 전부터 슬래브로 지은 ☐☐ ☐☐이 들어섬. • 이전부터 변두리 동네에 살던 사람들은 경제 사정이 넉넉하지 못했음. • 일반 가정에서 연료로 연탄을 보편적으로 사용함.

❷ 구동네와 새 동네의 차이

구동네	골목 경계	새 동네
• 사람들이 허름한 ☐☐☐에 거주함. • 사람들이 연탄을 조금씩 삼.	↔	• 사람들이 문화 주택(슬래브 집)에 거주함. • 사람들이 연탄을 많이 삼.

↓

경제 수준에 차이가 남(새 동네가 구동네에 비해 경제적으로 넉넉한 편임).

❸ 새 동네가 생기면서 나타난 변화

- ☐☐☐☐에 이전보다 다양한 상품(음료수 병들, 아이스크림, 귤 상자 등)이 진열됨.
- 우유 배달부, 갖가지 신문 배달부, 슈샤인 보이가 나타남.
- 큰길만 치우던 청소부들이 골목 안의 쓰레기까지 치움.

→ 생활 수준이 나은 사람들이 사는 새 동네가 들어서면서 동네에 변화가 생김.

간단 체크 내용 문제

중요

04 (다)에 나타난 새 동네가 생긴 후의 변화로 알맞지 <u>않은</u> 것은?

① 우유 배달부가 아침마다 골목을 드나들었다.
② 아침저녁으로 신문 배달부가 골목 안을 누비고 다녔다.
③ 청소부들이 골목 안까지 차를 대고 쓰레기를 퍼 갔다.
④ 슈샤인 보이가 돌아다니는 시간이 새벽으로 바뀌었다.
⑤ 구멍가게에 음료수나 아이스크림, 귤 상자 등이 진열되었다.

05 ㉠의 이유로 알맞은 것은?

① 언덕길로 연탄을 나르지 않아도 되어서
② 먼 동네까지 배달을 가지 않아도 되어서
③ 연탄 배달 대신 다른 일을 시작하게 되어서
④ 노새 마차 없이도 배달을 할 수 있게 되어서
⑤ 새 동네 사람들이 많은 연탄을 자주 주문해 주어서

간단 체크 어휘 문제

다음 낱말의 뜻풀이가 맞으면 ○표, 틀리면 ×표 하시오.

(1) 조석(朝夕): 아침과 저녁을 아울러 이르는 말 (　　)

(2) 홉: 부피의 단위. 곡식, 가루, 액체 등의 부피를 잴 때 씀. (　　)

(3) 비단(非但): 명주실로 짠 광택이 나는 피륙을 통틀어 이르는 말 (　　)

• 정답과 해설 10쪽

전개 학습 포인트

❶ '노새'를 대하는 구동네 사람들과 새 동네 사람들의 태도
❷ '노새'가 우리 집에 오게 된 사연

라 그러나 동네의 모습이 이처럼 달라지기는 했어도 구동네와 새 동네 사람들이 서로 어울리는 법이 없었다. 너는 너, 나는 나 하는 식으로 새 동네 사람들은 문을 꼭꼭 걸어 잠그고 누가 다가오는 것을 거절하고 있었다. 다만 그들이 들어옴으로 해서 구동네 사람들의 사는 모습이 조금 달라지기는 했는데 아무도 그걸 입에 올리지는 않았다. 아버지도 배달 일이 늘어나서 속으로는 새 동네가 생긴 것을 은근히 싫어하지는 않는 눈치였지만, 식구들 앞에서조차 맞대 놓고 그런 내색을 하지는 않았다. 그런 가운데에서도 우리 노새는 온 동네 사람들의 눈길을 모으고 짤랑짤랑 이 골목 저 골목을 헤집고 다녔다. 아니 그것은 새 동네 쪽에서 더욱 그랬다. 원래의 우리 동네에서야 아무도 거들떠보지 않았다. 자기들은 아이들의 싯누런 똥이 든 요강 따위를 예사롭게 수챗구멍 같은 데 버리면서도, 어쩌다 우리 노새가 짐을 부리는 골목 한쪽에서 오줌을 찍 갈기면,

수챗구멍: 집 안에서 버린 물이 집 밖으로 흘러 나가도록 만든 시설에서 허드렛물이 빠져나가는 구멍

"왜 하필이면 여기서 싸. 어이구, 저 지린내, 말을 부리려면 오줌통이라도 갖고 다닐 일이지 이게 뭐야. 동네가 뭐 공동변손가."

어쩌고 하면서 ㉡아낙네들은 코를 찡 풀어 노새 앞에다 팽개쳤다. 말과 노새의 구별도 잘 못하는 주제에, 아무 데서나 가래침을 퉤퉤 뱉는 주제에 우리 노새를 보고 눈을 찢어지게 흘겼다. 그러나 새 동네에서는 단연 달랐다. 여간해서 말을 잘 않는 아주머니들도 우리 노새를 보면 입가에 미소를 머금었다. 개중에는

"아이, 귀여워. 오랜만에 보는 노샌데." / 하기도 하고,

"어머, 지금도 노새가 있었네." / 하기도 하고,

"아니, 이게 노새 아니에요? 아주 이쁘게 생겼네."

하기도 하고,

"오머 오머, 이게 망아지는 아니고……. 네? 노새라고요? 아, 노새가 이렇게 생겼구나아."

하면서 모가지에 매달린 방울을 한번 만져 보려다가 노새가 고개를 젓는 바람에 찔끔 놀라기도 했다. 비단 연탄 배달을 간 집에서만이 아니라 이 근처의 길을 가던 사람들도, 우리 노새를 힐끗 쳐다본 순간 분명히 다소 놀라는 기색으로 다시 한번 거들떠보곤 했다. 대야를 옆에 끼고 볼이 빨갛게 익은 채 목욕 가다 오던 아주머니도 부드러운 눈길로 노새를 바라보고, 다정하게 나들이를 가려고 막 대문을 나서던 내외분도 우리 노새가 짤랑짤랑 지나가면 '고것…….' 하는 표정으로 한동안 지켜보고, 파 한 단 사 가지고 잰걸음으로 쫄쫄거리고 가던 식모 아가씨도 잠시 발을 멈추고 노새를 바라보았다.

기색: 마음의 작용으로 얼굴에 드러나는 빛

간단 체크 내용 문제

중요
06 (라)에 나타난 구동네와 새 동네 사람들의 관계로 가장 알맞은 것은?

① 구동네 사람들이 새 동네 사람들을 낯설어했다.
② 새 동네 사람들이 구동네 사람들을 무서워했다.
③ 구동네 사람들이 텃세를 부려서 서로 어울리지 못했다.
④ 새 동네 사람들이 구동네 사람들의 생활 방식을 따라 했다.
⑤ 새 동네 사람들이 구동네 사람들과 교류하려고 들지 않았다.

중요
07 '노새'를 대하는 새 동네 사람들의 태도로 알맞은 것은? (정답 2개)

① '노새'를 신기해했다.
② '노새'를 못살게 굴었다.
③ '노새'에게 호의를 가졌다.
④ '노새'에게 눈을 자주 흘겼다.
⑤ '노새'를 길에서 볼 때마다 기겁했다.

08 ㉡에 대한 '나'의 심정으로 알맞은 것은?

① 미안함 ② 무심함
③ 분노감 ④ 절망감
⑤ 부끄러움

마 무엇보다도 우리 노새를 보고 좋아하는 것은 새 동네 아이들이었다. 노새만 지나가면 지금까지 하던 공차기나 배드민턴을 멈추고 한동안 노새를 따라왔다.

"야, 노새다." / 한 아이가 외치면 다른 아이들도 덩달아 외쳤다.

"그래그래, 노새다." / "야, 이게 노새구나." / "그래 인마, 넌 몰랐니?"

"듣기는 했는데 보기는 처음이야." / "야, 귀 한번 대빵 크다."

"힘도 세니?" / "그럼, 저것 봐, 저렇게 연탄을 많이 싣고 가지 않니."

아이들이 이러면 나는 나의 시커먼 몰골도 생각하지 않고 어깨가 으쓱해졌다. 아버지도 그런 심정일까. 이런 때는 그럴 만한 대목도 아닌데 괜히 / ㉠"이랴 이랏!" 하면서 고삐를 잡아끌었다. 나는 사실 새 동네 아이들을 그리 좋아하지 않았다. 걔네들은 집 안에서 무얼 하는지 도무지 밖에 나오는 일도 드물었는데, 나온다 해도 저희네끼리만 어울리지 우리 구동네 아이들을 붙여 주지 않았다. 처음부터 우리가 걔네들더러 끼워 달라고 한 일은 없으니까 붙여 주고 안 붙여 주고 할 것은 없었는데, 보면 알지 돌아가는 꼴이 그런 처지가 못 되었다. 우리 구동네 아이들이야 학교 가는 시간을 빼고는 내내 밖에서만 노는데, 놀아도 여간 시망스럽게(몹시 짓궂은 데가 있게) 놀지 않았다. 걸핏하면 싸움질이요 걸핏하면 욕질이었다. 말썽은 어찌 그리도 잘 부리는지 아이들 싸움이 커진 어른 싸움도 끊일 날이 없었다. 그러자니 구동네 아이들은 자연히 새 동네 골목에까지 진출했다. 같은 골목이라도 새 동네는 널찍한 데다가 사람들의 왕래도 그리 잦지 않아서 놀기에 좋았다. 그렇다고 새 동네 아이들이 텃세(먼저 자리를 잡은 사람이 뒤에 들어오는 사람에 대하여 가지는 특권 의식. 또는 뒷사람을 업신여기는 행동)를 부리지도 않았다. 그들은 저희끼리 놀다가도 우리들이 내려가면 하나둘씩 슬며시 자기네 집으로 들어갔다. 그런 아이들이었으므로 나는 평소에 데면데면하게(사람들 대하는 태도가 친밀감이 없이 예사롭게) 대했는데, 이들이 우리 노새를 보고 놀라거나 칭찬할 때만은 어쩐지 그들이 좋았다. 거기 비해서 우리 동네 아이들은 노새만 보면 엉덩이를 툭 치거나, 머리를 쓰다듬는 척하면서 콧잔등을 한 대씩 쥐어박고 하기가 일쑤였다. 평소에 말수가 적고 화내는 일이 드문 아버지도 이런 때는 눈에 불을 켜고 개구쟁이들을 내몰았다.

"이 때갈(죄 지은 사람이 잡혀갈) 놈의 새끼들, 노새가 밥 달라든, 옷 달라든? 왜 지랄들이야!"

간단 체크 내용 문제

09 (마)에 드러난 새 동네 아이들의 모습으로 알맞지 않은 것은?

① 집 밖에 나오는 일이 드물었다.
② 공차기나 배드민턴을 하며 놀았다.
③ 구동네 아이들이 끼워 달라 해도 저희끼리만 놀았다.
④ 구동네 아이들이 새 동네까지 와서 놀아도 화를 내지 않았다.
⑤ 구동네 아이들이 새 동네에서 놀 때면 슬며시 집에 들어갔다.

중요

10 (마)의 내용을 바탕으로 다음 빈칸에 들어갈 알맞은 말을 차례대로 쓰시오.

(　　　　)은/는 노새를 보면 신기해하며 놀라거나 칭찬했지만, (　　　　)은/는 노새만 보면 괴롭히기 일쑤였다.

11 ㉠에 담긴 '아버지'의 속내를 짐작한 바로 알맞은 것은?

① '나'의 우쭐함이 못마땅하다.
② 빨리 연탄 배달을 마치고 싶어 한다.
③ '노새'가 마차를 천천히 끄는 것이 불만스럽다.
④ '노새'에 대한 동네 아이들의 관심이 부담스럽다.
⑤ 새 동네 아이들이 '노새'에 관심을 보이자 자부심을 느낀다.

바 우리 집에 노새가 들어온 것은 이년 전이었다. 그전까지는 말을 부렸는데 누군가가 노새와 바꾸지 않겠느냐고 제의해 왔다. 싫으면 웃돈을 조금 얹어 주고라도 바꾸어 주겠다는 것이었다. 한 삼 년 가까이 그 말을 부려 온 아버지는 막상 놓기가 싫은 모양이었으나 그 말이 눈이 자주 짓무르고, 뒷다리 복사뼈 근처에 늘 상처가 가시지 않는 등 잔병치레가 잦은 터라, 두 번째 말을 걸어왔을 때 그러자고 응낙해 버렸다. 할머니와 어머니, 그리고 큰형은 그래도 말이 낫지 그까짓 노새가 무슨 힘을 쓰겠느냐고, 바꾸지 말자고 했으나 노새를 한번 보고 온 아버지는 어떻게 생각했는지 그 길로 노새와 말을 맞바꾸었다. 아닌 게 아니라 노새는 힘이 하나도 없어 보였다. 보기에도 비리비리한 게 약하디 약하게만 보였다. 할머니나 어머니, 그리고 큰형은 그것 보라고, 이게 어떻게 그 무거운 연탄 짐을 나르겠느냐고 빈정댔는데 그래도 아버지는 가타부타 말이 없이 노새를 우리로 끌고 가 우선 솔질부터 시작했다. 말이 우리이지 그것은 방과 바로 잇닿아 있는 처마를 조금 더 달아낸 곳에 있었다. 그래서 우리 집에는 항상 말 오줌 냄새, 똥 냄새가 가실 날이 없었다. 그뿐 아니라 그 우리의 바로 옆방이 내가 할머니나 큰형과 함께 자는 방이었으므로 나는 잠결에도 노새가 앉았다 일어나는 소리, 히힝거리는 소리, 방귀 소리까지 들을 수 있었다. 어쨌거나 이 노새가 들어오면서 그 뒤치다꺼리는 주로 내가 맡게 되었다. 큰형도 더러 돌봐 주기는 했으나 큰형마저 군에 들어가고 난 뒤부터는 나에게 전적으로 그 일이 맡겨졌다. 고등학교를 나온 작은형이 있기는 해도 그는 아버지나 어머니의 성화에 아랑곳없이, 늘상 밖으로 싸다니기만 하고 집에 있을 때도 기타를 들고 골방에 처박히기가 일쑤였다. 가엾게도 노새는 원래 회색빛이었는데도 우리 집에 온 뒤로는 차츰 연탄 때가 묻어 검은빛으로 변해 갔다. 엉덩이께는 물론 갈기도 까맣게 연탄 가루가 앉아 있었다. 내가 깜냥으로는 지성스럽게 털어 주고 닦아 주고 하는데도, 연탄 때는 속살까지 틀어박히는지 닦아 줄 때만 조금 희끗하다가 한바탕 배달을 갔다 오면 도로 그 모양이었다. 하지만 노새도 내 그런 정성을 짐작은 하는지, 멍청히 서 있다가도 내가 가까이 가면 고개를 위아래로 흔들어 아는 체를 했다. 그랬는데 그 노새가 오늘은 우리 집에 없다.

- 웃돈: 1. 본래의 값에 덧붙이는 돈. 2. 물건을 서로 바꿀 때에 값이 적은 쪽에서 물건 외에 더 보태어 주는 돈
- 가타부타: 어떤 일에 대하여 옳다느니 그르다느니 함.
- 달아: 덧대어 늘인
- 성화: 몹시 귀찮게 구는 일
- 깜냥: 스스로 일을 헤아림. 또는 헤아릴 수 있는 능력
- 지성스럽게: 보기에 지극히 정성스러운 데가 있게

학습콕 **전개 | 소주제:** 새 동네 사람들은 구동네 사람들과 어울리지 않고, '노새'를 신기해함.

❶ '노새'를 대하는 구동네 사람들과 새 동네 사람들의 태도

구동네 사람들		대조적 ↔	새 동네 사람들	
	• 아무도 거들떠보지 않음. • 마주치면 흘겨보거나 못살게 굶.			• 신기해하고 귀여워함. • 호의와 관심을 가지고 대함.

→ '나'와 '아버지'가 구동네 아이들의 반응에 부정적 태도를 보이는 것과 달리 새 동네 아이들의 반응에 긍정적 태도를 보이는 것을 통해 '노새'에 대한 두 사람의 ☐☐과 자부심을 엿볼 수 있음.

❷ '노새'가 우리 집에 오게 된 사연

말을 '노새'와 바꾸자는 제안을 받은 '아버지'가 말이 잔병치레가 잦자 두 번째 제의에 응낙함. → 힘없는 '노새'를 보고 가족들은 무거운 ☐☐☐을 나르겠냐고 빈정댔지만, '아버지'는 말없이 '노새'를 지켜봄.

간단 체크 내용 문제

12 (바)의 내용과 일치하지 않는 것은?

① '나'는 '노새'에 대해 연민과 애정을 느끼게 되었다.
② '나'의 가족들은 말과 '노새'를 바꾸는 것을 반대했다.
③ '노새'가 들어오면서 큰형이 '노새'의 뒤치다꺼리를 도맡았다.
④ '아버지'는 생계를 유지하기 위해 말을 부려서 일을 했었다.
⑤ 좁은 집에서 노새와 더불어 살아야했기 때문에 주거 환경이 열악했다.

중요
13 (바)로 보아 '아버지'가 말과 '노새'를 바꾼 이유로 알맞은 것은?

① 웃돈을 얹어 주었기 때문에
② '노새'가 말보다 컸기 때문에
③ '노새'가 힘이 세 보였기 때문에
④ 말이 잔병치레가 많았기 때문에
⑤ 평소 말보다는 '노새'를 부리고 싶었기 때문에

14 (바)에서 이 글 전체의 중심 사건이 암시된 문장을 찾아 쓰시오.

위기 학습 포인트

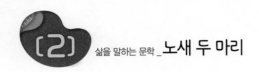

❶ 위기에 나타난 현대인들의 모습
❷ 이 글에 반영된 당시 거리의 분위기와 모습

(사) 노새가 갑자기 달아난 건 어저께 일이었다. 아버지는 연탄을 실은 뒤 노새의 고삐를 잡고 나는 그냥 뒤따르고 있었다. 내가 뒤따르는 것은 아버지에게 큰 도움이 못 되고 하릴없이 따라다니기만 할 뿐이었다. 야트막한 언덕길을 오를 때 마차의 뒤를 밀기도 했으나 그것은 그대로 시늉일 뿐, 내 어린 힘으로 어떻게 된다든가 하는 일은 없었다. 아버지는 이따금 따라다니지 말고 집에 가서 공부나 하라고 했지만, 내가, 공부를 다 했어요, 하면 그 이상 더 말리지는 않았다. 그러나 탄을 싣거나 부릴 때 내가 거들려고 나서면 아버지는 한사코 그걸 말렸다. 아버지가 그랬으므로 나는 그러면 더 좋지 하는 홀가분한 마음으로 망아지 모양 마차 뒤만 졸졸 따라 다녔다. 바로 어저께도 그랬다. 새 동네의 두 집에서 이백 장씩 갖다 달라고 해서, 아버지는 연탄 사백 장을 싣고 새 동네로 들어가는 그 가파른 골목길을 들어서고 있었다. 얘기의 앞뒤가 조금 바뀌었지만, 우리 아버지는 연탄 가게의 주인이 아니고 큰길가에 있는 연탄 공장에서 배달 일만 맡고 있다. 그러므로 연탄 공장의 배달 주임이 어느 동네 어느 집에 몇 장을 배달해 주라고 하면, 그만한 양의 탄을 실어다 주고 거기 따르는 구전만 받으면 그만이었다. 그런데 한 가지 자랑스러운 일은 아버지는 아무리 찾기 힘든 집이라도 척척 알아낸다는 것이다. 연탄 공장 사람들의 설명이 미처 끝나기도 전에 알 만하오, 한마디면 그만이었다. 열이면 열 거의 틀리는 일이 없었다. 오죽하면 공장 사람들도

구전(口文). 흥정을 붙여 주고 그 보수로 받는 돈

"마차 영감은 집 찾는 데 귀신이니깐."

하면서 혀를 내두를까. 그들도 아버지에게 실려 보내면 마음이 놓인다는 것이었다. 어저께도 아버지는 이러이러한 댁에 갖다 주라는 말을 듣자, 두 번 다시 물어보지 않고 짐을 싣고 나선 것이다.

(아) 그 가파른 골목길 어귀에 이르자 아버지는 미리서 노새 고삐를 낚아 잡고 한달음에 올라갈 채비를 하였다. 그러나 어쩐 일인지 다른 때 같으면 사백 장 정도 싣고는 힘 안 들이고 올라설 수 있는 고개인데도 이날따라 오름길 중턱에서 턱 걸리고 말았다. 아버지는 어, 하는 눈치더니 고삐를 거머쥐고 힘껏 당겼다. 이마에 힘줄이 굵게 돋았다. 얼굴이 빨개졌다. 나는 얼른 달라붙어 죽어라고 밀었다. 그러나 ㉠길바닥에는 살얼음이 한 겹 살짝 깔려 있어서 마차를 미는 내 발도 줄줄 미끄러져 나가기만 했다. 노새는 앞뒤발을 딱딱 소리를 낼 만큼 힘껏 땅을 밀어냈으나 마차는 그때마다 살얼음 위에 노새의 발자국만 하얗게 긁힐 뿐 조금도 올라가지 않았다. 아직은 아래쪽으로 밀려 내리지 않고 제자리에 버티고 선 것만도 다행이

어귀: 드나드는 목의 첫머리

간단 체크 내용 문제

15 (사)에 나타난 '나'의 모습으로 알맞지 않은 것은?

① '아버지'를 돕고 싶어 한다.
② 공부에 흥미를 느끼지 못한다.
③ '아버지'와 '노새' 곁에 있는 것을 좋아한다.
④ 탄을 싣거나 부리는 것을 창피해하지 않는다.
⑤ '아버지'가 집을 잘 찾는 것을 자랑스러워한다.

16 (사)에서 '아버지'의 직업이 구체적으로 드러난 문장을 찾아 첫 어절과 끝 어절을 쓰시오.

중요

17 ㉠에 대한 설명으로 알맞지 않은 것은?

① 계절적 배경을 나타낸다.
② '노새'가 달아난 사건의 빌미를 제공한다.
③ '아버지'의 고난을 가중시키는 역할을 한다.
④ '아버지'의 재주가 발휘되는 계기로 작용한다.
⑤ 연탄 마차가 오름길 중턱에서 걸린 이유가 나타난다.

었다. ⓐ사람들이 몇 명 지나갔으나 모두 쳐다보기만 할 뿐 아무도 달라붙지는 않았다. 그전에도 그랬다. 사람들은 얼핏 도와주고 싶은 생각이 났다가도, 상대가 연탄 마차인 것을 알고는 감히 손을 내밀지 못했다. 도대체 어디다 손을 댄단 말인가. 제대로 하자면 손만 아니라 배도 착 붙이고 밀어야 할 판인데 그랬다간 옷을 모두 망치지 않겠는가. ⓑ옷을 망치면서까지 친절을 베풀 사람은 이 세상엔 없다고 나는 믿어 오고 있다. 그건 그렇고, 그런 시간에도 마차는 자꾸 밀려 내려오고 있었다. 돌을 괴려고 주변을 살펴보았으나 그만한 돌이 얼른 눈에 띄지 않을뿐더러, 그나마 나까지 손을 놓으면 와르르 밀려 내려올 것 같아서 손을 뗄 수가 없었다. ㉡아버지는 평소의 그답지 않게 사정없이 노새에게 매질을 해댔다.

"이랴, 우라질 놈의 노새, 이랴!"

노새는 눈을 뒤집어 까다시피 하면서 바득바득 악을 써 댔으나 판은 이미 그른(어떤 일이나 형편이 잘못된) 판이었다. 그때였다. 노새가 발에서 잠깐 힘을 빼는가 싶더니 마차가 아래쪽으로 와르르 흘러내렸다. 뒤미처(그 뒤에 곧 잇따라) 노새가 고꾸라지고 연탄 더미가 대그르르 무너졌다. 아버지는 밀려 내려가는 마차를 따라 몇 발짝 뒷걸음질을 치다가 홀랑 물구나무서는 꼴로 나자빠졌다. 나는 얼른 한옆으로 비켜섰기 때문에 아무 일도 없었다. 그러나 정작 일은 그다음에 벌어지고 말았다. 허우적거리며 마차에 질질 끌려가던 노새가 마차가 내박쳐진(힘껏 집어 내던져진) 자리에서 벌떡 일어서더니 뒤도 안 돌아보고 냅다 뛰기 시작한 것이다. 정확히 말하면 벌떡 일어섰다가 순간적으로 아버지와 내가 있는 쪽을 힐끔 쳐다보고는 이내 뛰어 버린 것이다. 마차가 넘어지면서 무엇이 부러져 몸이 자유롭게 된 모양이었다.

자 "어 어, 내 노새."

아버지는 넘어진 채 그 경황(놀라고 두려워 허둥지둥함.)에도 뛰어가는 노새를 쳐다보더니 얼굴이 새하얘졌다. 그러나 그런 망설임도 그때뿐 아버지는 힘들게 일어서자 딴 사람이 되어 빠른 걸음으로 노새를 뒤쫓았다.

"내 노새, 내 노새."

간단 체크 내용 문제

18 (아)의 전개 양상을 다음과 같이 정리할 때, 빈칸에 들어갈 알맞은 내용을 쓰시오.

연탄 마차가 오름길 중턱에서 걸림.
↓
'아버지'와 '나'가 힘들게 버팀.
↓
연탄 마차가 흘러내리고 연탄 더미가 무너짐.
↓
(   )

19 ㉡에서 알 수 있는 '아버지'의 심리로 볼 수 없는 것은?

① 초조함 ② 불안감
③ 두려움 ④ 배신감
⑤ 당혹스러움

중요

20 작가가 ⓐ와 ⓑ를 통해 비판하고자 한 현대인의 모습으로 가장 알맞은 것은?

① 물질 만능주의에 빠진 모습
② 이기적이고 자기중심적인 모습
③ 동물을 소중히 대하지 않는 모습
④ 이웃 간의 소통에 어려움을 느끼는 모습
⑤ 빈부 격차에 따라 사람들을 차별하는 모습

아버지는 크게 소리 지르는 것도 아니고 그렇다고 입안엣소리도 아닌, 엉거주춤한 소리로 연방 뇌면서 노새가 달려간 곳으로 뛰어갔다. 나도 얼른 아버지의 뒤를 따랐다. 노새는 십 미터쯤 앞에 뛰어가고 있었다. 뒤미처 앞쪽에서는 악 악 하는 비명 소리가 들려왔다. 어깨에 스케이트 주머니를 메고 오던 아이들 둘이 기겁을 해서 길옆으로 비켜서고, 뒤따라오던 여학생 한 명이 엄마! 하면서 오던 길을 달려갔다. 손자를 업고 오던 할머니 한 분은 이런 이런! 하면서 어쩔 줄 몰라 하다가 그 자리에 폭삭 주저앉고 말았다. 막 옆 골목을 빠져나오던 택시가 찍 브레이크를 걸더니 덜렁 한바탕 춤을 추고 멎었다. 금세 이 집 저 집에서 사람들이 쏟아져 나와서 골목은 어느 사이 수많은 사람들이 모여 웅성대기 시작했다.

(연방: 연속해서 자꾸 / 뇌면서: 지나간 일이나 한 번 한 말을 여러 번 거듭 말하면서)

"왜 그래, 왜 그래." / "무슨 일이야, 무슨 일이야."

"말이 도망갔나 봐, 말이 도망갔나 봐." / "무슨 말이, 무슨 말이."

"저기 뛰어가지 않아." / "얼라 얼라, 그렇군. 말이 뛰어가는군."

㉠"별꼴이야, 말 마차가 지금도 있었군."

이런 웅성거림 속을 아버지는 두 주먹을 불끈 쥐고 뜀박질 쳐 갔다.

[A]

"내 노새, 내 노새."

그때 나는 아버지보다 몇 발짝 앞서 있었다. 아버지의 헉헉 소리가 들려왔다. 하지만 노새는 우리보다 훨씬 빨랐다. 노새는 이미 큰길로 나가고 있었다. 드디어 아버지는 큰길로 나오자 덜컥 그 자리에 주저앉고 말았다. 노새는 이제 보이지 않았지만 나는 노새보다도 아버지의 일이 더 큰일일 것 같아서, 뛰던 것을 멈추고 아버지의 손을 잡고 끌어 일으키려고 했다. 한데 아버지는 쉽게 일어나지를 못했다. 아버지의 눈은 더할 수 없는 실망과 깊은 낭패로 가득 차, 나는 제대로 쳐다보지도 못하고 슬며시 고개를 돌리다가 이내 축 처지고 말았다. 얼굴 근육이 실룩거리는 것이 옆얼굴에도 보였다. 불현듯 슬픔이 복받쳐 내 눈도 씀벅거렸으나 나는 그것을 억지로 참고, 계속해서 아버지의 팔목을 이끌었다.

(씀벅거렸으나: 눈꺼풀이 움직이며 눈이 자꾸 감겼다 떠졌다 하였으나)

간단 체크 내용 문제

21 (자)에서 달아나는 '노새'를 본 사람들의 반응이 아닌 것은?

① 골목에 모여서 웅성거렸다.
② '노새' 잡는 것을 도와주었다.
③ '노새'를 피해 운전하던 택시를 급히 멈추었다.
④ 뛰어가는 '노새'에 놀라 기겁하며 비명을 질렀다.
⑤ '노새'와 마주치면 어쩔 줄 몰라 하다 주저앉았다.

22 [A]에서 알 수 있는 '아버지'의 심정으로 알맞지 않은 것은?

① 맥없이 망연자실했다.
② 깊은 낭패로 가득 찼다.
③ 더 할 수 없이 실망했다.
④ 난감하고 당혹스러웠다.
⑤ 안쓰러운 마음이 들었다.

중요

23 ㉠을 통해 알 수 있는 당시의 사회·문화적 상황을 쓰시오.

간단 체크 어휘 문제

다음 낱말의 뜻풀이로 알맞은 것을 찾아 선으로 연결하시오.

(1) 기겁 • • ㉠ 연속해서 자꾸
(2) 낭패 • • ㉡ 숨이 막힐 듯이 갑작스럽게 겁을 내며 놀람.
(3) 연방 • • ㉢ 계획한 일이 기대에 어긋나 매우 딱하게 됨.

차 "아버지, 여기서 이렇게 앉아 있으면 어떻게 해요. 노새를 찾아야지요."

지나가는 사람들이 우리 부자의 이런 모습을 구경거리나 되는 듯이 잠깐잠깐 쳐다보았다. / "그래."

아버지는 힘없이 일어났으나 나는 어디를 어떻게 가야 할지 그저 막막하기만 했다. 아버지도 그런 눈치인 듯 나를 한번 덤덤히 쳐다보다가 아무 말 없이 앞장을 서기 시작했다. 두 사람 중 아무도 내박쳐진 마차며 연탄 이야기를 꺼내지 않았다. 그 뒤처리도 큰일일 테니 말이다. 터덜터덜 걸어서 네거리까지 온 우리는 정작 그때부터 막막함을 느꼈다. 동서남북 어느 쪽으로 가야 할 것인가.

"아버지, 이렇게 하면 어때요. 둘이 같이 다닐 게 아니라 따로따로 헤어져서 찾아보도록 해요. 내가 이쪽 길로 갈 테니깐 아버지는 저쪽 길로 가세요, 네?"

아버지는 아무 말 없이 나와는 반대 방향으로 걸어갔다.

카 아버지와 헤어진 나는 사뭇(거리낌 없이 마구) 뛰었다. 사람들은 거리에 가득 넘쳐 있었다. 크고 작은 자동차는 뻥뻥거리면서 씽씽 달려가고 달려오고 하였다. 5층 건물 3층 건물이 즐비한 거리는 언제나처럼 분주했다. 아무도 나를 붙잡고 왜 뛰느냐고, 노새를 찾아 나선 길이냐고 묻지 않았다. 아무도 네가 찾는 노새가 방금 저쪽으로 뛰어갔다고 걱정 말라고 일러 주진 않았다. 나는 이 사람에게 툭 부딪히고, 저 사람에게 탁 부딪히면서 사뭇 뛰었다. 그러나 뛰면서도 둘레둘레 사방을 쳐다보는 것을 잊지 않았다. 벌써 거리는 조금씩 어두워지고 있었다. 이미 앞이마에 헤드라이트를 켠 자동차도 있었다. ㉡나는 그런 자동차들이 막 뛰어다니는 노새로 보였다. 파랑 노새, 빨강 노새, 까만 노새들이 마구 뛰어다니는 것이 아닌가. 바람같이 달리는 놈, 슬슬 가는 놈, 엉금엉금 기는 놈, 갑자기 멈추는 놈, 막 가다가 홱 돌아서는 놈, 그것은 가지가지였다. 그런데도 그중에 우리 노새는 없었다. 두 귀가 쫑긋하고 눈이 멀뚱멀뚱 크고, 코가 예쁘고, 알맞게 살이 찐, 엉덩이에 까맣게 연탄 가루가 묻어 반질반질하고, 우리 사촌 이모 머리채처럼 꼬리를 길게 늘어뜨린 우리 노새는 안 보였다.

간단 체크 내용 문제

24 이 글의 '나'에 대한 설명으로 알맞지 않은 것은?

① 이 글의 주인공이다.
② 어린아이인 서술자이다.
③ 순수하고 천진한 데가 있다.
④ '노새'에 대한 애정을 지니고 있다.
⑤ 자신이 본 것과 들은 것을 친근하게 전달하고 있다.

중요

25 (카)에 나타난 거리의 모습으로 알맞지 않은 것은?

① 사람들이 가득하고 분주하다.
② 5층 건물이나 3층 건물들이 즐비하다.
③ 노새 마차와 어울리지 않는 번화한 모습이다.
④ 온갖 자동차들이 경적을 울리며 빠르게 지나다닌다.
⑤ 사람들이 낯선 사람을 향해 우호적인 관심을 보인다.

26 '나'가 ㉡과 같이 생각한 까닭으로 가장 알맞은 것은?

① '노새'를 찾아 뛰어다니느라 지쳐서
② '노새'를 찾고 싶은 마음이 간절해서
③ '노새'를 잃은 대신 자동차가 갖고 싶어서
④ 도시의 거리에는 '노새'가 더 어울린다고 느껴서
⑤ '아버지'에게 '노새'보다 자동차가 더 필요하다고 생각해서

타 어디까지 왔는지도 몰랐다. 차츰 다리가 아프기 시작했다. 배도 고프기 시작했다. 그러고 보면 나는 오늘 점심도 설친 채였다. 아이들하고 한참 놀다가 집에서 점심을 몇 술 뜨는 둥 마는 둥 하다가 아버지의 일이 궁금하여 연탄 공장에 갔었는데 그때 마침 아버지가 짐을 싣고 나오는 것이었다. 그러나 나는 걸음을 멈출 수가 없었다. 노새를 찾아야 한다, 노새를 찾아야 한다는 마음이 내 걸음에 앞서, 몇 번 고꾸라지기도 하였다. 더러는 어떤 신사 아저씨의 옆구리에 넘어지듯 부닥치기도 하였는데, 그러면 그 아저씨는 / "이 녀석아……."
어쩌고 하면서 못마땅하게 쳐다보고, 더러는 어떤 아주머니의 치마꼬리를 밟기도 하였는데, 그러면 그 아주머니는, / "얘가 왜 이래, 눈을 어데 두고 다녀?"
하면서 호통을 치기도 하였다. 그럴 때마다 나는

"미안해요, ㉠우리 노새를 찾느라고 그래요."

하고 뇌까렸으나 그것이 입 밖으로 말이 되어 나오지는 않았다. 입안이 메말라서 도무지 말을 하고 싶지도 않았다. 언뜻 내가 왜 이렇게 쏘다니고 있을까, 노새가 어디로 간지도 모르고 왜 이렇게 방황해야만 하는가 하는 생각이 없지도 않았으나 그런 마음에 앞서 내 눈은 부산하게 거리의 구석구석을 살피고 있었다. 그러고 보면 나는 그동안 우리 노새와 깊이 정이 들어 있는지도 몰랐다. 자다가도 바로 옆 마구간에서 노새가 투레질하는 소리, 발을 들었다 놓았다 하는 소리를 들으면 왠지 마음이 놓였고, 길에서 놀다가도 저만치서 아버지에게 끌려오는 노새가 보이면 후딱 달려가 그 시커먼 엉덩이를 한 번 두들겨 주기도 했다. 그러면 저도 날 알아보는지 그 큰 눈을 한 번 크게 치떴다가 내리곤 했다. 아이들은 그런 나를 더욱 놀려 댔다.

설친: 필요한 정도에 미치지 못한 채로 그만둔
뇌까렸으나: 아무렇게나 되는대로 마구 지껄였으나
부산하게: 급하게 서두르거나 시끄럽게 떠들어 어수선하게
투레질하는: 말이나 당나귀가 코로 숨을 급히 내쉬며 투루루 소리를 내는

그리고 나더러는 '까마귀 새끼'라고 말이다. 까마귀 새끼라는 것은 우리 아버지가 까맣게 연탄재를 뒤집어쓰고 다닌대서 그 아들인 나를 가리키는 말이다. 사실 아버지는 노상 시커먼 몰골을 하고 다녔다. 옷은 물론 국방색 신발도 어느새 깜장 구두가 되어 있었다. 손 얼굴 할 것 없이 온몸이 껌정 투성이였다. 어쩌다가 헹 하고 코를 풀면 콧물조차도 까맸다. 그런 가운데에서도 눈 하나만은 퀭하니 크게 빛났다. 아이들은 그런 아버지를 보고 까마귀라고 불러 댔으나 차마 대놓고 그러지는 못하고, 만만한 나만 보면 까마귀 새끼라고 놀려 댔다. 하지만 저희네들 아버지는 별것이었던가. 영길이네 아버지는 조그마한 기계와 연탄불을 피워 가지고 다니면서, 뻥 소리와 함께 생쌀을 납작하게 눌러 튀겨 내는 장사를 하고 있었고, 종달이네 형님은 번데기 장수였다. 순철이네 아버지는 시장 경비원이었고, 귀달네 아버지는 포장마차에서 장사를 하고 있었다. 그래서 우리는 영길이더러 '뻥', 종달이더러는 '뻔'이라는 별명을 붙여 주었으며, 순철이 귀달이도 모두 하나씩 별명을 가지고 있었다. 그러니까 내가 까마귀 새끼라는 별명을 가지고 있다는 것은 어떻게 보면 당연한 것이고 별로 억울할 것도 없었다.

간단 체크 내용 문제

27 (타)에서 타인에게 무관심한 현대인들을 대변하는 인물 둘을 찾아 쓰시오.

28 (타)에 나타난 구동네 사람들의 생업이 아닌 것은?

① 뻥튀기 장사
② 번데기 장사
③ 시장 경비원
④ 포장마차 장사
⑤ 연탄 공장 사장

중요
29 ㉠이 '나'에게 지닌 의미로 가장 알맞은 것은?

① 원망의 대상
② 가족의 반려동물
③ 가족처럼 정이 든 존재
④ '나'를 힘들게 만드는 존재
⑤ '아버지'의 역할을 대체하는 존재

간단 체크 어휘 문제

다음 뜻풀이에 해당하는 낱말을 〈보기〉에서 찾아 쓰시오.

보기: 설치다, 뇌까리다, 부산하다

(1) 아무렇게나 되는대로 마구 지껄이다. (　　　)
(2) 필요한 정도에 미치지 못한 채로 그만두다. (　　　)
(3) 급하게 서두르거나 시끄럽게 떠들어 어수선하다. (　　　)

파 내가 집에 돌아온 것은 밤 열 시도 넘어서였으나 아버지는 그때까지 돌아오지 않고 있었다. 할머니와 어머니는 동네 사람들의 귀띔으로 미리 사건을 알고 있었던지, 내가 들어서자 얼른 뛰어나오며 허겁지겁 물었다. / "찾았니?"

"아버지는 어떻게 되셨어?" / 내가 혼자 들어서는 걸 보면 찾지 못한 것을 번연히 알면서도 어머니는 다그쳐 물어 댔다. 어머니는 나에게 밥을 줄 생각도 하지 않고 한숨만 내리 쉬고 올려 쉬곤 하였다.

번연히: 어떤 일의 결과나 상태 따위가 훤하게 들여다보이듯이 분명하게

학습콕

위기 | 소주제: 연탄 배달 도중 '노새'가 도망치고, '아버지'와 '나'는 '노새'를 찾아 나서지만 찾지 못함.

❶ 위기에 나타난 현대인들의 모습

• '나'와 '아버지'가 '노새'를 끌고 가파른 골목을 오르기 위해 쩔쩔맴. → 사람들은 연탄이 옷에 묻을까 봐 쳐다보기만 할 뿐 도와주지 않음. • '나'와 '아버지'가 달아난 '노새'를 필사적으로 쫓아 뛰어감. → 동네 사람들은 웅성대면서도 '노새'를 잡는 것을 도와주지 않고, 거리의 사람들은 타인의 일에 무관심함.	➲	순수한 어린아이의 시선으로 자기중심적이고 ☐☐☐인 현대인의 모습을 여과 없이 보여 줌.

❷ 이 글에 반영된 당시 거리의 분위기와 모습

• 사람들이 거리에 가득 넘침. • 크고 작은 ☐☐☐들이 경적을 울리며 빠르게 지나침. • 5층 건물, 3층 건물이 즐비하고 늘 분주함. • 아무도 '나'의 일에 ☐☐을 기울이지 않음.	➲	• 1970년대 도시의 거리로, 변화하고 복잡하며 분주함. • '노새' 마차와는 어울리지 않음. • 인정이 없고 각박한 느낌을 줌.

절정 학습 포인트

❶ 시대의 변화 속에 소외되는 '아버지'의 모습
❷ '나'의 꿈에 나타난 '노새'의 의미
❸ '노새'와 '아버지'의 공통점과 차이점

하 아버지가 돌아온 것은 통행금지 시간이 거의 되어서였다. 예상한 일이지만 아버지는 빈 몸이었고 형편없이 힘이 빠져 있었다. 그때까지 식구들은 아무도 잠들지 않았다. 작은형도 일이 일인지라 기타도 치지 않고 죽은 듯이 방 안에만 처박혀 있었다. 아버지를 보고도 아무도 말을 하지 않았다. 다만 할머니만이 말을 걸었다.

통행금지: 일정한 시간 동안 일반인이 거리를 지나다니거나 집 밖으로 활동하는 것을 못하게 하던 일

"이제 오니?" / "네."

그뿐, 아버지는 더는 말이 없었다. 그러고는 어머니가 보아 온 밥상을 한옆으로 밀어 놓고는 쓰러지듯 방 한가운데 드러눕고 말았다. 아버지는 지금 내일부터 당장 벌이를 나갈 수 없는 아픔보다도 길들여 키워 온 노새가 가여워서 저러는지도 모를 일이었다. 아버지는 원래가 마부였다. 서울에 올라오기 전 시골에서도 줄곧 말 마차를 끌었다. 어쩌다가 소달구지를 끄는 적도 있기는 했으나 얼마 가지 않아서 도로 말 마차로 바꾸곤 했다. 그런 아버지였으므로 서울에 올라와서는 내내 말 마차 하나로 버텨 나왔었는데 어떻게 마음먹었는지 노새로 바꾸고 만 것이다. 노새나 말이나 요즘은 그놈의 삼륜차 때문에 아버지의 일감이 자칫 줄어드는 듯하기도 했다. 웬만한 오르막길도 끄떡없이 오르고, 웬만한 골목 안 집까지도 드르륵 들

소달구지: 소가 끄는 수레

삼륜차: 바퀴가 세 개 달린 차. 바퀴가 앞에 한 개, 뒤에 두 개 달려 있는데 주로 짐을 실어 나름.

간단 체크 내용 문제

30 (파)에 나타난 가족들의 반응으로 알맞지 않은 것은?

① '노새'를 찾았는지 몹시 궁금해했다.
② 밤늦도록 노새 사건의 소식을 몰라 조마조마했다.
③ '나'가 '아버지'를 두고 먼저 집에 온 것에 화를 냈다.
④ '나'에게 저녁을 차려 줄 여력도 없이 근심에 싸였다.
⑤ '나'가 혼자 온 것을 알면서도 혹시나 하는 마음에 '나'를 다그쳤다.

중요

31 (하)에서 〈보기〉에 제시된 소재들과 대비를 이루는 대상을 찾아 쓰시오.

| 보기 |
'아버지'가 힘겹게 끌어온 말 마차, 소달구지, '노새' 마차

32 (하)에서 알 수 있는 내용으로 알맞지 않은 것은?

① 당시에는 야간에 통행금지가 시행되었다.
② '아버지'는 '노새'를 찾지 못하고 집에 돌아왔다.
③ '아버지'가 돌아올 때까지 가족들은 모두 깨어 있었다.
④ '작은형'은 죽은 듯이 방 안에만 처박혀서 기타만 쳤다.
⑤ '아버지'는 시골에서 마부 일을 하다가 서울로 이사해서도 줄곧 말 마차를 끌었다.

이닥치니 아버지의 말 마차가 위협을 느낌 직도 했고, 사실 일감을 빼앗기기도 했다. 그런데도 그때마다 아버지는 큰소리였다.

"휘발유 한 방울 안 나오는 나라에서 자동차만 많으면 뭘 해."

마치 애국자처럼 말하는 것이었으나 나는 아버지의 그 말 뒤에 ㉠숨은 오기 같은 것을 느낄 수 있었다. 너무 고단해서였을까, 이날 밤 나는 앞뒤를 가릴 수 없을 만큼 깊이 잠에 빠졌던 것 같다.

거 골목에서 뛰쳐나온 노새는 큰길로 나오자 잠시 망설이다가 곧 길 복판으로 뛰어들어 갔다. 그러자 달려가고 달려오던 차들이 브레이크를 밟느라고 찍, 찍 소리를 냈으나 노새는 그걸 본체만체하고 달렸다. 어디서 뛰어나왔는지 교통순경이 호루라기를 불며 달려오다가 노새가 가까이 오자 혼비백산해서(몹시 놀라 넋을 잃고서) 도망갔다. 인도를 걸어가던 사람들이 일제히 발을 멈추고 노새가 가는 곳을 쳐다보곤 저마다 놀라고, 또는 재미있다는 표정을 지었다.

"허허, 저놈이 제 세상 만났군."

"고삐 풀린 말이라더니 저놈도 저렇게 한번 뛰어 보고 싶었을 거야."

"엄마, 저게 뭔데 저렇게 뛰어가? 말이지?"

"글쎄, 말보다는 작은데 노새 같다, 얘."

사람들이 그러거나 말거나 노새는 뛰고 또 뛰었다. ⓐ연탄 짐을 매지 않은 몸은 훨훨 날 것 같았다. ⓑ가파른 길도 없었고 ⓒ채찍질도 없었고 ⓓ앞길을 막는 사람도 없었다. ⓔ신호등에 파란불이 켜진 때도 있었고 노란불이 켜진 때도 있었으며 빨간불이 켜진 때도 있었으나, 막무가내(달리 어찌할 수 없음.)로 그냥 뛰기만 했다. 노새는 이윽고 횡단보도에 이르렀다. 마침 파란불이 켜져서 우우 하고 길을 건너던 사람들이, 앗, 엇, 외마디 소리를 지르며 풍비박산(사방으로 날아 흩어짐.)이 되었다. 보퉁이(물건을 보(네모진 천)에 싸서 꾸려 놓은 것)를 이고 가던 아주머니가 오메 소리를 지르며 퍽 그 자리에 넘어지자 머리 위에 있던 보퉁이가 데구루루 굴렀다. 다정히 손잡고 가던 모녀가 어머멋 소리를 지르며 제자리에 우뚝 섰다. 재잘거리며 가던 두 아가씨가 엄마! 소리를 지르며 한꺼번에 엉켜 넘어졌다. 자전거에 맥주 상자를 싣고 기우뚱기우뚱 건너가던 인부가 앞사람이 갑자기 뒷걸음질 치는 바람에 자전거의 핸들을 놓쳐 중심을 잃은 술 상자가 우르르 넘어졌다. 밍크 목도리에 몸을 휘감고 가던 아주머니가 나 몰라! 하고 소리를 지르며 홱 돌아서다가 자기도 모르게 옆에 있는 낯모르는 아저씨 품에 안겼다. 땟국이 잘잘 흐르는 잠바 청년 하나가 이때 워! 워! 하면서 앞을 가로막았으나 노새가 앞다리를 번쩍 한번 들자 어이쿠 소리를 지르면서 인도 쪽으로 도망갔다.

간단 체크 내용 문제

중요
33 ㉠이 의미하는 바로 가장 알맞은 것은?

① 시대의 변화에 대한 거부감
② '노새'를 꼭 찾고야 말겠다는 다짐
③ 현실을 인정하고 받아들이려는 노력
④ 자동차에 일을 점점 빼앗기게 될 것이라는 확신
⑤ 애국자와 같은 마음을 지니고 마부 일을 해야 한다는 신념

34 '노새'와 관련된 소재인 ⓐ~ⓔ 중, 그 성격이 다른 것은?

① ⓐ ② ⓑ
③ ⓒ ④ ⓓ
⑤ ⓔ

간단 체크 어휘 문제

다음 뜻풀이에 알맞은 낱말에 ○ 표 하시오.

(1) 달리 어찌할 수 없음. (막상막하 / 막무가내)

(2) 사방으로 날아 흩어짐. (풍비박산 / 풍수지탄)

(3) 물건을 보에 싸서 꾸려 놓은 것 (보자기 / 보퉁이)

너 노새는 그대로 달렸다. 뒤미처 순경이 좇아오는 소리가 나고 앵앵거리며 백차가 따라오고 있었다. 노새는 그러나 아랑곳하지 않았다. 노새는 어느덧 번화가에 들어서고 있었다. 여기는 아까의 횡단 길보다도 더욱 사람이 많았다. 노새는 자꾸 자동차가 걸리는 것이 귀찮았던지 성큼 인도 쪽으로 방향을 꺾었다. 그러자 이번에는 더욱 요란스러운 혼란이 벌어졌다. 사람들은 달랑달랑하는 노새의 목에 달린 방울 소리가 들릴 때는 호기심으로 그쪽을 쳐다보았다가다도, 금세 인파가 우, 우, 이리 몰리고 저리 몰리고 하면서 눈앞에 노새가 뛰어오자 어쩔 바를 모르고 왝, 왝, 소리를 지르며 달아나기에 바빴다. 분홍색 하이힐 짝이 나뒹굴고, 곱게 싼 상품 상자들이 이리저리 흩어졌다. 신사가 한옆으로 급히 비키다가 콘크리트 전봇대에 이마를 찧고, 군인이 앞사람의 뒤꿈치에 밟혀 기우뚱하다가 뒤에 오는 할아버지를 안고 넘어졌다. 배지를 단 여대생이 황망히 길옆 제과점으로 도망치다가 안에서 나오던 청년과 마주쳐 나무토막 쓰러지듯 넘어지고, 아이스크림을 핥고 가던 꼬마 둘이 얼싸안고 넘어졌다.

> 백차: 차체에 흰 칠을 한, 경찰이나 헌병의 순찰차

더 번화가 옆은 큰 시장이었다. 노새가 이번에는 그 시장 속으로 뚫고 들어갔다. 머리에 수건을 동이고 좌판 앞에 앉아 있던 아낙네들이 아이구 이걸 어쩌지, 하면서 벌떡 일어서는 것을 신호로, 시장 안에 벌집 쑤신 듯한 소동이 사방으로 번져 갔다. 콩나물 통이 엎어지고, 시금치가 흩어지고, 도라지가 짓이겨지고, 사과 알이 데굴데굴 굴렀다. 미꾸라지 통이 엎어지고 시루떡이 흩어지고, 테토론 옷감이 나풀거리고 제주 밀감이 사방으로 굴렀다. 갈치가 뛰고 동태가 날고, 낙지가 미끈둥 미끈둥 길바닥을 메웠다. 연락을 받고 달려왔는지 시장 경비원 두세 명이 이놈의 노새, 이놈의 노새, 하면서 앞뒤를 막았으나 워낙 젖 먹던 힘까지 다 내서 길길이 뛰는 노새를 붙들지는 못하고, 저 노새 잡아라, 저 노새, 하고 외치며 이리 뛰고 저리 뛰고 할 뿐이었다.

> 테토론: 폴리에스터계 합성 섬유. 또는 이 섬유로 짠 천

러 골목을 뛰쳐나온 지 한 시간이 지났을까, 노새는 시장 안에서 한바탕 북새를 떨고는 다시 한길로 나왔다. 이 무렵에는 경찰에 비상이 걸렸는지 곳곳에 모자 끈을 턱에까지 내린 경찰관들이 지키고 서 있었다. 서울 장안이 온통 야단이 난 모양이었다. 군데군데 무전차가 동원되어 자기네끼리 노새의 방향에 대해서 연락을 취하고 있었다. 그러나 노새는 미리 그것을 알고라도 있는 듯 용케도 경비가 허술한 길만을 찾아 잘도 달려갔다. 모가지는 물론, 갈기며 어깻죽지, 그리고 등허리에 땀이 비 오듯 해서 네 다리에 물이 주르르 흐르고 있었다. 검은 물이. 노새는 벌써 한강 다리를 건너고 있었다. 노새는 얼핏 좌우로 한강 물을 한번 훑어보더니 여전히 뛰어가면서도 길게 심호흡을 하였다. 다리를 건너고 얼마를 가자 길이 넓어지고 앞이 툭 트였다. 고속 도로였다. 노새는 돈도 안 내고 톨게이트를 빠져나가더니 그때부터는 다소 속도를 늦추었다. 그러나 절대로 뛰는 일을 멈추지는 않았다.

> 북새: 많은 사람이 야단스럽게 부산을 떨며 법석이는 일
> 무전차: 무전기가 설치되어 있는 자동차

간단 체크 내용 문제

중요

35 (너)~(러)에 대한 감상으로 알맞지 않은 것은?

① '나'의 꿈속에서 벌어진 상황을 보여 주고 있어.
② 꿈속에서 '나'는 달아난 '노새'를 좇아 거리를 헤매고 있어.
③ 도망치는 '노새'가 거리에서 날뛰는 모습이 자유롭게 보였어.
④ '노새' 때문에 엉망이 된 시장의 모습을 생생하게 묘사하고 있어.
⑤ '노새'의 방울 소리에 호기심을 느끼던 사람들은 정작 '노새'와 마주치자 어쩔 줄을 몰라 도망쳤어.

36 다음은 (너)~(러)에 나타난 '노새'의 이동 경로이다. 빈칸에 들어갈 장소를 순서대로 쓰시오.

번화가
↓
( )
↓
한길
↓
( )
↓
고속 도로

37 (러)에서 연탄 마차를 끌며 고달프게 살았던 '노새'의 삶을 드러내는 소재를 찾아 2어절로 쓰시오.

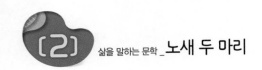

(머) 여느 날보다 다소 늦게 일어난 나는 간밤의 꿈으로 하여 어쩐지 마음이 헛헛했다.(채워지지 아니한 허전한 느낌이 있었다.) 꿈 그대로라면 우리는 다시는 그 노새를 찾지 못할 것이 아닌가. 꿈대로라면 우리 노새는 고속 도로를 따라 멀리멀리 달아나서 우리가 도저히 찾을 수 없는 곳, 상상도 할 수 없는 곳에 가서 있는 것이 아닐까. 우리를 버리고 간 노새, 그는 매일매일 그 무거운, 그 시커먼 연탄을 끄는 일이 지겹고 지겨워서 다시는 돌아오지 못할 자기의 보금자리를 찾아 영 떠나가 버렸는가. 아버지와 내가 집을 나선 것은 사람들이 아직 출근하기도 전인 이른 새벽이었다. 큰길로 나오자 두 사람은 막상 어느 쪽부터 뒤져야 할지 막연하기만 했다. 둘 중 아무도 말을 꺼내지는 않았으나 부자는 잠깐 주춤하다가 동네와는 딴 방향으로 걷기 시작했다. 새벽이라 그런지 사람은 그리 많지 않은데 날씨가 몹시도 찼다. 길은 단단히 얼어붙고 바람은 매웠다. 귀가 따갑게 아려(상처나 살갗 따위가 찌르는 듯이 아파) 오는 듯하자 아랫도리로 냉기가 찰싹찰싹 달라붙었다.

(버) ㉠"아버지, 시장으로 가 봐요."

나는 언뜻 간밤의 꿈이 생각났다.

"시장은 왜?"

"혹시 알아요, 노새가 뛰어가다가 시장기(배가 고픈 느낌)가 들어 시장 쪽으로 갔는지."

나는 말해 놓고도 좀 우스웠지만 아버지도 별 싱거운 녀석 다 보겠다는 듯이 시큰둥한 태도였다. 아버지는 키가 컸다. 그래서 그런지 급히 서둘지도 않고 보통 걸음으로 걷는데도 나는 종종걸음을 쳐야 따라갈 수 있었다. 나는 할 수 없이 한 손을 내밀어 아버지의 손을 잡았다. 아버지의 손은 크고 투박하고 나무토막처럼 단단했다. 끌려가듯 따라가면서도 나는 좀 우스웠다. 이날까지는 이런 일을 생각할 수도 없었다. 아버지와 손을 잡고 길을 걷는다는 것은 꿈에도 상상할 수 없는 일이었다. 그렇게 지내왔는데, 오늘 ㉡나는 아주 자연스럽게 아버지와 손을 맞잡고 길을 걷고 있다. 좀 우쭐한 생각이 들었다. 하지만 아무도 그런 우리를 부러운 눈초리로 쳐다보지는 않았다.

(서) 아버지와 나는 한도 끝도 없이 걸었다. 어느새 거리는 점심때쯤 되었고, 눈발이 비치기 시작했다. 어느 곳을 가나 거리는 사람으로 붐벼 있었고, 그 많은 사람들은 우리 부자더러 어디를 그리 바삐 가느냐고, 노새를 찾아다니느냐고 묻지 않았고, 아버지와 나는 아무에게도 노새를 보지 못했느냐고 묻지 않았다. 다리는 쇠사슬을 단 것처럼 무겁고, 배가 고프고 쓰렸다. 나는 그런 우리가 옛날얘기에 나오는 길 잃은 나그네 같다고 생각했다. 길은 멀고 해는 저물었는데, 쉬어 갈 곳이라고는 없는 그런 처지 같았다. 아무리 가도 인가(사람이 사는 집)는 나타나지 않고, 멀리서 깜박깜박 비치는 불빛도 없었다. 보이느니 거친 산과 들뿐 사람이나 노새는 보이지 않았다.

간단 체크 내용 문제

38 (중요) (머)로 보아 다음 빈칸에 들어갈 말로 가장 알맞은 것은?

> '나'의 꿈속에서 '노새'가 자유롭게 질주하던 모습은 (   )을/를 상징한다.

① '노새'의 죽음에 대한 암시
② '노새'를 찾아 함께 뛰놀고 싶은 '나'의 간절한 희망
③ '아버지'가 '노새'를 자유롭게 놓아주었으면 하는 '나'의 바람
④ '노새'처럼 힘든 삶에서 벗어나 마음껏 살고 싶은 도시 빈민의 소망
⑤ '노새'가 도시로부터 벗어나 자연으로 돌아가기를 바라는 현대인들의 바람

39 '나'가 ㉠과 같이 말한 이유를 한 문장으로 쓰시오.

40 ㉡의 순간에 대한 '나'의 정서로 알맞은 것은?

① 서글프고 암울했다.
② 걱정되고 불안했다.
③ 쑥스럽고 불편했다.
④ 놀라우면서도 우쭐했다.
⑤ 의기양양하면서도 부끄러웠다.

어 아버지와 내가 동물원에 들어간 것은 거의 해가 질 무렵이었다. 어떻게 해서 동물원에 들어오게 되었는지 나는 잘 기억해 낼 수가 없다. 둘 중의 아무도 동물원에 들어가자고 말한 사람은 없었는데 어째서 발길이 이곳으로 돌려졌는지 모른다. 정처 없이 걷다가 마침 닿은 곳이 동물원이어서 그냥 대수롭지 않게 들어왔는지도 모르겠다. 하여튼 나는 희한한 곳엘 다 왔다 싶었다. 내 경우 동물원에 와 본 것은 지금까지 딱 한 번밖에 없었으니까. 그것도 어린이날 무료 공개한다는 바람에 동네 조무래기들과 함께 와 본 것뿐이었다. 그때는 사람들에 치여 제대로 구경도 못 했는데 지금 나는 구경꾼도 별로 없는 동물원을 더구나 아버지와 함께 오게 되었으니 참 가다가는 별일도 있는 것이구나 하였다. 남들 눈에는 한가하게 동물원 구경을 온 다정한 부자로 비칠 것이 아닌가. 동물원 안은 조용하고 을씨년스러웠다. 동물들은 제집에 처박혀 있거나 가느다란 석양이 비치는 곳에 웅크리고 있거나 하였다. 막상 들어온 아버지는 그런 동물들을 별로 눈여겨보지 않았다. 동물들의 우리를 보다가 하늘을 보다가 할 뿐, 눈에 초점이 없었다. 칠면조도 사자도 호랑이도 원숭이도 사슴도 그런 눈으로 건성건성 보고 지나갈 뿐이었다. 그러던 아버지가 잠시 발을 멈춘 곳은 얼룩말이 있는 우리 앞이었다. 얼룩말은 두 마리였다. 아버지는 그러나 그 앞에서도 멍하니 서 있기만 하지 이렇다 할 감정의 표시를 하지 않았다. 나는 그런 아버지를 한 번 쳐다보고, 얼룩말을 한 번 쳐다보고 하였다. 그러다가 아버지의 얼굴이 어쩌면 그렇게 말이나 노새와 닮았는지 모르겠다고 생각하였다. 그렇게 생각하고 보니 꼭 그랬다. 길게 째진, 감정이 없는 눈이며 노상 벌름벌름한 코, 하마 같은 입, 그리고 덜렁하니 큰 귀가 그랬다. 아버지가 너무 오래 말이나 노새를 다뤄 와서 그런 건지, 애당초 말이나 노새 같은 사람이어서 그런 짐승과 평생을 같이해 온 것인지는 알 수 없으나, 막상 얼룩말 앞에 세워 놓은 아버지는 영락없는 말의 형상이었다.

간단 체크 내용 문제

41 (어)의 내용과 일치하지 않는 것은?

① '나'는 동물원까지 오게 된 과정이 기억나지 않았다.
② '나'가 '아버지'와 동물원에 함께 온 것은 처음이었다.
③ '나'와 '아버지'는 초저녁 즈음에 동물원에 들어갔다.
④ '나'는 무료 관람 때나 동물원에 갈 수 있는 형편이었다.
⑤ '나'와 '아버지'는 '노새'를 찾아야 한다는 생각도 잊고 모처럼의 동물원 구경을 즐겼다.

42 다음 설명에 해당하는 소재를 (어)에서 찾아 한 단어로 쓰시오.

- '나'에게 '노새'를 떠올리게 하는 존재
- '나'가 '아버지'와 '노새'의 동질성을 인식하게 된 결정적 원인

중요

43 '나'가 '아버지'의 얼굴에서 '노새'를 떠올린 궁극적인 이유로 알맞은 것은?

① '아버지'의 얼굴이 '노새'처럼 길어서
② '나'가 '아버지'와 '노새'를 둘 다 좋아해서
③ '아버지'가 '노새'의 모습을 똑같이 흉내 내서
④ '아버지'와 '노새'가 오랫동안 고단한 삶을 함께 보내서
⑤ '아버지'가 '노새'처럼 달아나고 싶어 한다고 생각해서

(저) 동물원을 나왔을 때 이미 거리는 밤이었다. 이번엔 집 쪽으로 걸었다. 그럴 수밖에 우리는 더 갈 데가 없었던 것이다. 우리 동네가 저만치 보였을 때 아버지는 바로 눈앞에 있는 대폿집에서 발을 멈추었다. 힐끗 나를 돌아보고 나서 다짜고짜 나를 술집으로 끌고 들어갔다. 이런 일도 전에는 없던 일이었다. 술집 안에는 사람들이 가득 차서 와왁 떠들어 대고 있었다. 돼지고기를 굽는 냄새, 찌개 냄새, 김치 냄새가 집 안에 가득했다. 사람들은 우리를 의아스러운 눈초리로 쳐다보았으나 이내 시선을 거두고 자기들의 얘기 속으로 다시 들어갔다. 나는 들어가자마자 그 냄새를 힘껏 들이마셨다. 쓰러질 것 같았다. 아버지는 소주 한 병과 안주를 시키더니 안주는 내 쪽으로 밀어 주고 술만 거푸 마셔 댔다. 아버지는 술이 약한 편이어서 저러다가 어쩌나 하고 걱정이 되었다. / "아버지, 고만 드세요. 몸에 해로워요." / "으응."

대폿집: 대폿술(큰 술잔으로 마시는 술)을 파는 집
의아스러운: 의심스럽고 이상한 데가 있는
거푸: 잇따라 거듭

대답하면서도 아버지는 술잔을 놓지 않았다. 얼마나 지났을까, 안주를 계속 주워 먹었으므로 어느 정도 시장기를 면한 나는 비로소 아버지를 쳐다보았다.

"㉠이제부터 내가 노새다. 이제부터 내가 노새가 되어야지 별수 있니? 그놈이 도망쳤으니까 이제 내가 노새가 되는 거지." / 기분 좋게 취한 듯한 아버지는 놀라는 나를 보고 히힝 한 번 웃었다. 나는 어쩐지 그런 아버지가 무섭지만은 않았다. 그러면 형들이나 나는 노새 새끼고, 어머니는 암노새고, 할머니는 어미 노새가 되는 것일까? 나도 아버지를 따라 히히힝 웃었다. 어른들은 이래서 술집에 오는 모양이었다. 나는 안주만 집어 먹었는데도 술 취한 사람마냥 턱없이 즐거웠다. ㉡노새 가족……. 노새 가족은 우리 말고는 이 세상에 또 없을 것이다.

학습콕 절정 | 소주제: '노새'가 멀리 도망치는 꿈을 꾼 '나'는, 다음 날 '노새'를 찾던 중에 들어간 □□□에서 '아버지'와 '노새'가 닮았다고 생각함.

❶ 시대의 변화 속에 소외되는 '아버지'의 모습

'아버지'가 힘겹게 끌어온 말 마차, 소달구지, '노새' 마차 → 도시화·산업화로 인해 사라지는 운송 수단	대조 ↔	오르막길도 끄떡없이 오르고, 골목 안 집까지 쉽게 접근하는 □□□ → 도시화·산업화의 산물인 운송 수단

• 산업화된 도시 사회에서 변화를 인정하지 않는 '아버지'의 모습을 보여 줌.
• 시대 변화 속에서 '아버지'의 일감은 줄고, '아버지'는 점차 소외되어 가는 상황이 나타남.

❷ '나'의 꿈에 나타난 '노새'의 의미

'나'의 꿈속에서 '노새'는 힘겨운 현실의 모습과 □□□으로 자유롭게 거리를 질주함. → 궁핍하고 고된 도시의 삶을 벗어나 자유로운 삶을 꿈꾸는 도시 빈민들의 욕망과 희망을 상징함.

❸ '노새'와 '아버지'의 공통점과 차이점

	'노새'	'아버지'
공통점	• 외모가 유사함. • 연탄을 나르며 고단한 삶을 살아감. • □□의 변화에 뒤처짐.	→ 힘든 일을 감당하며 고달픈 삶을 살아가는 존재
차이점	• '아버지'의 배달 일을 돕는 존재임. • 주인과 일을 버리고 도망침.	• 먹고살기 위해 '노새'를 부리는 존재임. • 힘든 현실로부터 도망치기 어려움.

간단 체크 내용 문제

44 (저)에 나타난 '나'에 대해 이해한 내용으로 알맞지 않은 것은?
① 아이다운 순진한 발상을 하고 있군.
② '아버지'와 정서적인 공감대를 이루고 있군.
③ 술에 취한 '아버지'를 무섭게 생각하지 않는군.
④ 어른들이 술을 마시는 이유를 짐작하지 못하는군.
⑤ '아버지'와 대폿집에 있는 동안 긴장이 누그러졌군.

중요
45 ㉠에 대한 해석으로 알맞지 않은 것은?
① 가장으로서의 책임감이 나타난다.
② '노새'가 하던 일까지 자신이 맡아서 하겠다는 다짐이다.
③ '노새'를 잃어버린 절망감을 떨쳐 내려는 의지가 드러난다.
④ '노새'를 잃은 낭패감을 자신이 '노새'보다 낫다는 자신감으로 극복한다.
⑤ '노새'를 찾지 못해 걱정하는 아들을 위로하고 기운을 북돋워 주기 위한 표현이다.

46 ㉡에 담긴 의미로 가장 알맞은 것은?
① '노새'를 닮은 가족
② '노새'처럼 힘이 센 가족
③ '노새'를 가장 좋아하는 가족
④ '노새'처럼 힘든 삶을 사는 가족
⑤ '노새'와 함께 살아가야만 하는 가족

• 정답과 해설 10쪽

결말 학습 포인트

❶ 결말에 나타난 사회·문화적 상황
❷ 제목 '노새 두 마리'의 의미

(처) 그러나 그러한 생각은 아버지와 내가 집에 당도했을 때 무참히 깨어지고 말았다. 우리를 본 어머니가 허둥지둥 달려 나와 매달렸다.

"이걸 어쩌우, 글쎄 경찰서에서 당신을 오래요. 그놈의 노새가 사람을 다치고 가게 물건들을 박살을 냈대요. 이걸 어쩌지."

"노새는 찾았대?"

"찾고나 그러면 괜찮게요? 노새는 간데온데없고 사람들만 다치고 하니까, 누구네 노새가 그랬는지 수소문 끝에 우리 집으로 순경이 찾아왔지 뭐유."
(수소문: 세상에 떠도는 소문을 두루 찾아 살핌.)

오늘 낮에 지서에서 나온 사람이 우리 노새가 튀는 바람에 많은 피해를 입었으니 도로 무슨 법이라나 하는 법으로 아버지를 잡아넣어야겠다고 이르고 갔다는 것이었다. 아버지는 술이 확 깨는 듯 그 자리에 선 채 한동안 눈만 데룩데룩 굴리고 서 있더니 힝 하고 코를 풀었다. 그러고는 아무 말 없이 스적스적 문밖으로 걸어 나갔다. 나는 '아버지' 하고 따랐으나 아버지는 돌아보지도 않고 어두운 골목길을 나가고 있었다. 나는 그 순간 ㉢또 한 마리의 노새가 집을 나가는 것 같은 착각을 일으켰다. 그러고는 무엇인가가 뒤통수를 때리는 것을 느꼈다. 아, ㉣우리 같은 노새는 어차피 이렇게 비행기가 붕붕거리고, 헬리콥터가 앵앵거리고, 자동차가 빵빵거리고, 자전거가 쌩쌩거리는 대처에서는 발붙이기 어려운 것인가 하는 생각이 들었다. 언젠가 남편이 택시 운전사인 칠수 어머니가 하던 말, '최소한도 자동차는 굴려야지 지금이 어느 땐데 노새를 부려.' 했다는 말이 생각났다. 그러나 그것은 잠깐 동안이고 나는 금방 아버지를 좇았다. 또 한 마리의 노새를 찾아 캄캄한 골목길을 마구 뛰었다.
(스적스적: 시적시적. 힘들이지 아니하고 느릿느릿 행동하거나 말하는 모양)
(대처: 도회지. 사람이 많이 살고 상공업이 발달한 번잡한 지역)

학습콕

결말 | 소주제: 자신이 '노새'가 되겠다며 웃던 '아버지'는 도망친 '노새'가 입힌 피해 때문에 ☐☐이 찾아왔었다는 말을 듣고 집을 나감.

❶ 결말에 나타난 사회·문화적 상황

'노새'와 대비되는 비행기, 헬리콥터, 자동차, 자전거와 같은 다양한 교통수단이 존재함.	➡	급속한 산업화, 기계화가 이루어지던 1970년대의 사회 모습이 나타남.
'나'는 '아버지'가 시대에 맞지 않게 '노새'를 부린다고 했던 '칠수 어머니'의 말을 떠올림.	➡	사회 변화에 적응하지 못하고 소외된 삶을 살아가는 ☐☐ ☐☐☐의 모습이 나타남.

❷ 제목 '노새 두 마리'의 의미

'노새'		'아버지'
비행기, 헬리콥터, 자동차, 자전거가 다니는 시대에 맞지 않게 여전히 가파른 골목에서 연탄을 배달해야 하는 존재	=	'최소한도 ☐☐☐'는 굴려야 하는 시대에 여전히 '노새'를 부리는 존재

⬇

'노새 두 마리'	도시화·산업화되는 시대의 변화에 적응하지 못하고 뒤처지는 존재를 의미함.

간단 체크 내용 문제

중요
47 (처)에 나타난 다음 소재들 중, 그 의미가 다른 것은?

① 노새 ② 비행기
③ 자전거 ④ 자동차
⑤ 헬리콥터

48 ㉢이 비유하고 있는 인물이 누구인지 쓰시오.

중요
49 ㉣이 상징하는 바로 적절한 것은?

① 타인에 무관심하고 이기적인 현대인
② 사회에 대한 비판 의식이 결여된 소시민
③ 무소불위의 공권력에 적극적으로 대항하는 민중
④ 시대 변화에 적응하지 못하고 소외된 도시 하층민
⑤ 급격한 도시화·산업화에 발 빠르게 적응한 도시 사람들

한끝의 한 끗

같은 대상 다르게 보기

'나'

우리를 버리고 간 노새, 그는 매일매일 그 무거운, 그 시커먼 연탄을 끄는 일이 지겹고 지겨워서 다시는 돌아오지 못할 자기의 보금자리를 찾아 영 떠나가 버렸는가.

'아버지'가 데려온 '노새'를 정성껏 보살핀다. '노새'가 달아난 이후로 열심히 '노새'를 찾아다니면서 '노새'에게 깊은 정이 들었음을 알게 되며 '노새'와 '아버지'가 닮았다고 생각한다.

'아버지'

이제부터 내가 노새다. 이제부터 내가 노새가 되어야지 별수 있니? 그 놈이 도망쳤으니까 이제 내가 노새가 되는 거지.

'노새'를 끌고 힘겹게 연탄 배달을 하면서 가족의 생계를 책임진다. '노새'를 잃어버린 절망감도 잠시, 가족을 부양하기 위해 자신이 '노새'가 되겠다고 다짐한다.

'노새'

매일같이 아버지와 함께 무거운 연탄을 지고 다니며 가파른 언덕을 오르다가 달아나 버린다.

구동네 사람들

왜 하필이면 여기서 싸. 어이구, 저 지린내, 말을 부리려면 오줌통이라도 갖고 다닐 일이지 이게 뭐야.

'노새'를 늘 봐 왔기 때문에 아무도 거들떠보지 않고 마주치면 흘겨보거나 못살게 굴곤 한다.

새 동네 사람들

아이, 귀여워. 오랜만에 보는 노샌데.

'노새'를 볼 기회가 흔치 않았기 때문에 신기해하고 귀여워하며 관심을 보인다.

학습 활동

• 정답과 해설 12쪽

이해
❶ 이 소설의 중심 사건을 기준으로 내용을 정리하며 줄거리를 파악하기
❷ 이 소설에 반영된 사회·문화적 상황 및 '노새'와 '아버지'의 상징적 의미 파악하기
❸ 이 소설의 주요 장면에 담긴 가치에 대해 생각해 보기

1 이 소설의 중심 사건을 기준으로 세부 내용을 정리하며 전체 줄거리를 파악해 보자.

'노새'가 달아나기 전

- 구동네 옆에 새 동네가 생김.
- '아버지'는 '노새' 마차를 끌고 답 연탄 을/를 배달하러 다님.
- 구동네 사람들과 달리 새 동네 사람들은 '노새'를 답 신기해하며 귀여워함.

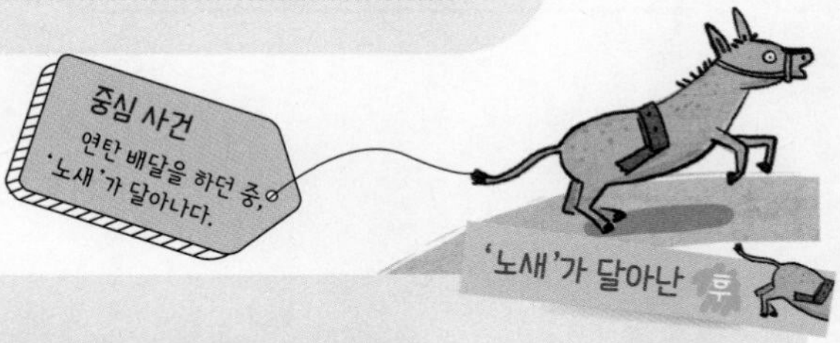

'노새'가 달아난 후

- '나'와 '아버지'는 온종일 '노새'를 찾아 헤맴.
- '나'는 답 '□□' 이/가 거리를 자유롭게 질주하는 꿈을 꿈.
- 경찰에게서 '노새'가 답 난동을 부리면서 많은 피해를 입혔다는 소식을 듣고, '아버지'가 집을 나감.

2 이 소설에 반영된 사회·문화적 상황을 알아보자.

(1) 이 소설의 시대적 배경을 짐작할 수 있는 모습을 찾아보고, 이를 통해 알 수 있는 당시의 사회·문화적 상황을 정리해 보자.

시대적 배경을 짐작할 수 있는 모습	• 구동네의 사람들은 판잣집에서 살고 있었음. • 연탄을 때는 집들이 많았음. 답 • □□□□ 시간이 있었음. • 마차가 점차 사라지고 삼륜차가 짐을 실어 날랐음. • 서울의 변두리에도 문화 주택이 들어서고 이삼 년 사이에 동네가 형성되었음.
⬇	
1970년대의 사회·문화적 상황	• 변두리 동네에서 사는 사람들은 그리 풍요롭지 못하였음. • 가정에서 연료로 연탄을 보편적으로 사용하였음. 답 • 사람들이 야간에 통행하는 것을 국가가 통제하였음. • 산업화·기계화가 급속하게 진행되고 있었음. • 도시가 확장되고 빠르게 □□□가 진행되었음.

간단 체크 활동 문제

01 이 글에서 사건 전개의 전환점이 되는 중심 사건으로 알맞은 것은?

① 구동네 옆에 새 동네가 생긴 것
② '아버지'와 '나'가 하루 종일 '노새'를 찾아 거리를 헤맨 것
③ '아버지'와 '나'가 연탄 배달을 하던 중에 '노새'가 달아난 것
④ '아버지'와 '나'가 '노새' 마차를 끌고 가파른 언덕을 오른 것
⑤ 경찰에게서 '노새'가 난동을 부렸다는 소식을 듣고 '아버지'가 집을 나간 것

02 이 글에 나타난 당시의 사회·문화적 상황이 아닌 것은?

① 가정에서 주로 연탄을 때서 난방을 했다.
② 마차가 점차 사라지고 삼륜차가 짐을 실어 날랐다.
③ 도시화에 따라 서울 변두리에도 문화 주택이 들어섰다.
④ 야간 통행금지가 해제되어 거리에는 밤에도 불이 밝았다.
⑤ 형편이 좋지 않은 변두리 동네 사람들은 판잣집에 거주하는 경우가 많았다.

(2) 이 소설에 나타난 삶의 모습을 오늘날의 모습과 비교해 보자.

이 소설에 나타난 삶의 모습		오늘날의 모습과 비교하기
㉠"너는 너, 나는 나 하는 식으로 새 동네 사람들은 문을 꼭꼭 걸어 잠그고 누가 다가오는 것을 거절하고 있었다."	→	예시 답≫ 오늘날에도 경제 수준이나 가치관의 차이 또는 각자의 이해관계에 따라 이웃 간에 소통과 교류를 하지 않으려 해 문제가 되는 일이 있다. 새 동네 사람들이 구동네 사람들을 대하는 모습이 이와 비슷하다고 생각했다.
㉡"노새나 말이나 요즘은 그놈의 삼륜차 때문에 아버지의 일감이 자칫 줄어지는 듯하기도 했다."		예시 답≫ 삼륜차가 보급되면서 노새나 말을 부려 일하는 것에 어려움을 겪게 되었듯이 현대에도 사회가 급변함에 따라 곤란을 겪는 경우가 많은 것 같다. 또한 현재, 사람이 하는 일의 대부분이 자동화되어 미래에는 없어지는 직업이 상당수에 이를 것이라는 기사를 본 기억도 있다.

3 이 소설에 등장하는 '노새'와 '아버지'의 상징적 의미를 파악해 보자.

(1) '노새'와 '아버지'의 닮은 점을 찾아 정리해 보자.

'노새'

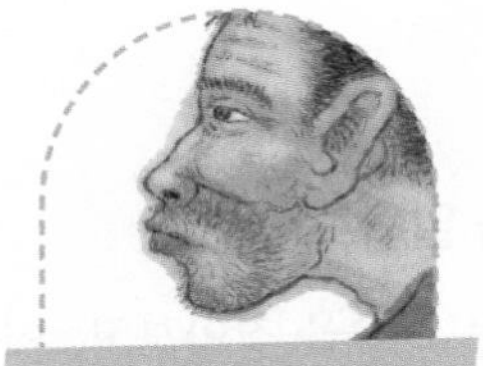

'아버지'

'노새'		'아버지'
연탄 때가 묻어 털이 검은빛을 띰.	……	답 연탄 때가 묻어 노상 시커먼 몰골을 하고 다님.
답 무거운 짐을 지고 가파른 언덕을 올라가며 연탄을 나름.	……	노새를 끌고 힘겹게 연탄 배달을 하면서 가족의 생계를 책임짐.
자동차가 증가하는 도시에서 쫓겨날 위기에 처함.	……	답 변화하는 □□의 삶에서 소외됨.

(2) '노새'와 '아버지'의 닮은 점을 바탕으로, 그 상징적 의미를 파악해 보자.

답 '노새'와 '아버지'는 사회의 변화에 적응하지 못하고 □□된 존재를 의미한다.

간단 체크 활동 문제

03 ㉠, ㉡에 대해 오늘날의 관점에서 생각해 본 내용으로 적절하지 않은 것은?

① ㉠: 오늘날에도 경제 수준, 가치관에 따라 이웃 간에 소통하지 않는 경우가 많아.
② ㉠: 이해관계에 따라 이웃 간 소통에 문제가 생기는 일은 시대에 관계없이 늘 있어.
③ ㉠: 새 동네 사람들이 구동네 사람들과 교류하지 않으려는 이유도 결국 경제·문화적 차이 때문이 아닐까?
④ ㉡: 오늘날 노새 대신 삼륜차를 사용하고 있는 걸 보면 시대의 흐름을 거스르는 게 어렵단 걸 알 수 있지.
⑤ ㉡: 급변하는 현대 사회에서는 사람이 하는 일들도 대부분 자동화되고 있어서 머지않아 없어질 직업들이 더 많아질 거야.

04 이 글에서 '노새'와 '아버지'의 공통점이 아닌 것은?

① 외모가 닮았다.
② 늘 연탄 때가 묻어 있다.
③ 시대의 변화에 뒤처져 있다.
④ 연탄 배달을 하며 고단하게 살아간다.
⑤ 번잡한 도시 생활로부터 도망치고 싶어 한다.

05 이 글의 제목 '노새 두 마리'가 의미하는 바를 쓰시오.

(3) 오늘날 자신의 상황에 비추어 '노새'와 '아버지'를 다른 대상으로 바꾸어 보자.

> 나는 '아버지' 하고 따랐으나 아버지는 돌아보지도 않고 어두운 골목길을 나가고 있었다. 나는 그 순간 또 한 마리의 노새가 집을 나가는 것 같은 착각을 일으켰다.

→ 예 나는 매일 정해진 시간에 일어나서 우리를 깨우고 출근하시는 어머니의 모습을 보면서 우리 집에 또 하나의 시계가 있는 것 같은 착각을 일으켰다.

→ 예시 답〉〉 나는 '할머니' 하고 부르며 폐지를 싣고 힘겹게 언덕을 오르던 할머니의 손수레를 함께 밀어 주는 청년의 모습을 본 순간, 지상에 날개 없는 천사가 온 것만 같았다.

4 이 소설의 주요 장면에 담긴 가치에 대해 생각해 보고, ❶과 ❷에 해당하는 장면을 골라서 그 이유를 써 보자.

내가 생각하는 주요 장면은?

- '나'는 '아버지'가 데려온 '노새'를 정성껏 보살핌.
- '나'는 '아버지'와 손을 맞잡고 걸으며 우쭐한 기분을 느낌.
- '칠수 어머니'는 변화한 시대에 최소한 자동차는 굴려야 한다고 말함.
- 기타

	예	내 생각
❶ 오늘날까지 변하지 않는 가치가 담긴 장면	'나'가 '아버지'와 손을 맞잡고 걸으며 우쭐해하는 장면이라고 생각해. 가족을 사랑하는 마음은 오늘날에도 변하지 않는 것이니까.	예시 답〉〉 '나'가 '노새'에 애정을 가지고 정성껏 보살피는 장면이라고 생각해. 오늘날에도 반려동물에 대한 사랑과 관심은 여전하니까.
❷ 오늘날의 관점에서 새롭게 평가될 수 있는 가치가 담긴 장면	'칠수 어머니'가 최소한 자동차는 굴려야 한다고 말하는 장면이라고 생각해. 요즘은 물질적 가치도 중요하게 생각하지만, 정신적 가치도 중요하게 생각하잖아.	예시 답〉〉 '나'가 '우리 같은 노새'는 운송 수단이 발달한 지금과 같은 사회에서 발붙이기 어려운 존재라고 생각하는 장면이야. 하루가 다르게 새것이 생겨나고 옛것이 사라지는 현대 사회에서 오히려 기존의 것이 지닌 가치를 생각할 수 있어야 한다고 생각해. 최근에는 물질 위주의 현대 사회에 대한 반성이 이루어지고, 옛것이 다시 유행하기도 하니까 지난날의 가치를 되새기는 일은 오늘날에 더욱 필요한 일이 아닐까 싶어.

학습콕

❶ 과거의 삶이 반영된 문학 작품의 감상 방법
- 과거의 삶과 오늘날의 삶을 서로 비교해 봄.
- 작품 속 상황을 자신의 상황에 비추어 보며 주체적으로 수용함.

❷ 문학 작품 속에 반영된 가치를 파악하며 얻을 수 있는 효과
- 시대에 따른 인식의 변화 속에서도 오늘날까지 변하지 않는 가치를 찾아냄.
- 오늘날 우리의 관점에서 새롭게 평가될 수 있는 가치를 발견하고 통찰함.

→
- 인간 삶의 보편성을 이해함.
- 인간 삶의 특수성을 이해함.

간단 체크 활동 문제

06 이 글을 읽고 다음과 같은 활동을 할 때, 밑줄 친 내용에 해당하지 않는 것은?

> 이 글의 배경인 1970년대 당시 사회의 인식과 현재의 인식을 비교해 보고, 변하지 않는 가치가 담긴 장면과 새롭게 평가될 수 있는 가치가 담긴 장면을 골라 의견을 말해 보자.

① '나'가 '노새'를 정성껏 보살피는 장면이야. 동물에 대한 관심과 애정은 오늘날에도 여전히 중요하니까.
② '나'가 '아버지'와 손잡고 걷는 장면이라고 생각해. 가족을 사랑하는 마음은 오늘날에도 변함없는 것이니까.
③ '나'가 '노새'를 잃고 절망한 '아버지'를 안쓰러워하는 장면이야. 가족의 힘든 처지에 공감하는 태도는 오늘날에도 필요해.
④ '아버지'가 '노새'가 되겠다고 말하는 장면을 골라 봤어. 가장의 책임을 다하려는 모습이 우리 아버지를 떠올리게 했거든.
⑤ '칠수 어머니'가 최소한 자동차는 굴려야 한다고 말하는 장면이라고 생각해. 요즘은 물질적 가치만큼 정신적 가치도 중요하게 생각하잖아.

학습 활동

적용
❶ 사건 전개에 따른 인물의 행동과 심리 변화 파악하기
❷ 이 글에 나타난 아이들의 삶과 오늘날 우리의 삶을 비교해 보기
❸ 이 글에 나타난 소재를 오늘날의 관점에서 평가해 보기

다음은 육이오 전쟁 당시 유년 시절을 보냈던 글쓴이의 추억이 담긴 수필이다. 과거의 삶이 반영된 글을 읽으면서 오늘날의 삶을 성찰해 보자.

갈래	현대 수필, 경수필	성격	체험적, 회상적
제재	전쟁 상황	주제	육이오 전쟁 당시 만났던 '인민군' 병사와의 우정
특징	• 글쓴이의 어린 시절 경험을 회상함. • '인민군'과 아이들이 서로 친해지는 과정이 나타남.		

전쟁의 잔혹함과 인정의 아름다움

박동규

가 6월이 왔다. 나는 이때가 되면 처절했던 1950년 6월을 기억하게 된다. 밤나무 가지를 꺾어 철모에 꽂고 가슴 한가운데 말라 버린 잎사귀를 붙이고는 장총을 들고 내 앞에 서 있던 인민군의 낯선 얼굴을 떠올리게 된다.

나 1950년 6월 나는 원효로 3가 전차 종점에 살고 있었다. 초등학교 6학년이었던 나는 아버지 혼자 국군을 따라 남쪽으로 내려가 버린 후 어머니와 어린 두 동생과 함께 인민군 치하(통치 아래)에 남아 있었다. 우리 동네를 둘러싸고 개울 건너에는 용산 철도청이 있었고 조금 남쪽으로 한강 철교가, 그리고 뒤쪽으로 조폐 공사(한국 조폐 공사. 화폐, 은행권, 국채, 수입 인지 따위의 제조를 주요 업무로 하는 특수 법인)가 있어서 폭격이 시작되면 온 동네가 하늘이 까맣게 되고 파편이 비 오듯 쏟아지곤 했다. / 그때 우리 동네 언덕에 있는 성당에 인민군이 들어왔다. 전쟁이 나기 전에는 성당 입구 수위실에 수녀들이 간단한 치료 약을 준비해 놓아서 동네 아이들이 다치거나 하면 쫓아가서 붉은 약을 무릎에 발라 주거나 버짐 같은 병이 나면 하얀 고약(주로 헐거나 곪은 데에 붙이는 끈끈한 약)을 칠하고 거즈로 붙여 주곤 했다. 그런데 이 수위실에 난데없이 인민군이 보초를 서기 시작한 것이었다. 아이들은 성당 앞을 지나면서 키보다 더 큰 장총을 들고 있는 인민군 병사를 힐끗거리며 쳐다볼 뿐이었다.

다 해가 따갑던 어느 오후였다. 우리는 성당 입구 한구석 넓은 공터 옆 그늘진 담 아래 앉아 딱지치기를 하고 있었다. 오전에 폭격이 한 차례 지나가서 아이들이 모인 것이었다. 딱지라고 해야 성냥갑에 붙어 있던 라벨을 떼어 낸 것이었지만 우리에게는 소중한 놀이 도구였다. / 이때 한 아이가 삶은 고구마와 옥수수 두 개를 들고 왔다. 우리는 그 아이를 둘러싸고 한 입씩 베어 먹고 있었다. 그런데 갑자기 한 아이가 옥수수를 입에 문 채 얼굴이 하얗게 질리는 것이었다. 놀라서 아이의 눈이 가 있는 곳을 보니 어느 사이에 인민군 병사가 우리 뒤에 다가와서 옥수수를 들고 있는 아이를 보고 있었던 것이었다.

라 우리는 한순간 숨이 탁 막혔다. 붉은 별을 군모(군인이 쓰는 모자) 한가운데 달고 서 있는 인민군이 우리에게 다가와 있다는 것만으로도 온몸이 얼어붙는 일이었다. 그때였다. 뜻밖에도 인민군은 앳된 목소리로 "강냉이 맛있니?" 하고 물었다. 북쪽 억양이 섞인 이 한마디는 마치 우리 중에 누가 장난으로 웃기기 위해서 고양이 소리를 내는 것처럼 그런 다정함이 있었다. 한 아이가 "한 입 먹을래요?" 하고 물었다. 그는 얼른 손을 내밀어 옥수

간단 체크 활동 문제

07 이와 같은 글에 대한 설명으로 알맞지 않은 것은?

① 체험적, 고백적 성격을 지닌다.
② 글쓴이의 진솔한 생각이 나타난다.
③ 형식에 얽매이지 않고 자유롭게 쓴다.
④ 글쓴이의 가치관과 개성이 잘 드러난다.
⑤ 허구적인 내용을 실제처럼 구체적으로 형상화한다.

08 이 글의 시대적 배경을 짐작할 수 있는 소재가 아닌 것은?

① 전차 ② 폭격
③ 전쟁 ④ 인민군
⑤ 조폐 공사

09 (가)~(다)의 내용과 일치하지 않는 것은?

① 육이오 전쟁 당시 '나'는 초등학생이었다.
② '나'의 아버지는 국군을 따라 홀로 남쪽으로 내려갔다.
③ 폭격이 시작되면 온 동네의 하늘이 까맣게 되곤 했다.
④ '나'의 가족은 원효로 3가의 전차 종점 인근에 살았다.
⑤ '나'는 친구들과 딱지치기를 함께할 수 있도록 허락해 달라는 '인민군'의 말에 숨이 막혔다.

수를 받아 들고 한 입을 크게 먹는 것이었다. / 그러고 나서 그는 다시 성당 문 앞에 가서 보초를 섰지만 우리는 그가 두렵지도 않았고 이상한 사람 같지도 않았다. 이렇게 해서 그와 우리는 친하게 되었다. 그는 낮 시간이면 어김없이 성당 수위실 앞에 서 있었고 우리는 텅 빈 성당 안 작은 운동장에 들어가 옛날처럼 놀 수 있게 되었다.

마 우리가 놀다가 지쳐 운동장 옆 계단에 앉아 있으면 그는 다가와 우리 틈에 끼어 앉았다. 그 인민군의 나이는 열여섯 살이었고 고향은 원산 위의 어느 바닷가 마을이었다. 그와 친해진 후 그는 우리 곁에 앉으면 엄마가 보고 싶다는 소리를 했고 '옥수수가 익어 가는 고향' 이야기를 들려주었다.

바 어느 날 우리는 캐러멜 한 통을 그에게 주었다. 그는 캐러멜 껍질을 까서 입에 넣고는 "처음 먹어 보는데 맛있다."라고 몇 번이나 말했다. 어떤 아이는 감자 삶은 것을 몇 알 가지고 와서 주기도 했다. 그는 인민군이 아니라 어린 우리들의 친구였고 한패였다. 그는 아이들이 무엇을 줄 때마다 수줍어하며 고맙다는 말을 수없이 했다. 그러고 나서는 마치 답례를 하듯 우리에게 총을 가지고 언덕을 구르는 재주나 총검술 같은 것을 가르쳐 주려고 했다. 그에게는 자랑스럽게 할 수 있는 것이 그것뿐인 것 같았다.

(한패: 같은 동아리. 또는 같은 패)
(총검술: 칼을 꽂은 소총을 이용하여 적과 싸우는 기술)

폭격이 와서 우리 동네가 깜깜해진 어느 날 아침이었다. 한 아이가 파편에 맞아 성당 앞 광장에 쓰러졌다. 그때 보초를 서고 있던 그가 다리에 피가 흐르는 아이를 들쳐 업고 길 아래 병원으로 달려가서 치료를 받게 하고 다시 아이의 집까지 업어서 데려다주었다. 그와 우리는 한패가 되었다.

사 아무렇지도 않게 친구로 손을 잡아 본 인민군 소년병의 추억은 지금도 아름다운 추억으로 살아 있다. 다시 일선으로 가게 되어 총을 잡고 울면서 우리에게 손을 흔들던 그의 모습은 군인이 아니라 어린아이에 지나지 않았다. 인정의 아름다운 보자기로 싸안고 살 수 있었던 어린아이 시절의 이야기일 뿐이다. 1950년 6월과 7월 사이 피비린내 나는 전쟁의 소용돌이에서 아이들은 이렇게 어울려 살 수 있었다.

(일선: 최전선. 적과 맞서 싸우는 맨 앞의 전선)

1 사건 전개에 따라 '인민군'을 대하는 아이들의 행동과 심리가 어떻게 변화하는지 정리해 보자.

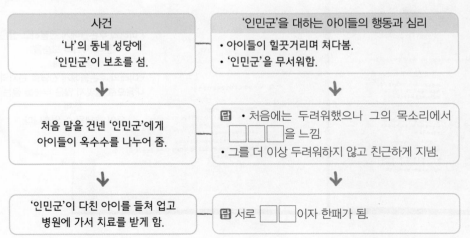

사건	'인민군'을 대하는 아이들의 행동과 심리
'나'의 동네 성당에 '인민군'이 보초를 섬.	• 아이들이 힐끗거리며 쳐다봄. • '인민군'을 무서워함.
↓	↓
처음 말을 건넨 '인민군'에게 아이들이 옥수수를 나누어 줌.	답 • 처음에는 두려워했으나 그의 목소리에서 □□□을 느낌. • 그를 더 이상 두려워하지 않고 친근하게 지냄.
↓	↓
'인민군'이 다친 아이를 들쳐 업고 병원에 가서 치료를 받게 함.	답 서로 □□이자 한패가 됨.

간단 체크 활동 문제

10 (라)에 나타난 아이들의 심리 변화로 알맞은 것은?

① 즐거움 → 서글픔
② 미안함 → 죄책감
③ 두려움 → 친근감
④ 놀라움 → 민망함
⑤ 무서움 → 당혹감

11 (바)에서 아이들과 '인민군'이 진정한 친구가 되었음을 나타내는 표현을 찾아 한 단어로 쓰시오.

12 〈보기〉에서 '인민군'을 대하는 아이들의 행동 및 심리로 알맞은 것을 모두 골라 묶은 것은?

보기
ㄱ. '인민군'이 성당에서 보초를 서자 힐끗거리며 경계한다.
ㄴ. '인민군'이 자신들에게 다가오자 말없이 옥수수를 건넨다.
ㄷ. '인민군'이 먼저 앳된 목소리로 말을 걸자 다정함을 느낀다.
ㄹ. '인민군'이 다친 아이를 업고 병원으로 데려가자 마냥 얼어 있었다.

① ㄱ, ㄴ ② ㄱ, ㄷ
③ ㄱ, ㄹ ④ ㄴ, ㄷ
⑤ ㄷ, ㄹ

2 이 글에 나타난 아이들의 삶과 오늘날 우리의 삶을 비교해 보고, 느낀 점을 말해 보자.

이 글의 아이들의 삶과 우리의 삶에서 서로 다른 모습은 무엇인가?	이 글의 아이들의 삶과 우리의 삶에서 서로 비슷한 모습은 무엇인가?
답 • □□이 시작되면 동네가 까맣게 됨. • 동네 아이들이 다치면 성당 입구 수위실에서 간단하게 치료해 줌. • 성냥갑에 붙은 라벨을 떼어 딱지를 만들어 딱지치기를 함.	답 • 친구들과 먹을 것을 나누어 먹기도 하고, 자주 모여서 놂. • 처음 보는 사람을 만나면 낯설게 느끼지만, 또래일 경우 금방 친해지기도 함.

예시 답》 느낀 점: 이 글의 시대적 배경은 1950년대이고, 전쟁이라는 특수한 상황이어서 아이들이 평소 생활하는 모습은 지금과 많이 다르다. 하지만 친구들과 함께 놀고 우정을 느끼는 등의 감정은 지금 우리의 삶과 크게 다르지 않다는 것을 느꼈다.

3 이 글의 소재 중에서 하나를 골라, 그 소재에 대해 자신은 어떻게 생각하는지 써 보자.

전쟁 | 인정 | 친구 | 군인 | 동네

예 전쟁 - 오늘날에도 전쟁이 일어나는 지역이 있다. 전쟁을 겪는 나라의 어린아이들은 다치거나 부모님을 잃기도 한다. 전쟁은 예나 지금이나 모두에게 상처만 남기는 것 같다. 더 이상 전쟁을 벌여서는 안 되고, 현재 일어나고 있는 전쟁도 하루빨리 끝나기를 바란다.

예시 답》 생략

간단 체크 활동 문제

13 이 글을 읽고 느낀 점으로 알맞지 않은 것은?

① 전쟁 상황 속에서도 아이들이 순수하고 씩씩하게 지냈다는 점이 감동적이야.
② 친구들과 먹을 것도 나누어 먹고 어울려 노는 일은 전쟁 중이던 당시나 지금이나 비슷해.
③ 아무리 아이들이라도 전쟁 중에 '인민군' 병사와 우정을 나눈다는 것은 불가능한 일이야.
④ '인민군'이 또래 친구들과 헤어지며 슬퍼하는 모습에서 전학 간 친구가 생각나 뭉클했어.
⑤ 전쟁의 상황 속에서 아이들은 다치거나 부모님을 잃기도 해. 당시 실제 상황은 더욱 참혹했을 거야.

활동 마당

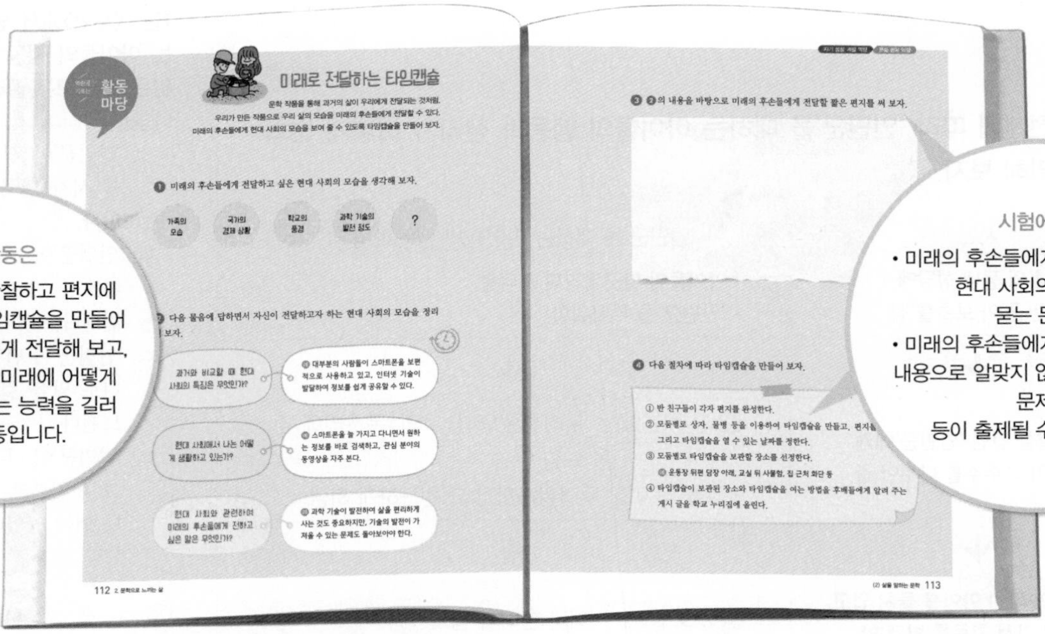

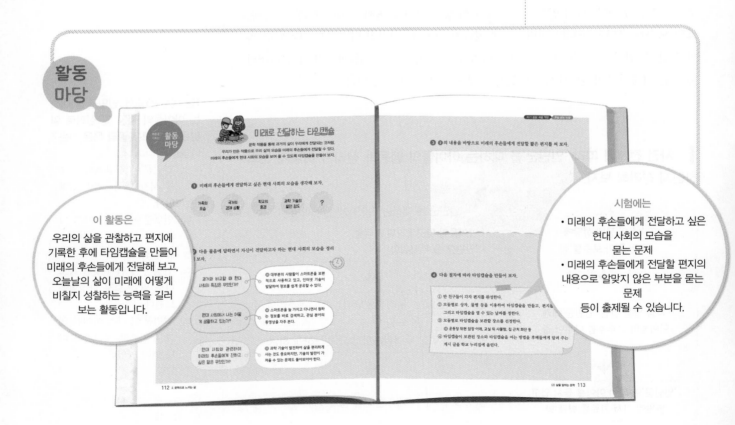

이 활동은
우리의 삶을 관찰하고 편지에 기록한 후에 타임캡슐을 만들어 미래의 후손들에게 전달해 보고, 오늘날의 삶이 미래에 어떻게 비칠지 성찰하는 능력을 길러 보는 활동입니다.

시험에는
• 미래의 후손들에게 전달하고 싶은 현대 사회의 모습을 묻는 문제
• 미래의 후손들에게 전달할 편지의 내용으로 알맞지 않은 부분을 묻는 문제
등이 출제될 수 있습니다.

압축 파일

• 정답과 해설 13쪽

본문 제재 「노새 두 마리」

갈래	현대 소설, 중편 소설	성격	사실적, 비극적
배경	1970년대 겨울, 도시 변두리 동네	시점	1인칭 관찰자 시점
제재	노새로 연탄 배달을 하는 도시 하층민의 삶		
주제	급변하는 사회에 적응하지 못하는 하층민의 고통스러운 삶		
특징	• '노새'의 모습을 통해 '아버지'의 삶을 상징적으로 드러냄. • 어린아이인 '나'의 시선을 통해 도시 하층민으로 살아가는 '아버지'의 고된 삶을 객관화하여 보여 줌.		

「노새 두 마리」의 짜임

발단	전개	위기	절정	결말
새 동네가 들어서면서 동네의 모습이 변화함.	새 동네 사람들과 구동네 사람들은 서로 어울리지 않고, 새 동네 사람들은 ❶'□□'를 신기하게 여김.	연탄 배달을 하던 중 '노새'가 도망치고, '아버지'와 '나'는 '노새'를 찾아 나서지만, 찾지 못함.	'노새'가 멀리 도망치는 꿈을 꾼 '나'는, 다음 날 '노새'를 찾던 중에 들어간 동물원에서 '아버지'와 '노새'가 닮았다고 생각함.	자신이 '노새'가 되겠다며 웃던 '아버지'는 '노새'가 입힌 피해 때문에 순경이 찾아왔었다는 말을 듣고 집을 나감.

구동네 사람들과 새 동네 사람들의 생활상 및 태도

	구동네 사람들	새 동네 사람들
생활상	• 허름한 ❷□□□에 살며 연탄을 조금씩 삼. • 대부분 도시 하층민들로 그날그날 벌어먹고 살아가며, 아이들은 새 동네까지 가서 거칠고 짓궂게 놂. → 경제 사정이 좋지 않고, 거친 성향을 보임.	• 새로 생긴 슬래브 집(❸□□ □□)에 살며 연탄을 몇 달씩 땔 만큼 많이 삼. • 구동네 사람들과 교류하기를 원하지 않으며, 아이들도 구동네 아이들과 놀지 않고 자기들끼리 놂. → 경제 사정이 넉넉하고, 개인적인 성향을 보임.
'노새'를 대하는 태도	• '노새'를 늘 봐 왔기 때문에 아무도 거들떠보지 않음. • 어른들은 '노새'에 대해 불평을 하거나 눈을 흘겼고, 아이들은 '노새'를 쥐어박는 등 못살게 굶.	• '노새'를 볼 기회가 흔치 않았기 때문에 '노새'에게 ❹□□을 보이며 신기해하고 귀여워함. • 어른들, 아이들 모두 '노새'에 긍정적 반응을 보임.

생활 수준과 성향, 삶의 모습에서 차이가 있으며, '노새'를 대하는 태도가 상반됨.

이 글에 나타난 당시 사회의 모습

1970년대, 도시화·산업화가 급격하게 진행되는 모습	• 판잣집만 있던 서울 변두리에 문화 주택이 들어서며 ❺□□□가 빠르게 진행됨. • '노새' 마차 대신 삼륜차가 골목 안까지 다니고, 비행기, 헬리콥터, 자동차, 자전거와 같은 다양한 교통수단이 널리 쓰임.
이기적·자기중심적인 현대인들의 모습	'나'와 '아버지'가 '노새'를 끌고 가파른 골목길을 오르기 위해 쩔쩔맬 때나, 도망친 '노새'를 찾기 위해 거리를 헤맬 때에 도와주거나 관심을 가져 주는 이가 없음.

• 정답과 해설 13쪽

제목 '노새 두 마리'의 의미

'노새 두 마리'

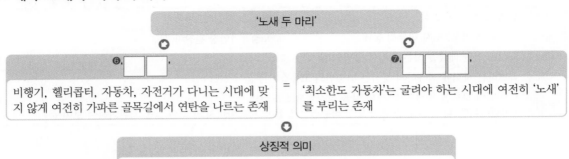

❻ '☐☐'	=	❼ '☐☐☐'
비행기, 헬리콥터, 자동차, 자전거가 다니는 시대에 맞지 않게 여전히 가파른 골목길에서 연탄을 나르는 존재	=	'최소한도 자동차'는 굴려야 하는 시대에 여전히 '노새'를 부리는 존재

상징적 의미
- 현실에서 힘들고 고단한 삶을 살아가는 존재
- 도시화·산업화되는 시대의 변화에 적응하지 못하고 뒤처지는 존재

적용 제재 「전쟁의 잔혹함과 인정의 아름다움」

갈래	현대 수필, 경수필	성격	체험적, 회상적
제재	전쟁 상황	주제	육이오 전쟁 당시 만났던 '인민군' 병사와의 우정
특징	• 글쓴이의 어린 시절 경험을 회상함. • '인민군'과 아이들이 서로 친해지는 과정이 드러남.		

「전쟁의 잔혹함과 인정의 아름다움」의 짜임

처음		가운데		끝
'나'는 6월이 되면 육이오 전쟁 당시에 만났던 ❽ '☐☐☐'을 떠올림.	→	처음에는 '인민군'을 낯설어하던 아이들이 어느새 '인민군'과 친구가 됨.	→	전쟁의 소용돌이에서도 서로 친구로 지냈던 어린 시절의 추억을 ❾ ☐☐함.

'인민군'의 행동과 아이들의 심리 변화

'인민군'의 행동	아이들의 심리
성당 수위실에서 보초를 섬.	낯설고 두려움, 어색함.
한 아이가 내민 옥수수를 받아 들고 먹음.	두려움이 사라지고 친근감이 생김.
다친 아이를 들쳐 업고 병원에 가서 치료를 받게 함.	친구이자 ❿ ☐☐가 되었다고 생각함.

이 글에 나타난 당시 사회의 모습

당시 상황		
• 폭격이 시작되면 온 동네가 하늘이 까맣게 되고 파편이 비 오듯 쏟아졌으며, 폭격에 아이들이 다치기도 함. • 동네 성당 수위실에 '인민군'이 들어와서 보초를 섬.	→	당시 사회는 ⓫ ☐☐ 중이어서 폭격이 자주 있었고, 민간인들이 사는 동네에 인민군이 돌아다녔음.

시험에 나오는 소단원 문제

• 정답과 해설 13쪽

01~04 다음 글을 읽고, 물음에 답하시오.

가 ㉠그 골목은 몹시도 가팔랐다. 아버지는 그 골목에 들어서기만 하면 미리 저만치 앞에서부터 마차를 세게 몰아 가지고는 그 힘으로 하여 단숨에 올라가곤 했다. 그러나 이 작전이 매번 성공하는 것은 아니고, 더러는 마차가 언덕의 중간쯤에서 더 올라가지를 못하고 주춤거릴 때도 있었다.

나 ㉡우리 동네는 변두리였으므로 얼마 전까지도 모두 그날그날 벌어먹고 사는 사람들이 많아 연탄 배달도 일거리가 그리 많지 않았다. 기껏해야 구멍가게에서 두서너 장을 사서는 새끼줄에 대롱대롱 매달고 가는 게 고작이었다. 그랬는데 이삼 년 전부터 아직도 많은 빈터에 집터가 다져지고, 하나둘 문화 주택이 들어서더니 이제는 제법 그럴듯한 동네꼴이 잡혀 갔다. 원래부터 있던 허름한 집들과 새로 생긴 집들과는 골목 하나를 경계로 하여 금을 긋듯 나누어져 있었는데, 먼 데서 보면 제법 그럴싸한 동네로 보였다. 일단 들어와 보면 지저분한 헌 동네가 이웃에 널려 있지만, 그냥 먼발치로만 보면 2층 슬래브 집들에 가려 닥지닥지 붙은 판잣집 등속이 보이지 않았으므로 서울의 변두리에 흔한 여느 신흥 부락으로만 보였다.

다 동네가 이렇게 바뀌자 그것을 가장 좋아한 사람 중의 하나가 아버지였다. 아까 말한 대로 그전에는 동네 사람들이 연탄을 두서너 장, 많아야 이삼십 장씩만 사 가는 터여서 아버지의 일거리가 적고, 따라서 이곳에서 이삼 킬로나 떨어진 딴 동네까지 배달을 가야 했는데 동네에 새 집이 들어서면서부터는 그렇게 먼 걸음을 하지 않아도 되었기 때문이다.

라 새 동네(우리는 우리가 그전부터 살던 동네를 구동네, 문화 주택들이 차지하고 들어선 동네를 새 동네라 불렀다.)가 생기면서 좋아한 것은 비단 아버지만은 아니었다. 구동네에 두 곳 있던 구멍가게 주인들도 은근히 무언가를 기대하는 눈치였다. 그전까지는 가게의 물건들이 뽀얗게 먼지를 쓰고 있었고, 두 홉짜리 소주병만 육실하게 많았는데 그 병들 사이에 차츰 환타니 미린다니 하는 음료수 병들이며 퍼머스트 아이스크림도 섞이고, 할머니의 주름살처럼 주름이 좍좍 가 말라비틀어진 사과 사이에 귤 상자도 끼이게 되었다.

01 이 글에 대한 설명으로 알맞지 않은 것은?

① 어린아이의 시선을 통해 사건을 전개한다.
② '노새'를 통해 '나'의 삶을 객관화하여 드러낸다.
③ 1970년대 도시화가 진행되는 과정을 보여 준다.
④ 대조적인 공간을 설정하여 주제 의식을 강조한다.
⑤ 공간적 배경인 도시 변두리를 구체적으로 묘사한다.

학습 활동 응용

02 이 글에 나타난 사회·문화적 상황이 아닌 것은?

① 마차가 물건 배달 수단으로 사용되기도 했다.
② 산업화가 진행되면서 빈부 격차가 해소되었다.
③ 연탄을 사용해서 난방을 하는 것이 보편적이었다.
④ 도시화에 따른 주택 재개발 사업이 진행되었다.
⑤ 서울 변두리에는 슬래브 집들이 들어선 신흥 부락들이 흔했다.

03 ㉠과 관련된 내용을 〈보기〉에서 골라 바르게 묶은 것은?

보기
a. '아버지'의 고단한 삶을 상징한다. b. '아버지'에게 위안을 주는 장소이다. c. 우리 동네를 둘로 구분 짓는 경계이다. d. '나'와 '아버지'에게 소중한 추억이 깃든 곳이다. e. '노새' 마차를 끄는 데 어려움을 주는 장소이다.

① a, b, d ② a, c, d ③ a, c, e
④ b, c, d ⑤ b, c, e

서술형 학습 활동 응용

04 ㉡을 다음과 같이 정리할 때, ⓐ와 ⓑ에 들어갈 알맞은 내용을 찾아 쓰시오.

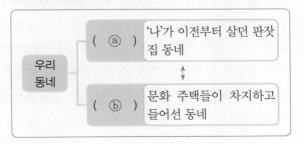

우리 동네		
	(ⓐ)	'나'가 이전부터 살던 판잣집 동네
	↕	
	(ⓑ)	문화 주택들이 차지하고 들어선 동네

05~08 다음 글을 읽고, 물음에 답하시오.

(가) 그러나 동네의 모습이 이처럼 달라지기는 했어도 구동네와 새 동네 사람들이 서로 어울리는 법이 없었다. ⓐ너는 너, 나는 나 하는 식으로 새 동네 사람들은 문을 꽉꽉 걸어 잠그고 누가 다가오는 것을 거절하고 있었다.

(나) ⓑ"별꼴이야, 말 마차가 지금도 있었군."

이런 웅성거림 속을 아버지는 두 주먹을 불끈 쥐고 뜀박질 쳐 갔다. / "내 노새, 내 노새."

그때 나는 아버지보다 몇 발짝 앞서 있었다. 아버지의 헉헉 소리가 들려왔다. 하지만 노새는 우리보다 훨씬 빨랐다. 노새는 이미 큰길로 나가고 있었다. ⓒ드디어 아버지는 큰길로 나오자 털컥 그 자리에 주저앉고 말았다. 노새는 이제 보이지 않았지만 나는 노새보다도 아버지의 일이 더 큰일일 것 같아서, 뛰던 것을 멈추고 아버지의 손을 잡고 끌어 일으키려고 했다. 한데 아버지는 쉽게 일어나지를 못했다. 아버지의 눈은 더할 수 없는 실망과 깊은 낭패로 가득 차, 나는 제대로 쳐다보지도 못하고 슬며시 고개를 돌리다가 이내 축 처지고 말았다.

(다) ㉠노새나 말이나 요즘은 그놈의 ㉡삼륜차 때문에 아버지의 일감이 자칫 줄어드는 듯하기도 했다. 웬만한 오르막길도 끄떡없이 오르고, 웬만한 골목 안 집까지도 드르륵 들이닥치니 아버지의 말 마차가 위협을 느낌 직도 했고, 사실 일감을 빼앗기기도 했다. 그런데도 그때마다 아버지는 큰소리였다.

ⓓ"휘발유 한 방울 안 나오는 나라에서 자동차만 많으면 뭘 해."

마치 애국자처럼 말하는 것이었으나 나는 아버지의 그 말 뒤에 숨은 오기 같은 것을 느낄 수 있었다.

(라) 그러다가 아버지의 얼굴이 어쩌면 그렇게 말이나 노새와 닮았는지 모르겠다고 생각하였다. 그렇게 생각하고 보니 꼭 그랬다. 길게 째진, 감정이 없는 눈이며 노상 벌름벌름한 코, 하마 같은 입, 그리고 털렁하니 큰 귀가 그랬다. 아버지가 너무 오래 말이나 노새를 다뤄 와서 그런 건지, 애당초 말이나 노새 같은 사람이어서 그런 짐승과 평생을 같이해 온 것인지는 알 수 없으나, ⓔ막상 얼룩말 앞에 세워 놓은 아버지는 영락없는 말의 형상이었다.

학습 활동 응용

05 이 글에 나타난 '아버지'의 모습이 아닌 것은?

① '노새' 마차로 배달 일을 하며 살아왔다.
② 급변하는 사회에 적응하지 못해 뒤처지고 있다.
③ 오랜 세월 힘든 일을 함께한 '노새'와 닮아 있다.
④ 일감이 줄어드는 현실에 전혀 아랑곳하지 않고 있다.
⑤ 생계 수단인 '노새'를 잃어버리고 실망과 깊은 낭패감을 느끼고 있다.

학습 활동 응용

06 (가)에 나타난 삶의 모습을 오늘날의 관점에서 평가하며 대화한 내용으로 적절하지 않은 것은?

① 요즘도 생활 수준이 다르면 서로 교류하지 않는 모습이 빈번해.
② 이해관계가 달라서 이웃 간에 갈등을 빚는 경우는 더 많아졌어.
③ 구동네 사람들이 새 동네 사람들과 소통을 거부하는 이유도 경제 수준이 다르기 때문이야.
④ 텔레비전 뉴스에서도 층간 소음과 같은 문제 때문에 이웃 간에 다투는 모습이 자주 등장해.
⑤ 자기만 생각하는 이기심을 조금만 버리면 이웃들과 많은 것을 나누고 소통할 수 있을 거야.

서술형

07 (다)의 내용을 참고할 때, 이 글에서 ㉠과 ㉡의 상징적 의미를 각각 쓰시오.

조건
① 도시화·산업화와 관련지어 쓸 것

08 ⓐ~ⓔ에 대한 설명으로 알맞지 않은 것은?

① ⓐ: 새 동네 사람들의 개인적인 성향을 보여 준다.
② ⓑ: 말 마차에 대한 반가움과 관심의 표현이다.
③ ⓒ: '노새'를 찾기가 더 어려워지자 망연자실한 모습이다.
④ ⓓ: 자동차가 많아진 것에 대한 거부감이 담겨 있다.
⑤ ⓔ: '나'가 '노새'와 '아버지'를 동일시하고 있다.

09~12 다음 글을 읽고, 물음에 답하시오.

가 "이제부터 내가 노새다. 이제부터 내가 노새가 되어야지 별수 있니? 그놈이 도망쳤으니까 이제 내가 노새가 되는 거지." / 기분 좋게 취한 듯한 아버지는 놀라는 나를 보고 히힝 한 번 웃었다. 나는 어쩐지 그런 아버지가 무섭지만은 않았다.

나 나는 그 순간 또 한 마리의 노새가 집을 나가는 것 같은 착각을 일으켰다. 그러고는 무엇인가가 뒤통수를 때리는 것을 느꼈다. 아, 우리 같은 노새는 어차피 이렇게 비행기가 붕붕거리고, 헬리콥터가 앵앵거리고, 자동차가 빵빵거리고, 자전거가 쌩쌩거리는 대처에서는 발붙이기 어려운 것인가 하는 생각이 들었다. 언젠가 남편이 택시 운전사인 칠수 어머니가 하던 말, '최소한도 자동차는 굴려야지 지금이 어느 땐데 노새를 부려.' 했다는 말이 생각났다. 그러나 그것은 잠깐 동안이고 나는 금방 아버지를 좇았다. 또 한 마리의 노새를 찾아 캄캄한 골목길을 마구 뛰었다.

다 1950년 6월 나는 원효로 3가 전차 종점에 살고 있었다. 초등학교 6학년이었던 나는 아버지 혼자 국군을 따라 남쪽으로 내려가 버린 후 어머니와 어린 두 동생과 함께 인민군 치하에 남아 있었다. 우리 동네를 둘러싸고 개울 건너에는 용산 철도청이 있었고 조금 남쪽으로 한강 철교가, 그리고 뒤쪽으로 조폐 공사가 있어서 폭격이 시작되면 온 동네가 하늘이 까맣게 되고 파편이 비 오듯 쏟아지곤 했다.

라 우리가 놀다가 지쳐 운동장 옆 계단에 앉아 있으면 그는 다가와 우리 틈에 끼어 앉았다. 그 인민군의 나이는 열여섯 살이었고 고향은 원산 위의 어느 바닷가 마을이었다. 그와 친해진 후 그는 우리 곁에 앉으면 엄마가 보고 싶다는 소리를 했고 '옥수수가 익어 가는 고향' 이야기를 들려주었다.

마 폭격이 와서 우리 동네가 깜깜해진 어느 날 아침이었다. 한 아이가 파편에 맞아 성당 앞 광장에 쓰러졌다. 그때 보초를 서고 있던 그가 다리에 피가 흐르는 아이를 들쳐 업고 길 아래 병원으로 달려가서 치료를 받게 하고 다시 아이의 집까지 업어서 데려다주었다. 그와 우리는 한패가 되었다.

09 (가)~(나)와 비교할 때, (다)~(마)에 두드러진 갈래상 특징으로 알맞은 것은?

① 교훈적　② 허구적
③ 서사적　④ 풍자적
⑤ 사실적

서술형

10 〈보기〉에서 설명하는 문장을 (가)~(나)에서 찾아 쓰시오.

보기
'노새'를 잃어버린 절망감을 떨쳐 버리고, 가장으로서의 책임을 다하겠다는 '아버지'의 의지를 드러내는 말

학습 활동 응용

11 (나)의 결말을 통해 작가가 궁극적으로 전달하고자 한 바로 알맞은 것은?

① 현대인의 이기주의적인 삶
② 도시와 농촌 간 생활 수준의 격차
③ 가부장적 사회의 모순과 가장의 힘겨운 삶
④ 사라져 가는 전통문화를 지키려는 장인의 노력
⑤ 급격한 도시화·산업화로 인해 소외된 도시 하층민의 삶

학습 활동 응용

12 (다)~(마)에 나타난 당시 삶의 모습을 짐작한 반응으로 알맞지 않은 것은?

① 전차가 주된 교통수단 중 하나였구나.
② 서울이 인민군 치하에 있었다니 힘든 시절이었겠어.
③ 국군이 인민군을 뒤쫓아 남쪽으로 내려가야 했구나.
④ 열여섯 살의 소년도 전쟁 상황에선 인민군이 되어야 했구나.
⑤ 폭격으로 인한 파편이 비 오듯 쏟아졌으니 다치는 아이들도 많았겠어.

어휘력 키우기

교과서 114~115쪽

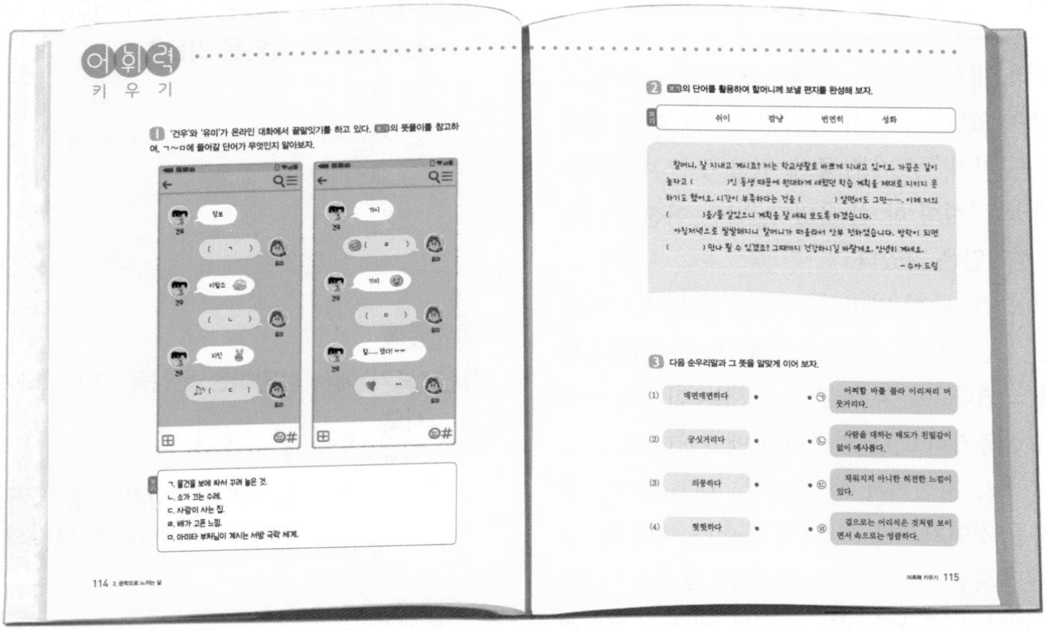
어휘력 키우기

1 '건우'와 '유미'가 온라인 대화에서 끝말잇기를 하고 있다. 보기의 뜻풀이를 참고하여, ㄱ~ㅁ에 들어갈 단어가 무엇인지 알아보자.

보기
ㄱ. 물건을 보에 싸서 꾸려 놓은 것.
ㄴ. 소가 끄는 수레.
ㄷ. 사람이 사는 집.
ㄹ. 배가 고픈 느낌.
ㅁ. 아미타 부처님이 계시는 서방 극락 세계.

2 보기의 단어를 활용하여 할머니께 보낼 편지를 완성해 보자.

보기: 쉬이 깜냥 번연히 성화

3 다음 순우리말과 그 뜻을 알맞게 이어 보자.

(1) 데면데면하다 • • ㉠ 어찌할 바를 몰라 이리저리 머뭇거리다.
(2) 궁싯거리다 • • ㉡ 사람을 대하는 태도가 친밀감이 없이 예사롭다.
(3) 의뭉하다 • • ㉢ 채워지지 아니한 허전한 느낌이 있다.
(4) 헛헛하다 • • ㉣ 겉으로는 어리석은 것처럼 보이면서 속으로는 엉큼하다.

114 2. 문학으로 느끼는 삶 / 어휘력 키우기 115

예시답안

1.

정보 → ㄱ: 보퉁이 → 이발소 → ㄴ: 소달구지 → 지인 → ㄷ: 인가 → 가시 → ㄹ: 시장기 → 기미 → ㅁ: 미타찰

2.

할머니, 잘 지내고 계시죠? 저는 학교생활로 바쁘게 지내고 있어요. 가끔은 같이 놀자고 (성화)인 동생 때문에 원대하게 세웠던 학습 계획을 제대로 지키지 못하기도 했어요. 시간이 부족하다는 것을 (번연히) 알면서도 그만……. 이제 저의 (깜냥)을/를 알았으니 계획을 잘 세워 보도록 하겠습니다.

아침저녁으로 쌀쌀해지니 할머니가 떠올라서 안부 전하였습니다. 방학이 되면 (쉬이) 만나 뵐 수 있겠죠? 그때까지 건강하시길 바랄게요. 안녕히 계세요.

– 수아 드림

3.

(1) 데면데면하다 → ㉡ 사람을 대하는 태도가 친밀감이 없이 예사롭다.
(2) 궁싯거리다 → ㉠ 어찌할 바를 몰라 이리저리 머뭇거리다.
(3) 의뭉하다 → ㉣ 겉으로는 어리석은 것처럼 보이면서 속으로는 엉큼하다.
(4) 헛헛하다 → ㉢ 채워지지 아니한 허전한 느낌이 있다.

확인 문제

01 밑줄 친 낱말의 사용이 바르지 않은 것은?

① 밤잠을 설쳤더니 하루 종일 피곤했다.
② 그는 반려견을 지성스럽게 대하기로 유명했다.
③ 내 말을 듣고도 바득바득 말이 없으니 답답했다.
④ 동생은 말을 시망스럽게 해서 종종 친구들을 당황스럽게 했다.
⑤ 아이들과 주말농장에 가서 텃밭에 배추, 무, 상추, 고추 등속을 심었다.

● 정답과 해설 14쪽

01~05 다음 시를 읽고, 물음에 답하시오.

(가) 생사(生死) 길은 / 예 있으매 ⓐ머뭇거리고,
나는 간다는 말도
몯다 이르고 어찌 갑니까.
어느 가을 ⓑ이른 바람에
이에 저에 떨어질 잎처럼,
한 가지에 나고 / 가는 곳 모르온저.
ⓒ아아, 미타찰(彌陀刹)에서 만날 나
도(道) 닦아 기다리겠노라.

(나) 거미 새끼 하나 방바닥에 나린 것을 나는 아무 생각 없이 문밖으로 쓸어 버린다 / ⓓ차디찬 밤이다

언제인가 새끼 거미 쓸려 나간 곳에 큰 거미가 왔다
나는 가슴이 짜릿한다
나는 또 큰 거미를 쓸어 문밖으로 버리며
찬 밖이라도 새끼 있는 데로 가라고 하며 서러워한다

이렇게 해서 아린 가슴이 싹기도 전이다
어데서 좁쌀알만 한 알에서 가제 깨인 듯한 발이 채 서지도 못한 무척 작은 새끼 거미가 이번엔 큰 거미 없어진 곳으로 와서 아물거린다
나는 가슴이 메이는 듯하다
내 손에 오르기라도 하라고 나는 손을 내어미나 분명히 울고불고 할 이 작은 것은 나를 무서우이 달어나 버리며 나를 서럽게 한다 / 나는 이 작은 것을 고이 보드러운 종이에 받어 또 ⓔ문밖으로 버리며
㉠이것의 엄마와 누나나 형이 가까이 이것의 걱정을 하며 있다가 쉬이 만나기나 했으면 좋으련만 하고 슬퍼한다

01 (가)와 (나)의 공통된 특징으로 알맞은 것은?

① 불교의 윤회 사상을 바탕으로 하고 있다.
② 시적 대상을 의인화하여 표현하고 있다.
③ 신라 시대에 발생한 노래로서 향찰로 기록되었다.
④ 시상의 전개에 따라 시적 정서가 점차 심화되고 있다.
⑤ 시적 대상으로부터 불러일으켜진 말하는 이의 정서를 드러내고 있다.

02 (가)에서 말하는 이와 시적 대상의 관계를 드러내는 시어로 알맞은 것은?

① 미타찰　② 한 가지
③ 떨어질 잎　④ 어느 가을
⑤ 생사(生死) 길

서술형

03 (가)의 시상 전개를 〈보기〉와 같이 나타낼 때, 빈칸에 들어갈 알맞은 내용을 쓰시오.

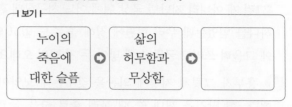

보기

누이의 죽음에 대한 슬픔 → 삶의 허무함과 무상함 → (　　　)

04 다음을 참고할 때, ㉠에 담긴 말하는 이의 소망으로 가장 알맞은 것은?

> 이 시가 창작된 1930년대는 20여 년이 넘는 식민 통치하에서 일제의 수탈이 절정이 이른 시기로, 생계를 유지하기 어려워진 가족이 해체되는 비극적 상황이 빈번하게 일어났다.

① 애국지사에 대한 기다림
② 순수하고 건강한 세계의 도래
③ 자신의 외로움과 고독의 극복
④ 우리 민족의 공동체적 삶의 회복
⑤ 작은 생명도 존중하는 따뜻한 인간성의 회복

05 ⓐ~ⓔ에 대한 감상으로 알맞지 않은 것은?

① ⓐ: 죽고 사는 길이 가까이에 있음을 깨달은 말하는 이의 두려움이 나타난 표현이다.
② ⓑ: 누이의 갑작스러운 죽음을 빗댄 표현이다.
③ ⓒ: 슬픔의 정점에서 터진 탄식으로, 시상을 전환한다.
④ ⓓ: 시간적 배경이자 창작 당시의 시대 상황을 암시하기도 한다.
⑤ ⓔ: 차디찬 문밖으로 거미를 버리는 행동이 반복되면서 말하는 이의 냉정한 태도가 강조된다.

06~09 다음 글을 읽고, 물음에 답하시오.

가 "가장이 나서는데 그게 무슨 소리! 어찌 될지는 가봐야 아는 일이니 장 안에서 도포나 꺼내 와요."
"아이고, 우리 집에 무슨 장이 있단 말이오?"
"어허, 닭장은 장이 아닌가? 가서 내 갓도 챙겨 내와요."
"갓은 또 어디에 있답니까?"
"뒤뜰 굴뚝 속에 가 봐요."
"세상에, 갓을 어찌 굴뚝 속에 두었단 말입니까?"
"그런 게 아니라 지난번 국상 뒤에 어느 친구한테 흰 갓 하나를 얻었는데 우리 형편에 칠해 쓸 수도 없고 연기에 그을려 쓰려고 굴뚝 속에 넣어 둔 지 벌써 오래요."

나 흥부가 그렇게 저렇게 의관을 갖추는데 모양이 볼만했다. 헌 망건을 꺼내 쓸 때 물레 줄로 줄을 삼고 박 조각으로 관자 달아서 상투를 매어 쓰고, 갓 테 떨어진 파립은 노끈을 총총 매어 갓끈 삼아 달아 쓰고, 다 떨어진 고의적삼 살점이 울긋불긋, 발바닥은 뻥 뚫리고 목만 남은 헌 버선에 짚 대님이 희한하다. 헐고 헌 베 도포에 구멍이 숭숭, 열두 도막 이은 띠 가슴에 둘러 질끈 매고, 한 손에다가 곱돌 담뱃대 들고, 또 한 손에다 떨어진 부채 들고 곧 죽어도 양반이라고 여덟 팔 자 걸음으로 어식비식이 내려간다.

다 "갚기 어려운 환자를 얻을 게 아니라 내려오신 김에 매 좀 맞으시오." / "아니 환자 대신 매를 맞다니? 내가 밥을 굶었다니까 매를 굶은 사람인 줄 아나?"
"그런 게 아니라 우리 고을 좌수가 병영에서 그만 죄를 얻었는데 좌수 대신으로 곤장 열 대만 맞고 오면 한 대에 석 냥씩 서른 냥은 굳은 돈이오. 누가 가든 말 타고 가라고 마삯 닷 냥까지 얹어서 서른닷 냥을 주기로 했으니 한번 다녀오시려오?"
흥부가 돈 말을 듣더니 대번에 말투가 존대가 되어 '하시오'로 올라갔다. / "여보시오, 가고 말고요. ㉠<u>그건 그러려니와 내 아니꼽게 말 타고 갈 것이 아니라 정강이말로 다녀올 테니 그 돈 닷 냥을 나를 주시오.</u>"

라 "여보, 영감, 병영 곤장을 한 개만 맞아도 평생 골병이 든답니다. 바짝 마른 저 볼기에 곤장 열 개를 맞게 되면 영락없이 죽을 테니 돈 닷 냥 도로 주고 제발 부디 가지 말아요." / 흥부가 듣고 하는 말이
"돈은 벌써 축났으니 도로 줄 수도 없는 일이고, 대관절 이 볼기를 두었다가 어디다 쓰겠소? 쓸데없는 이 내 볼기, 이렇게 궁한 판에 매품이나 팔아먹지 그냥 두어 무엇 할까. 괜찮으니 걱정 말아요."

06 이 글에서 웃음을 유발하는 요소가 <u>아닌</u> 것은?

① '흥부'가 도포를 보관한 장소
② '흥부'가 말하는 볼기의 쓰임새
③ '흥부'가 갓을 굴뚝 속에 보관한 이유
④ '흥부'가 환자 대신 매를 맞으려는 목적
⑤ '장'과 '닭장'의 발음을 활용한 언어유희

07 (나)에 대해 이해한 내용으로 알맞지 <u>않은</u> 것은?

① '흥부'의 모습에서 해학미가 드러난다.
② '흥부'의 신분이 양반임을 짐작하게 한다.
③ '흥부'가 착한 성품의 소유자임이 드러난다.
④ '흥부'가 의관을 갖추는 상황을 묘사한 내용이다.
⑤ 가난한 '흥부'가 어설프게 체면을 차리려는 장면이다.

서술형

08 다음 설명에 해당하는 말을 (라)에서 찾아 한 단어로 쓰시오.

> '흥부'가 돈을 벌기 위해 선택한 방법으로, 당시에 실제로 성행했던 행위이다. 이를 통해 '흥부'가 무척 곤궁한 상황임을 알 수 있게 하며, 당시 몰락한 양반들의 처지를 보여 준다.

09 '흥부'가 ㉠과 같이 말한 이유로 알맞은 것은?

① 좌수에게 잘 보이기 위해서
② 마삯 닷 냥이라도 아끼기 위해서
③ 가족이 자신의 상태를 걱정할까 봐서
④ 아전에게 아니꼽게 보이지 않기 위해서
⑤ 말을 타는 것보다 정강이말로 가는 게 편해서

10~13 다음 글을 읽고, 물음에 답하시오.

가 그 가파른 골목길 어귀에 이르자 아버지는 미리서 노새 고삐를 낚아 잡고 한달음에 올라갈 채비를 하였다. 그러나 어쩐 일인지 다른 때 같으면 사백 장 정도 싣고는 힘 안 들이고 올라설 수 있는 고개인데도 이날따라 오름길 중턱에서 턱 걸리고 말았다. 아버지는 어, 하는 눈치더니 고삐를 거머쥐고 힘껏 당겼다. 이마에 힘줄이 굵게 돋았다. 얼굴이 빨개졌다.

나 아버지는 지금 내일부터 당장 벌이를 나갈 수 없는 아픔보다도 길들여 키워 온 노새가 가여워서 저러는지도 모를 일이었다. 아버지는 원래가 마부였다. 서울에 올라오기 전 시골에서도 줄곧 말 마차를 끌었다. 어쩌다가 소달구지를 끄는 적도 있기는 했으나 얼마 가지 않아서 도로 말 마차로 바꾸곤 했다. 그런 아버지였으므로 서울에 올라와서는 내내 말 마차 하나로 버텨 나왔었는데 어떻게 마음먹었는지 노새로 바꾸고 만 것이다.

다 고속 도로였다. 노새는 돈도 안 내고 톨게이트를 빠져나가더니 그때부터는 다소 속도를 늦추었다. 그러나 절대로 뛰는 일을 멈추지는 않았다.

여느 날보다 다소 늦게 일어난 나는 간밤의 꿈으로 하여 어쩐지 마음이 헛헛했다. 꿈 그대로라면 우리는 다시는 그 노새를 찾지 못할 것이 아닌가. 꿈대로라면 우리 노새는 고속 도로를 따라 멀리멀리 달아나서 우리가 도저히 찾을 수 없는 곳, 상상도 할 수 없는 곳에 가서 있는 것이 아닐까. 우리를 버리고 간 노새, 그는 매일매일 그 무거운, 그 시커먼 연탄을 끄는 일이 지겹고 지겨워서 다시는 돌아오지 못할 자기의 보금자리를 찾아 영 떠나가 버렸는가.

라 아, 우리 같은 노새는 어차피 이렇게 비행기가 붕붕거리고, 헬리콥터가 앵앵거리고, 자동차가 빵빵거리고, 자전거가 쌩쌩거리는 대처에서는 발붙이기 어려운 것인가 하는 생각이 들었다. 언젠가 남편이 택시 운전사인 칠수 어머니가 하던 말, ㉠<u>'최소한도 자동차는 굴려야지 지금이 어느 땐데 노새를 부려.'</u> 했다는 말이 생각났다. 그러나 그것은 잠깐 동안이고 나는 금방 아버지를 좇았다. ㉡<u>또 한 마리의 노새</u>를 찾아 캄캄한 골목길을 마구 뛰었다.

10 이 글의 서술자인 '나'의 특징으로 볼 수 <u>없는</u> 것은?

① '아버지'의 삶을 관찰하여 보여 준다.
② '아버지'의 내면 심리를 추측하여 전달한다.
③ 주인공인 '아버지'와 대립적 관점에서 사건을 바라본다.
④ 미성숙한 존재이므로 인물이나 사건을 판단하는 데 한계를 지닌다.
⑤ 작품 속에 등장하는 어린아이로서, 직접 보고 느낀 내용을 전달하므로 친근감을 준다.

11 이 글의 내용과 일치하지 <u>않는</u> 것은?

① '노새' 마차가 오름길 중턱에 걸려 올라가질 못했다.
② '아버지'는 평생 말과 '노새'를 부리며 마부로 살았다.
③ 꿈에서 깨어난 '나'는 '노새'를 떠올리자 마음이 헛헛했다.
④ '나'는 매일 무거운 연탄을 끌며 살았던 '노새'의 지난 삶에 대해 연민을 느낀다.
⑤ '노새'가 톨게이트를 빠져나갔다는 사실을 알게 된 '나'는 '노새'를 찾지 못할 것임을 깨닫는다.

고난도 서술형

12 ㉠의 말에 담긴 의미를 서술하시오.

조건
① '자동차', '노새'를 포함하여 한 문장으로 쓸 것
② '칠수 어머니'의 발화 의도가 드러나도록 쓸 것

13 ㉡에 대한 설명으로 알맞은 것은?

① 도망친 '노새'를 대신할 수 있는 다른 노새
② '노새' 대신 자동차를 부리는 많은 '현대인들'
③ '우리 같은 노새'와는 처지가 다른 '도시 하층민들'
④ 힘들고 고단한 삶을 살아가는 존재로서의 '아버지'
⑤ 집을 나간 '아버지'처럼 여전히 찾지 못한 우리 '노새'

● 정답과 해설 14쪽

14~18 다음 글을 읽고, 물음에 답하시오.

가 "이제부터 내가 노새다. 이제부터 내가 노새가 되어야지 별수 있니? 그놈이 도망쳤으니까 이제 내가 노새가 되는 거지."

기분 좋게 취한 듯한 아버지는 놀라는 나를 보고 히힝 한 번 웃었다. 나는 어쩐지 그런 아버지가 무섭지만은 않았다. 그러면 형들이나 나는 노새 새끼고, 어머니는 암노새고, 할머니는 어미 노새가 되는 것일까? 나도 아버지를 따라 히히힝 웃었다. 어른들은 이래서 술집에 오는 모양이었다. 나는 안주만 집어 먹었는데도 술 취한 사람마냥 턱없이 즐거웠다. 노새 가족……. 노새 가족은 우리 말고는 이 세상에 또 없을 것이다.

나 그러나 ㉠그러한 생각은 아버지와 내가 집에 당도했을 때 무참히 깨어지고 말았다. 우리를 본 어머니가 허둥지둥 달려 나와 매달렸다. 〈중략〉 "노새는 찾았대?"

"찾고나 그러면 괜찮게요? 노새는 간데온데없고 사람들만 다치고 하니까, 누구네 노새가 그랬는지 수소문 끝에 우리 집으로 순경이 찾아왔지 뭐유." / 오늘 낮에 지서에서 나온 사람이 우리 노새가 튀는 바람에 많은 피해를 입었으니 도로 무슨 법이라나 하는 법으로 아버지를 잡아넣어야겠다고 이르고 갔다는 것이었다.

다 1950년 6월 나는 원효로 3가 전차 종점에 살고 있었다. 초등학교 6학년이었던 나는 아버지 혼자 국군을 따라 남쪽으로 내려가 버린 후 어머니와 어린 두 동생과 함께 인민군 치하에 남아 있었다.

라 그런데 갑자기 한 아이가 옥수수를 입에 문 채 얼굴이 하얗게 질리는 것이었다. 놀라서 아이의 눈이 가 있는 곳을 보니 어느 사이에 인민군 병사가 우리 뒤에 다가와서 옥수수를 들고 있는 아이를 보고 있었던 것이었다. / 우리는 한순간 숨이 탁 막혔다. 붉은 별을 군모 한가운데 달고 서 있는 인민군이 우리에게 다가와 있다는 것만으로도 온몸이 얼어붙는 일이었다. 그때였다. 뜻밖에도 인민군은 앳된 목소리로 "강냉이 맛있니?" 하고 물었다. 북쪽 억양이 섞인 이 한마디는 마치 우리 중에 누가 장난으로 웃기기 위해서 고양이 소리를 내는 것처럼 그런 다정함이 있었다. 한 아이가 "한 입 먹을래요?" 하고 물었다. 그는 얼른 손을 내밀어 옥수수를 받아 들고 한 입을 크게 먹는 것이었다.

14 (가)~(나)와 (다)~(라)의 공통점으로 알맞은 것은?

① 시대적 배경이 동일하다.
② 비극적인 결말로 끝맺는다.
③ 작가의 실제 체험을 바탕으로 한다.
④ 당시의 사회·문화적 상황이 잘 나타난다.
⑤ 상징적인 소재를 활용하여 주제를 강조한다.

15 (가)~(나)로 볼 때, ㉠이 의미하는 바로 알맞은 것은?

① '아버지'가 무섭지만은 않았다던 '나'의 생각
② '나'의 가족이 '노새'의 유일한 가족이라는 생각
③ '노새'가 하던 일까지 맡아 해내겠다는 '아버지'의 생각
④ '아버지'와 대폿집에 있던 순간이 턱없이 즐거웠다는 '나'의 생각
⑤ '노새 가족'은 '나'의 가족 말고는 이 세상에 또 없을 것이라는 생각

16 (나)에서 '아버지'가 처한 상황을 나타내는 한자 성어에 해당하는 것은?

① 동병상련(同病相憐)
② 이심전심(以心傳心)
③ 설상가상(雪上加霜)
④ 사필귀정(事必歸正)
⑤ 새옹지마(塞翁之馬)

17 (다)~(라)를 통해 전하려는 중심 내용으로 알맞은 것은?

① 비극적인 전쟁의 참상
② 전쟁 당시의 이념 대립 양상
③ 인민군 병사와 나누었던 따뜻한 인정
④ 전쟁 중에 겪은 글쓴이 가족의 시련과 고난
⑤ 서울을 둘러싼 국군과 인민군의 치열한 대치

서술형

18 (라)에서 '인민군'이 처음 말을 건네기 전과 이후, 아이들의 심정 변화를 한 문장으로 쓰시오.

창의적 사고력을 키우는

창의·융합

교과서 118~121쪽

다양한 전래 동화를 읽어 보고, 뮤직비디오로 바꾸고 싶은 작품을 골라 줄거리와 주제를 정리해 봐요.

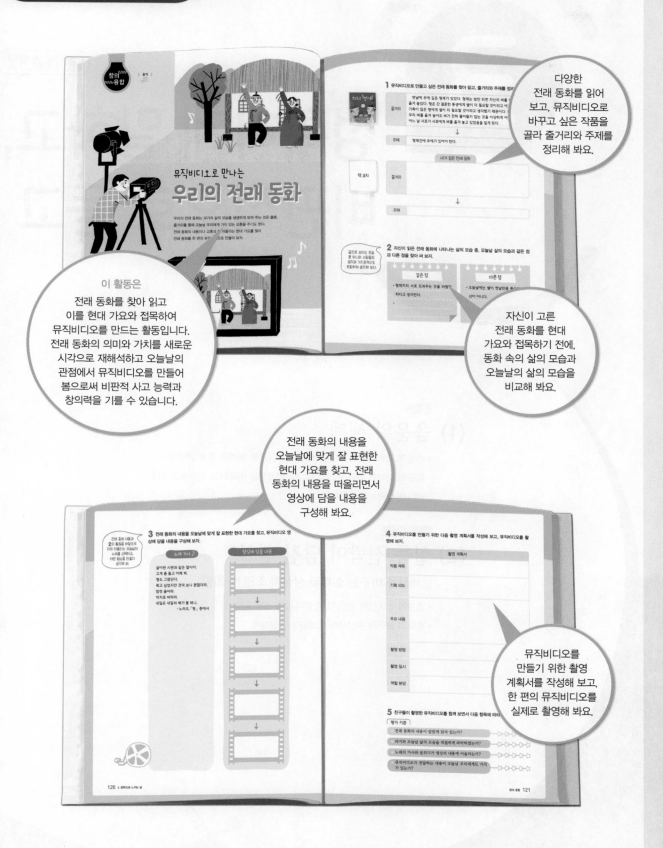

이 활동은 전래 동화를 찾아 읽고 이를 현대 가요와 접목하여 뮤직비디오를 만드는 활동입니다. 전래 동화의 의미와 가치를 새로운 시각으로 재해석하고 오늘날의 관점에서 뮤직비디오를 만들어 봄으로써 비판적 사고 능력과 창의력을 기를 수 있습니다.

자신이 고른 전래 동화를 현대 가요와 접목하기 전에, 동화 속의 삶의 모습과 오늘날의 삶의 모습을 비교해 봐요.

전래 동화의 내용을 오늘날에 맞게 잘 표현한 현대 가요를 찾고, 전래 동화의 내용을 떠올리면서 영상에 담을 내용을 구성해 봐요.

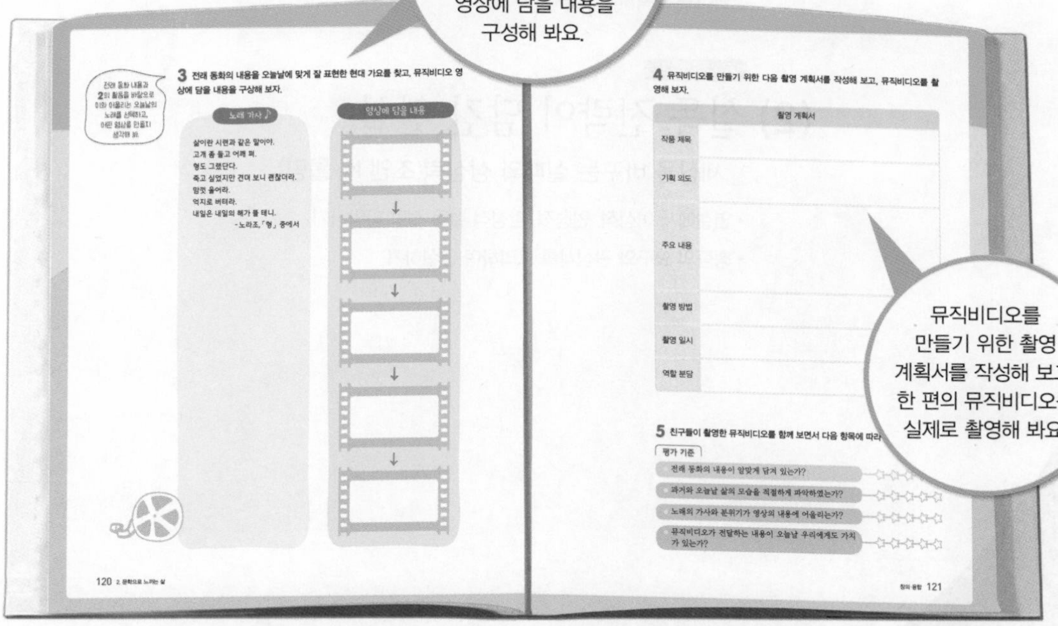

뮤직비디오를 만들기 위한 촬영 계획서를 작성해 보고, 한 편의 뮤직비디오를 실제로 촬영해 봐요.

의사소통 역량

3 정확하게 말하고, 비판적으로 듣고

문법

(1) 음운의 세계

- 자음과 모음의 분류 기준을 바탕으로 음운의 체계와 특성 이해하기
- 음운의 차이에 따라 단어의 느낌이 달라짐을 이해하고, 일상생활에서 단어를 정확하게 발음하기

듣기·말하기

(2) 설득 전략이 담긴 연설

_ 세상을 바꾸는 실패와 상상력(조앤 K. 롤링)

- 연설에서 이성적, 인성적, 감성적 설득 전략 파악하기
- 청중의 요구와 관심사를 고려하여 연설하기

왜 배울까?

사람들이 일상생활에서 다른 사람과 소통하는 말소리를 음성이라고 하고, 음성에서 특별히 의미의 차이를 만들어 주는 것을 음운이라고 한다. 즉 음운은 언어의 가장 작은 단위이기 때문에 음운을 이해하는 것은 언어를 이해하는 바탕이 된다. 또한 음운 체계를 이해하면 우리말을 정확하게 발음할 수 있으므로 청중 앞에서 자신의 생각을 말할 때에 도움이 된다. 청중의 생각을 변화시키고자 하는 목적으로 말할 때에는 청중의 관심과 요구를 고려하고 적절한 설득 전략을 활용해야 한다. 반대로 청중이 되어 연설자의 말을 들을 때에도 연설자가 말하는 목적과 말하기 전략을 파악하며 비판적으로 들어야 한다. 이를 통해 자신의 생각을 정확하고 효과적으로 전달하는 방법을 익힐 수 있을 뿐만 아니라 비판적 듣기 능력을 기를 수 있을 것이다.

뭘 배울까?

이 단원에서는 의사소통 역량을 기르기 위해 음운의 체계와 그 특성을 이해해 볼 것이다. 그리고 우리말에 대한 이해를 바탕으로 청중의 관심과 요구를 고려하여 말하고, 연설자가 목적을 이루기 위해 어떤 전략을 사용하는지 비판적으로 분석하며 듣는 태도를 기를 것이다.

• 정답과 해설 15쪽

소단원 개념 길잡이

음운의 개념과 종류

말의 뜻을 구별해 주는 소리의 가장 작은 단위로, 자음과 모음이 있다.

자음의 분류 기준 ① - 소리 나는 위치

입술소리	두 입술이 닿았다가 떨어지며 나는 소리 → ㅁ, ㅂ, ㅃ, ㅍ
잇몸소리	혀끝과 윗니의 뒷부분, 윗잇몸 사이에서 나는 소리 → ㄴ, ㄷ, ㄸ, ㅌ, ㄹ, ㅅ, ㅆ
센입천장소리	혓바닥과 입천장 앞쪽의 단단한 부분 사이에서 나는 소리 → ㅈ, ㅉ, ㅊ
여린입천장소리	혀의 뒷부분과 입천장 뒤쪽의 부드러운 부분 사이에서 나는 소리 → ㄱ, ㄲ, ㅋ, ㅇ
목청소리	목청 사이에서 나는 소리 → ㅎ

자음의 분류 기준 ② - 발음하는 방식

입안, 코안이 울리지 않음.	파열음	공기의 흐름을 잠시 막았다가 그 막은 자리를 터트리면서 내는 소리 → ㄱ, ㄲ, ㅋ, ㄷ, ㄸ, ㅌ, ㅂ, ㅃ, ㅍ
	마찰음	입안이나 목청 사이의 통로를 좁혀 그 틈 사이로 공기를 내보내어 마찰을 일으키면서 내는 소리 → ㅅ, ㅆ, ㅎ
	파찰음	공기의 흐름을 막았다가 서서히 터뜨리면서 마찰을 일으켜 내는 소리 → ㅈ, ㅉ, ㅊ
입안, 코안이 울림.	콧소리	입안의 통로를 막고 코로 공기를 내보내면서 내는 소리 → ㄴ, ㅁ, ㅇ
	흐름소리	혀끝을 잇몸에 대었다 떼거나, 잇몸에 댄 채 공기를 그 양옆으로 흘려보내면서 내는 소리 → ㄹ

파열음, 마찰음, 파찰음은 소리의 세기에 따라 예사소리(ㄱ, ㄷ, ㅂ, ㅅ, ㅈ), 된소리(ㄲ, ㄸ, ㅃ, ㅆ, ㅉ), 거센소리(ㅋ, ㅌ, ㅍ, ㅊ)로 분류할 수 있음.

단모음과 이중 모음의 구분

소리를 낼 때 입술이나 혀가 고정되어 움직이지 않는 모음을 단모음(ㅏ, ㅐ, ㅓ, ㅔ, ㅗ, ㅚ, ㅜ, ㅟ, ㅡ, ㅣ), 입술이나 혀가 움직이는 모음을 이중 모음(ㅑ, ㅒ, ㅕ, ㅖ, ㅘ, ㅙ, ㅛ, ㅝ, ㅞ, ㅠ, ㅢ)이라 한다.

단모음의 분류

단모음은 발음할 때 입술 모양에 따라 입술을 둥글게 오므리는 원순 모음(ㅗ, ㅚ, ㅜ, ㅟ)과 입술을 평평하게 하는 평순 모음(ㅏ, ㅐ, ㅓ, ㅔ, ㅡ, ㅣ)으로 분류할 수 있고, 입천장의 중간점을 기준으로 한 혀의 최고점의 위치에 따라 혀가 앞쪽에 있는 전설 모음(ㅐ, ㅔ, ㅚ, ㅟ, ㅣ)과 혀가 뒤쪽에 있는 후설 모음(ㅏ, ㅓ, ㅗ, ㅜ, ㅡ)으로 분류할 수 있다. 또한 혀의 높이에 따라 고모음(ㅣ, ㅟ, ㅡ, ㅜ), 중모음(ㅔ, ㅚ, ㅓ, ㅗ), 저모음(ㅐ, ㅏ)으로 분류할 수 있다.

간단 체크 개념 문제

1 다음 설명이 맞으면 ○표, 틀리면 ×표 하시오.

(1) 국어의 자음과 모음은 말의 뜻을 구별해 주는 소리의 가장 작은 단위이다. (   )

(2) 'ㅋ'은 혓바닥과 입천장 앞쪽의 단단한 부분 사이에서 나는 소리이다. (   )

(3) 자음 중 입안이나 코안이 울리는 소리에는 '콧소리, 흐름소리'가 있다. (   )

(4) 혀의 높이에 따라 단모음을 분류할 때, 'ㅣ', 'ㅏ'는 고모음에 해당한다. (   )

2 다음 빈칸에 들어갈 알맞은 말을 쓰시오.

□□ □□(이)란 발음할 때 입술이나 혀가 움직이는 모음으로, 'ㅒ', 'ㅘ', 'ㅠ' 등이 이에 해당한다.

3 〈보기〉의 설명에 해당하는 모음이 아닌 것은?

보기: 발음할 때 입술 모양을 평평하게 하는 모음

① ㅏ ② ㅓ ③ ㅜ ④ ㅡ ⑤ ㅣ

교과서 127~140쪽

(1) 음운의 세계

• 정답과 해설 15쪽

학습 목표 음운의 체계를 알고 그 특성을 이해할 수 있다.

이해
❶ 음운의 개념과 종류 이해하기
❷ 자음과 모음의 체계 파악하기

1 음운의 개념과 종류

학습 포인트

❶ 음운의 개념
❷ 음운의 종류

1 다음 활동을 하면서 음운의 개념을 알아보자.

(1) '곰'이라는 단어와 비교할 때, 아래에 제시된 단어들의 달라진 점을 파악해 보자.

곰 → 솜 / 감 / 골

- 솜: ㄱ 이/가 ㅅ (으)로 바뀌었다.
- 감: 답 ㅗ 이/가 ㅏ (으)로 바뀌었다.
- 골: 답 ㅁ 이/가 ☐ (으)로 바뀌었다.

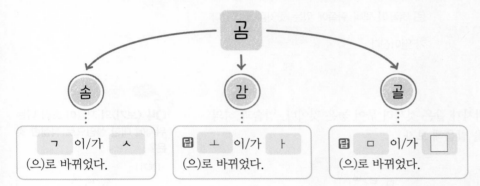

(2) (1)과 같은 방식으로 다양한 단어를 만들어 보자.

- 산 → 간 … 선 … 상
- 답 돌 → 볼 … 달 … 돈
- 답 밥 → 답 … 법 … 밤
- 답 종 → 공 … 중 … 좀

학습콕

❶ 음운의 개념
말의 ☐을 구별해 주는 소리의 가장 작은 단위

❷ 음운의 종류

☐☐	공기가 방해를 받으며 나오는 소리로, 모음을 만나야 소리 낼 수 있음. 예 ㄱ, ㄲ, ㄴ, ㄷ, ㄸ, ㄹ, ㅁ, ㅂ, ㅃ, ㅅ, ㅆ, ㅇ, ㅈ, ㅉ, ㅊ, ㅋ, ㅌ, ㅍ, ㅎ
☐☐	공기가 그대로 흘러나오는 소리로, 자음 없이 홀로 소리 낼 수 있음. 예 ㅏ, ㅐ, ㅓ, ㅔ, ㅗ, ㅚ, ㅜ, ㅟ, ㅡ, ㅣ(단모음) ㅑ, ㅒ, ㅕ, ㅖ, ㅘ, ㅙ, ㅛ, ㅝ, ㅞ, ㅠ, ㅢ(이중 모음)

간단 체크 활동 문제

중요

01 음운의 개념을 설명한 내용으로 적절한 것은?

① 사람이 입으로 낼 수 있는 모든 소리
② 뜻을 가지고 있는 가장 작은 말의 단위
③ 뜻을 지니고 홀로 쓰일 수 있는 말의 단위
④ 성질이 공통된 것끼리 모아 놓은 단어의 갈래
⑤ 말의 뜻을 구별해 주는 소리의 가장 작은 단위

02 <보기>에 제시된 두 단어의 뜻이 서로 다른 까닭으로 가장 적절한 것은?

보기
봄 – 밤

① 'ㅂ'과 'ㅁ'의 소리 차이 때문이다.
② 'ㅗ'와 'ㅏ'의 소리 차이 때문이다.
③ 두 단어를 발음할 때의 느낌 차이 때문이다.
④ 'ㅂ', 'ㅁ', 'ㅗ', 'ㅏ'가 쓰인 순서의 차이 때문이다.
⑤ 두 단어가 쓰이는 문장 환경이 다르기 때문이다.

2 자음의 체계

학습 포인트

❶ 자음의 분류 기준 ① – 소리 나는 위치
❷ 자음의 분류 기준 ② – 발음하는 방식

1 제시된 자음을 발음해 보면서 자음이 소리 나는 위치를 살펴보자.

(1) 다음 단어를 발음해 보고, 물음에 답해 보자.

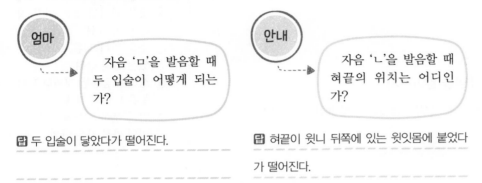

엄마 → 자음 'ㅁ'을 발음할 때 두 입술이 어떻게 되는가?

답 두 입술이 닿았다가 떨어진다.

안내 → 자음 'ㄴ'을 발음할 때 혀끝의 위치는 어디인가?

답 혀끝이 윗니 뒤쪽에 있는 윗잇몸에 붙었다가 떨어진다.

(2) 다음은 각 자음을 소리 나는 위치가 같은 것끼리 묶어 놓은 것이다. 입술과 혀의 위치를 생각하면서 다음 자음을 발음해 보자.

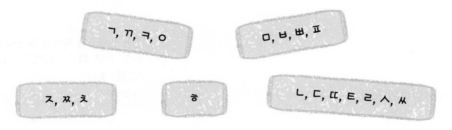

ㄱ, ㄲ, ㅋ, ㅇ

ㅁ, ㅂ, ㅃ, ㅍ

ㅈ, ㅉ, ㅊ

ㅎ

ㄴ, ㄷ, ㄸ, ㅌ, ㄹ, ㅅ, ㅆ

답
- ㄱ, ㄲ, ㅋ, ㅇ: 혀의 뒷부분과 입천장 [ ][ ]의 부드러운 부분 사이에서 소리가 난다.
- ㅁ, ㅂ, ㅃ, ㅍ: 두 입술이 닿았다가 떨어지며 소리가 난다.
- ㅈ, ㅉ, ㅊ: 혓바닥과 입천장 [ ][ ]의 딱딱한 부분 사이에서 소리가 난다.
- ㅎ: 목청 사이에서 소리가 난다.
- ㄴ, ㄷ, ㄸ, ㅌ, ㄹ, ㅅ, ㅆ: 혀끝이 윗잇몸에 닿아서 소리가 난다.

(3) 다음 발음 기관 단면도를 보고, **(2)**의 자음 묶음들이 각각 어디에서 소리 나는지 파악해 보자.

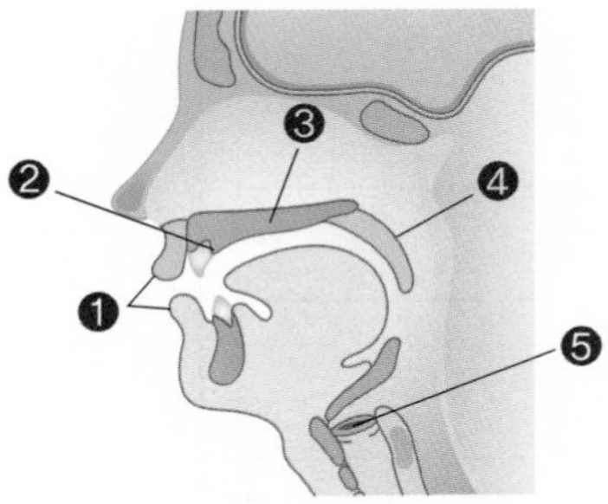

간단 체크 활동 문제

03 〈보기〉에서 설명하는 자음으로 알맞은 것은?

보기
두 입술이 닿았다가 떨어지며 소리가 난다.

① ㄴ ② ㄹ
③ ㅁ ④ ㅅ
⑤ ㅇ

중요
04 〈보기〉의 자음이 소리 나는 위치에 대한 설명으로 적절한 것은?

보기
ㅈ, ㅉ, ㅊ

① 목청 사이에서 소리가 난다.
② 혀끝이 윗잇몸에 닿아서 소리가 난다.
③ 두 입술이 닿았다가 떨어지며 소리가 난다.
④ 혓바닥과 입천장 앞쪽의 딱딱한 부분 사이에서 소리가 난다.
⑤ 혀의 뒷부분과 입천장 뒤쪽의 부드러운 부분 사이에서 소리가 난다.

소리 나는 곳에 따른 이름	해당 자음
❶ 입술소리: 두 입술이 닿았다가 떨어지며 나는 소리	ㅁ, ㅂ, ㅃ, ㅍ
❷ 잇몸소리: 혀끝과 윗니의 뒷부분, 윗잇몸 사이에서 나는 소리	답 ㄴ, ㄷ, ㄸ, ㅌ, ㄹ, ㅅ, ㅆ
❸ 센입천장소리: 혓바닥과 입천장 앞쪽의 단단한 부분 사이에서 나는 소리	답 ㅈ, ㅉ, ㅊ
❹ 여린입천장소리: 혀의 뒷부분과 입천장 뒤쪽의 부드러운 부분 사이에서 나는 소리	답 ㄱ, ㄲ, ㅋ, ㅇ
❺ 목청소리: 목청 사이에서 나는 소리	답 ☐

2 제시된 자음을 발음해 보면서 입안이나 코안이 울리는지 알아보자.

(1) 다음 단어를 발음해 보고, 제시된 기준에 따라 분류해 보자.

밥 반 밭 발 밤 박 방

단어의 받침을 발음할 때 입안이나 코안이 울림.	단어의 받침을 발음할 때 입안이나 코안이 울리지 않음.
반, 답 발, 밤, 방	밥, 답 ☐, 박
⋮	⋮
소리가 부드럽고 이어지는 느낌임.	소리가 딱딱하고 막힌 느낌임.

(2) (1)에서 발음할 때 입안이나 코안이 울렸던 단어의 받침에 어떤 자음이 들어가 있는지 써 보자.

ㄴ   답 ㄹ   ㅁ   ㅇ

간단 체크 활동 문제

중요

05 다음 자음과 소리 나는 곳에 따른 이름이 바르게 연결되지 않은 것은?

① ㅂ, ㅍ – 입술소리
② ㄷ, ㅅ – 잇몸소리
③ ㅇ, ㅎ – 목청소리
④ ㅈ, ㅊ – 센입천장소리
⑤ ㄱ, ㅋ – 여린입천장소리

06 다음 설명에 해당하는 자음이 아닌 것은?

• 발음할 때 입안이나 코안이 울리는 자음
• 발음할 때 소리가 부드럽고 이어지는 느낌이 드는 자음

① ㄱ ② ㄴ
③ ㄹ ④ ㅁ
⑤ ㅇ

07 〈보기〉에서 받침을 발음할 때 입안이나 코안이 울리는 단어를 모두 고른 것은?

| 보기 |
각 간 감 갑 강

① 각, 간, 감
② 각, 감, 강
③ 간, 감, 갑
④ 간, 감, 강
⑤ 감, 갑, 강

(3) (2)에서 찾은 자음들을 발음해 보고, 제시된 기준에 따라 나누어 보자.

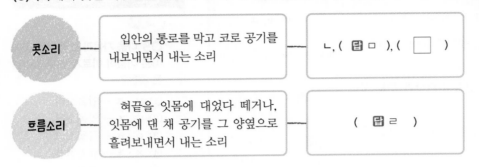

콧소리	입안의 통로를 막고 코로 공기를 내보내면서 내는 소리	ㄴ, (답 ㅁ), (□)
흐름소리	혀끝을 잇몸에 대었다 떼거나, 잇몸에 댄 채 공기를 그 양옆으로 흘려보내면서 내는 소리	(답 ㄹ)

3 제시된 자음을 발음해 보면서 소리의 세기가 어떻게 다른지 살펴보자.

(1) 다음 문장의 밑줄 친 부분에 제시된 단어를 넣어 발음해 보고, 아래쪽으로 갈수록 느낌이 어떻게 달라지는지 말해 보자.

① **졸랑졸랑** ⇩ ② **쫄랑쫄랑** ⇩ ③ **촐랑촐랑**

① **단단해** ⇩ ② **딴딴해** ⇩ ③ **탄탄해**

①의 단어는 ②, ③에 비해 답 작은(약한, 가벼운, 부드러운) 느낌이 들어.
반면 ③의 단어는 ①, ②에 비해 답 큰(강한, 무거운, 거친) 느낌이 들어.

(2) (1)의 예와 비슷한 관계의 단어를 더 찾아보자.

- 답 감감 — 깜깜 — □□
- 답 빙빙 — 삥삥 — 핑핑

간단 체크 활동 문제

08 〈보기〉의 조건들을 모두 충족하는 자음에 해당하는 것은?

보기
- 발음할 때 입안이나 코안이 울림.
- 혀끝을 잇몸에 대었다 떼며 공기를 그 양옆으로 흘려보내면서 소리를 냄.

① ㄴ ② ㄹ
③ ㅁ ④ ㅂ
⑤ ㅇ

09 다음 단어를 발음할 때의 느낌을 비교한 내용으로 가장 적절한 것은?

㉠ 잘랑잘랑
㉡ 찰랑찰랑

① ㉠은 ㉡에 비해 크고 강한 느낌이 든다.
② ㉠은 ㉡에 비해 작지만 거친 느낌이 든다.
③ ㉡은 ㉠에 비해 강하고 거친 느낌이 든다.
④ ㉡은 ㉠에 비해 가볍지만 거친 느낌이 든다.
⑤ ㉡은 ㉠에 비해 무겁지만 부드러운 느낌이 든다.

• 정답과 해설 15쪽

(3) 다음은 발음하는 방식이 비슷한 자음끼리 묶어 놓은 것이다. 이를 발음하면서 소리의 세기에 따라 다시 나누어 써 보자.

ㄱ, ㄲ, ㅋ	ㄷ, ㄸ, ㅌ	ㅂ, ㅃ, ㅍ	ㅅ, ㅆ	ㅈ, ㅉ, ㅊ

소리의 세기	개념	해당 자음
예사소리	발음 기관에 비교적 힘이 조금 들어가서 약하게 숨을 내쉴 때 만들어지는 소리	ㄱ, 답 ㄷ, ㅂ, ㅅ, ㅈ
된소리	성대 주위의 근육을 긴장시켜 내는 소리 중, 숨이 적게 터져 나오는 소리	ㄲ, 답 ㄸ, ㅃ, ㅆ, ㅉ
거센소리	성대 주위의 근육을 긴장시켜 내는 소리 중, 숨이 거세게 터져 나오는 소리	ㅋ, 답 □, ㅍ, ㅊ

학습콕

❶ 자음의 분류 기준 ① – 소리 나는 위치

입술소리	ㅁ, ㅂ, ㅃ, ㅍ	여린입천장소리	ㄱ, ㄲ, ㅋ, □
잇몸소리	ㄴ, ㄷ, ㄸ, ㅌ, ㄹ, ㅅ, ㅆ	목청소리	ㅎ
□□□□소리	ㅈ, ㅉ, ㅊ		

❷ 자음의 분류 기준 ② – 발음하는 방식

• 입안이나 코안이 울리면서 나는 소리

콧소리	ㄴ, ㅁ, ㅇ
흐름소리	□

• 입안이나 코안이 울리지 않는 소리

파열음	ㄱ, ㄲ, ㅋ, ㄷ, ㄸ, ㅌ, ㅂ, ㅃ, ㅍ
마찰음	ㅅ, ㅆ, ㅎ
파찰음	ㅈ, ㅉ, ㅊ

↓ 소리의 세기에 따른 분류

예사소리	ㄱ, ㄷ, ㅂ, ㅅ, ㅈ
된소리	ㄲ, ㄸ, ㅃ, ㅆ, ㅉ
□□소리	ㅋ, ㅌ, ㅍ, ㅊ

3 모음의 체계

학습 포인트

❶ 단모음과 이중 모음의 개념 ❷ 단모음의 분류 기준

1 입술의 모양과 혀의 위치를 생각하면서 제시된 모음을 발음해 보자.

(1) 'ㅏ'와 'ㅑ'를 소리 내어 읽어 보고, 그 차이를 생각해 보자.

• 발음하는 중에 입과 턱이 일정한 모양으로 고정되어 있는 모음 → 답 ㅏ

• 발음하는 중에 입이 크게 벌어지고, 턱이 아래로 움직이는 모음 → 답 ㅑ

간단 체크 활동 문제

중요

10 다음 중 발음할 때 소리의 세기가 비슷한 자음끼리 바르게 묶은 것은?

① ㄱ, ㄷ, ㅍ
② ㅂ, ㅃ, ㅍ
③ ㅅ, ㅈ, ㅉ
④ ㅅ, ㅈ, ㅋ, ㅊ
⑤ ㅋ, ㅌ, ㅍ, ㅊ

11 다음 자음 중, 〈보기〉의 설명에 해당하는 것은?

| 보기 |
성대 주위의 근육을 긴장시켜 내는 소리 중, 숨이 적게 터져 나오는 소리

① ㄷ ② ㅈ
③ ㅆ ④ ㅌ
⑤ ㅊ

12 다음 모음에 대한 설명으로 가장 적절한 것은?

ㅑ

① 공기의 방해를 받으며 나오는 소리이다.
② 발음할 때 입안이나 코안이 울리지 않는다.
③ 발음하는 중에 입이 벌어지고 턱이 아래로 움직인다.
④ 소리를 낼 때 입술의 모양과 혀의 위치가 변하지 않는다.
⑤ 소리 나는 위치에 따라 분류하면 '잇몸소리'에 해당한다.

(2) 보기의 모음을 소리 낼 때 입술의 모양이나 혀의 위치가 변하지 않는 모음과 변하는 모음으로 구분해 보자.

보기

ㅏ, ㅑ, ㅓ, ㅕ, ㅗ, ㅛ, ㅜ, ㅠ, ㅡ, ㅣ,
ㅐ, ㅒ, ㅔ, ㅖ, ㅘ, ㅙ, ㅚ, ㅝ, ㅞ, ㅟ, ㅢ

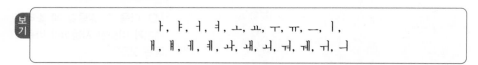

변하지 않는 모음	변하는 모음
ㅏ, ㅓ, 답 ㅐ, ㅔ, ㅗ, ㅚ, ㅜ, ㅟ, ㅡ, □	ㅑ, ㅕ, 답 ㅒ, ㅖ, ㅘ, ㅙ, ㅛ, ㅝ, ㅞ, ㅠ, ㅢ
⋮	⋮
단모음	**이중 모음**

2 제시된 단모음을 발음해 보면서 입술의 모양, 혀의 최고점의 위치, 혀의 높이에 따라 단모음을 구분해 보자.

ㅏ, ㅐ, ㅓ, ㅔ, ㅗ, ㅚ, ㅜ, ㅟ, ㅡ, ㅣ

(1) 다음 입술 모양에 따라 단모음을 나누어 써 보자.

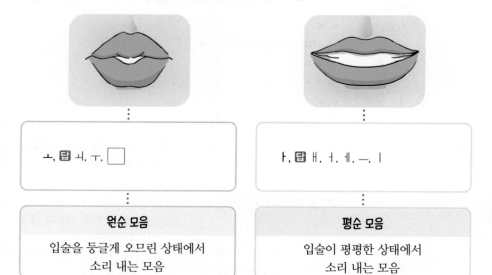

ㅗ, 답 ㅚ, ㅜ, □

원순 모음

입술을 둥글게 오므린 상태에서 소리 내는 모음

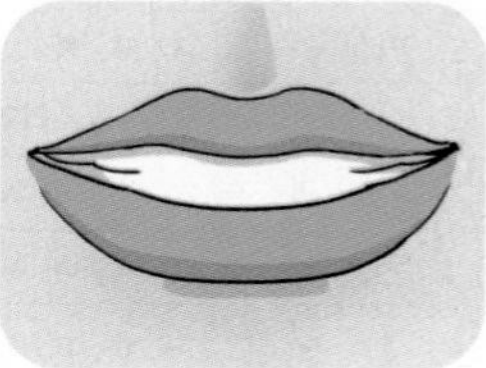

ㅏ, 답 ㅐ, ㅓ, ㅔ, ㅡ, ㅣ

평순 모음

입술이 평평한 상태에서 소리 내는 모음

간단 체크 활동 문제

중요

13 다음 중 발음할 때 입술의 모양이나 혀의 위치가 변하지 않는 것은?

① ㅒ ② ㅟ
③ ㅘ ④ ㅞ
⑤ ㅢ

14 발음할 때의 입술 모양을 기준으로 〈보기〉의 모음을 바르게 분류한 것은?

보기
ㅏ, ㅓ, ㅗ, ㅚ, ㅜ, ㅡ, ㅣ

① ㅏ, ㅓ, ㅗ, ㅡ / ㅚ, ㅜ, ㅣ
② ㅏ, ㅓ, ㅗ, ㅜ / ㅚ, ㅡ, ㅣ
③ ㅏ, ㅓ, ㅡ, ㅣ / ㅗ, ㅚ, ㅜ
④ ㅏ, ㅗ, ㅡ, ㅣ / ㅓ, ㅚ, ㅜ
⑤ ㅏ, ㅗ, ㅜ, ㅣ / ㅓ, ㅚ, ㅡ

15 다음 중 원순 모음에 해당하지 않는 것은?

① ㅗ ② ㅜ
③ ㅚ ④ ㅓ
⑤ ㅟ

(2) 제시된 단모음을 발음할 때 혀의 최고점이 어디에 위치하는지 알맞은 말에 ○표를 해 보자.

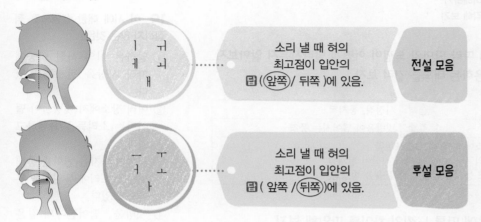

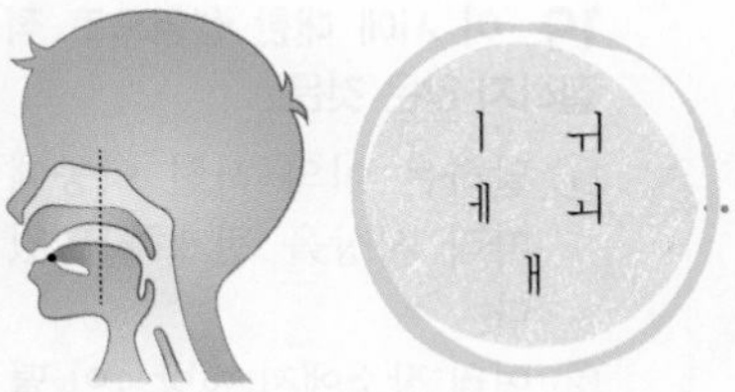

소리 낼 때 혀의 최고점이 입안의 답 (앞쪽 / 뒤쪽)에 있음. → **전설 모음**

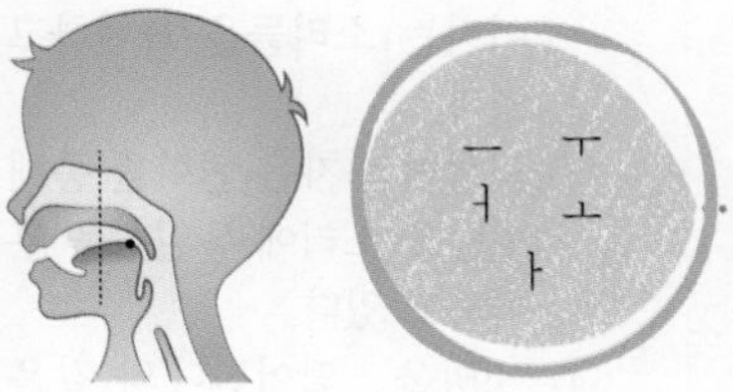

소리 낼 때 혀의 최고점이 입안의 답 (앞쪽 / 뒤쪽)에 있음. → **후설 모음**

(3) 제시된 단모음을 발음할 때 혀의 높이가 어떻게 되는지 알아보고 알맞게 선을 연결해 보자.

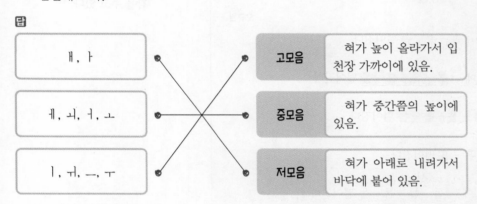

답

모음	연결	설명
ㅐ, ㅏ	저모음	혀가 아래로 내려가서 바닥에 붙어 있음.
ㅔ, ㅚ, ㅓ, ㅗ	중모음	혀가 중간쯤의 높이에 있음.
ㅣ, ㅟ, ㅡ, ㅜ	고모음	혀가 높이 올라가서 입천장 가까이에 있음.

학습콕

❶ **단모음과 이중 모음의 개념**

단모음	발음할 때 입술이나 혀가 고정되어 움직이지 않는 모음 → ㅏ, ㅐ, ㅓ, ㅔ, ㅗ, ㅚ, ㅜ, ㅟ, ㅡ, ㅣ
이중 모음	발음할 때 입술이나 혀가 움직이는 모음 → ㅑ, ㅒ, ㅕ, ㅖ, ㅘ, ㅙ, ㅛ, ㅝ, ㅞ, ㅠ, ㅢ

❷ **단모음의 분류 기준**

• □□의 모양에 따른 구분

원순 모음	발음할 때 입술을 둥글게 오므리는 모음 → ㅗ, ㅚ, ㅜ, ㅟ
평순 모음	발음할 때 입술을 평평하게 하는 모음 → ㅏ, ㅐ, ㅓ, ㅔ, ㅡ, ㅣ

• 혀의 최고점의 위치에 따른 구분

□□ 모음	발음할 때 혀가 입천장의 중간점을 기준으로 앞쪽에 있는 모음 → ㅐ, ㅔ, ㅚ, ㅟ, ㅣ
□□ 모음	발음할 때 혀가 입천장의 중간점을 기준으로 뒤쪽에 있는 모음 → ㅏ, ㅓ, ㅗ, ㅜ, ㅡ

• 혀의 높이에 따른 구분

고모음	발음할 때 입이 조금 열려서 혀의 위치가 높은 모음 → ㅣ, ㅟ, ㅡ, ㅜ
중모음	발음할 때 입이 더 열려서 혀의 위치가 중간인 모음 → ㅔ, ㅚ, ㅓ, ㅗ
저모음	발음할 때 입이 크게 열려서 혀의 위치가 낮은 모음 → ㅐ, □

간단 체크 활동 문제

16 다음 중 발음할 때 혀의 최고점이 입안의 뒤쪽에 있는 모음을 모두 찾아 쓰시오.

ㅣ, ㅡ, ㅗ, ㅔ, ㅐ, ㅚ

17 다음 중 발음할 때 혀의 높이가 가장 낮은 것은?

① ㅟ ② ㅜ
③ ㅓ ④ ㅔ
⑤ ㅐ

중요

18 다음 모음들의 공통점으로 가장 적절한 것은?

ㅜ, ㅡ, ㅣ

① 발음하는 중에 혀가 움직인다.
② 발음할 때 입술 모양에 변화가 있다.
③ 입술을 둥글게 오므린 상태에서 소리를 낸다.
④ 발음할 때 혀의 최고점이 입안의 앞쪽에 있다.
⑤ 발음할 때 혀의 높이가 입천장 가까이에 있다.

(1) 음운의 세계

적용

❶ 음운의 차이에 따른 단어의 느낌 차이 이해하기
❷ 정확한 발음의 중요성 이해하기
❸ 쉽게 발음하는 방법 생각해 보기

다음 활동을 하면서 음운의 차이에 따라 단어의 느낌이 어떻게 달라지는지 알아보자. 그리고 일상생활에서 정확하게 발음하는 태도를 길러 보자.

갈래	현대시, 자유시, 서정시	성격	서정적, 동시적
제재	빗방울	주제	빗방울이 떨어지는 풍경
특징	• 빗방울이 떨어지는 소리를 장소에 따라 다르게 표현함. • 원경에서 근경으로 말하는 이의 시선 이동에 따라 시상이 전개됨. • 동일한 소리와 단어, 문장 구조 등의 반복을 통해 운율을 형성함.		

1 다음 시를 낭송해 보고, 음운에 따른 느낌의 차이를 파악해 보자.

빗방울

오규원

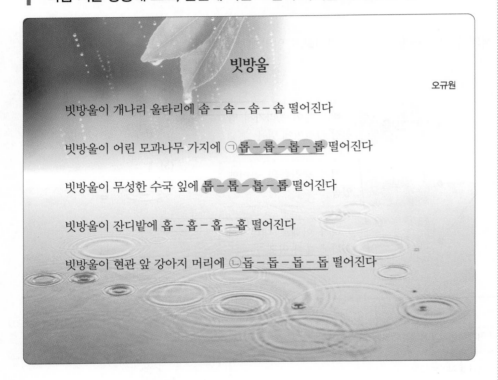

빗방울이 개나리 울타리에 솝-솝-솝-솝 떨어진다

빗방울이 어린 모과나무 가지에 ㉠롭-롭-롭-롭 떨어진다

빗방울이 무성한 수국 잎에 톱-톱-톱-톱 떨어진다

빗방울이 잔디밭에 홉-홉-홉-홉 떨어진다

빗방울이 현관 앞 강아지 머리에 ㉡돕-돕-돕-돕 떨어진다

(1) 앞에서 배운 자음의 분류 기준을 떠올리며, 이 시에서 색칠한 부분의 자음이 어떤 느낌을 주는지 이야기해 보자.

시구의 자음	분류		주는 느낌
'롭'의 'ㄹ'	• 잇몸소리 • 답 흐름소리	→	• 밝고 명랑한 느낌 • 예시 답 〉〉 빗방울이 경쾌하게 굴러가는 느낌 • 예시 답 〉〉 빗방울이 스며들듯 떨어지는 느낌
'톱'의 'ㅌ'	• 잇몸소리 • 답 □□□□	→	• 거칠고 강한 느낌 • 예시 답 〉〉 굵은 빗방울이 세게 떨어지는 느낌 • 예시 답 〉〉 빗방울이 무언가에 맞아 튕겨지는 느낌

간단 체크 활동 문제

19 이 시에 대한 설명으로 적절하지 않은 것은?

① 말하는 이의 시선 이동에 따라 시상을 전개하고 있다.
② 여러 장소에서 빗방울이 떨어지는 소리들을 표현하고 있다.
③ 의성어의 자음 변화를 통해 빗방울 소리에 통일성을 부여하고 있다.
④ '빗방울', '떨어진다'와 같은 단어를 반복하여 운율을 형성하고 있다.
⑤ 매 연마다 유사한 문장 구조를 반복하여 형태적 안정감을 주고 있다.

20 ㉠에 대한 설명으로 적절하지 않은 것은?

① 빗방울이 경쾌하게 굴러가는 느낌을 준다.
② 빗방울이 스며들듯 떨어지는 느낌을 준다.
③ 빗방울이 거칠고 강하게 떨어지는 느낌을 준다.
④ 초성에 쓰인 자음 'ㄹ'을 발음하는 방식에 따라 분류하면 '흐름소리'이다.
⑤ 초성에 쓰인 자음 'ㄹ'을 소리 나는 위치에 따라 분류하면 '잇몸소리'이다.

(2) 다음 설명을 바탕으로 시구의 모음을 바꾸어 읽었을 때, 시의 느낌이 어떻게 달라지는지 말해 보자.

모음은 소리의 밝기에 따라 분류할 수도 있다. **양성 모음**은 밝고 가볍고 작은 느낌을 주는 모음으로, 'ㅏ, ㅑ, ㅗ, ㅛ, ㅐ, ㅒ, ㅘ, ㅚ' 따위가 있다.

음성 모음은 양성 모음과 비교하여 어둡고 무겁고 큰 느낌을 주는 모음으로, 'ㅓ, ㅕ, ㅜ, ㅠ, ㅔ, ㅖ, ㅝ, ㅟ' 따위가 있다.

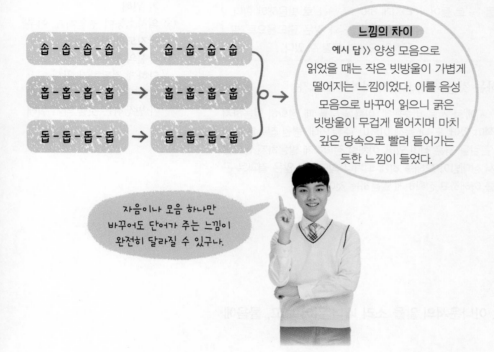

솝-솝-솝-솝 → 숩-숩-숩-숩

홉-홉-홉-홉 → 훕-훕-훕-훕

돕-돕-돕-돕 → 둡-둡-둡-둡

→ **느낌의 차이**

예시 답 》 양성 모음으로 읽었을 때는 작은 빗방울이 가볍게 떨어지는 느낌이었다. 이를 음성 모음으로 바꾸어 읽으니 굵은 빗방울이 무겁게 떨어지며 마치 깊은 땅속으로 빨려 들어가는 듯한 느낌이 들었다.

2 다음 상황을 보고, 물음에 답해 보자.

간단 체크 활동 문제

21 ㉡을 다음과 같이 바꾸어 읽었을 때 달라지는 시의 느낌을 가장 적절하게 설명한 것은?

돕-돕-돕-돕
⬇
둡-둡-둡-둡

① 어둡고 깊은 느낌에서 밝고 얕은 느낌으로 달라졌다.
② 크고 굵은 느낌에서 작고 얇은 느낌으로 달라졌다.
③ 작고 가벼운 느낌에서 크고 무거운 느낌으로 달라졌다.
④ 거칠고 강한 느낌에서 부드럽고 약한 느낌으로 달라졌다.
⑤ 부드럽고 따뜻한 느낌에서 거칠고 차가운 느낌으로 달라졌다.

22 (가), (나)의 상황에서 오해가 발생한 이유로 가장 적절한 것은?

① 청자가 표준어 규정을 알지 못해서
② 발화자가 자신의 의견만을 내세워서
③ 청자가 자음의 체계를 모르고 있어서
④ 발화자가 모음을 정확하게 발음하지 않아서
⑤ 발화자가 청자가 이해하기 어려운 단어를 사용하여 말을 전달해서

(1) ㉮, ㉯의 상황에서 오해가 발생한 이유를 쓰고, 이를 방지하기 위해서는 어떤 점에 유의하여 발음해야 하는지 말해 보자.

	오해가 발생한 이유	발음할 때 유의할 점
㉮	엄마가 'ㅗ'를 'ㅓ'로 발음하였거나 딸이 'ㅗ'를 'ㅓ'로 들어서 오해가 생겼다.	답 'ㅗ'는 □□ □□이므로 입술을 동그랗게 오므려서 발음해야 한다.
㉯	답 '김의민'이 자기 이름의 '의'를 'ㅜ'로 발음하였거나 직원이 'ㅢ'를 'ㅜ'로 들어서 오해가 생겼다.	답 'ㅢ'는 이중 모음이므로 입술 모양이나 혀의 위치를 처음과 나중이 서로 달라지게 하여 'ㅡ → ㅣ'로 발음해야 한다. 이를 'ㅡ'나 'ㅜ'와 같은 단모음으로 발음하면 오해가 생길 수 있다.

(2) 일상생활에서 정확하게 발음하는 것이 왜 중요한지 이야기해 보자.

예시 답》 친구 두 명의 이름이 '지예'와 '지애'로 서로 비슷한데, 이름을 부를 때 정확히 발음하지 않아 둘 다 돌아보는 바람에 미안했던 적이 있어. 또 내 동생 이름이 '주환'인데, 병원 접수를 대신해 준다는 게 '주한'으로 접수가 되어서 곤란을 겪은 적이 있어. 이처럼 정확하게 발음하지 않으면 의사소통이 원활하게 이루어지지 않아서 상대방이 오해를 하게 되거나 의도하지 않은 결과로 곤란을 겪을 수 있어. 따라서 음운의 체계를 이해하고 정확하게 발음하는 것이 중요해.

3 다음은 뉴스의 한 장면이다. 아나운서의 말을 소리 내어 읽어 보고, 물음에 답해 보자.

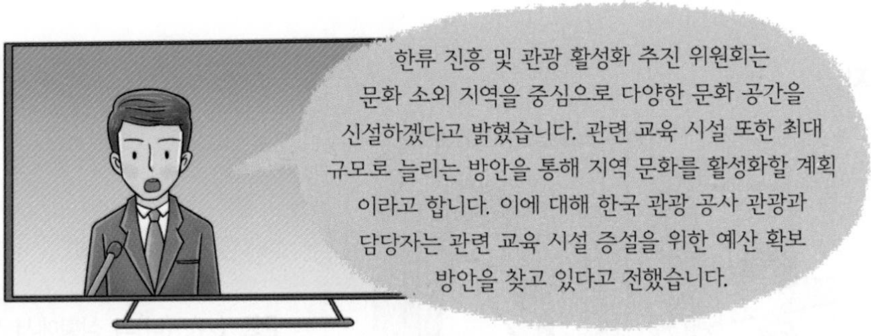
한류 진흥 및 관광 활성화 추진 위원회는
문화 소외 지역을 중심으로 다양한 문화 공간을
신설하겠다고 밝혔습니다. 관련 교육 시설 또한 최대
규모로 늘리는 방안을 통해 지역 문화를 활성화할 계획
이라고 합니다. 이에 대해 한국 관광 공사 관광과
담당자는 관련 교육 시설 증설을 위한 예산 확보
방안을 찾고 있다고 전했습니다.

(1) 발음하기 어려운 부분을 찾아보고, 앞에서 배운 음운 체계에 대한 지식을 바탕으로 그 이유를 적어 보자.

발음이 어려운 부분	발음이 어려운 이유
관광 활성화 추진 위원회	'ㅘ'라는 이중 모음이 연속으로 있어서 입을 빠르게 움직이기 어렵다.
예시 답》 관련 교육 시설	예시 답》 'ㅘ', 'ㅕ', 'ㅛ', 'ㅠ'와 같은 이중 모음이 연이어 나와서 발음하기 어렵다.
예시 답》 활성화할 계획	예시 답》 공기가 방해를 받는 소리인 자음이 받침으로 연달아 나오고, 'ㅏ'로 끝나는 이중 모음 'ㅘ' 뒤에 같은 'ㅏ' 발음인 '할'이 제시되어 있어서 이를 구분하여 발음하기 어렵다.

간단 체크 활동 문제

23 일상생활에서 정확하게 발음해야 하는 이유로 가장 적절하지 <u>않은</u> 것은?

① 상대방이 오해하지 않게 하기 위해
② 내용을 긴장감 있게 묘사하기 위해
③ 의사소통이 원활하게 이루어지도록 하기 위해
④ 자신의 생각이나 의견을 정확하게 전달하기 위해
⑤ 발화자의 의도와 다른 결과가 발생하는 것을 막기 위해

24 아나운서의 말 중, 〈보기〉의 구절이 발음하기 어려운 이유로 적절한 것은?

보기
관광 활성화 추진 위원회

① 낯선 외래어가 많이 사용되어서
② 고모음에서 저모음으로 바뀔 때 입을 벌리기 어려워서
③ 소리의 길이에 따라 의미가 달라지는 단어가 많이 쓰여서
④ 이중 모음이 연속으로 있어 입을 빠르게 움직이기 어려워서
⑤ 발음할 때 입안이나 코안이 울리지 않는 자음이 받침소리로 연속되어서

• 정답과 해설 15쪽

(2) 여러 번 반복해서 읽으면서 쉽게 발음하는 방법을 익혀 보고, 자신의 방법을 짝과 공유해 보자.

- 혀를 가운데 입천장에 놓고 있다가 빠르게 움직인다.
- **예시 답》** 한 글자씩 끊어서 천천히 읽는다.
- **예시 답》** 입을 크게 움직이면서 또박또박 읽는다.

지식 사전

소리의 길이에 따라 뜻이 달라지는 단어

국어에는 같은 모음이라 하더라도 다음의 예와 같이 소리의 길이가 길고 짧음에 따라 단어의 뜻이 구별되는 경우가 있다.

예 하늘을 보다가 눈[눈]에 눈[눈:]이 들어갔다.
추운 밤[밤]에 따뜻하게 구운 밤[밤:]을 먹었다.
말[말]을 타고 달리다 천천히 가라는 말[말:]을 들었다.

⬇

소리의 길이에 따라 단어의 뜻이 달라진다는 점에서 소리의 길이가 곧 음운의 역할을 한다고 볼 수 있음.

간단 체크 활동 문제

25 **쉽고 정확하게 발음하는 방법을 익히기 위해 연습한 내용으로 적절하지 않은 것은?**

① 입을 크게 움직이면서 또박또박 읽는 연습을 해 보았어.
② 발음하기 어려운 부분은 한 글자씩 끊어서 천천히 읽으며 연습해 보았어.
③ 최대한 아나운서처럼 빠르게 발음하는 것을 목표로 하여 연습해 보았어.
④ 혀를 가운데 입천장에 놓고 있다가 빠르게 움직이며 발음을 연습해 보았어.
⑤ 모음 체계를 떠올리며 발음하기 어려운 이유를 파악한 후에 반복적으로 연습해 보았어.

활동 마당

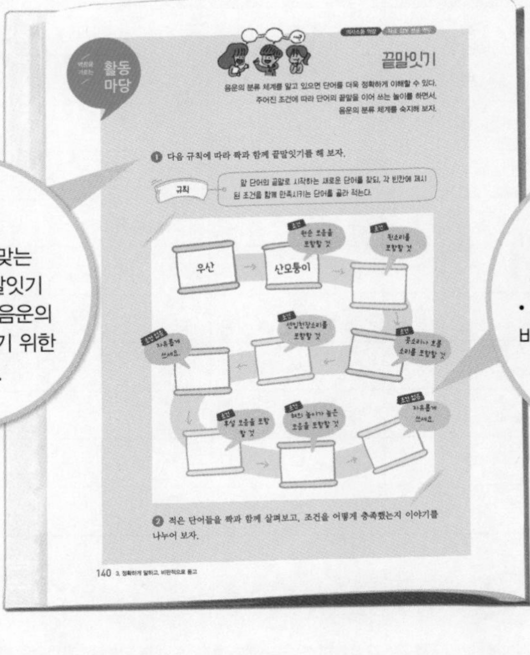

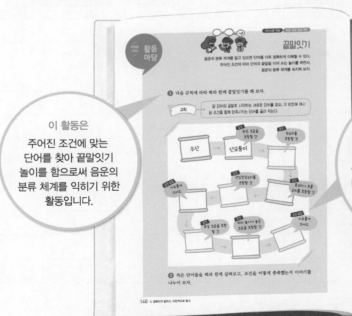

이 활동은
주어진 조건에 맞는 단어를 찾아 끝말잇기 놀이를 함으로써 음운의 분류 체계를 익히기 위한 활동입니다.

시험에는
• 주어진 음운의 조건을 충족하는 단어를 찾는 문제
• 제시된 단어에 사용된 음운을 바르게 분석한 것을 찾는 문제
등이 출제될 수 있습니다.

압축 파일

음운의 개념 및 종류

개념	말의 ❶ □을 구별해 주는 소리의 가장 작은 단위	
종류	자음	공기가 방해를 받으며 나오는 소리 예 ㄱ, ㄲ, ㄴ, ㄷ, ㄸ, ㄹ, ㅁ 등
	❷ □□	공기가 그대로 흘러나오는 소리 예 ㅏ, ㅐ, ㅓ, ㅔ, ㅗ, ㅚ 등

자음의 체계

• 소리 나는 위치에 따른 분류

입술소리	ㅁ, ㅂ, ㅃ, ㅍ
❸ □□소리	ㄴ, ㄷ, ㄸ, ㅌ, ㄹ, ㅅ, ㅆ
센입천장소리	ㅈ, ㅉ, ㅊ
여린입천장소리	ㄱ, ㄲ, ㅋ, ㅇ
목청소리	ㅎ

• 발음하는 방식에 따른 분류

입안이나 코안이 울리면서 나는 소리	
콧소리	ㄴ, ㅁ, ㅇ
흐름소리	❹ □

입안이나 코안이 울리지 않는 소리	
파열음	ㄱ, ㄲ, ㅋ, ㄷ, ㄸ, ㅌ, ㅂ, ㅃ, ㅍ
마찰음	ㅅ, ㅆ, ㅎ
파찰음	ㅈ, ㅉ, ㅊ

• 소리의 세기에 따른 분류

예사소리	ㄱ, ㄷ, ㅂ, ㅅ, ㅈ
된소리	ㄲ, ㄸ, ㅃ, ㅆ, ㅉ
❺ □□소리	ㅋ, ㅌ, ㅍ, ㅊ

자음 체계표

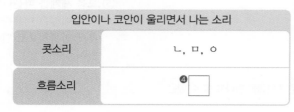

발음하는 방식 \ 소리 나는 위치		입술소리	잇몸소리	센입천장소리	여린입천장소리	❻ □□소리
파열음	예사소리	ㅂ	ㄷ		ㄱ	
	된소리	ㅃ	ㄸ		ㄲ	
	거센소리	ㅍ	ㅌ		ㅋ	
파찰음	예사소리			ㅈ		
	된소리			ㅉ		
	거센소리			ㅊ		
마찰음	예사소리		ㅅ			
	된소리		ㅆ			ㅎ
	거센소리					
콧소리		ㅁ	ㄴ		ㅇ	
흐름소리			ㄹ			

모음의 체계

• 단모음과 이중 모음

단모음	발음할 때 입술이나 혀가 고정되어 움직이지 않는 모음	ㅏ, ㅐ, ㅓ, ㅔ, ㅗ, ㅚ, ㅜ, ㅟ, ㅡ, ㅣ
이중 모음	발음할 때 입술이나 혀가 움직이는 모음	ㅑ, ㅒ, ㅕ, ㅖ, ㅘ, ㅙ, ㅛ, ㅝ, ㅞ, ㅠ, ㅢ

• 단모음의 분류

입술의 모양에 따른 구분	원순 모음	발음할 때 입술을 둥글게 오므리는 모음	ㅗ, ㅚ, ㅜ, ㅟ
	❼ ☐☐ 모음	발음할 때 입술을 평평하게 하는 모음	ㅏ, ㅐ, ㅓ, ㅔ, ㅡ, ㅣ
혀의 최고점의 위치에 따른 구분	전설 모음	발음할 때 혀의 최고점이 입안의 앞쪽에 있는 모음	ㅐ, ㅔ, ㅚ, ㅟ, ㅣ
	후설 모음	발음할 때 혀의 최고점이 입안의 뒤쪽에 있는 모음	ㅏ, ㅓ, ㅗ, ㅜ, ㅡ
혀의 높이에 따른 구분	고모음	발음할 때 입이 조금 열려서 혀의 위치가 높은 모음	ㅣ, ㅟ, ㅡ, ㅜ
	중모음	발음할 때 입이 더 열려서 혀의 위치가 중간인 모음	ㅔ, ㅚ, ㅓ, ㅗ
	저모음	발음할 때 입이 크게 열려서 혀의 위치가 낮은 모음	ㅐ, ㅏ

모음 체계표

혀의 최고점의 위치 / 입술의 모양 / 혀의 높이	전설 모음		후설 모음	
	평순 모음	원순 모음	평순 모음	원순 모음
고모음	ㅣ	ㅟ	❽ ☐	ㅜ
중모음	ㅔ	ㅚ	ㅓ	ㅗ
저모음	ㅐ		ㅏ	

음운의 느낌 차이

• 자음의 소리 세기에 따른 느낌 차이

예사소리	된소리	거센소리
된소리와 거센소리에 비해 작고 약하고 가볍고 부드러운 느낌 예 졸랑졸랑	예사소리에 비해 강하고 단단한 느낌 예 쫄랑쫄랑	예사소리에 비해 크고 거친 느낌 예 촐랑촐랑

• 모음의 소리 밝기에 따른 느낌 차이

❾ ☐☐ 모음	'ㅏ, ㅑ, ㅗ, ㅛ, ㅐ, ㅒ, ㅘ, ㅚ' 등으로 밝고 가볍고 작은 느낌 예 솝-숍-솝-솝
음성 모음	'ㅓ, ㅕ, ㅜ, ㅠ, ㅔ, ㅖ, ㅝ, ㅟ' 등으로 어둡고 무겁고 큰 느낌 예 숩-숩-숩-숩

시험에 나오는 소단원 문제

01 국어의 음운에 대한 설명으로 적절하지 않은 것은?

① 음운의 종류에는 자음과 모음이 있다.
② 말의 뜻을 구별해 주는 소리의 단위이다.
③ 모음은 공기가 그대로 흘러나오는 소리이다.
④ 자음은 모음 없이 홀로 소리 낼 수 있는 음운이다.
⑤ 음운에 따라 소리 낼 때의 느낌이 달라질 수 있다.

학습 활동 응용

02 다음 그림의 ❶~❺의 위치에서 소리 나는 자음을 연결한 것이 적절하지 않은 것은?

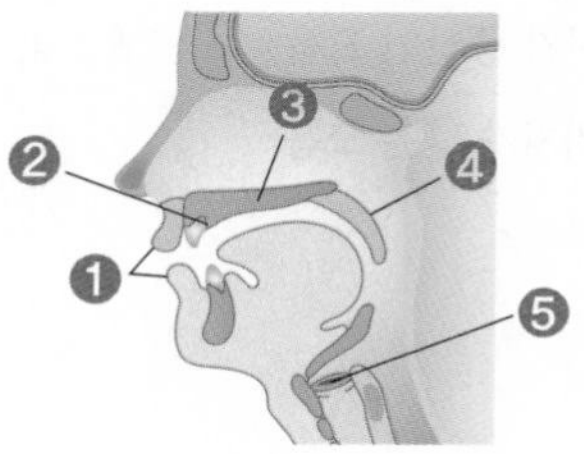

① ❶ – ㅍ ② ❷ – ㄷ ③ ❸ – ㅅ
④ ❹ – ㅇ ⑤ ❺ – ㅎ

03 〈보기〉에서 설명하는 자음의 이름과 해당하는 자음을 바르게 묶은 것은?

보기
혀의 뒷부분과 입천장 뒤쪽의 부드러운 부분 사이에서 나는 소리

①	입술소리	ㅁ
②	잇몸소리	ㄴ
③	목청소리	ㅎ
④	센입천장소리	ㅈ
⑤	여린입천장소리	ㄱ

서술형

04 발음할 때 입안이나 코안이 울리는 자음 4가지를 모두 쓰시오.

학습 활동 응용

05 〈보기〉에서 받침을 발음할 때 소리가 딱딱하고 막힌 느낌이 드는 단어를 모두 골라 바르게 묶은 것은?

보기
박, 반, 발, 밤, 밥, 방, 밭

① 박, 반, 밥 ② 박, 밥, 밭
③ 반, 발, 밤 ④ 밤, 밥, 밭
⑤ 밥, 방, 밭

06 다음 〈조건〉을 모두 충족하는 자음에 해당하는 것은?

조건
① 혀끝과 윗니의 뒷부분, 윗잇몸 사이에서 나는 소리
② 혀끝을 잇몸에 대었다 떼거나, 잇몸에 댄 채 공기를 그 양옆으로 흘려보내면서 내는 소리

① ㄴ ② ㄹ ③ ㅁ ④ ㅂ ⑤ ㅎ

학습 활동 응용

07 〈보기〉의 단어들을 발음할 때 드는 느낌에 대해 이야기한 내용으로 적절한 것은?

보기
㉠ 단단하다 – ㉡ 딴딴하다 – ㉢ 탄탄하다

① ㉠은 ㉡, ㉢에 비해 강한 느낌이 들어.
② ㉡은 ㉠, ㉢에 비해 부드러운 느낌이 들어.
③ ㉢은 ㉠, ㉡에 비해 거친 느낌이 들어.
④ ㉠, ㉡은 ㉢에 비해 무거운 느낌이 들어.
⑤ ㉡, ㉢은 ㉠에 비해 작고 약한 느낌이 들어.

08 다음 중 가장 가볍고 부드러운 느낌이 드는 단어는?

① 삥삥 ② 캄캄 ③ 출렁출렁
④ 칙칙폭폭 ⑤ 잘랑잘랑

09 다음 중 자음의 종류와 예의 연결이 적절하지 않은 것은?

	자음의 종류	예
①	입안의 통로를 막고 코로 공기를 내보내면서 내는 콧소리	ㅁ
②	공기의 흐름을 잠시 막았다가 그 막은 자리를 터트리면서 내는 파열음	ㅂ
③	성대 주위의 근육을 긴장시켜 내는 소리 중, 숨이 적게 터져 나오는 된소리	ㄸ
④	성대 주위의 근육을 긴장시켜 내는 소리 중, 숨이 거세게 터져 나오는 거센소리	ㅍ
⑤	입안이나 목청 사이의 통로를 좁혀 그 틈 사이로 공기를 내보내어 마찰을 일으키면서 내는 마찰음	ㅉ

학습 활동 응용

10 다음 중 소리를 낼 때 입술이나 혀가 고정되어 움직이지 않는 모음끼리 바르게 묶인 것은?

① ㅓ, ㅗ, ㅔ, ㅚ, ㅟ
② ㅗ, ㅜ, ㅔ, ㅞ, ㅢ
③ ㅡ, ㅣ, ㅚ, ㅒ, ㅢ
④ ㅐ, ㅔ, ㅟ, ㅖ, ㅙ
⑤ ㅛ, ㅕ, ㅘ, ㅝ, ㅞ

11 다음 중 이중 모음을 포함하고 있는 단어가 아닌 것은?

① 과자 ② 의사 ③ 요리
④ 외갓집 ⑤ 유리창

학습 활동 응용

12 〈보기〉의 모음 중, 입술이 평평한 상태에서 소리 내는 모음을 모두 골라 묶은 것은?

보기
ㅏ, ㅗ, ㅜ, ㅐ, ㅟ, ㅡ, ㅣ

① ㅏ, ㅗ, ㅐ, ㅟ ② ㅏ, ㅐ, ㅡ, ㅣ
③ ㅗ, ㅜ, ㅐ, ㅡ ④ ㅗ, ㅜ, ㅟ, ㅡ, ㅣ
⑤ ㅏ, ㅗ, ㅐ, ㅡ, ㅣ

13 단모음을 다음과 같이 분류했을 때, 그 기준으로 가장 적절한 것은?

ㅣ, ㅟ, ㅔ, ㅚ, ㅐ / ㅡ, ㅜ, ㅓ, ㅗ, ㅏ

① 발음할 때 혀의 높이
② 발음할 때 소리의 세기
③ 발음할 때 입술의 모양
④ 발음할 때 소리 나는 위치
⑤ 발음할 때 혀의 최고점의 위치

서술형

14 다음 ㉠의 위치에 들어갈 모음이 포함된 단어를 〈보기〉에서 모두 골라 쓰시오.

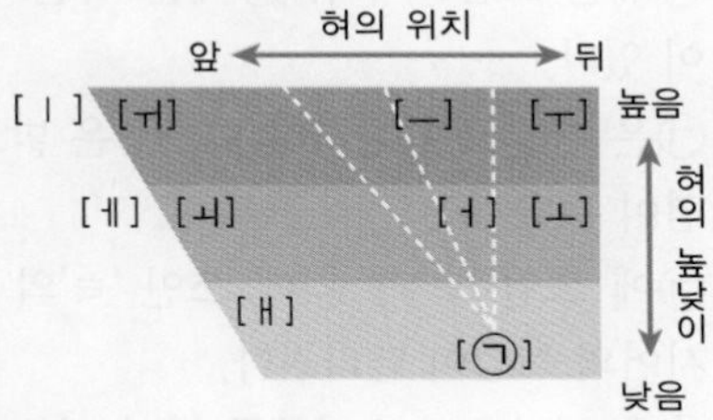

보기
구렁이, 무궁화, 대나무, 선풍기, 바가지

15 다음에 제시된 모음에 대한 설명으로 적절하지 않은 것은?

ㅗ

① 단모음과 이중 모음 중 단모음에 해당한다.
② 고모음, 중모음, 저모음 중 중모음에 해당한다.
③ 밝고 가볍고 작은 느낌을 주는 양성 모음에 해당한다.
④ 입술 모양에 따라 분류할 경우 평순 모음에 해당한다.
⑤ 소리 낼 때 혀의 최고점의 위치가 입안의 뒤쪽에 있는 모음이다.

16~18 다음 시를 읽고, 물음에 답하시오.

빗방울이 개나리 울타리에 솝-솝-솝-솝 떨어진다
빗방울이 어린 모과나무 가지에 ㉠롭-롭-롭-롭 떨어진다
빗방울이 무성한 수국 잎에 ㉡톱-톱-톱-톱 떨어진다
빗방울이 잔디밭에 홉-홉-홉-홉 떨어진다
빗방울이 현관 앞 강아지 머리에 돕-돕-돕-돕 떨어진다

학습 활동 응용

16 ㉠과 ㉡에 대한 설명으로 적절하지 <u>않은</u> 것은?

① ㉠과 ㉡에는 모두 잇몸소리가 포함되어 있다.
② ㉠에는 흐름소리가, ㉡에는 거센소리가 포함되어 있다.
③ ㉠은 거칠고 강한 느낌이, ㉡은 밝고 명랑한 느낌이 든다.
④ ㉠에 쓰인 'ㄹ'과 ㉡에 쓰인 'ㅌ'의 차이 때문에 시어의 느낌이 달라진다.
⑤ ㉠은 빗방울이 스며들듯 떨어지는 느낌이, ㉡은 빗방울이 무언가에 맞아 튕겨지는 느낌이 든다.

학습 활동 응용

17 이 시의 시구를 〈보기〉와 같이 바꾸어 읽었을 때의 감상을 이야기한 내용으로 적절하지 <u>않은</u> 것은?

보기
솝-솝-솝-솝 ➡ 숩-숩-숩-숩
홉-홉-홉-홉 ➡ 훕-훕-훕-훕
돕-돕-돕-돕 ➡ 둡-둡-둡-둡

① 모음 'ㅜ'는 'ㅗ'에 비해 무겁고 큰 느낌을 주는군.
② 자음 소리의 밝기에 따라 시구의 의미가 전혀 달라질 수 있군.
③ 모음 하나만 바꾸어도 단어가 주는 느낌이 완전히 달라질 수 있군.
④ 작은 빗방울이 떨어지는 느낌에서 굵은 빗방울이 떨어지는 느낌으로 바뀌었군.
⑤ 빗방울이 무겁게 떨어지며 마치 깊은 땅속으로 빨려 들어가는 듯한 느낌으로 바뀌었군.

18 이 시의 시어 중, 〈보기〉의 조건을 모두 만족하는 자음을 포함한 것은?

보기
잇몸소리, 파열음, 거센소리

① 빗방울 ② 개나리 ③ 울타리
④ 강아지 ⑤ 모과나무

학습 활동 응용

19 다음 상황에서 대화 상대방이 오해하는 것을 방지하기 위한 방법으로 가장 적절한 것은?

① 'ㅗ'를 입술을 동그랗게 오므려서 발음해야 한다.
② 'ㅁ'을 입안이나 코안이 울리지 않도록 발음해야 한다.
③ 'ㅡ'를 입술 모양이나 혀의 위치를 변화시키며 발음해야 한다.
④ 'ㄱ'을 혓바닥과 입천장 앞쪽의 단단한 부분 사이에서 발음해야 한다.
⑤ 'ㅊ'을 성대 주위의 근육을 긴장시키되 숨을 적게 터져 나오게 하며 발음해야 한다.

20 〈보기〉의 음운에 대한 설명으로 적절하지 <u>않은</u> 것은?

보기
관광 활성화

① 'ㅎ'은 목청소리에 해당한다.
② 'ㅓ'는 평순 모음이면서 후설 모음이다.
③ 이중 모음 'ㅘ'가 연속적으로 이어진다.
④ 발음할 때 입안이나 코안이 울리는 자음인 'ㄴ', 'ㄹ', 'ㅇ'이 받침소리로 쓰였다.
⑤ 'ㄱ'과 'ㅅ'은 혀의 뒷부분과 입천장 뒤쪽의 부드러운 부분 사이에서 나는 소리이다.

• 정답과 해설 17쪽

연설이란

청중을 설득하려는 목적으로 격식을 갖추어 말하는 공적인 화법이다.

연설의 설득 전략

인성적 설득 전략	연설자가 자신의 됨됨이나 전문성을 바탕으로 청중이 연설에 신뢰를 갖게 하는 전략
이성적 설득 전략	연설자가 자신의 주장에 대한 타당한 근거를 들어 청중을 논리적으로 설득하는 전략 → 연설자는 다양한 논증 방법을 활용하며, 통계 자료나 전문가의 의견, 역사적 사실 등을 근거로 제시함.
감성적 설득 전략	연설자가 청중의 욕망이나 자긍심, 동정심, 분노 등의 감정에 호소하여 청중을 설득하는 전략 → 연설자는 청중의 마음을 움직일 수 있는 구체적인 사례나 상황 등을 제시하여 청중에게 감동을 줌.

연설에 사용된 설득 전략의 타당성 판단 기준

청중은 연설에 사용된 설득 전략의 타당성을 판단하며 비판적 듣기를 해야 함.

타당성 판단 기준	• 연설의 주제와 목적에 맞는 설득 전략을 사용하였는가? • 청중의 나이와 지식수준, 관심과 요구를 고려한 설득 전략을 사용하였는가? • 청중의 신념, 행동을 변화시킬 수 있는 설득 전략을 사용하였는가?

청중의 관심과 요구를 고려하여 연설하는 과정

주제 선정	연설자가 연설하고 싶은 주제를 정함.
청중 설정 및 분석	예상 청중의 나이, 지식수준, 관심, 요구 등을 분석함.
설득 전략 마련	인성적 설득 전략, 이성적 설득 전략, 감성적 설득 전략 등 연설의 주제와 청중에 맞는 구체적인 설득 전략을 마련함.
개요 작성	• 설득 전략의 내용을 구체화하여 연설의 짜임을 생각함. • 연설의 짜임에 따라 '서론 – 본론 – 결론'에 맞게 개요를 작성함.
연설문 작성	청중의 관심과 요구를 고려하여, 계획한 설득 전략이 잘 드러날 수 있는 연설문을 작성함.
연설 연습	준비한 연설문을 바탕으로 준언어적(목소리 크기, 말의 속도, 어조 등)·비언어적 표현(표정, 몸동작 등)을 사용하며 연설을 연습함.
연설 및 평가	연설자는 준비한 연설을 하고, 청중은 평가 기준에 따라 연설 내용, 설득 전략, 준언어적·비언어적 표현 등을 평가함.

간단 체크 개념 문제

1 다음 설명이 맞으면 ○표, 틀리면 ×표 하시오.

(1) 연설은 청중에게 정보를 전달하려는 목적으로 말하는 사적인 화법이다. ( )

(2) 연설자가 주장에 대한 타당한 근거를 들어 청중을 설득하는 전략은 '이성적 설득 전략'이다. ( )

(3) 청중은 연설에서 사용된 설득 전략을 무조건 수용하며 들어야 한다. ( )

2 다음 빈칸에 들어갈 알맞은 말을 쓰시오.

> □□□ 설득 전략이란 연설자가 청중의 감정에 호소하여 청중을 설득하려는 전략을 말한다.

3 연설을 준비하는 과정에 대한 설명으로 적절하지 않은 것은?

① 예상 청중의 나이와 지식수준 등을 분석한다.
② 연설의 주제에 맞는 구체적인 전략을 마련한다.
③ 연설의 짜임에 따라 '서론 – 본론 – 결론'으로 개요를 작성한다.
④ 청중의 관심과 요구를 고려하고, 설득 전략이 드러나도록 연설문을 작성한다.
⑤ 자연스러운 연설을 하기 위해 준언어적·비언어적 표현을 최대한 사용하지 않고 연습한다.

교과서 143쪽~145쪽

(2)

설득 전략이 담긴 연설 _

세상을 바꾸는 실패와 상상력

학습 목표
- 설득 전략을 비판적으로 분석하며 들을 수 있다.
- 청중의 관심과 요구를 고려하여 말할 수 있다.

조앤 K. 롤링(1965~)
영국의 소설가. 어려운 환경에서도 글쓰기를 멈추지 않은 끝에 1997년에 출간한 「해리포터와 마법사의 돌」이 세계적으로 인기를 끌어 큰 명성을 얻었다.

서론 학습 포인트

❶ 연설의 성격과 목적 및 청중의 특성
❷ 연설자가 청중에게 전달하고자 하는 주요 내용 소개

가 우선 제게 이런 특별한 시간을 주신 대학교 측에 감사하다는 말씀을 드리고 싶습니다. 오늘 졸업생 여러분 앞에서 무슨 이야기를 해야 할지 고민을 많이 했습니다. 그래서 대학교를 졸업하던 당시에 제가 느꼈던 감정은 무엇인지, 졸업 이후 지금에 이르기까지 제가 얻은 교훈은 무엇인지 곰곰이 생각해 보았습니다. 그리고 두 가지 답을 얻었습니다. 저는 더 큰 세상으로 나아가는 출발점에 서 있는 여러분에게 '실패가 주는 혜택'과 '상상력의 중요성'을 말씀드리고 싶습니다.

학습콕 서론 | 소주제: 인사 및 연설할 내용 소개

❶ 연설의 성격과 목적 및 청중의 특성

성격	대학교 졸업 축사
목적	연설자 조앤 K. 롤링이 지금까지 살아오면서 얻은 교훈을 졸업생들에게 전달하기 위함.
청중의 특성	사회로 나아가는 출발점에 서 있는 대학 졸업 예정자

❷ 연설자가 청중에게 전달하고자 하는 주요 내용 소개

연설의 주요 내용		연설의 내용을 선정할 때 고려한 점
• □□가 주는 혜택 • □□□의 중요성	➡	연설자는 연설의 성격과 목적, 청중의 관심과 요구를 고려하여 연설의 주제를 선정함.

본론 학습 포인트

❶ 연설의 주요 내용 ① – 실패가 주는 혜택
❷ 연설의 주요 내용 ② – 상상력의 중요성

나 제가 여러분 나이 때 가장 두려워했던 것은 실패였습니다. 그런데 대학을 졸업한 후 7년 동안, 저는 계속 실패만 했습니다. 결혼 생활이 짧게 끝났고, 번듯한 직장을 다닌 것도 아니어서 경제적으로 매우 어려웠습니다. 어떤 기준으로 보더라도 실패한 사람이었지요. 당시에는 이러한 암흑과도 같은 터널을 얼마나 오랫동안 가야 끝이 날지 전혀 알 수 없었습니다. 터널 끝에 한 줄기 빛이 들기를 바랄 뿐이었지만, 현실은 녹록지(만만하고 상대하기 쉽지) 않았습니다.

다 그런데도 저는 왜 '실패가 주는 혜택'을 말하려고 할까요? 그것은 이러한 실패를 경험하면서 삶의 군더더기(쓸데없이 덧붙은 것)를 없앨 수 있었기 때문입니다. 연이은 실패로 제게 남은 것은 많지 않았지만 사랑하는 딸과 낡은 타자기, 그리고 어떤 아이디어가 있었습니다. 저는 실패한 제 자신을 있는 그대로 받아들이고, 저에게 가장 중요한 단 한 가지 일에 에너지를 모두 쏟기 시작했습니다. 그렇게 저는 실패를 주춧돌 삼아, 그 위에 제 삶을 다시 튼튼하게 지을 수 있었습니다.

간단 체크 내용 문제

중요

01 (가)를 통해 알 수 있는 내용이 아닌 것은?

① 앞으로 이어질 연설의 주요 내용을 알 수 있다.
② 학생들의 대학교 졸업을 축하하기 위한 성격의 연설임을 알 수 있다.
③ 연설자가 자신의 경험을 통해 얻은 깨달음을 이야기할 것임을 알 수 있다.
④ 연설자가 자신과 비슷한 나이의 청중을 대상으로 연설을 준비했음을 알 수 있다.
⑤ 연설자가 청중의 관심과 요구를 고려하여 연설의 주제를 선정하였음을 알 수 있다.

02 (나), (다)에서 연설자에 대한 설명으로 적절하지 않은 것은?

① 경제적으로 어려운 시기가 있었다.
② 계속 실패해 왔지만, 실패를 두려워한 적은 없었다.
③ 결혼 생활은 짧게 끝났지만, 사랑하는 딸이 있었다.
④ 대학을 졸업한 후 한동안 번듯한 직장에 다니지 못했다.
⑤ 실패를 반복하며 한 가지 일에 온 힘을 쏟아 몰두할 수 있게 되었다.

간단 체크 어휘 문제

다음 낱말의 뜻풀이가 맞으면 ○표, 틀리면 ×표 하시오.

(1) 군더더기: 보잘것없이 평범한 것 ( )

(2) 녹록하다: 만만하고 상대하기 쉽다. ( )

라 실패는 또한 ㉠다른 곳에서 배울 수 없었던 제 자신을 알게 해 주었습니다. 실패를 딛고 일어나는 과정에서 제가 생각보다 성실하고 의지가 강하며, 제 주변에 보석보다 훨씬 더 값진 사람들이 있다는 것을 알게 되었습니다.

마 또한 실패를 극복하며 강인하고 현명해지면, 어떤 일이 있어도 헤쳐 나갈 수 있다는 자신감이 생깁니다. 시련을 겪지 않으면 스스로가 얼마나 강한지, 가까이에 있는 사람이 얼마나 소중한지 알 수 없습니다. 저는 이 깨달음을 얻기까지 혹독한 대가를 치렀지만, 이것은 매우 가치 있는 일이었습니다.

바 만약 타임머신을 타고 스물한 살이던 때로 돌아간다면 제 자신에게 이렇게 말해 주고 싶습니다. 뭔가를 얻고 성취하는 것이 삶의 전부가 아님을 깨달아야 비로소 행복할 수 있다고 말입니다. 삶은 때로는 우리 뜻대로 되지 않습니다. 그리고 아무것도 실패하지 않고 사는 것은 불가능합니다. 이 사실을 겸허히 받아들이면 그 어떤 고난도 이겨 낼 수 있습니다.

겸허히: 스스로 자신을 낮추고 비우는 태도로

사 오늘 제가 하려는 두 번째 이야기로 '상상력의 중요성'을 꼽은 이유는 무엇일까요? 제가 삶을 다시 추스르는 데 상상력이 큰 역할을 했기 때문일 거라고 여러분은 생각하실 겁니다. 그러나 그것이 다는 아닙니다. 제가 경험한 상상력의 가치는 더욱 넓은 의미의 가치입니다.

아 대학을 졸업하고 얼마 안 되어 저는 런던에 있는 ㉡국제 사면 위원회 본부의 연구 부서에서 일하면서 생활비를 벌고, 점심시간에는 짬을 내어 소설을 썼습니다. 이곳에서 일하는 수천 명의 직원들은 위기에 처한 생명을 구하고 속박당한 사람들에게 자유를 되찾아 주는 일을 하고 있었습니다. 그들은 편안하고 안정된 삶이 보장되어 있는데도, 자신들이 알지도 못하고 평생 만날 일도 없을 사람들을 구하려고 애를 썼습니다. 저는 여기에서 일하는 동안 우리가 직접 경험하지 않은 타인의 아픔에 공감하게 하는 상상력의 힘을 느낄 수 있었습니다.

국제 사면 위원회: 국제적으로 인권 옹호 활동을 펴는 비정부 인권 기구

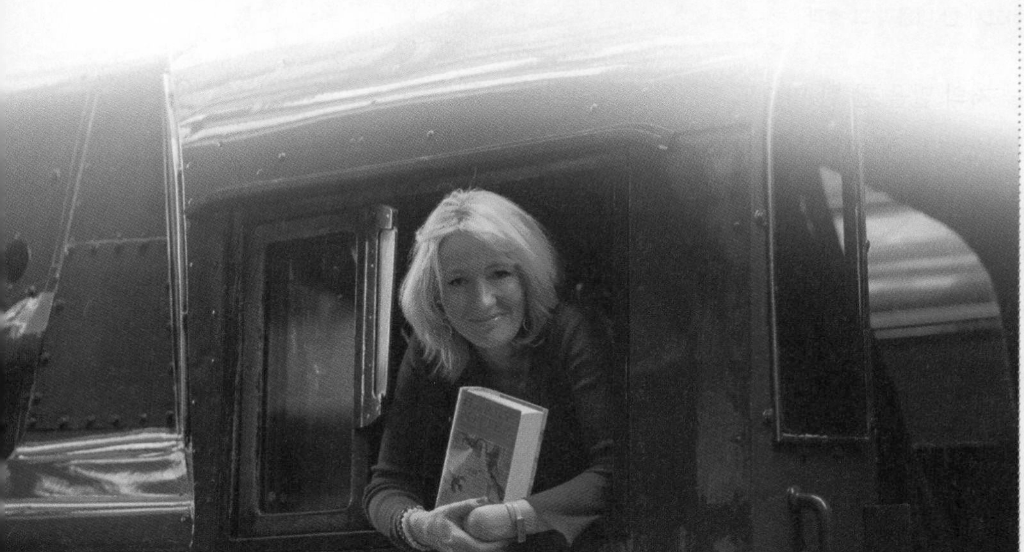

간단 체크 내용 문제

03 (중요) 연설자가 말하는 '실패가 주는 혜택'을 〈보기〉에서 모두 골라 묶은 것은?

| 보기 |
ㄱ. 삶의 군더더기를 없애 준다.
ㄴ. 자기 자신에 대해 알게 해 준다.
ㄷ. 타인의 고통까지 경험하게 해 준다.
ㄹ. 어떤 일도 헤쳐 나갈 수 있다는 자신감을 갖게 해 준다.

① ㄱ, ㄴ
② ㄴ, ㄹ
③ ㄱ, ㄴ, ㄷ
④ ㄱ, ㄴ, ㄹ
⑤ ㄴ, ㄷ, ㄹ

04 (라)에서 ㉠에 해당하는 내용을 찾아 '~것'의 형태로 쓰시오.

05 ㉡의 직원들이 하는 일로 가장 적절한 것은?

① 짬을 내어 소설을 쓰는 일
② 세상의 질서를 바로잡는 일
③ 편안하고 안정된 삶을 찾는 일
④ 속박당한 사람들에게 자유를 되찾아 주는 일
⑤ 사람들을 위기에 처하게 만드는 원인을 분석하는 일

(자) 우리는 누구나 자신뿐만이 아니라 타인의 삶에 영향을 줄 수 있습니다. 졸업생 여러분은 훌륭한 교육을 받았기 때문에 짊어진 책임도 남다르다고 봅니다. 여러분은 힘없는 사람들을 자신과 같이 여기고, 어려움에 처해 있는 사람들의 삶을 상상하는 힘을 가지세요. 그리고 여러분의 힘과 영향력을 그들을 위해 사용해 주십시오. 세상을 바꾸는 데 마법은 필요 없습니다. 우리의 마음속에는 이미 세상을 바꿀 힘이 있습니다. 우리는 더 나은 세상을 상상하고 만들 수 있는 힘이 있습니다.

학습콕 본론 | 소주제: 실패의 경험이 주는 이점과 상상력의 중요성

❶ 연설의 주요 내용 ① – 실패가 주는 혜택

혜택 1	실패의 경험이 삶의 □□□□를 없애 줌으로써 자신에게 가장 중요한 일에 에너지를 쏟을 수 있게 됨.
혜택 2	실패를 딛고 일어나는 과정에서 다른 곳에서 배울 수 없었던 자기 자신을 알게 해 주어 자신의 장점을 발견하게 되고, 주변에 값진 사람들이 있다는 것을 알게 됨.
혜택 3	실패를 극복하면서 강인함과 현명함을 얻게 되면 어떤 일이 있어도 헤쳐 나갈 수 있다는 자신감이 생김.

⬇

누구나 실패를 할 수 있다는 사실을 겸허히 받아들이면 그 어떤 고난도 이겨 낼 수 있음을 전함.

❷ 연설의 주요 내용 ② – 상상력의 중요성

연설자의 경험	국제 사면 위원회 본부에서 일하는 동안 그곳의 직원들이 직접적인 이해관계가 없는 사람들의 상황에 공감하고 이들이 처한 어려움을 해결하기 위해 애쓰는 것을 봄.
경험을 통한 깨달음	상상력에는 우리가 직접 경험하지 않은 타인의 아픔에 □□하게 하는 힘이 있음을 알게 됨.

⬇

어려움에 처한 사람들의 삶을 상상하는 힘을 기르고, 이들을 위해 청중들이 지닌 힘과 □□□을 사용하여 세상을 더 나은 곳으로 바꾸고자 노력하는 삶을 살 것을 요청함.

결론 학습 포인트

❶ 세네카의 말을 인용함으로써 전달하고자 한 내용과 그 효과

(차) 내일이 오고, 여러분이 오늘 저의 말을 단 한 마디도 기억하지 못하더라도 고대 로마의 현인이었던 세네카의 말만큼은 꼭 기억하길 바랍니다.

㉠"이야기에서는 이야기의 길이가 긴 것이 중요한 게 아니라 내용이 얼마나 훌륭한 것인지가 중요하다. 우리의 인생도 마찬가지다."

여러분은 내면이 충만한 삶을 살기를 기원합니다. 감사합니다.

학습콕 결론 | 소주제: 청중에게 당부하는 바

❶ 세네카의 말을 인용함으로써 전달하고자 한 내용과 그 효과

세네카의 말을 통해 한 편의 이야기는 그 분량이 아니라 그 안에 담고 있는 내용의 가치가 중요한 것처럼 사람도 □□이 충만한 삶, 가치 있는 삶을 사는 것이 중요하다는 의미를 전달하고자 함. ➡ 유명인의 말을 인용하여 연설의 신뢰도를 높일 수 있음.

간단 체크 내용 문제

06 (자)에서 다음 설명에 해당하는 말을 찾아 2어절로 쓰시오.

- 연설자가 중요하게 생각하는 가치
- 우리가 타인의 아픔에 공감하며 그들을 도울 수 있게 만드는 힘

중요

07 (차)에서 연설자가 '세네카'의 말을 인용한 이유로 가장 적절한 것은?

① 구체적 근거를 통해 청중을 논리적으로 설득하기 위해
② 유명인의 말을 인용함으로써 연설의 신뢰도를 높이기 위해
③ 자신의 의견을 보완함으로써 연설의 공정성을 확보하기 위해
④ 유명한 학자의 말을 통해 자신에게 부족한 전문성을 보완하기 위해
⑤ 문학적인 표현으로 연설을 끝맺음으로써 소설가로서의 자신의 능력을 드러내기 위해

08 ㉠의 의미로 가장 적절한 것은?

① 오래 사는 것이 중요하다.
② 가치 있게 사는 것이 중요하다.
③ 훌륭한 소설을 쓰는 일이 중요하다.
④ 경제적인 부를 축적하는 것이 중요하다.
⑤ 사회적으로 인정받는 성공을 하는 것이 중요하다.

교과서 146쪽~155쪽

학습 활동

• 정답과 해설 18쪽

이해
❶ 이 연설의 주요 내용 이해하기
❷ 이 연설의 설득 전략 파악하기
❸ 이 연설에서 사용한 설득 전략의 타당성 판단하기

1 이 연설의 주요 내용을 정리해 보자.

(1) 이 연설의 연설자와 청중, 연설의 목적을 정리해 보자.

연설자	조앤 K. 롤링
청중	답 대학을 졸업하는 학생들
연설의 목적	답 연설자가 지금까지 살아오면서 얻은 교훈을 졸업생들에게 전달하기 위해서

(2) 연설자가 청중에게 전하려는 내용을 파악해 보자.

실패가 주는 혜택

- 삶의 군더더기를 없애 줌.
- 답 다른 곳에서 배울 수 없는 자기 자신을 알게 해 줌.
- 답 앞으로 어떤 일이 있어도 헤쳐 나갈 수 있다는 □□□을 갖게 해 줌.

↓

실패를 겸허히 받아들이면 그 어떤 고난도 이겨 낼 수 있음.

상상력의 중요성

우리가 직접 경험하지 않은 타인의 아픔에 공감하게 함.

↓

답 상상력의 힘으로 세상을 더 나은 곳으로 바꿀 수 있음.

2 이 연설의 설득 전략을 알아보자.

(1) 다음은 연설의 설득 전략을 설명한 내용이다. 이를 바탕으로 이 연설에서 사용한 설득 전략이 무엇인지 파악해 보자.

연설은 청중을 설득하려는 목적으로 격식을 갖추어 말하는 공적인 화법이다. 청중을 효과적으로 설득하기 위해 연설자는 다양한 설득 전략을 사용한다. 먼저 **인성적 설득 전략**은 화자가 자신의 됨됨이나 전문성을 바탕으로 청중이 연설에 신뢰를 갖게 하는 것을 말한다.

이성적 설득 전략은 연설자가 자신의 주장에 대한 타당한 근거를 들어 청중을 논리적으로 설득하는 것을 말한다. 연설자는 청중을 이성적으로 설득하기 위해 다양한 논증 방법을 활용하며, 통계 자료나 전문가의 의견, 역사적 사실 등을 근거로 제시하기도 한다.

감성적 설득 전략은 연설자가 청중의 욕망이나 자긍심, 동정심, 분노와 같은 감정에 호소하여 청중을 설득하는 것을 말한다. 연설자는 청중의 마음을 움직일 수 있는 구체적인 사례나 상황 등을 제시하여 청중에게 감동을 주기도 한다.

간단 체크 활동 문제

01 이 연설에 대한 설명으로 적절하지 않은 것은?

① 청중은 대학을 졸업하는 학생들이다.
② 연설자는 세계적인 소설가 조앤 K. 롤링이다.
③ 다양한 설득 전략을 사용하여 내용을 효과적으로 전달하고 있다.
④ 연설자는 자신이 겪은 경험을 근거로 하여 청중을 설득하고 있다.
⑤ 연설의 목적은 청중에게 졸업 후 진로에 대한 다양한 정보를 전달하는 것이다.

02 이 연설의 연설자가 청중에게 전하려는 내용과 일치하지 않는 것은?

① 실패는 삶의 군더더기를 없애 준다.
② 상상력은 자기 자신에 대해 깨닫게 해 준다.
③ 상상력을 통해 타인의 아픔에 공감할 수 있다.
④ 상상력은 세상을 더 나은 곳으로 바꿀 수 있는 힘이다.
⑤ 실패를 겸허히 받아들이면 앞으로 닥칠 그 어떤 고난도 이겨 낼 수 있다.

인성적 설득 전략	**세계적인 명성을 지닌 작가이자 국제 사면 위원회에서 일했던 경험이 있는 '조앤 K. 롤링'이라는 연설자의 전문성과 됨됨이를 바탕으로 연설에 신뢰를 갖게 함.**
이성적 설득 전략	답 • 연설자가 실패했던 경험 속에서 얻은 깨달음을 바탕으로 '실패가 주는 혜택' 세 가지를 논리적으로 제시함. • 연설자가 □□ □□ □□□에서 일했던 경험을 바탕으로 상상력이 중요한 까닭을 논리적으로 제시함.
감성적 설득 전략	답 • 자신이 실패했던 □□을 진솔하게 드러냄으로써 청중의 공감을 불러일으킴. • '훌륭한 교육을 받았기 때문에 짊어진 책임도 남다르다고 봅니다.'에서 청중의 자긍심을, '어려움에 처해 있는 사람들의 삶을 상상하는 힘을 가지세요.'에서 청중의 동정심을, '우리의 마음속에는 이미 세상을 바꿀 힘이 있습니다.'에서 청중의 욕망을 불러일으켜 청중의 마음을 움직이려 함.

(2) 이 연설에서 사용한 설득 전략의 타당성을 판단해 보고, 모둠 구성원과 자유롭게 의견을 나누어 보자.

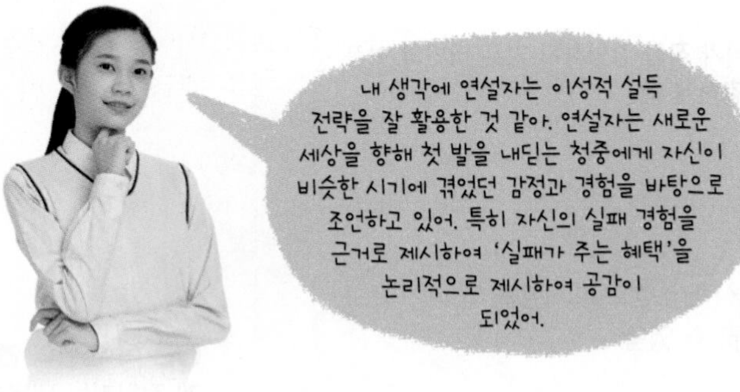

내 생각에 연설자는 이성적 설득 전략을 잘 활용한 것 같아. 연설자는 새로운 세상을 향해 첫 발을 내딛는 청중에게 자신이 비슷한 시기에 겪었던 감정과 경험을 바탕으로 조언하고 있어. 특히 자신의 실패 경험을 근거로 제시하여 '실패가 주는 혜택'을 논리적으로 제시하여 공감이 되었어.

예시 답〉〉 나는 연설자가 감성적 설득 전략을 아주 잘 활용한 것 같아. '우리는 더 나은 세상을 상상하고 만들 수 있는 힘이 있습니다.'라는 말에 마음이 뭉클하더라고. 내가 가진 상상력의 힘으로 누군가를 도울 수 있고 세상을 변화시킬 수 있다니! 나도 다른 사람의 아픔에 공감하며 그들을 위해 행동하는 삶을 살아야겠다고 생각했어.

3 이 연설을 듣는 청중에 대해 생각해 보고, 이를 바탕으로 연설자를 평가해 보자.

예시 답〉〉

청중에 대한 정보

☑ **청중의 대략적인 나이는?**	대학을 졸업하는 나이이니, 대부분 20대 초반에서 20대 후반일 듯하다.
☑ **청중의 공통적인 상황은?**	졸업을 앞두고 더 큰 세상으로 나아가는 출발점에 서 있다.
☑ **청중의 공통적인 관심사는?**	앞으로 어떤 직업을 가질 것인지, 어떻게 살아갈 것인지 등에 관심이 있을 것이다.

간단 체크 활동 문제

03 다음은 이 연설에 대한 설명이다. 빈칸에 들어갈 알맞은 설득 전략을 쓰시오.

> 이 연설에서 연설자는 "우리의 마음속에는 이미 세상을 바꿀 힘이 있습니다."라는 말을 통해 청중의 감정에 호소하고 있다. 이처럼 청중의 욕망이나 자긍심, 동정심, 분노 등과 같은 감정에 호소하여 청중을 설득하는 것을 (　　　　) 설득 전략이라고 한다.

04 이 연설의 설득 전략에 대해 이야기한 내용으로 적절하지 <u>않은</u> 것은?

① 연설자는 상상력이 중요한 까닭을 논리적으로 제시하는 이성적 설득 전략을 사용하고 있어.
② 연설자는 실패가 주는 혜택 세 가지를 논리적으로 제시하는 이성적 설득 전략을 사용하고 있어.
③ 연설자는 자신의 진솔한 경험담을 통해 청중의 공감을 불러일으키는 감성적 설득 전략을 사용하고 있어.
④ 연설자는 청중의 자긍심을 불러일으키는 말을 통해 청중의 마음을 움직이는 감성적 설득 전략을 사용하고 있어.
⑤ 연설자는 국제 사면 위원회에서 일했던 자신의 전문성을 바탕으로 연설에 신뢰를 갖게 하는 이성적 설득 전략을 사용하고 있어.

• 정답과 해설 18쪽

예시 답 〉〉

평가 기준	
• 연설자는 청중의 나이와 지식수준을 고려하였는가?	★★★★★
• 연설자는 청중의 관심과 요구를 고려하였는가?	★★★★☆
• 연설자는 청중의 신념이나 행동을 변화시킬 수 있는 설득 전략을 사용하였는가?	★★★★☆

예시 답 〉〉 연설자에 대한 평가: '조앤 K. 롤링'은 대학을 갓 졸업하는 학생들이 가질 수 있는 불안과 욕망을 고려하여 연설의 주요 내용을 '실패를 통해 배우는 자세'와 '상상력을 통해 세상을 변화시키는 힘'으로 구성하였다. 따라서 연설자는 청중의 관심과 요구를 고려하여 주제를 선정하였다고 볼 수 있다. 또한 명문 대학을 졸업하는 학생들에게 인생에서 겪을 수밖에 없는 '실패'를 겸허하게 받아들이는 태도를 제시하고, 올바른 가치관을 가지고 세상에 긍정적인 영향력을 주는 사람이 될 것을 주문하고 있으므로 청중의 나이와 지식수준을 고려하고 있음을 알 수 있다. 아울러 인성적, 이성적, 감성적 설득 전략을 다양하게 구사하고 있어 청중의 신념이나 행동을 변화시킬 설득 전략을 적절히 사용하고 있다고 볼 수 있다.

학습콕

❶ 연설의 설득 전략

인성적 설득 전략	연설자가 자신의 됨됨이나 전문성을 바탕으로 청중이 연설에 신뢰를 갖게 하는 전략
이성적 설득 전략	연설자가 자신의 주장에 대한 타당한 근거를 들어 청중을 논리적으로 설득하는 전략
감성적 설득 전략	연설자가 청중의 감정에 호소하여 청중을 설득하는 전략

❷ 연설에서 사용한 설득 전략의 타당성을 판단하는 기준

연설에서는 인성적·이성적·감성적 설득 전략 등 다양한 설득 전략을 사용함. → 연설의 설득 전략이 연설의 주제, 목적, 청중에 맞게 사용되었는지 판단해야 함.

간단 체크 활동 문제

05 이 연설의 연설자를 평가한 내용으로 적절하지 않은 것은?

① 연설자는 청중의 신념과 행동을 변화시킬 다양한 설득 전략을 사용하고 있어.
② 연설자는 졸업을 앞둔 청중이 가질 수 있는 불안과 욕망을 고려해 주제를 선정했어.
③ 연설자는 대학을 졸업하는 청중이 인생에서 겪을 수밖에 없는 실패를 겸허하게 받아들이는 태도에 대해 말하고 있어.
④ 연설자는 졸업을 하고 더 큰 세상으로 나가게 될 청중의 관심과 요구를 고려하여 자신이 경험을 통해 깨달은 바를 전하고 있어.
⑤ 연설자는 이제 졸업하는 청중에게 세상에 긍정적인 영향을 주는 사람이 될 것을 당부하고 있으므로 그들의 처지와 지식수준을 고려하지 못했다고 할 수 있어.

적용

❶ 청중의 관심과 요구를 고려하여 연설의 설득 전략을 마련하기
❷ 다양한 설득 전략을 활용하여 연설하기
❸ 연설 내용과 설득 전략을 중심으로 연설 평가하기

다양한 설득 전략을 활용하여 청중의 관심과 요구를 고려한 연설을 해 보자.

1 **다음 예시와 같이 우리 생활과 밀접한 주제 중, 내가 연설하고 싶은 주제를 정해 보자.**

- 우리 학교에 매점이 필요한 이유
- 매일 행복하게 살아가는 방법
- 친구와 진정한 우정 쌓기
- 성적보다 중요한 것
- 우리만의 문화를 만들어야 하는 필요성
- ?

예시 답 〉〉 • 긍정적인 태도의 필요성 • 악성 댓글을 달지 맙시다.
• 동물을 보호해야 하는 까닭 • 세상을 바꿀 수 있는 기부
• 학생들을 위한 교내 공간의 필요성 등

06 연설을 비판적으로 평가하기 위한 평가 항목이 아닌 것은?

① 연설자가 청중의 나이를 고려하였는가?
② 연설자가 청중의 요구를 분석하였는가?
③ 연설자가 청중의 지식수준을 고려하였는가?
④ 연설자의 신념을 변화시킬 수 있는 내용인가?
⑤ 청중의 행동을 변화시킬 만한 전략이 사용되었는가?

2 예상 청중을 설정하고, 이를 정확하게 분석해 보자.

예상 청중	학교 관계자
청중의 나이와 지식수준	30대~60대까지 다양하며 지식수준이 높은 편임.
청중의 관심과 요구	학생의 학습 환경과 교내 생활 지도에 관심이 많음.
그 외 분석할 내용	학교 관계자 분들이 나의 요구를 들어줄 수 있는 영향력이 있는가?

예시 답 〉〉

예상 청중	우리 학교 학생
청중의 나이와 지식수준	만 13～15세 전후의 중학교 학생들임. 아직 가치관이 완전하게 정립되지 않은 청소년이며 또래 문화의 영향을 크게 받음.
청중의 관심과 요구	• 인터넷을 하는 것을 좋아함. • 댓글에 심리적 영향을 많이 받음. • 친구의 누리 소통망에 댓글을 남기며 친목을 도모함.
그 외 분석할 내용	악성 댓글을 주고받다가 마음의 상처를 입은 경험이 있는지 조사했더니 우리 학급의 30명 중 25명이 그렇다고 대답함.

3 2에서 청중에 대해 분석한 내용을 바탕으로, 연설의 설득 전략을 마련해 보자.

● '정은'이 사용할 설득 전략

☐ 인성적 설득 전략 ☑ 이성적 설득 전략 ☑ 감성적 설득 전략

● '정은'이 세운 구체적인 설득 전략

나는 우리 학교에 매점을 설치해 달라고 학교 관계자 분들에게 연설할 계획이야. 먼저 감성적 설득 전략을 사용하여 배고픈 우리의 심정을 내세워 청중의 동정심에 호소할 거야. 그리고 배가 고프면 집중력이 떨어진다는 연구 결과를 들어 매점의 필요성을 강조해야겠어. 이것은 이성적 설득 전략이 되겠지?

간단 체크 활동 문제

07 〈보기〉의 주제로 연설하기 위해 예상 청중을 분석하려 할 때, 분석 항목으로 적절한 것을 골라 바르게 묶은 것은?

보기
• 주제: 우리 학교에 매점이 필요한 이유
• 예상 청중: 학교 관계자

ㄱ. 청중의 나이
ㄴ. 청중의 가족 관계
ㄷ. 청중의 매체 활용 여부
ㄹ. 청중이 학교 내에서 지닌 영향력
ㅁ. 청중이 학교에서 관심을 가진 분야

① ㄱ, ㄹ
② ㄷ, ㄹ
③ ㄱ, ㄴ, ㄹ
④ ㄱ, ㄹ, ㅁ
⑤ ㄷ, ㄹ, ㅁ

08 〈보기〉의 '정은'이 연설을 준비하는 과정에서 세운 설득 전략이 무엇인지 쓰시오.

보기
정은: 나는 학교에 매점을 설치해 달라는 연설을 하기 위해 배고픈 우리의 심정을 내세워 청중의 동정심에 호소할 거야.

• 정답과 해설 18쪽

예시 답 〉〉

● 내가 사용할 설득 전략

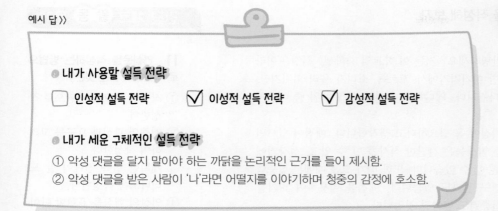

☐ 인성적 설득 전략 ☑ 이성적 설득 전략 ☑ 감성적 설득 전략

● 내가 세운 구체적인 설득 전략

① 악성 댓글을 달지 말아야 하는 까닭을 논리적인 근거를 들어 제시함.

② 악성 댓글을 받은 사람이 '나'라면 어떨지를 이야기하며 청중의 감정에 호소함.

4 **연설의 짜임에 따라 개요를 써 보자. 그리고 3에서 세운 설득 전략을 어느 부분에서 사용할지도 판단해 보자.**

● '정은'이 쓴 개요

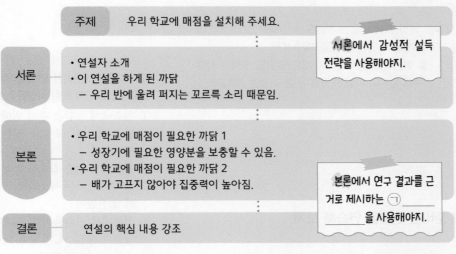

주제	우리 학교에 매점을 설치해 주세요.
서론	• 연설자 소개 • 이 연설을 하게 된 까닭 – 우리 반에 울려 퍼지는 꼬르륵 소리 때문임.
본론	• 우리 학교에 매점이 필요한 까닭 1 – 성장기에 필요한 영양분을 보충할 수 있음. • 우리 학교에 매점이 필요한 까닭 2 – 배가 고프지 않아야 집중력이 높아짐.
결론	연설의 핵심 내용 강조

서론에서 감성적 설득 전략을 사용해야지.

본론에서 연구 결과를 근거로 제시하는 ㉠ ______ 을 사용해야지.

● 내가 쓴 개요

예시 답 〉〉

주제	악성 댓글을 달지 맙시다.
서론	악성 댓글로 인한 피해자가 점점 많아지는 실태
본론	• 악성 댓글을 달지 말아야 하는 까닭 ① – 상대방에게 큰 상처를 남김. • 악성 댓글을 달지 말아야 하는 까닭 ② – 댓글을 주고받는 사람 모두에게 좋지 않은 영향을 끼침.
결론	악성 댓글의 피해자가 '나'라면 어떨지 생각해 보기

'본론'에서 이성적 설득 전략을 사용해야지.

'결론'에서 감성적 설득 전략을 사용해야지.

간단 체크 활동 문제

09 다음을 '정은'이 계획한 연설의 설득 전략이라고 할 때, 이성적 설득 전략에 해당하는 것은? (정답 2개)

① 배가 고픈 학생들의 일상을 영상으로 보여 주면서 청중이 공감하게 해야겠어.
② 배가 고프면 집중력이 떨어진다는 연구 결과를 들어 매점의 필요성을 강조해야겠어.
③ 배가 고픈데 매점이 없어서 힘들었던 경험을 제시하면서 청중의 감정에 호소해야겠어.
④ 그동안 학생회장으로서 교내 환경 개선을 위해 노력해 왔음을 알리며 청중이 연설의 내용에 신뢰를 갖게 해야겠어.
⑤ 성장기에 필요한 영양분을 보충하지 못할 경우 신체에 발생할 수 있는 문제점을 분석한 전문가의 의견을 제시하여 청중을 논리적으로 설득해야겠어.

10 '정은'이 쓴 개요의 내용을 바탕으로 할 때, ㉠에 들어갈 설득 전략으로 적절한 것은?

① 전문적 설득 전략
② 감성적 설득 전략
③ 이성적 설득 전략
④ 인성적 설득 전략
⑤ 논리적 설득 전략

5 1~4를 바탕으로 연설문을 작성해 보자.

○○ 중학교 관계자 여러분, 안녕하세요? 저는 이 학교의 재학생, '최정은'이라고 합니다. 오전 수업 중, 우리 반 여기저기에서 '꼬르륵' 소리가 울려 퍼지지만, 우리는 하염없이 점심시간만 기다립니다. 왜냐하면 우리의 배를 채워 줄 매점이 없기 때문입니다.

저는 우리 학교에 매점이 꼭 필요하다고 생각합니다. 매점이 있으면 아침을 거르고 오는 학생들은 간단한 식사를 할 수 있고, 성장기에 필요한 영양분을 보충할 수 있습니다. 또한 배가 고플 때에는 집중력이 떨어진다는 연구 결과도 있습니다. 매점을 이용하여 허기를 채우면 우리의 집중력도 높아질 것입니다.

부디 우리 학교에 매점을 설치하여 우리가 즐거운 학교생활을 할 수 있도록 해 주시면 감사하겠습니다.

예시 답〉〉 안녕하세요? 저는 ○○ 중학교 3학년, ○○○이라고 합니다. 최근 악성 댓글로 피해를 보는 사람이 점점 많아진다는 뉴스를 보았는데, 피해자들의 고통이 매우 커 보였습니다. 그래서 저는 여러분께 악성 댓글을 남기지 말자는 말씀을 드리고 싶습니다.

우리가 장난하듯이 남긴 댓글이 상대방에게는 지워지지 않는 상처로 남을 수 있습니다. 악성 댓글을 주고받다가 마음의 상처를 입은 경험이 있는지를 조사해 보았더니 우리 학급의 30명 중 25명이 그렇다고 답을 했습니다. 이는 악성 댓글을 남긴 경험이 있는 사람도 해당되는 것입니다. 이처럼 악성 댓글은 남기는 사람과 받는 사람 모두에게 좋지 않은 영향을 미칩니다.

악성 댓글은 '칼날'과 같습니다. 그 칼끝이 '나'를 향한다고 생각해 보십시오. 얼굴도 모르는 사람들이 '나'를 향해 삿대질하는 장면을 떠올리면 누구도 함부로 악성 댓글을 남길 수 없을 것입니다.

6 다음 '선생님'의 말을 참고하여 준비한 연설을 연습해 보자.

청중의 마음을 움직이는 연설을 하기 위해서는 설득 전략 외에도 다음과 같은 전략이 필요합니다. 먼저 청중의 반응을 고려하여 **목소리의 크기와 말의 속도, 어조**와 같은 **'준언어적 표현'**을 조절해야 합니다. 예를 들어 청중의 주의를 집중하고 싶을 때에는 목소리를 크게 하는 것이죠.

두 번째로는 **표정이나 시선, 손짓, 몸동작**과 같은 **'비언어적 표현'**을 적절하게 사용해야 합니다. 예를 들어 청중에게 신뢰와 호감을 주기 위해서는 밝고 편안한 표정으로 연설을 하고, 청중과 자연스럽게 눈을 마주치는 것이 좋아요.

예시 답〉〉 생략

간단 체크 활동 문제

11 연설문을 작성하는 방법으로 적절하지 않은 것은?

① 작성한 개요를 바탕으로 작성한다.
② 청중의 관심과 요구를 고려하여 작성한다.
③ 계획한 설득 전략이 잘 드러나도록 작성한다.
④ 연설의 핵심을 표현할 단어들로만 항목화하여 최대한 간략하게 작성한다.
⑤ 실제 연설을 할 때 필요한 준언어적·비언어적 표현도 함께 고려하여 작성한다.

12 다음 중 준비한 연설을 적절하게 연습하지 못한 사람은?

① 청중에게 호감을 주기 위해 밝고 편안한 표정을 짓는 연습했어.
② 청중의 주의를 집중하고 싶은 부분에서는 목소리를 크게 조절했어.
③ 청중에게 신뢰를 주기 위해 청중과 자연스럽게 눈을 마주치는 연습을 했어.
④ 내용을 빠짐없이 전달하기 위해 연설문을 보면서 그대로 읽는 연습을 했어.
⑤ 중요한 부분에서는 말의 속도를 조금 늦추고, 나머지 부분에서는 그보다 빠르게 조정하며 청자의 집중도를 향상시키는 연습을 했어.

7 모둠별로 모여서 연설을 해 보고, 서로의 연설을 평가해 보자.

평가 부문	평가 기준
연설 내용	• 연설자는 청중의 나이와 지식수준을 고려하였는가? • 연설자는 청중의 관심과 요구를 고려하였는가?
설득 전략	• 연설자는 청중의 신념이나 행동을 변화시킬 수 있는 설득 전략을 사용하였는가?
준언어적·비언어적 표현	• 연설자의 목소리의 크기와 말의 속도, 어조는 적절하였는가? • 연설자의 표정이나 시선, 몸동작은 적절하였는가?

예시 답 》 생략

간단 체크 활동 문제

13 다음 중 다른 사람의 연설을 평가할 때 고려한 점으로 적절하지 않은 것은?

① 연설자의 표정이나 시선이 적절하였는가?
② 청중의 관심과 요구를 고려한 내용이었는가?
③ 청중의 나이와 지식수준을 고려한 내용이었는가?
④ 연설자의 목소리 크기와 말의 속도가 일정하였는가?
⑤ 청중의 신념이나 행동을 변화시킬 수 있는 설득 전략을 사용하였는가?

활동 마당

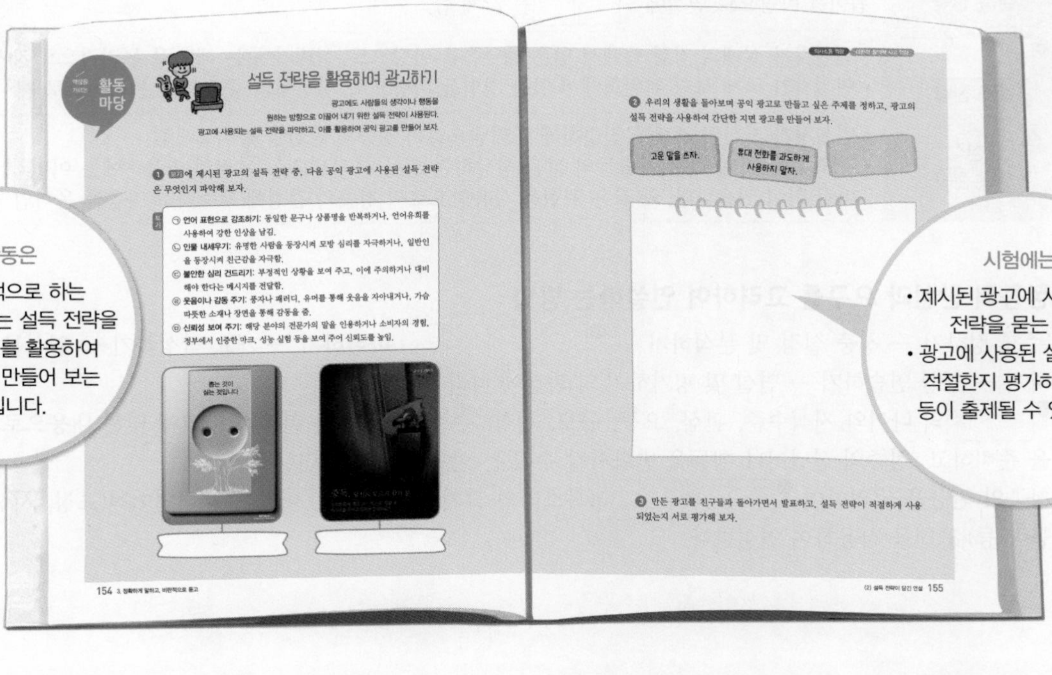
설득 전략을 활용하여 광고하기

광고에도 사람들의 생각이나 행동을 원하는 방향으로 이끌어 내기 위한 설득 전략이 사용된다. 광고에 사용되는 설득 전략을 파악하고, 이를 활용하여 공익 광고를 만들어 보자.

❶ 보기에 제시된 광고의 설득 전략 중, 다음 공익 광고에 사용된 설득 전략은 무엇인지 파악해 보자.

㉠ 언어 표현으로 강조하기: 동일한 문구나 상품명을 반복하거나, 언어유희를 사용하여 강한 인상을 남김.
㉡ 인물 내세우기: 유명한 사람을 등장시켜 모방 심리를 자극하거나, 일반인을 등장시켜 친근감을 자극함.
㉢ 불안한 심리 건드리기: 부정적인 상황을 보여 주고, 이에 주의하거나 대비해야 한다는 메시지를 전달함.
㉣ 웃음이나 감동 주기: 풍자나 패러디, 유머를 통해 웃음을 자아내거나, 가슴 따뜻한 소재나 장면을 통해 감동을 줌.
㉤ 신뢰성 보여 주기: 해당 분야의 전문가의 말을 인용하거나 소비자의 경험, 정부에서 인증한 마크, 성능 실험 등을 보여 주어 신뢰도를 높임.

❷ 우리의 생활을 돌아보며 공익 광고로 만들고 싶은 주제를 정하고, 광고의 설득 전략을 사용하여 간단한 지면 광고를 만들어 보자.

❸ 만든 광고를 친구들과 돌아가면서 발표하고, 설득 전략이 적절하게 사용되었는지 서로 평가해 보자.

154 3. 정확하게 말하고, 비판적으로 듣고 　 (2) 설득 전략이 담긴 연설 155

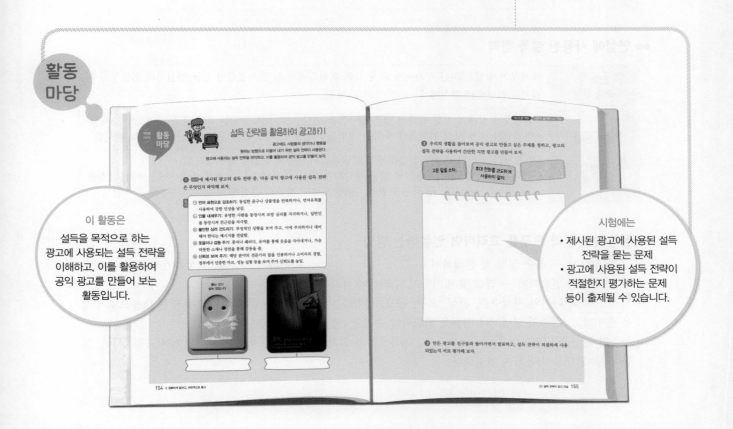

이 활동은
설득을 목적으로 하는 광고에 사용되는 설득 전략을 이해하고, 이를 활용하여 공익 광고를 만들어 보는 활동입니다.

시험에는
• 제시된 광고에 사용된 설득 전략을 묻는 문제
• 광고에 사용된 설득 전략이 적절한지 평가하는 문제
등이 출제될 수 있습니다.

갈래	연설(문)	성격	설득적, 주관적, 교훈적
제재	실패의 경험과 상상력의 힘		
주제	실패를 통해 배우는 긍정적인 삶의 자세와, 상상력을 통해 타인을 헤아리는 마음의 중요성		
특징	• 자신의 경험담을 통해 청중의 호기심을 유발함. • 자문자답의 방식으로 내용을 전개함.		

「세상을 바꾸는 실패와 상상력」의 짜임

서론		본론		결론
인사 및 연설할 내용 소개	→	실패의 경험이 주는 혜택과 ❶☐ ☐☐의 중요성	→	청중에게 당부하는 바

연설의 주요 내용 ① – 실패가 주는 혜택

혜택 1	삶의 군더더기를 없애 줌.	→	❷☐☐를 겸허히 받아들이면 그 어떤 고난도 이겨 낼 수 있음.
혜택 2	다른 곳에서 배울 수 없었던 자기 자신을 알게 해 줌.		
혜택 3	앞으로 어떤 일이 있어도 헤쳐 나갈 수 있다는 자신감을 갖게 해 줌.		

연설의 주요 내용 ② – 상상력의 힘

상상력	우리가 직접 경험하지 않은 ❸☐☐의 아픔에 공감하게 함.	→	상상력의 힘으로 세상을 더 나은 곳으로 바꿀 수 있음.

연설에 사용된 설득 전략

인성적 설득 전략	세계적인 명성을 지닌 작가이자 국제 사면 위원회에서 일했던 경험이 있는 연설자의 전문성과 됨됨이를 바탕으로 연설에 ❹☐☐를 갖게 함.
❺☐☐☐ 설득 전략	• 연설자가 실패의 경험 속에서 얻은 깨달음을 바탕으로 '실패가 주는 혜택'을 논리적으로 제시함. • 연설자가 국제 사면 위원회에서 일한 경험을 바탕으로 '상상력의 중요성'을 논리적으로 제시함.
감성적 설득 전략	• 연설자가 자신의 경험을 진솔하게 드러냄으로써 청중의 공감을 불러일으킴. • '어려움에 처해 있는 사람들의 삶을 상상하는 힘을 가지세요.', '우리의 마음속에는 이미 세상을 바꿀 힘이 있습니다.'와 같은 표현을 사용함으로써 청중의 감정에 호소하고 마음을 움직임.

청중의 관심과 요구를 고려하여 연설하는 방법

• '주제 정하기 → 청중 설정 및 분석하기 → ❻☐☐ ☐☐ 마련하기 → 개요 작성하기 → 연설문 작성하기 → 연설 연습하기 → 연설 및 평가하기'의 과정에 따라 연설한다.

• ❼☐☐의 나이와 지식수준, 관심, 요구, 규모, 성향, 수준, 태도 등을 분석하여 그에 맞는 내용으로 연설을 준비하고, 청중의 신념이나 행동을 변화시킬 수 있는 설득 전략을 마련한다.

• 청중의 반응을 고려하여 ❽☐☐☐☐(목소리의 크기, 말의 속도, 어조 등)·비언어적(표정, 시선, 몸동작 등) 표현을 사용하여 연설한다.

시험에 나오는 소단원 문제

• 정답과 해설 18쪽

01~04 다음 글을 읽고, 물음에 답하시오.

가 우선 제게 이런 특별한 시간을 주신 대학교 측에 감사하다는 말씀을 드리고 싶습니다. 오늘 졸업생 여러분 앞에서 무슨 이야기를 해야 할지 고민을 많이 했습니다. 그래서 대학교를 졸업하던 당시에 제가 느꼈던 감정은 무엇인지, 졸업 이후 지금에 이르기까지 제가 얻은 교훈은 무엇인지 곰곰이 생각해 보았습니다. 그리고 두 가지 답을 얻었습니다. 저는 더 큰 세상으로 나아가는 출발점에 서 있는 여러분에게 '실패가 주는 혜택'과 '상상력의 중요성'을 말씀드리고 싶습니다.

나 제가 여러분 나이 때 가장 두려워했던 것은 실패였습니다. 그런데 대학을 졸업한 후 7년 동안, 저는 계속 실패만 했습니다. 결혼 생활이 짧게 끝났고, 번듯한 직장을 다닌 것도 아니어서 경제적으로 매우 어려웠습니다. 어떤 기준으로 보더라도 실패한 사람이었지요.

다 그런데도 저는 왜 ㉠'실패가 주는 혜택'을 말하려고 할까요? 그것은 이러한 실패를 경험하면서 삶의 군더더기를 없앨 수 있었기 때문입니다. 연이은 실패로 제게 남은 것은 많지 않았지만 사랑하는 딸과 낡은 타자기, 그리고 어떤 아이디어가 있었습니다. 저는 실패한 제 자신을 있는 그대로 받아들이고, 저에게 가장 중요한 단 한 가지 일에 에너지를 모두 쏟기 시작했습니다.

라 실패는 또한 다른 곳에서 배울 수 없었던 제 자신을 알게 해 주었습니다. 실패를 딛고 일어나는 과정에서 제가 생각보다 성실하고 의지가 강하며, 제 주변에 보석보다 훨씬 더 값진 사람들이 있다는 것을 알게 되었습니다. / 또한 실패를 극복하며 강인하고 현명해지면, 어떤 일이 있어도 헤쳐 나갈 수 있다는 자신감이 생깁니다. 시련을 겪지 않으면 스스로가 얼마나 강한지, 가까이에 있는 사람이 얼마나 소중한지 알 수 없습니다.

마 만약 타임머신을 타고 스물한 살이던 때로 돌아간다면 제 자신에게 이렇게 말해 주고 싶습니다. 뭔가를 얻고 성취하는 것이 삶의 전부가 아님을 깨달아야 비로소 행복할 수 있다고 말입니다. 삶은 때로는 우리 뜻대로 되지 않습니다. 그리고 아무것도 실패하지 않고 사는 것은 불가능합니다. ㉡이 사실을 겸허히 받아들이면 그 어떤 고난도 이겨 낼 수 있습니다.

학습 활동 응용

01 이 연설에 대한 평가로 적절하지 않은 것은?

① 연설자가 지금까지 살면서 얻은 교훈을 청중에게 전달하는 것을 목적으로 하고 있어.
② 연설자는 전문가의 의견과 통계 자료 등을 활용하여 연설 내용의 신뢰도를 높이고 있어.
③ 연설자는 이성적 설득 전략을 통해 말하고자 하는 바에 대한 근거를 논리적으로 제시하고 있어.
④ 연설자는 자신의 경험담을 통해 청중의 공감을 불러일으키는 감성적 설득 전략을 활용하고 있어.
⑤ 연설자는 졸업을 앞둔 학생들이 가질 수 있는 불안과 욕망을 고려하여 연설의 주제를 선정했어.

서술형

02 연설자가 청중에게 전달하고자 한 연설의 주제 두 가지를 쓰시오.

학습 활동 응용

03 연설자가 ㉠에 대해 말하고자 한 이유에 해당하지 않는 것은?

① 자신의 주변에 소중한 사람들이 있다는 것을 깨달았기 때문이다.
② 앞으로 다시는 실패하지 않을 수 있는 강한 힘을 얻었기 때문이다.
③ 다른 곳에서 배울 수 없었던 자기 자신에 대해 알게 되었기 때문이다.
④ 앞으로 어떤 일이 있어도 헤쳐 나갈 수 있다는 자신감을 얻었기 때문이다.
⑤ 삶의 군더더기를 없애고, 중요한 일에 에너지를 쏟을 수 있게 되었기 때문이다.

04 ㉡의 의미로 가장 적절한 것은?

① 누구나 인생에서 실패를 겪을 수밖에 없다는 것
② 목표를 이루고 성취하는 것이 삶의 전부라는 것
③ 삶은 언젠가 우리가 바라는 대로 이루어진다는 것
④ 실패를 극복했을 때 비로소 삶의 성취를 이룰 수 있다는 것
⑤ 어린 시절에 실패를 많이 해 봐야 나중에 성공할 수 있다는 것

● 정답과 해설 18쪽

05~07 다음 글을 읽고, 물음에 답하시오.

가 오늘 제가 하려는 두 번째 이야기로 '상상력의 중요성'을 꼽은 이유는 무엇일까요? ㉠제가 삶을 다시 추스르는 데 상상력이 큰 역할을 했기 때문일 거라고 여러분은 생각하실 겁니다. 그러나 그것이 다는 아닙니다. 제가 경험한 상상력의 가치는 더욱 넓은 의미의 가치입니다.

나 ㉡대학을 졸업하고 얼마 안 되어 저는 런던에 있는 국제 사면 위원회 본부의 연구 부서에서 일하면서 생활비를 벌고, 점심시간에는 짬을 내어 소설을 썼습니다. 이곳에서 일하는 수천 명의 직원들은 위기에 처한 생명을 구하고 속박당한 사람들에게 자유를 되찾아 주는 일을 하고 있었습니다. 그들은 편안하고 안정된 삶이 보장되어 있는데도, 자신들이 알지도 못하고 평생 만날 일도 없을 사람들을 구하려고 애를 썼습니다. 저는 여기에서 일하는 동안 우리가 직접 경험하지 않은 타인의 아픔에 공감하게 하는 상상력의 힘을 느낄 수 있었습니다.

다 우리는 누구나 자신뿐만이 아니라 타인의 삶에 영향을 줄 수 있습니다. ㉢졸업생 여러분은 훌륭한 교육을 받았기 때문에 짊어진 책임도 남다르다고 봅니다. 여러분은 힘없는 사람들을 자신과 같이 여기고, 어려움에 처해 있는 사람들의 삶을 상상하는 힘을 가지세요. 그리고 여러분의 힘과 영향력을 그들을 위해 사용해 주십시오. 세상을 바꾸는 데 마법은 필요 없습니다. ㉣우리의 마음속에는 이미 세상을 바꿀 힘이 있습니다. 우리는 더 나은 세상을 상상하고 만들 수 있는 힘이 있습니다.

라 내일이 오고, 여러분이 오늘 저의 말을 단 한 마디도 기억하지 못하더라도 고대 로마의 현인이었던 세네카의 말만큼은 꼭 기억하길 바랍니다.

㉤"이야기에서는 이야기의 길이가 긴 것이 중요한 게 아니라 내용이 얼마나 훌륭한 것인지가 중요하다. 우리의 인생도 마찬가지다."

여러분은 내면이 충만한 삶을 살기를 기원합니다. 감사합니다.

05 이 연설의 내용과 일치하지 않는 것은?

① 우리는 누구나 타인의 삶에 영향을 줄 수 있다.
② 상상력의 힘을 통해 세상을 더 나은 곳으로 만들 수 있다.
③ 직접 경험하지 않은 타인의 아픔을 느끼는 것은 불가능한 일이다.
④ 국제 사면 위원회의 직원들은 위기에 처한 타인을 구하는 일을 한다.
⑤ 연설자는 국제 사면 위원회에서 일한 경험을 통해 상상력의 가치를 깨닫게 되었다.

학습 활동 응용

06 ㉠~㉤에 대한 설명으로 적절하지 않은 것은?

① ㉠: 예상되는 청중의 생각을 말한 뒤, 그것을 반박하는 방법으로 청중의 호기심을 자극하고 있다.
② ㉡: 연설자가 자신의 경험을 진솔하게 이야기하며 청중이 공감하게 하고 있다.
③ ㉢: 청중의 자긍심을 불러일으켜 청중의 마음을 움직이려고 하고 있다.
④ ㉣: 논증 방법을 사용하여 청중을 이성적으로 설득하려 하고 있다.
⑤ ㉤: 유명인의 말을 인용함으로써 연설의 신뢰도를 높이고 있다.

학습 활동 응용

07 다음은 이 연설에서 사용한 설득 전략의 타당성을 판단한 내용이다. 빈칸에 들어갈 설득 전략으로 적절한 것은?

> 민영: 나는 연설자가 [　　　　]을 잘 활용한 것 같아. '우리는 더 나은 세상을 상상하고 만들 수 있는 힘이 있습니다.'라는 말에 마음이 뭉클하더라고. 내가 가진 상상력의 힘으로 누군가를 도울 수 있고 세상을 변화시킬 수 있다니! 나도 다른 사람의 아픔에 공감하며 그들을 위해 행동하는 삶을 살아야겠다고 생각했어.

① 인성적 설득 전략　② 논리적 설득 전략
③ 이성적 설득 전략　④ 전문적 설득 전략
⑤ 감성적 설득 전략

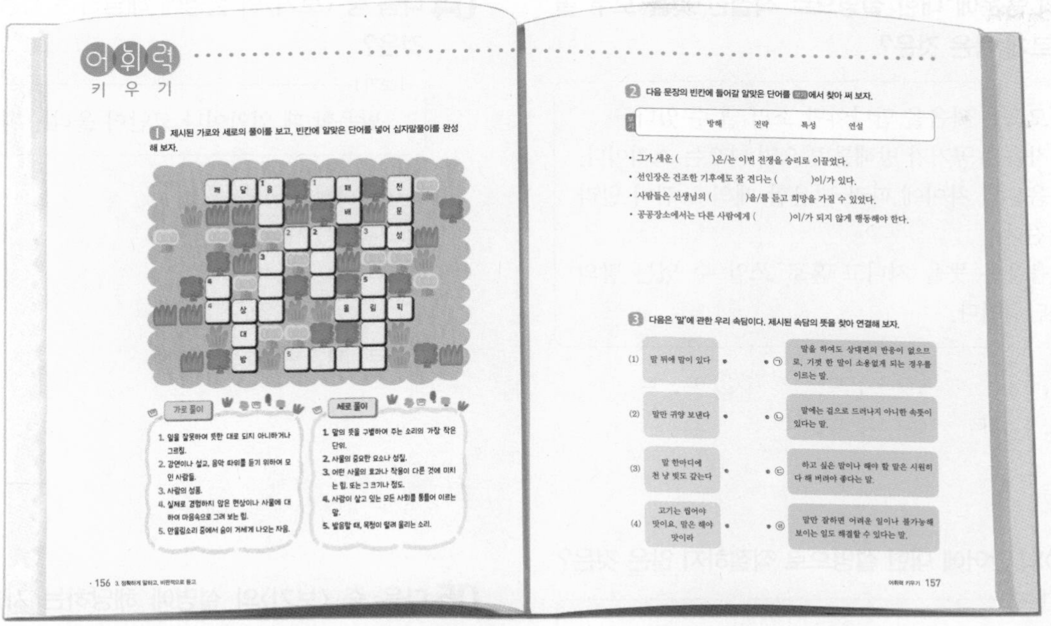
어휘력 키우기

1 제시된 가로와 세로의 풀이를 보고, 빈칸에 알맞은 단어를 넣어 십자말풀이를 완성해 보자.

가로 풀이
1. 일을 잘못하여 뜻한 대로 되지 아니하거나 그르침.
2. 강연이나 설교, 음악 따위를 듣기 위하여 모인 사람들.
3. 사람의 성품.
4. 실제로 경험하지 않은 현상이나 사물에 대하여 마음속으로 그려 보는 힘.
5. 안울림소리 중에서 숨이 거세게 나오는 자음.

세로 풀이
1. 말의 뜻을 구별하여 주는 소리의 가장 작은 단위.
2. 사물의 중요한 요소나 성질.
3. 어떤 사물의 효과나 작용이 다른 것에 미치는 힘. 또는 그 크기나 정도.
4. 사람이 살고 있는 모든 사회를 통틀어 이르는 말.
5. 발음할 때, 목청이 떨려 울리는 소리.

· 156 3. 정확하게 말하고, 비판적으로 듣고

2 다음 문장의 빈칸에 들어갈 알맞은 단어를 보기에서 찾아 써 보자.

보기: 방해 전략 특성 연설

• 그가 세운 ( )은/는 이번 전쟁을 승리로 이끌었다.
• 선인장은 건조한 기후에도 잘 견디는 ( )이/가 있다.
• 사람들은 선생님의 ( )을/를 듣고 희망을 가질 수 있었다.
• 공공장소에서는 다른 사람에게 ( )이/가 되지 않게 행동해야 한다.

3 다음은 '말'에 관한 우리 속담이다. 제시된 속담의 뜻을 찾아 연결해 보자.

(1) 말 뒤에 말이 있다 • • ㉠ 말을 하여도 상대편의 반응이 없으므로, 기껏 한 말이 소용없게 되는 경우를 이르는 말.
(2) 말만 귀양 보낸다 • • ㉡ 말에는 겉으로 드러나지 아니한 속뜻이 있다는 말.
(3) 말 한마디에 천 냥 빚도 갚는다 • • ㉢ 하고 싶은 말이나 해야 할 말은 시원히 다 해 버려야 좋다는 말.
(4) 고기는 씹어야 맛이요, 말은 해야 맛이라 • • ㉣ 말만 잘하면 어려운 일이나 불가능해 보이는 일도 해결할 수 있다는 말.

어휘력 키우기 157

예시답안

1.

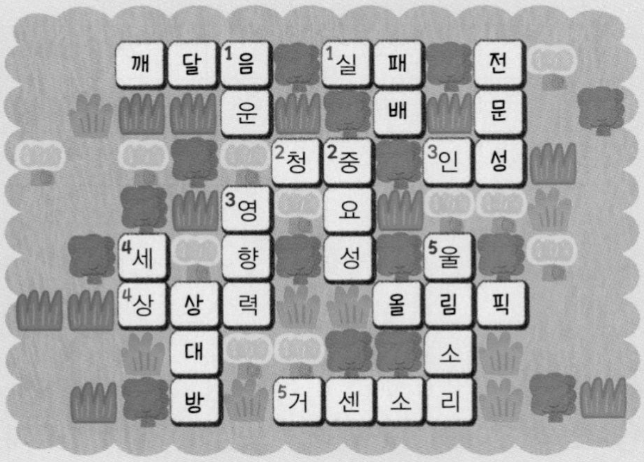

2.

• 그가 세운 (전략)은 이번 전쟁을 승리로 이끌었다.
• 선인장은 건조한 기후에도 잘 견디는 (특성)이 있다.
• 사람들은 선생님의 (연설)을 듣고 희망을 가질 수 있었다.
• 공공장소에서는 다른 사람에게 (방해)가 되지 않게 행동해야 한다.

3.

(1) – ㉡, (2) – ㉠, (3) – ㉣, (4) – ㉢

확인 문제

01 다음 중 단어의 뜻풀이가 바르지 않은 것은?

① 인성: 사람의 성품
② 중요성: 사물의 중요한 요소나 성질
③ 음운: 말의 뜻을 구별하여 주는 소리의 가장 작은 단위
④ 청중: 강연이나 설교, 음악 따위를 듣기 위하여 모인 사람들
⑤ 영향력: 실제로 경험하지 않은 현상이나 사물에 대하여 마음속으로 그려 보는 힘

02 밑줄 친 말의 사용이 바르지 않은 것은?

① 나는 공부하는 동생을 방해하지 않았다.
② 가축은 품종에 따라 각기 다른 특성을 지닌다.
③ 우리는 신제품을 판매하기 위한 전략을 세웠다.
④ 고기는 씹어야 맛이요, 말은 해야 맛이니 항상 말조심해야 한다.
⑤ 말 한마디에 천 냥 빚도 갚는다고 하니 그만큼 말을 어떻게 하느냐가 중요한 거야.

시험에 나오는 대단원 문제

01 국어의 음운에 대한 설명으로 적절한 것을 모두 골라 바르게 묶은 것은?

> ㄱ. 모음은 자음을 만나야만 소리 낼 수 있다.
> ㄴ. 자음은 공기가 방해를 받으며 나오는 소리이다.
> ㄷ. 음운의 차이에 따라 발음할 때의 느낌이 달라진다.
> ㄹ. 음운은 뜻을 지니고 홀로 쓰일 수 있는 말의 단위이다.

① ㄱ, ㄴ ② ㄴ, ㄷ ③ ㄷ, ㄹ
④ ㄱ, ㄷ, ㄹ ⑤ ㄴ, ㄷ, ㄹ

02 〈보기〉의 단어에 대한 설명으로 적절하지 않은 것은?

보기

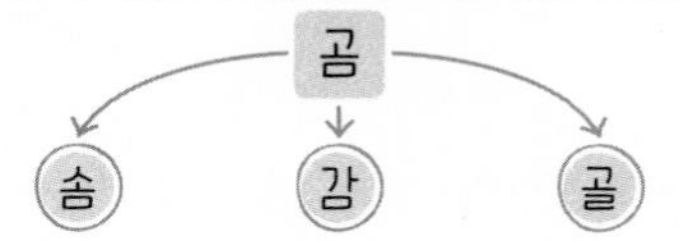

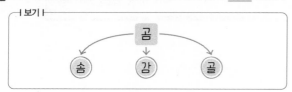

① '곰'과 '솜'은 'ㄱ'과 'ㅅ'의 차이로 뜻이 달라진다.
② '솜', '감', '골'은 각각 세 개의 음운으로 이루어져 있다.
③ '곰'과 '감'의 뜻이 다른 것은 음운 'ㅗ'와 'ㅏ' 때문이다.
④ '곰'의 음운 'ㄱ, ㅗ, ㅁ' 중 두 개 이상이 바뀌어야 단어의 뜻이 달라진다.
⑤ '곰'과 '골'의 'ㅁ'과 'ㄹ'은 두 단어의 뜻을 구별해 주는 소리의 가장 작은 단위이다.

03 소리 나는 위치에 따라 자음을 적절하게 분류하지 못한 것은?

①	목청 사이에서 나는 소리	ㅇ
②	두 입술이 닿았다가 떨어지며 나는 소리	ㅁ, ㅂ, ㅃ, ㅍ
③	혀끝과 윗니의 뒷부분, 윗잇몸 사이에서 나는 소리	ㄴ, ㄷ, ㄹ, ㅅ
④	혓바닥과 입천장 앞쪽의 단단한 부분 사이에서 나는 소리	ㅈ, ㅉ, ㅊ
⑤	혀의 뒷부분과 입천장 뒤쪽의 부드러운 부분 사이에서 나는 소리	ㄱ, ㄲ, ㅋ

04 다음 중 〈보기〉의 설명에 해당하는 자음으로만 묶인 것은?

> 보기
> 발음할 때 입안이나 코안이 울리는 자음

① ㄱ, ㄴ, ㄹ, ㅂ
② ㄴ, ㄹ, ㅁ, ㅇ
③ ㄴ, ㄹ, ㅂ, ㅇ
④ ㄷ, ㄹ, ㅁ, ㅇ
⑤ ㄹ, ㅂ, ㅍ, ㅎ

05 다음 중 〈보기〉의 설명에 해당하는 자음과 그것이 포함된 단어가 바르게 묶인 것은?

> 보기
> 혀끝을 잇몸에 대었다 떼거나, 잇몸에 댄 채 공기를 그 양옆으로 흘려보내면서 내는 소리

	〈보기〉의 설명에 해당하는 자음	포함된 단어
①	ㄲ	토끼
②	ㅁ	앵무새
③	ㅈ	강아지
④	ㄹ	코끼리
⑤	ㅅ	고슴도치

고난도 서술형

06 다음의 단어를 발음할 때의 느낌이 어떻게 다른지 서술하시오.

> ㉠ 빙빙 – ㉡ 핑핑

> 조건
> ① 소리의 세기에 따라 자음을 분류할 때, ㉠과 ㉡의 발음의 차이를 유발하는 자음이 어떤 소리에 해당하는지를 밝힐 것
> ② '㉠은 ~느낌이 들고, ㉡은 ~느낌이 든다.'의 형식으로 쓸 것

07 다음 중 단모음으로만 이루어진 단어를 골라 바르게 묶은 것은?

고뇌, 수학, 관계, 정의, 경사

① 고뇌, 수학 ② 고뇌, 수학, 정의
③ 수학, 정의, 경사 ④ 수학, 관계, 정의
⑤ 관계, 정의, 경사

08 다음 중 평순 모음이 포함된 단어가 아닌 것은?

① 가위 ② 위로 ③ 선택
④ 기회 ⑤ 그네

09 〈보기〉의 단어 중, 전설 모음으로만 이루어진 것을 모두 고른 것은?

보기
귀리, 나무, 내외, 시내, 쇠고기, 외갓집

① 귀리, 나무
② 귀리, 내외, 시내
③ 내외, 시내, 쇠고기
④ 시내, 쇠고기, 외갓집
⑤ 귀리, 나무, 내외, 외갓집

10 ㉠~㉤ 중, 제시된 〈조건〉을 모두 충족하는 것은?

한류 ㉠진흥 및 관광 활성화 추진 위원회는 문화 ㉡소외 지역을 중심으로 다양한 문화 공간을 신설하겠다고 밝혔습니다. 관련 ㉢교육 시설 또한 최대 ㉣규모로 늘리는 방안을 통해 지역 문화를 ㉤활성화할 계획이라고 합니다.

조건
① 목청소리와 잇몸소리를 포함한 단어임.
② 단모음과 이중 모음을 모두 포함한 단어임.

① ㉠ ② ㉡ ③ ㉢ ④ ㉣ ⑤ ㉤

11~12 다음 시를 읽고, 물음에 답하시오.

㉠빗방울이 개나리 ㉡울타리에 솝-솝-솝-솝 떨어진다
빗방울이 어린 ㉢모과나무 가지에 롭-롭-롭-롭 떨어진다
빗방울이 무성한 ㉣수국 잎에 톱-톱-톱-톱 떨어진다
빗방울이 ㉤잔디밭에 홉-홉-홉-홉 떨어진다
빗방울이 현관 앞 강아지 머리에 ㉮돕-돕-돕-돕 떨어진다

11 ㉠~㉤ 중, 다음 설명에 해당하는 단모음이 포함되지 않은 것은?

입술을 둥글게 오므린 상태에서 소리 내는 모음

① ㉠ ② ㉡ ③ ㉢ ④ ㉣ ⑤ ㉤

12 ㉮에 대한 설명으로 적절하지 않은 것은?

① 양성 모음이 사용되었다.
② 원순 모음이 포함되어 있다.
③ 작은 빗방울이 가볍게 떨어지는 느낌이 든다.
④ 받침을 발음할 때 입안, 코안이 울리지 않는다.
⑤ 소리 낼 때 혀의 최고점이 앞쪽에 있는 모음이 사용되었다.

서술형

13 다음의 상황에서 오해가 발생한 이유가 무엇인지 서술하시오.

조건
① 말하는 사람의 발음에 초점을 두어 서술할 것

14~16 다음 글을 읽고, 물음에 답하시오.

가 대학을 졸업한 후 7년 동안, 저는 계속 실패만 했습니다. 결혼 생활이 짧게 끝났고, 번듯한 직장을 다닌 것도 아니어서 경제적으로 매우 어려웠습니다. 어떤 기준으로 보더라도 실패한 사람이었지요.

나 그런데도 저는 왜 '실패가 주는 혜택'을 말하려고 할까요? 그것은 이러한 실패를 경험하면서 삶의 군더더기를 없앨 수 있었기 때문입니다. 〈중략〉 저는 실패한 제 자신을 있는 그대로 받아들이고, 저에게 가장 중요한 단 한 가지 일에 에너지를 모두 쏟기 시작했습니다.

다 또한 실패를 극복하며 강인하고 현명해지면, 어떤 일이 있어도 헤쳐 나갈 수 있다는 자신감이 생깁니다. 시련을 겪지 않으면 스스로가 얼마나 강한지, 가까이에 있는 사람이 얼마나 소중한지 알 수 없습니다.

라 대학을 졸업하고 얼마 안 되어 저는 런던에 있는 국제 사면 위원회 본부의 연구 부서에서 일하면서 생활비를 벌고, 점심시간에는 짬을 내어 소설을 썼습니다. 이곳에서 일하는 수천 명의 직원들은 위기에 처한 생명을 구하고 속박당한 사람들에게 자유를 되찾아 주는 일을 하고 있었습니다. 그들은 편안하고 안정된 삶이 보장되어 있는데도, 자신들이 알지도 못하고 평생 만날 일도 없을 사람들을 구하려고 애를 썼습니다. 저는 여기에서 일하는 동안 우리가 직접 경험하지 않은 타인의 아픔에 공감하게 하는 상상력의 힘을 느낄 수 있었습니다.

마 우리는 누구나 자신뿐만이 아니라 타인의 삶에 영향을 줄 수 있습니다. 졸업생 여러분은 훌륭한 교육을 받았기 때문에 짊어진 책임도 남다르다고 봅니다. 여러분은 힘없는 사람들을 자신과 같이 여기고, 어려움에 처해 있는 사람들의 삶을 상상하는 힘을 가지세요.

바 내일이 오고, 여러분이 오늘 저의 말을 단 한 마디도 기억하지 못하더라도 고대 로마의 현인이었던 세네카의 말만큼은 꼭 기억하길 바랍니다.

"이야기에서는 이야기의 길이가 긴 것이 중요한 게 아니라 내용이 얼마나 훌륭한 것인지가 중요하다. 우리의 인생도 마찬가지다."

여러분은 내면이 충만한 삶을 살기를 기원합니다.

14 이 연설에 대한 설명으로 적절하지 <u>않은</u> 것은?

① 청중을 설득하기 위해 활용한 다양한 설득 전략이 드러나 있다.
② 연설자가 자신의 경험담을 이야기하며 청중의 흥미를 유발하고 있다.
③ 청중에게 다양한 직업에 대한 정보를 전달하는 것을 목적으로 하고 있다.
④ 자문자답(自問自答)의 방식을 이용하여 청중의 호기심을 불러일으키고 있다.
⑤ 다른 사람의 말을 인용하여 연설자가 전달하고자 하는 내용을 표현하고 있다.

15 이 연설의 설득 전략을 바르게 정리하지 <u>못한</u> 것은?

인성적 설득 전략	국제 사면 위원회에서 일했던 경험이 있는 연설자의 전문성을 바탕으로 연설에 신뢰를 갖게 함. ······ ㉠
이성적 설득 전략	• 연설자가 실패의 경험을 통해 얻은 깨달음을 논리적으로 제시함. ······ ㉡ • 국제 사면 위원회 직원들의 됨됨이를 강조하며 연설 내용에 공감하게 함. ······ ㉢
감성적 설득 전략	• 연설자의 진솔한 경험담을 통해 청중의 공감을 불러일으킴. ······ ㉣ • '어려움에 처해 있는 사람들의 삶을 상상하는 힘을 가지세요.'라는 말을 통해 청중의 감정에 호소함. ······ ㉤

① ㉠ ② ㉡ ③ ㉢ ④ ㉣ ⑤ ㉤

서술형

16 연설자가 청중에게 전달하려는 주제를 다음과 같이 정리할 때, ⓐ, ⓑ에 들어갈 알맞은 말을 쓰시오.

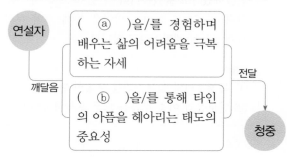

연설자 —깨달음→
(ⓐ)을/를 경험하며 배우는 삶의 어려움을 극복하는 자세
(ⓑ)을/를 통해 타인의 아픔을 헤아리는 태도의 중요성
—전달→ 청중

교과서 160~163쪽

인터넷을 이용해서 유명 인사의 졸업 축사를 찾아볼까요? 졸업 축사만을 모아 실어 놓은 책도 함께 찾아볼 수 있습니다. 자신의 마음에 와 닿은 축사가 있으면 그 구절을 그대로 적어 보세요.

이 활동은

미래의 자신의 모습을 떠올려 보고, 후배들에게 전하고 싶은 축사를 써 보는 활동입니다. 예상 청중의 요구를 고려하여 설득 전략을 마련해 봄으로써 자신의 생각을 효과적으로 전달할 수 있는 능력을 길러 보세요.

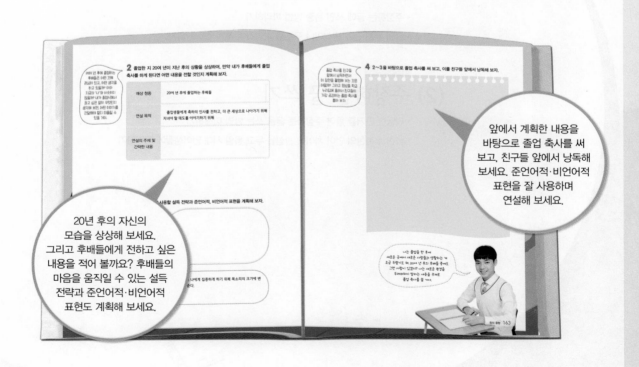

20년 후의 자신의 모습을 상상해 보세요. 그리고 후배들에게 전하고 싶은 내용을 적어 볼까요? 후배들의 마음을 움직일 수 있는 설득 전략과 준언어적·비언어적 표현도 계획해 보세요.

앞에서 계획한 내용을 바탕으로 졸업 축사를 써 보고, 친구들 앞에서 낭독해 보세요. 준언어적·비언어적 표현을 잘 사용하며 연설해 보세요.

4

비판적 · 창의적 사고 역량

논리로 여는 세상

읽기

(1) 논리적으로 읽기

_ 청소년에게 놀 공간을 제공하자

• 주장하는 글에 쓰인 논증 방법 파악하기
• 글의 논지 전개 방식이나 구조를 파악하며 체계적으로 읽기

쓰기, 문법

(2) 주장하는 글 쓰기

• 타당한 근거를 들어 주장하는 글을 쓰는 방법 이해하기
• 남한과 북한의 언어 차이에 관심을 두고 통일 시대 언어생활에 대비하기

왜 배울까?

우리는 일상생활에서 다양한 종류의 주장하는 글을 접한다. 신문 사설이나 칼럼뿐만 아니라 인터넷 게시판이나 누리 소통망 등 온라인에서 접하는 서로 다른 의견들도 주장하는 글이다. 주장하는 글에는 주장과 이를 뒷받침하는 근거가 담겨 있다. 이러한 주장과 근거의 관계를 논증이라 하는데 논증을 전개하는 방법과 그 특징 및 효과를 파악하며 글을 읽으면, 논리적인 사고를 바탕으로 글을 비판적으로 수용할 수 있다. 이는 자신의 주장이 담긴 글을 쓸 때에도 마찬가지이다. 논증 방법을 바탕으로 타당한 근거를 들어 글을 쓰면 글의 설득력을 높일 수 있다. 한편 이러한 비판적이고 논리적인 사고를 바탕으로 남북한 언어를 비교하고, 그 차이를 극복할 방안을 탐구한다면 다가올 통일 시대에 능동적으로 대비할 수 있을 것이다.

뭘 배울까?

이 단원에서는 비판적·창의적 사고 역량을 기르기 위해 주장하는 글의 짜임을 알아보고 다양한 논증 방법과 그 효과를 파악해 볼 것이다. 또한 통일 시대에 대비하여 남북 언어의 차이를 극복할 수 있는 방안을 탐구해 보고, 이를 바탕으로 자신의 주장을 타당한 근거를 들어 글로 써 볼 것이다.

소단원 개념 길잡이

• 정답과 해설 20쪽

주장하는 글이란

글쓴이의 의견이나 주장을 타당한 근거를 들어 논리적으로 전개함으로써 독자를 설득하려는 글을 말한다.

주장하는 글을 읽는 방법

• 글쓴이의 주장을 정확하게 파악하고, 근거가 적절한지 판단하며 읽는다.
• 논증 방법을 중심으로 글의 논지 전개 방식이나 구조 등을 분석하며 읽는다.

논증이란

• 글쓴이의 주장과 이를 뒷받침하는 근거 사이의 논리적 관계를 말한다.
• 하나 이상의 주제에 대해 타당한 근거를 들어 주장을 펼치는 방법이다.

다양한 논증 방법

	연역	귀납
개념	일반적인 원리나 진리를 전제로 하여 개별적이고 구체적인 주장을 이끌어 내는 방법	개별적이고 구체적인 사실에서 일반적이고 보편적인 주장을 이끌어 내는 방법
특징	• 어떤 사물이나 현상의 일반적 속성, 관계, 본질을 추리해 내는 사고 형식임. • 결론 속의 정보나 사실적 내용은 모두 이미 전제 속에 포함되어 있음. • 제시된 일반적인 사실이 참이면 결론도 언제나 참이며, 전제가 거짓이면 결론도 거짓임. • 대전제와 소전제의 두 전제와 하나의 결론으로 이루어진 삼단 논법이 대표적임. • 대전제와 소전제는 모두 결론의 근거로, 대전제는 일반적이고 보편적인 사실을 의미하며 소전제는 개별적이고 구체적인 사실을 의미함.	• 전제에 포함되어 있지 않은 새로운 지식을 결론으로 삼기 때문에 지식을 확장할 수 있음. • 개별적 사례로부터 이끌어 낸 주장이 모든 사례를 확인해 얻은 것은 아니므로 언제나 참이라고 보기는 어려움. • 뒷받침하는 사례가 많을수록 결론도 참일 가능성이 높아짐. • 개별적인 사실에서 결론을 도출해 내는 유추, 일반화도 귀납에 속함. 유추: 두 대상 간의 유사점을 근거로 들어, 그것들 사이의 또 다른 점도 유사할 것이라고 추론하는 논증 방법 일반화: 경험적 사례들로부터 추상화를 통해 일반적인 결론을 이끌어 내는 논증 방법
예	• 사람은 모두 인권을 지녔다. • 그는 사람이다. • 따라서 그는 인권을 지녔다.	• 그는 인권을 지녔다. 그녀는 인권을 지녔다. • 그와 그녀는 사람이다. • 따라서 모든 사람은 인권을 지녔다.

간단 체크 개념 문제

1 다음 설명이 맞으면 ○표, 틀리면 ×표 하시오.

(1) 주장하는 글에서 글쓴이는 주장을 명확하게 내세우기 위해 타당하고 신뢰할 만한 근거를 제시해야 한다. ( )

(2) 주장하는 글은 논증 방법을 중심으로 논지 전개 방식을 파악하며 읽어야 한다. ( )

(3) 개별적이고 구체적인 사실에서 보편적이고 일반적인 주장을 이끌어 내는 논증 방법을 연역이라 한다. ( )

2 다음 빈칸에 들어갈 알맞은 말을 쓰시오.

> □□(이)란 주장과 근거 간의 관계로, 여러 근거를 들어 자신의 주장이 옳음을 증명하는 방법이다.

3 〈보기〉에 나타난 논증 방법에 대한 설명으로 알맞은 것은?

보기
• 곤충은 몸이 머리, 가슴, 배로 나뉜다.
• 잠자리는 곤충이다.
• 따라서 잠자리의 몸은 머리, 가슴, 배로 나뉜다.

① 유추에 해당한다.
② 일반화에 해당한다.
③ 삼단 논법을 사용하였다.
④ 특수한 사례에서 일반적인 사실을 이끌어 낸다.
⑤ 전제가 참이라도 결론이 항상 참인 것은 아니다.

● 정답과 해설 20쪽

(1) 논리적으로 읽기 _ 청소년에게 놀 공간을 제공하자

학습 목표 글에 사용된 다양한 논증 방법을 파악하며 읽을 수 있다.

서론 학습 포인트

❶ 서론의 기능

(가) 언제부터인가 평일 방과 후나 주말에 학교 운동장에서 노는 학생들의 모습을 찾아보기가 어려워졌다. 학생 대부분이 학교 일과가 끝나도 방과 후 수업이나 학원 수업 등으로 분주하게 움직이기 때문이다. 이렇게 요즘 학생들은 어른보다 바쁜 일상을 보낸다. 그 결과 오이시디(OECD) 가입국 중 한국 학생들의 학습량은 최상위권을, 반대로 삶의 만족도는 최하위권을 차지하고 있다. 한국 청소년들은 많이 공부하는 만큼 많이 불행하다.

오이시디(OECD): 경제 협력 개발 기구. 세계 경제 발전과 상호 경제 협력을 도모하기 위해 1961년에 설립된 국제기구

(나) 학생의 본분은 공부라지만 그와 함께 적당한 휴식과 놀이도 필요하다. 하지만 청소년들이 놀 수 있는 시간은 부족하고, 마음 놓고 놀 만한 공간은 많지 않다. 운동장이나 놀이터는 청소년의 다양한 욕구를 반영하지 못한다는 점에서 놀이 공간의 역할을 하기에 부족하고, 피시방이나 노래방 등은 쉽게 일탈에 노출될 수 있다는 점에서 우려의 목소리가 높은 공간이다. 그나마 어쩌다 발견할 수 있는 청소년 놀이 문화 시설은 턱없이 부족하거나 접근이 쉽지 않은 것이 현실이다. 그래서인지 청소년들은 놀 시간이 주어져도 스마트폰을 켜고 혼자만의 시간을 보내는 경우가 많다. 혼자 노는 청소년들의 모습은 방과 후 텅 빈 학교 운동장만큼이나 쓸쓸하다.

일탈: 사회적인 규범에서 벗어나는 일. 청소년 비행, 약물 남용, 성적(性的) 탈선 따위가 있음.

우려: 근심하거나 걱정함. 또는 그 근심과 걱정

(다) 만약 청소년들에게 그들만의 문화를 형성하고 자유롭게 즐길 수 있는 놀이 공간이 주어진다면 어떠할까? 앞에서 살펴본 문제가 해결되지 않을까? 여기서는 청소년 놀이 공간 확대의 긍정적인 측면에 대해 생각해 보도록 하자.

학습콕 서론 | 소주제: ☐☐☐을 위한 놀이 공간이 부족한 현실의 문제 제기

❶ 서론의 기능

독자의 흥미 유발	주제에 관한 현실의 상황을 제시하며 글을 시작함.
중심 화제, ☐☐ ☐☐ 제시	청소년이 놀 수 있는 시간과 공간이 부족하다는 문제를 제기함.
이어질 내용 소개	본론 부분에서 청소년 놀이 공간 확대의 긍정적인 측면에 대해 이야기할 것임을 안내함.

간단 체크 내용 문제

01 (가)~(다)에 사용된 서술 방식으로 적절하지 않은 것은?

① 글의 중심 화제를 제시한다.
② 이어질 글의 내용을 안내한다.
③ 글쓴이의 주장을 직접 제시한다.
④ 주제와 관련된 문제 상황을 제시한다.
⑤ 일상에서 흔히 접할 수 있는 현실 상황을 언급하며 독자의 흥미를 유발한다.

중요

02 (가)로 보아, 한국 청소년들의 삶에 대한 글쓴이의 관점으로 알맞은 것은?

① 경제적 어려움을 겪는 청소년이 많아 불행하다.
② 학습량은 많은데 삶의 만족도는 떨어져 불행하다.
③ 많이 공부하는 것에 비해 성과를 거두지 못해 안타깝다.
④ 공부에만 매달리지 않고 혼자 노는 청소년들이 많아 자유롭다.
⑤ 오이시디(OECD) 가입국 중 청소년 일탈 사례가 가장 많아 위험하다.

본론 1 학습 포인트

❶ 본론의 기능　　❷ 글쓴이의 주장을 뒷받침하는 근거 ①

라 먼저 청소년 놀이 공간을 확대하면 청소년의 사회성을 기를 수 있다. 우리는 태어나서 생을 마감할 때까지 평생 공동체 안에 머무르며 다른 구성원과 더불어 살아간다. 이때 필요한 능력이 바로 사회성이다. 사람들은 사회 속에서 자신의 소질과 재능을 발견하고, 타인과 어울리고 위기를 극복하는 방법을 익히는 등 삶에 필요한 많은 것을 배운다. 그런데 이러한 배움은 책상에 앉아 공부를 통해 습득하기에는 한계가 있다. 사회성은 지식이 아닌 경험을 통해 체득해야(몸소 체험하여 알아야) 한다. 사회성을 익히기 위해서는 다양한 만남과 소통 그리고 시행착오의 과정이 필요하기 때문이다.

우리는 놀면서 자연스럽게 다른 사람의 생각과 감정을 알게 되고, 그들의 눈에 비친 자신을 발견한다. 또한 자신의 생각과 감정을 다른 사람과 공유하려 노력한다. 나와 타인을 이해하고 나아가 타인과 타협하는 것이 곧 사회성을 익히는 과정이다. 청소년 놀이 공간에서는 다양한 경험과 만남의 기회가 제공되며, 이는 청소년의 공감 능력, 관계 형성 능력, 협동 능력, 사회 규율에 대한 이해력 등 일련의(하나로 이어지는 것) 사회성을 기르는 데에 기여할 것이다.

학습콕 본론 1 | 소주제: 청소년 놀이 공간 확대의 효과 ① - 청소년의 사회성이 길러짐.

❶ 본론의 기능

구체적 근거 제시	청소년 놀이 공간 확대로 발생할 개별적·구체적 효과 세 가지를 근거로 제시함.
글쓴이의 주장 제시	문제 상황에 대한 글쓴이의 주장 '청소년 놀이 공간을 확대해야 한다.'를 직접적으로 제시함.

❷ 글쓴이의 주장을 뒷받침하는 근거 ①

• 우리는 놀면서 타인의 생각과 감정 및 타인에게 보이는 자신의 모습을 알게 되며, 자신의 생각과 감정을 타인과 공유하려 노력하게 됨. • 청소년 놀이 공간은 다양한 경험과 만남의 기회를 제공해 청소년이 자신과 타인을 이해하고 타인과 타협하는 방법을 익힐 수 있음.	➡	청소년 놀이 공간을 확대하면 청소년의 □□□이 길러짐.

본론 2 학습 포인트

❶ 글쓴이의 주장을 뒷받침하는 근거 ②

마 두 번째로 청소년 놀이 공간을 확대하면 휴식과 재충전의 기회가 늘어 청소년의 스트레스 해소에 도움이 된다. 2015년 통계청 조사에 의하면 우리나라 13~24세 청소년 중 61.4 퍼센트가 생활 속에서 우울, 압박, 분노와 같은 부정적인 정서를 안고 살아간다고 한다. 이로 인해 가슴 통증, 울렁증과 같은 증상을 호소하거나 급기야 학업까지 포기하는 학생들이 점차 늘어나고 있다. 이처럼 많은 청소년들은 생활 속에서 느끼는 여러 가지 스트레스를 해소하지 못해 다양한 문제를 겪고 있다.

간단 체크 내용 문제

03 이 글에서 (라)~(마)의 공통적 역할로 알맞은 것은?

① 청소년 놀이 공간이 부족한 현실 상황을 소개한다.
② 청소년 놀이 공간을 확대하자는 주장을 뒷받침한다.
③ 청소년 놀이 공간의 확대 방법을 구체적으로 제시한다.
④ 청소년기의 스트레스가 미치는 부정적 영향을 설명한다.
⑤ 청소년의 사회성 함양에 놀이 공간이 하는 역할을 강조한다.

중요
04 다음은 (라)의 내용을 정리한 것이다. 빈칸에 들어갈 내용으로 알맞은 것은?

> 청소년 놀이 공간은 ( ) 때문에 청소년의 사회성을 기르는 데 도움이 된다.

① 청소년에게 재충전의 기회를 주기
② 청소년끼리 지식을 공유할 수 있기
③ 청소년에게 놀이의 중요성을 일깨우기
④ 청소년 스스로 소질과 재능을 발견하게 하기
⑤ 청소년에게 다양한 경험과 만남의 기회를 주기

05 (마)에서 〈보기〉와 같은 내용에 대한 설득력을 높이기 위해 사용한 방법을 쓰시오.

보기
> 많은 청소년들이 부정적인 정서를 안고 살아간다.

그러므로 반드시 청소년 놀이 공간을 확대해야 한다. 놀이를 통한 휴식과 재충전은 삶에 활력을 준다. 놀이는 재미있다. 놀이 그 자체가 수단이 아닌 목적이기 때문이다. 무엇보다 놀이는 누가 시켜서 하는 행동이 아니라 자신이 좋아서 하는 행동이다. 그래서 놀이를 하는 동안은 누구나 즐겁고 행복하다. 문화, 여가, 오락, 휴식 등을 즐길 수 있는 놀이 공간이 확대되어 다양한 놀이를 할 수 있다면, 청소년들은 각종 스트레스에서 벗어나 삶의 활력을 되찾을 수 있을 것이다.

학습콕 본론 2 | 소주제: 청소년 놀이 공간 확대의 효과 ② – 청소년의 스트레스 해소에 도움이 됨.

❶ 글쓴이의 주장을 뒷받침하는 근거 ②

- 많은 청소년들이 부정적인 정서를 안고 살아가며, 스트레스를 해소하지 못해 다양한 문제를 겪고 있음.
- 놀이를 통한 휴식과 재충전은 삶에 ☐☐을 줌.

→ 청소년 놀이 공간을 확대하면 청소년의 ☐☐☐☐ 해소에 도움이 됨.

본론 3 학습 포인트

❶ 글쓴이의 주장을 뒷받침하는 근거 ③

바 마지막으로 ㉠청소년 놀이 공간을 확대하면 청소년의 일탈이 줄게 되므로 범죄 예방에도 효과가 있다. 학교 폭력을 비롯한 청소년 범죄가 날로 심각해져 사회 문제가 된 지 오래다. 통계청에 따르면 2016년 기준 소년 범죄자 수는 76,000명에 달한다고 한다. 이는 전체 범죄자 중 3.8 퍼센트에 이르는 높은 수치이다. 또한 청소년의 강력 범죄도 지속적으로 증가하는 추세이다. 물론 그 원인은 매우 복잡하겠으나 놀이 공간이 부족한 것도 하나의 이유라고 할 수 있다.

청소년이 마음 놓고 모일 수 있는 마땅한 공간이 없는 현실은 청소년들을 유해(해로움이 있음.) 환경으로 내몬다. 이는 청소년으로 하여금 어른들의 잘못된 행동을 모방하게 하고, 이러한 행동은 일탈과 범죄로 이어지는 경우가 많다. 청소년기는 자기 존재를 인정받고자 하는 욕구가 강해지는 시기이다. 하지만 긍정적이고 바람직한 방법으로 자기를 드러낼 수 있는 길이 많지 않으니 반사회적(사회의 규범이나 질서 또는 이익에 반대되는. 또는 그런 것)이고 일탈적인 방법으로 이를 추구하게 되는 것이다.

따라서 청소년의 일탈과 범죄를 예방하기 위해서는 자아(자기 자신에 대한 의식이나 관념)를 드러내고 존중받을 수 있는 올바른 방법을 청소년 스스로 찾을 수 있도록 해야 한다. 청소년들은 청소년 놀이 공간에서 자신의 욕구를 바르게 표현하는 방법을 익히고, 체육, 예술, 취미, 진로 활동을 하며 자신들만의 문화를 생산해 낼 것이다. 돈을 쓰지 않고도, 어른들의 간섭이 없이도 자신들의 문화가 보장되는 청소년 놀이 공간이 확대된다면 왜 구태여 가지 말라는 곳에 가며, 하지 말라는 행동을 하겠는가? 청소년 놀이 공간은 사회 안전망 역할을 하여 청소년 일탈과 범죄 예방에 기여할(도움이 되도록 이바지할) 것이다.

간단 체크 내용 문제

06 이와 같은 글을 읽는 방법으로 알맞지 않은 것은?

① 주장과 근거를 찾아본다.
② 글쓴이의 정서를 파악한다.
③ 근거의 타당성을 판단한다.
④ 글에 사용된 논증 방법을 살펴본다.
⑤ 글의 구조와 논지 전개 방식을 파악한다.

중요

07 ㉠을 뒷받침하는 내용으로 알맞지 않은 것은?

① 청소년들이 모일 공간이 없는 현실은 청소년들을 유해 환경으로 내몬다.
② 청소년들은 자신의 욕구를 반사회적·일탈적 방법으로 충족하려고 한다.
③ 학교 폭력 등의 청소년 범죄가 날로 심각해져 사회 문제가 되고 있다.
④ 청소년들은 놀이 공간에서 자신의 욕구를 바르게 표현하는 방법을 익힐 수 있다.
⑤ 청소년들은 놀이 공간에서 다양한 활동을 하며 자신들만의 문화를 만들 수 있다.

간단 체크 어휘 문제

다음 낱말의 뜻풀이로 알맞은 것을 찾아 선으로 연결하시오.

(1) 기여 • • ㉠ 해로움이 있음.
(2) 유해 • • ㉡ 도움이 되도록 이바지함.
(3) 일탈 • • ㉢ 사회적인 규범으로부터 벗어나는 일

학습콕 본론 3 | 소주제: 청소년 놀이 공간 확대의 효과 ③ - 청소년의 범죄 예방에 효과가 있음.

❶ 글쓴이의 주장을 뒷받침하는 근거 ③

- 청소년이 모일 마땅한 공간이 없는 현실은 청소년들을 유해 환경으로 내몲. 또한 이런 현실은 청소년들이 자기 존재를 인정받고 싶은 욕구를 충족하기 위해 반사회적·일탈적 방법을 사용하게 함.
- 청소년들은 청소년 놀이 공간 안에서 자기 욕구를 바르게 표현하는 방법을 익힐 수 있음.

➡ 청소년 놀이 공간을 확대하면 청소년의 □□ □□에 효과가 있음.

결론 학습 포인트

❶ 결론의 기능 ❷ 이 글의 논증 방식

(사) 우리나라의 청소년들은 과도한 경쟁과 학업 스트레스로 위기에 내몰리고 있다. 이 때문에 다양한 신체 활동과 예술 활동을 하며 휴식과 여가를 즐길 기회를 제공해 줄 놀이 공간의 확대가 절실하다. 이는 청소년의 삶의 질 향상과 문화적 욕구 해소, 그리고 사회 복지를 위해 꼭 필요하다. 인간은 원래 '놀이하는 인간(호모 루덴스)'으로 진화해 왔다. 음악, 미술, 무용, 연극, 체육, 문학 등도 따지고 보면 놀이에서 비롯된 것이다. 놀이가 곧 성장이고 생산이며 학업이 될 수 있다.

청소년이 나라의 미래라고 하지만 정작 그들에게 필요한 여가 시간과 놀 공간은 부족한 것이 현실이다. 우리 사회는 청소년 놀이 공간을 확대하기 위해 노력해야 한다. 이를 통해 청소년들은 건전한 놀이를 하면서 또래와 유익한 관계를 형성하고 행복한 성장을 이어갈 수 있을 것이다.

학습콕 결론 | 소주제: 청소년 놀이 공간이 확대될 수 있도록 우리 사회의 노력 제안

❶ 결론의 기능

내용 정리	청소년들에게 놀이 공간이 필요한 이유를 정리함.
글쓴이의 □□ 강조	청소년 놀이 공간을 확대하기 위해 노력해야 함을 강조함.

❷ 이 글의 논증 방식

근거		주장
청소년 놀이 공간을 확대하면 청소년의 사회성을 기를 수 있고, 청소년의 스트레스 해소에 도움이 되며, 청소년의 범죄 예방에 효과가 있음.	➡	청소년 놀이 공간을 확대해야 함.

⬇

개별적·구체적인 내용을 근거로 일반적·보편적인 주장을 이끌어 내는 □□ 논증이 사용됨.

간단 체크 내용 문제

08 이 글의 구성 단계를 고려할 때, (사)의 기능으로 알맞은 것은?

① 내용 정리, 주장 강조
② 문제 제기, 화제 제시
③ 주장 제시, 근거 제시
④ 문제 제기, 궁금증 유발
⑤ 글을 쓴 동기 제시, 미래 전망

중요

09 이 글에 나타난 논증 방법에 대한 설명으로 알맞은 것을 <보기>에서 모두 골라 묶은 것은?

보기
ㄱ. 구체적 사실에서 일반적인 주장을 이끌어 낸다.
ㄴ. 일반적인 원리에서 구체적 사실을 이끌어 낸다.
ㄷ. 사례가 충분할수록 타당할 가능성이 높아진다.
ㄹ. '사람은 죽는다. 그도 사람이다. 따라서 그도 죽는다.'와 같은 논증 방법이 쓰였다.

① ㄱ, ㄷ ② ㄴ, ㄷ
③ ㄴ, ㄹ ④ ㄱ, ㄷ, ㄹ
⑤ ㄴ, ㄷ, ㄹ

중요

10 이 글을 통해 글쓴이가 궁극적으로 주장하려는 바를 (사)에서 찾아 한 문장으로 쓰시오.

교과서 174쪽~183쪽

학습 활동

• 정답과 해설 20쪽

이해
❶ 글의 구성 단계에 따라 글쓴이의 주장과 근거 정리하기
❷ 이 글에 사용된 논증 방법 파악하기
❸ 논증 방법을 파악하며 글을 읽었을 때의 장점 이해하기

1 다음은 이 글을 읽은 학생의 반응이다. 이를 바탕으로 글쓴이가 이 글을 쓴 목적을 파악해 보자.

나는 이 글을 읽고 청소년 놀이 공간을 확대해야 한다고 생각하게 됐어.

이 글을 읽은 학생이 글쓴이의 주장과 같은 생각을 하게 된 것으로 보아, 글쓴이는 답 독자를 □□하기 위해 이 글을 썼을 것이다.

2 이 글의 내용을 구성 단계에 따라 정리해 보자.

서론		청소년에게는 휴식과 놀이가 필요하지만, 이들이 마음 놓고 놀 수 있는 공간은 부족하다.
본론	근거 1	청소년 놀이 공간을 확대하면 청소년의 사회성을 기를 수 있다.
	근거 2	답 청소년 놀이 공간을 확대하면 청소년의 스트레스 해소에 도움이 된다.
	근거 3	답 청소년 놀이 공간을 확대하면 청소년의 일탈이 줄어 범죄 예방에도 효과가 있다.
결론	주장	답 청소년 □□ □□을 더욱 확대해야 한다.

3 다음 내용을 참고하여, 이 글에 쓰인 논증 방법을 파악해 보자.

연역

- 이미 알려진 일반적인 원리나 법칙에서 구체적이고 개별적인 결론을 이끌어 내어 주장을 내세우는 방법이다.
- 결론의 내용이 전제에 포함되어 있기 때문에 전제가 참이면 결론도 참이고, 전제가 거짓이면 결론도 거짓이다.

대전제 모든 사람은 죽는다. ······ 일반적 원리
소전제 이순신 장군은 사람이다. ······ 구체적 사실
결론 따라서 이순신 장군은 죽는다. ······ 구체적 사실

간단 체크 활동 문제

01 이 글을 쓴 목적으로 알맞은 것은?

① 청소년 놀이 공간 확대 방안을 건의하는 것
② 청소년 놀이 공간에 대한 정보를 전달하는 것
③ 청소년 놀이 공간을 확대해야 함을 설득하는 것
④ 청소년 놀이 공간 확대에 대한 경험을 들려주는 것
⑤ 청소년 놀이 공간 확대에 대한 정서를 표현하는 것

02 다음은 이 글의 논지 전개를 바탕으로 논증 방법을 정리한 표이다. ㉠~㉢에 들어갈 알맞은 말을 쓰시오.

(㉠)
청소년 놀이 공간 확대의 긍정적 측면
- 청소년의 사회성을 기를 수 있음.
- 청소년의 스트레스 해소에 도움이 됨.
- 청소년의 일탈이 줄어 범죄 예방에 효과가 있음.

⬇

주장
청소년 놀이 공간을 (㉡) 해야 한다.

논증 방법
(㉢) 논증

학습 활동

귀납

- 개별적이고 구체적인 사실이나 현상에서 일반적이고 보편적인 결론을 이끌어 내는 방법이다.
- 전제에 포함되어 있지 않은 새로운 지식을 결론으로 삼아 지식을 넓혀 준다는 데 의의가 있다.

- 이순신 장군은 죽었다. 세종 대왕도 죽었다. ······ 구체적 사실
- 이순신 장군과 세종 대왕은 사람이다. ······ 구체적 사실
- 따라서 모든 사람은 죽는다. ······ 일반적 원리

(1) 빈칸에 들어갈 알맞은 말을 보기에서 골라 보자.

보기
근거 주장

이 글의 글쓴이는 청소년 놀이 시설을 확대했을 때 발생할 개별적이고 구체적인 효과들을 [답 근거](으)로 제시하고 있다.

그리고 '청소년 놀이 시설을 확대해야 한다.'라는 일반적이고 보편적인 내용을 [답 주장](으)로 제시하고 있다.

(2) 이 글에 사용된 논증 방법은 무엇인지 써 보자.

답 이 글은 개별적이고 구체적인 사실에서 일반적이고 보편적인 결론을 이끌어 내고 있으므로 귀납 논증이 사용되었다.

4 다음 글에 쓰인 논증 방법을 파악해 보자.

㉠ 아름다움에는 우열이 없다. 개나리의 노랑과 진달래의 분홍을 두고 무엇이 아름다운지 증명할 수 없듯이, 아름다움이란 그 자체로 가치를 지닐 뿐 우열을 가릴 수 있는 대상이 아니다. 음악도 이와 마찬가지이다. 우리가 음악을 듣고 감동을 받는 것은 음악이 아름답기 때문이다. 따라서 음악의 아름다움 사이에는 우열이 존재하지 않는다. 그런데 방송 프로그램 중에는 음악의 아름다움을 두고 우열을 가리려는 것이 많다. 가요의 순위를 정하고, 오디션을 통해 1등을 뽑고, 유명 가수들이 경연을 펼치기도 한다. 이런 프로그램들은 음악이 전하는 아름다움에 점수를 매기고, 순위를 결정하려 한다. 과연 일곱 사람을 감동시킨 음악보다 여덟 사람, 열 사람을 감동시킨 음악이 더 우월하다고 할 수 있을까? 음악이 주는 감동 그 자체가 음악의 아름다움인데, 이를 가지고 우열을 가리는 일은 삭막하고 어리석은 일일 뿐이다.

(1) 이 글의 주장과 근거를 정리해 보자.

주장	답 방송 프로그램에서 음악의 아름다움을 두고 [ ][ ]을 가리는 것은 적절하지 않다.
근거	답 음악의 아름다움 사이에는 [ ][ ]이 존재하지 않는다.

간단 체크 활동 문제

03 이 글의 논증 방법에 대한 설명으로 가장 알맞은 것은?

① 청소년 놀이 시설 확대의 효과를 대전제로 제시해 주장을 이끌어 낸다.
② 청소년 놀이 시설 실태와 청소년 일탈과의 관계를 바탕으로 주장을 이끌어 낸다.
③ 청소년 놀이 시설을 확대해야 한다는 일반적인 사실로부터 그 효과를 이끌어 낸다.
④ 청소년 놀이 시설 확대의 구체적인 효과들을 근거로 일반적인 주장을 이끌어 낸다.
⑤ 청소년 놀이 시설 확대의 효과라는 보편적인 전제로부터 개별적인 결론을 이끌어 낸다.

04 ㉠에서 글쓴이가 궁극적으로 주장하려는 바로 알맞은 것은?

① 음악은 아름답다.
② 아름다움에는 우열이 없다.
③ 음악의 순위를 정하는 공정한 기준이 필요하다.
④ 음악의 아름다움에 우열을 가리는 것은 적절하지 않다.
⑤ 개나리와 진달래 빛깔의 아름다움은 우열을 가릴 수 없다.

• 정답과 해설 20쪽

(2) 다음 표의 빈칸을 채우며 이 글에 사용된 논증 방법을 파악해 보자.

- **대전제** 아름다움에는 우열이 없다.
- ㉡ **소전제** 음악은 아름답다.
- **결론** 따라서 답 음악에는 우열이 없다.

↳ 이 글에는 답 ☐☐ 의 논증 방법이 사용되었다.

5 논증 방법을 파악하며 주장하는 글을 읽었을 때, 어떤 효과가 있는지 써 보자.

- 글쓴이가 주장하는 바가 무엇인지 정확하게 파악할 수 있다.
- 답 글의 ☐☐를 파악하며 내용을 체계적으로 이해할 수 있다.
- 답 주장에 대한 근거가 적절한지 판단할 수 있다.

지식 사전

유추와 일반화

- 유추: 두 대상 간의 유사점을 근거로 들어, 그것들 사이의 또 다른 점도 유사할 것이라고 추론하는 논증 방법이다.
  - 예 태국은 강수량과 일조량이 많아 벼농사가 잘된다.
  베트남도 강수량과 일조량이 많다.
  따라서 베트남도 벼농사가 잘될 것이다.
- 일반화: 경험적 사례들로부터 추상화를 통해 일반적인 결론을 이끌어 내는 논증 방법이다.
  - 예 첫 번째 까마귀는 검다.
  두 번째 까마귀는 검다.
  ⋮
  백 번째 까마귀는 검다.
  따라서 모든 까마귀는 검다.

유추와 일반화는 특수한 사례들을 검토한 뒤, 그 결론으로 사실이나 진리를 이끌어 낸다는 점에서 귀납적 논증 방법에 속한다.

학습콕

❶ 논증의 개념과 논증 방법

논증의 개념	주장과 근거 간의 관계로, 하나 이상의 주제에 대해 근거를 들어 주장을 펼치는 방법
논증 방법	• 연역: 일반적인 원리에서 개별적인 결론을 이끌어 냄. • 귀납: 개별적인 사실에서 일반적인 결론을 이끌어 냄. 유추와 일반화도 이에 속함.

❷ 논증 방법을 파악하며 글 읽기의 효과

- 글의 논지 전개 방식이나 구조 등을 파악하며 내용을 체계적으로 이해할 수 있음.
- 근거가 주장을 타당하게 뒷받침하는지 판단할 수 있음.
- 글의 내용을 효과적으로 이해하고 글쓴이가 주장하는 바를 정확하게 파악할 수 있음.

간단 체크 활동 문제

05 다음 중 ㉡에 나타난 것과 같은 논증 방법이 쓰이지 않은 것은? (정답 2개)

① 모든 인간은 죽는다. 소크라테스는 인간이다. 따라서 소크라테스는 죽는다.
② 우리는 어려운 처지에 놓인 이를 도와야 한다. 수재민은 어려운 처지에 놓였다. 따라서 우리는 수재민을 도와야 한다.
③ 첫 번째 까마귀는 검다. 두 번째 까마귀는 검다. 세 번째 까마귀도, 네 번째 까마귀도 검다. 따라서 모든 까마귀는 검다.
④ 달력에 빨간 숫자가 적힌 날은 집에서 쉰다. 내일은 달력에 빨간 숫자로 적혀 있는 날이다. 따라서 내일은 집에서 쉰다.
⑤ 태국은 강수량과 일조량이 많아 벼농사가 잘된다. 베트남도 강수량과 일조량이 많다. 따라서 베트남도 벼농사가 잘될 것이다.

06 논증 방법을 파악하며 글을 읽을 때의 효과로 알맞지 않은 것은?

① 글쓴이의 주장을 수동적으로 수용할 수 있다.
② 주장에 대한 근거가 적절한지 판단할 수 있다.
③ 글에서 주장하려는 바를 정확하게 파악할 수 있다.
④ 근거가 주장을 어떻게 뒷받침하는지 파악할 수 있다.
⑤ 글의 구조를 파악하며 내용을 체계적으로 이해할 수 있다.

학습 활동

적용
❶ 이 글에 쓰인 논증 방법 파악하기
❷ 논증 방법을 활용하여 상황에 맞게 표현하기

다음은 인간의 존엄성을 주장하는 글이다. 이 글에 쓰인 논증 방법을 살펴보고, 다양한 논증 방법을 활용하여 상황에 맞는 표현을 생각해 보자.

갈래	주장하는 글(논설문)	성격	논증적, 교훈적, 연역적
제재	인간의 존엄성		
주제	인간이 모두 존엄하다는 사실을 알고 자신과 타인을 존중하며 살아가자.		
특징	• 다양한 사례를 들어 주제를 드러냄. • 문답법을 사용하여 독자의 호기심을 유발하고 내용을 강조함.		

모든 인간은 존엄하다

구정화

가 인간이라면 모두 존엄성(감히 범할 수 없는 높고 엄숙한 성질)을 지니고 있습니다. 능력이 뛰어나다고 해서, 외모가 훌륭하다고 해서, 혹은 인성이 좋다고 해서 인간으로서 더 가치 있는 것도 아니며 그렇지 못하다고 해서 가치가 없는 것도 아닙니다. 인간에게 존엄성이 있다는 것은 모든 인간이 가치 있는 존재라는 뜻입니다. 더불어 우리 모두가 이 지구상에 하나뿐인 존재로서 저마다 고유한 정체성(변하지 아니하는 존재의 본질을 깨닫는 성질. 또는 그 성질을 가진 독립적 존재)을 가지고 있다는 뜻이기도 합니다.

나와 당신, 모두가 어떤 모습으로 살아가더라도 우리는 존엄한 존재입니다. 여러분이 이상한 복장을 한 채 거리를 돌아다녀도, 여러분이 그 누구도 알지 못하는 특이한 직업을 장래 희망으로 생각할지라도 말입니다.

나 독특한 개성을 가지고 살아가는 사람들을 소개하는 텔레비전 프로그램이 있었습니다. 이 프로그램에는 평범하게 살아가는 사람들이 상상하기 어려운 사람들이 많이 나왔습니다. 종이를 먹는 사람, 수입의 대부분을 구두 사는 데 쓰는 사람……. 그런데 이 프로그램에서는 이들을 호기심 어린 눈으로 소개할 뿐 섣불리 비난하지 않았습니다. 그냥 그 자체를 인정합니다.

이처럼 각자의 정체성을 인정하고, 오로지 인간 그 자체로서의 가치를 중시하는 것이 인간의 존엄성을 인정하는 태도라고 보면 될 것 같습니다.

이쯤에서 의문이 생길 것입니다. 인간의 존엄성은 도대체 누가 부여한(사람에게 권리·명예·임무 따위를 지니도록 해 주거나, 사물이나 일에 가치·의의 따위를 붙여 준) 것일까요? 답은, 우리는 모두 태어나면서부터 자연적으로 존엄성을 부여받았습니다. 인간으로 태어난 이상 당연히 존엄성을 가지게 된다는 뜻이지요. 그런데 현실에서는 누구나 인간으로서 존엄성을 존중받는 것은 아닙니다. 서로가 서로의 존엄성을 인정해야 하는데, 그렇지 못한 경우가 많기 때문입니다.

다 예를 들어 볼까요? 내가 교실에서 잠시 남과 다른 행동을 할 때 옆에 있던 친구들이 그 모습을 보고 우리 반에 이상한 아이가 있다고 학교에 소문을 냈다고 해 봅시다. 나의 고유한 정체성은 '이상한 것'으로 평가받았고, 인간으로서 내 가치는 훼손되었습니다. 인간으로서 존엄성을 존중받지 못한 것입니다.

하지만 그렇다고 해서 자연적으로 부여받은 나의 존엄성이 사라진 것은 아닙니다.

간단 체크 활동 문제

07 이 글의 특징으로 알맞은 것은?

① 글쓴이의 경험을 제시하여 독자의 공감을 얻는다.
② 글쓴이가 말하고자 하는 바를 우회적으로 표현한다.
③ 신뢰할 만한 연구 결과를 제시함으로써 주장을 뒷받침한다.
④ 관찰과 조사, 실험의 과정이나 결과를 체계적으로 제시한다.
⑤ 글쓴이가 자신의 주장을 논리적으로 증명하여 독자를 설득한다.

08 이 글에 쓰인 논증 방법에 대한 설명으로 알맞지 않은 것은?

① '인간은 모두 존엄성을 지니고 있다.'를 대전제로 볼 수 있다.
② '나 자신을 비롯하여 모든 사람은 인간이다.'가 소전제가 된다.
③ '나 자신을 비롯하여 모든 사람은 존엄성을 지니고 있다.'는 결론을 이끌어 낼 수 있다.
④ '인간의 존엄성'이라는 구체적 사실로부터 '나의 존엄성'이라는 일반적 원리를 이끌어 낸다.
⑤ '인간이 모두 존엄한 존재임을 알고 자신과 타인을 존중하며 살아가자.'는 주장을 뒷받침하려는 것이다.

나는 여전히 존엄한 존재입니다. 다만 타인에 의해 존중받지 못한 것입니다. 이런 점에서 인간의 존엄성은 우리가 서로 존엄성을 지켜 줄 때 구현됩니다.

대한민국 헌법 제10조는 '모든 국민은 인간으로서 존엄과 가치를 가지며'라고 인간의 존엄성을 선언하고 있습니다. 그런데도 우리 주변에서는 인간의 존엄성을 위협하는 일들이 많이 벌어집니다. 때로는 스스로 자신의 존엄성을 훼손하기도 합니다. 가장 대표적인 경우가 자신을 낮게 평가하는 것입니다. '나는 공부 못하는 아이, 쓸모없는 아이, 사랑받을 가치가 없는 아이, 모두가 싫어하는 아이야.'라고 생각하는 것은 자신의 존엄성을 스스로 훼손하는 것입니다.

라 우리는 모두 존엄한 인간입니다. 고유의 정체성을 가진 세상에 하나뿐인 존재입니다. 하루하루 자신을 존엄하게 여기며 살아가야 합니다. 다른 사람도 그러하다는 것을 인정하면서 말입니다.

1 이 글에 쓰인 논증 방법을 정리하여 써 보자.

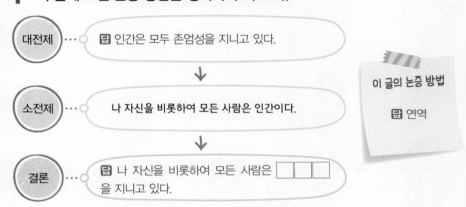

대전제 … 답 인간은 모두 존엄성을 지니고 있다.

↓

소전제 … 나 자신을 비롯하여 모든 사람은 인간이다.

↓

결론 … 답 나 자신을 비롯하여 모든 사람은 □□□을 지니고 있다.

이 글의 논증 방법

답 연역

2 상황 1과 상황 2가 타당한 논증이 되도록 말풍선 안에 들어갈 말을 생각해 보고, 각 상황에 사용된 논증 방법을 써 보자.

상황 1
답 가수들은 노래를 잘해.
여름이는 가수야.
그럼 여름이도 노래를 잘하겠네.
당연하지.
활용한 논증 방법
답 □□

간단 체크 활동 문제

09 이 글에 쓰인 논증 방법의 특징으로 알맞은 것은?

① 전제가 참이면 결론도 반드시 참이다.
② 결론은 전제 속에 제시되어 있지 않은 정보를 포함한다.
③ 보다 많은 사례를 찾아내지 않으면 결론에 오류가 생길 수 있다.
④ 경험적 사례들로부터 추상화를 통해 일반적인 결론을 이끌어 낸다.
⑤ 둘 이상의 대상이 여러 면에서 유사함을 근거로 다른 속성도 유사할 것이라 추론한다.

10 '상황 1'에 쓰인 논증 과정 중 소전제에 해당하는 부분을 찾아 쓰시오.

● 정답과 해설 20쪽

간단 체크 활동 문제

11 다음 중 '상황 2'에 쓰인 논증 방법에 대한 설명으로 알맞은 것을 모두 골라 묶은 것은?

ㄱ. ㉮는 일반적 원리에 해당한다.
ㄴ. ㉯는 구체적 사실에 해당한다.
ㄷ. ㉰는 일반적 원리에 해당한다.
ㄹ. ㉮~㉰에서는 연역의 논증 방법이 사용되었다.

① ㄱ, ㄴ ② ㄴ, ㄷ
③ ㄷ, ㄹ ④ ㄱ, ㄴ, ㄹ
⑤ ㄴ, ㄷ, ㄹ

활동 마당

이 활동은

제시된 추리의 오류를 파악하며 논증 방법에 오류가 생기는 이유를 이해해 보고, 우리 주변에서 논리적 오류를 범하는 사례를 찾아 이야기해 보는 활동입니다.

시험에는

• 추리에 나타난 논증 방법과 논증의 오류를 찾는 문제
• 추리에 쓰인 논증 방법에서 오류가 나타난 원인을 묻는 문제
• 실생활에서 나타나는 논리적 오류를 찾는 문제

등이 출제될 수 있습니다.

압축 파일

• 정답과 해설 21쪽

갈래	주장하는 글(논설문)	성격	주관적, 논리적, 귀납적
제재	청소년 놀이 공간	주제	청소년의 놀이 공간을 확대하자.
특징	• 귀납 논증을 사용하여 근거를 제시함. • 객관적인 통계 자료를 제시하여 설득력을 높임.		

「청소년에게 놀 공간을 제공하자」의 짜임

서론		본론		결론
청소년을 위한 놀이 공간이 부족한 현실의 ❶□□ 제기	→	청소년 놀이 공간 확대의 ❷□□□인 측면 제시	→	청소년 놀이 공간이 확대될 수 있도록 우리 사회의 노력 제안

이 글에 사용된 논증 방법

근거		주장		논증 방법
• 청소년 놀이 공간을 확대하면 청소년의 ❸□□□을 기르는 효과가 있음. • 청소년 놀이 공간을 확대하면 청소년의 스트레스 해소에 도움이 됨. • 청소년 놀이 공간을 확대하면 청소년의 범죄 예방에 효과가 있음.	→	청소년 놀이 공간을 더욱 확대해야 함.	→	❹□□
구체적 사실		일반적 원리		

이 글에서 설득력을 높이기 위해 사용한 방법

❺□□ 자료를 인용함.	→	객관적 자료를 제시하여 글쓴이가 내세우는 주장의 설득력을 높임.
❻□□ 논증을 사용함.	→	청소년 놀이 공간 확대의 긍정적 측면을 구체적인 근거로 제시해 주장의 타당성을 높임.

다양한 논증 방법의 특징과 그 예

	특징	예
연역	• 결론의 내용이 ❼□□에 포함되어 있음. • 전제가 참이면 결론도 참이고, 전제가 거짓이면 결론도 거짓임.	• 가수들은 노래를 잘해. …… 일반적 원리 • 여름이는 가수야. …… 구체적 사실 • 그럼 여름이도 노래를 잘하겠네. …… 구체적 사실
귀납	• 전제에 포함되어 있지 않은 새로운 지식을 결론으로 삼아 지식을 넓혀 줌. • 유추와 일반화도 개별적 사실에서 결론을 도출하므로 귀납에 속함.	• 서우는 노래를 잘해. 지호도 노래를 잘해. 유리도 노래를 잘해. …… 구체적 사실 • 서우, 지호, 유리는 가수야. …… 구체적 사실 • 그렇다면, 가수들은 노래를 잘하는구나. …… 일반적 원리

시험에 나오는 소단원 문제

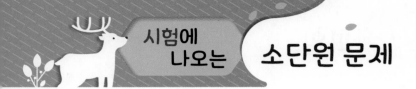

01~03 다음 글을 읽고, 물음에 답하시오.

(가) 언제부터인가 평일 방과 후나 주말에 학교 운동장에서 노는 학생들의 모습을 찾아보기가 어려워졌다. 학생 대부분이 학교 일과가 끝나도 방과 후 수업이나 학원 수업 등으로 분주하게 움직이기 때문이다. 이렇게 요즘 학생들은 어른보다 바쁜 일상을 보낸다. 그 결과 오이시디(OECD) 가입국 중 한국 학생들의 학습량은 최상위권을, 반대로 삶의 만족도는 최하위권을 차지하고 있다. 한국 청소년들은 많이 공부하는 만큼 많이 불행하다.

(나) 만약 청소년들에게 그들만의 문화를 형성하고 자유롭게 즐길 수 있는 놀이 공간이 주어진다면 어떠할까? 앞에서 살펴본 문제가 해결되지 않을까? 여기서는 청소년 놀이 공간 확대의 긍정적인 측면에 대해 생각해 보도록 하자.

(다) 먼저 ⓐ<u>청소년 놀이 공간을 확대하면 청소년의 사회성을 기를 수 있다.</u> 우리는 태어나서 생을 마감할 때까지 평생 공동체 안에 머무르며 다른 구성원과 더불어 살아간다. 이때 필요한 능력이 바로 사회성이다. 사람들은 사회 속에서 자신의 소질과 재능을 발견하고, 타인과 어울리고 위기를 극복하는 방법을 익히는 등 삶에 필요한 많은 것을 배운다.

(라) 두 번째로 ⓑ<u>청소년 놀이 공간을 확대하면 휴식과 재충전의 기회가 늘어 청소년의 스트레스 해소에 도움이 된다.</u> 2015년 통계청 조사에 의하면 우리나라 13~24세 청소년 중 61.4 퍼센트가 생활 속에서 우울, 압박, 분노와 같은 부정적인 정서를 안고 살아간다고 한다.

(마) 그러므로 반드시 청소년 놀이 공간을 확대해야 한다. 놀이를 통한 휴식과 재충전은 삶에 활력을 준다. 놀이는 재미있다. 놀이 그 자체가 수단이 아닌 목적이기 때문이다. 무엇보다 놀이는 누가 시켜서 하는 행동이 아니라 자신이 좋아서 하는 행동이다. 그래서 놀이를 하는 동안은 누구나 즐겁고 행복하다. 문화, 여가, 오락, 휴식 등을 즐길 수 있는 놀이 공간이 확대되어 다양한 놀이를 할 수 있다면, 청소년들은 각종 스트레스에서 벗어나 삶의 활력을 되찾을 수 있을 것이다.

01 이 글에 대한 설명으로 알맞지 <u>않은</u> 것은?

① 본론에 들어가기에 앞서 주로 다룰 내용을 안내한다.
② 주제와 관련된 현실 상황을 제시해 흥미를 유발한다.
③ 주장을 뒷받침할 수 있는 구체적인 근거를 제시한다.
④ 수치화된 객관적인 자료를 제시해 글의 설득력을 높인다.
⑤ 글의 목적과 상반된 주장에 대해 타당한 근거를 들어 반박한다.

학습 활동 응용

02 〈보기〉는 (다)~(마)를 통해 이끌어 낸 주장이다. 이 과정에서 사용된 논증 방법에 해당하지 <u>않는</u> 사례인 것은?

보기
청소년 놀이 공간을 확대해야 한다.

① 나와 형은 곱슬머리이다. 우리 부모님도 곱슬머리이다. 따라서 우리 가족은 모두 곱슬머리이다.
② 화가는 그림을 잘 그린다. 신윤복과 김홍도는 화가이다. 따라서 신윤복과 김홍도는 그림을 잘 그린다.
③ 이순신 장군은 죽었다. 세종 대왕도 죽었다. 이순신 장군과 세종 대왕은 사람이다. 따라서 모든 사람은 죽는다.
④ 흡연은 폐암을 유발한다. 흡연은 후두암을 유발한다. 흡연은 뇌졸중을 유발한다. 따라서 흡연은 인체 건강에 해롭다.
⑤ 쥐와 사람은 포유류로서 비슷한 속성을 지닌다. 이 약을 실험 쥐에게 투여했을 때 부작용이 일어났다. 따라서 사람에게 이 약을 투여하면 부작용이 일어날 것이다.

서술형

03 ⓐ, ⓑ의 내용상 공통점을 (나)에서 찾아 6어절로 쓰시오.

04~07 다음 글을 읽고, 물음에 답하시오.

가 마지막으로 청소년 놀이 공간을 확대하면 청소년의 일탈이 줄게 되므로 범죄 예방에도 효과가 있다. 학교 폭력을 비롯한 청소년 범죄가 날로 심각해져 사회 문제가 된 지 오래다. 통계청에 따르면 2016년 기준 청소년 범죄자 수는 76,000명에 달한다고 한다. 이는 전체 범죄자 중 3.8 퍼센트에 이르는 높은 수치이다.

나 청소년이 마음 놓고 모일 수 있는 마땅한 공간이 없는 현실은 청소년들을 유해 환경으로 내몬다. 이는 청소년으로 하여금 어른들의 잘못된 행동을 모방하게 하고, 이러한 행동은 일탈과 범죄로 이어지는 경우가 많다. 청소년기는 자기 존재를 인정받고자 하는 욕구가 강해지는 시기이다.

다 따라서 청소년의 일탈과 범죄를 예방하기 위해서는 자아를 드러내고 존중받을 수 있는 올바른 방법을 청소년 스스로 찾을 수 있도록 해야 한다. 청소년들은 청소년 놀이 공간에서 자신의 욕구를 바르게 표현하는 방법을 익히고, 체육, 예술, 취미, 진로 활동을 하며 자신들만의 문화를 생산해 낼 것이다. 돈을 쓰지 않고도, 어른들의 간섭이 없이도 자신들의 문화가 보장되는 청소년 놀이 공간이 확대된다면 왜 구태여 가지 말라는 곳에 가며, 하지 말라는 행동을 하겠는가? 청소년 놀이 공간은 사회 안전망 역할을 하여 청소년 일탈과 범죄 예방에 기여할 것이다.

라 청소년이 나라의 미래라고 하지만 정작 그들에게 필요한 여가 시간과 놀 공간은 부족한 것이 현실이다. 우리 사회는 청소년 놀이 공간을 확대하기 위해 노력해야 한다. 이를 통해 청소년들은 건전한 놀이를 하면서 또래와 유익한 관계를 형성하고 행복한 성장을 이어갈 수 있을 것이다.

마 ㉠인간이라면 모두 존엄성을 지니고 있습니다. 능력이 뛰어나다고 해서, 외모가 훌륭하다고 해서, 혹은 인성이 좋다고 해서 인간으로서 더 가치 있는 것도 아니며 그렇지 못하다고 해서 가치가 없는 것도 아닙니다. 인간에게 존엄성이 있다는 것은 모든 인간이 가치 있는 존재라는 뜻입니다. 더불어 우리 모두가 이 지구상에 하나뿐인 존재로서 저마다 고유한 정체성을 가지고 있다는 뜻이기도 합니다.

㉡나와 당신, 모두가 어떤 모습으로 살아가더라도 우리는 존엄한 존재입니다.

학습 활동 응용

04 (가)~(라)의 짜임을 바르게 이해한 것은?

① (가), (나), (라)는 (다)의 주장을 뒷받침한다.
② (가), (나)의 주장을 (다), (라)에서 뒷받침한다.
③ (가)~(다)를 바탕으로 (라)의 주장을 제시한다.
④ (나)~(라)는 (가)의 주장을 뒷받침하는 근거이다.
⑤ (나)는 (가)를, (라)는 (다)를 뒷받침하는 근거이다.

05 (가)~(라)에 나타난 글쓴이의 생각과 거리가 먼 것은?

① 청소년들끼리만 모아 두면 일탈로 이어지기 쉽다.
② 현재 청소년들은 여가 시간과 놀 공간이 부족하다.
③ 청소년들은 건전한 놀이를 통해 바르게 성장할 수 있다.
④ 청소년 놀이 공간이 부족하여 청소년이 유해 환경에 노출되기도 한다.
⑤ 청소년 놀이 공간 마련은 청소년이 자신의 욕구를 바르게 표현하는 데 도움이 된다.

서술형

06 (가)~(다)에서 알 수 있는, 청소년 놀이 공간 확대의 효과를 한 문장으로 찾아 쓰시오.

학습 활동 응용

07 ⓐ~ⓔ 중, (마)에 나타난 논증 방법에 대한 설명으로 알맞지 않은 것은?

| 보기 |

ⓐ ㉠을 대전제로 보고, ⓑ ㉡을 결론으로 본다면 ⓒ 소전제는 '모든 인간이 가치 있는 존재이다.'가 된다. 이렇게 ⓓ 일반적인 원리로부터 특수한 사실을 이끌어 내는 논증을 바탕으로 ⓔ 인간은 모두 존엄한 존재이므로 자신과 타인을 존중하자는 주장을 이끌어 낼 수 있다.

① ⓐ ② ⓑ ③ ⓒ ④ ⓓ ⑤ ⓔ

교과서 185~197쪽

(2) 주장하는 글 쓰기

학습 목표 • 주장하는 내용에 맞게 타당한 근거를 들어 글을 쓸 수 있다.
• 통일 시대의 국어에 관심을 가지는 태도를 지닐 수 있다.

이해
❶ 글쓰기 과정에 따라 주장하는 글을 쓰는 방법 이해하기
❷ 남북한 언어 차이를 극복하기 위한 방안 탐구하기

학습 포인트
❶ 주장하는 글을 쓰는 과정과 방법
❷ 통일 시대의 국어 생활에 대비하는 태도

선생님이 주장하는 글을 써 오라고 하셨는데 어떻게 해야 할지 모르겠어. '지오'에게 물어봐야지.
미르 학생, 반가워요. 인공 지능 글쓰기 로봇 '지오'예요.
주장하는 글을 쓰려면 무엇부터 해야 해?
일단 주장하려는 내용을 정해야 해요. 평소에 친구들에게 말하고 싶었던 것은 없었나요?

1 다음 내용을 보고, '미르'가 쓸 글의 주제와 예상 독자를 정리해 보자.

한 번도 맞춰 보지 않아 여러 어려움이 있었는데
그중 가장 어려웠던 것은 언어 문제였어요.

박종아
평창 동계 올림픽
여자 아이스하키 단일팀 주장

㉠저희가 북측 선수들과 단일팀을 구성하며 겪은 어려움 중 가장 큰 것은 언어에 대한 문제였어요. 운동 중에 저희가 사용하는 말을 북측 선수들이 잘 알아듣지 못하고, 또 북측 선수들이 말하는 것을 저희가 이해하지 못해 서로 맞춰 가는 데 시간이 오래 걸리고 어려웠습니다.

–『케이비에스(KBS) 뉴스』, 2018. 2. 5.

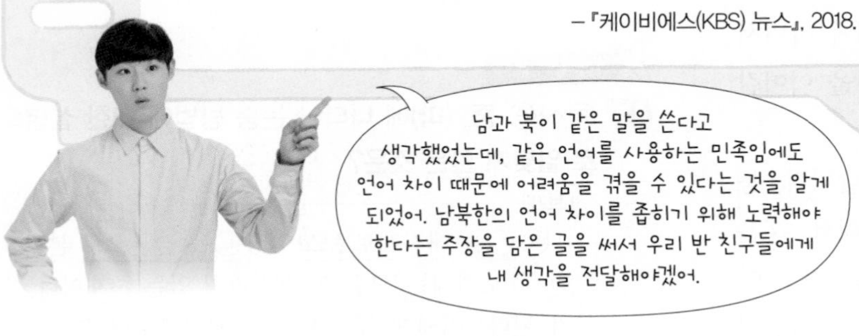

남과 북이 같은 말을 쓴다고 생각했었는데, 같은 언어를 사용하는 민족임에도 언어 차이 때문에 어려움을 겪을 수 있다는 것을 알게 되었어. 남북한의 언어 차이를 좁히기 위해 노력해야 한다는 주장을 담은 글을 써서 우리 반 친구들에게 내 생각을 전달해야겠어.

• 주제: 답 남북한의 □□ □□를 좁히기 위해 노력해야 한다.

• 예상 독자: 답 우리 반 친구들

간단 체크 활동 문제

01 글을 쓰는 과정 중 '계획하기' 단계에서 할 일을 〈보기〉에서 모두 찾아 기호를 쓰시오.

보기
ㄱ. 자료 수집하기
ㄴ. 내용 보완하기
ㄷ. 글의 주제 정하기
ㄹ. 예상 독자 정하기
ㅁ. 적절한 표현 찾기

중요
02 ㉠의 문제를 고려하여 '미르'가 쓸 주장하는 글의 주제를 선정하려고 할 때 가장 알맞은 것은?

① 남북한의 언어는 서로 뿌리가 다르다.
② 남북한 언어의 차이를 존중해야 한다.
③ 남북한 언어의 이질성을 극복해야 한다.
④ 남측과 북측 선수들이 단일팀을 이루어야 한다.
⑤ 남측과 북측 선수들 간의 정서적 거리감을 해소해야 한다.

● 정답과 해설 21쪽

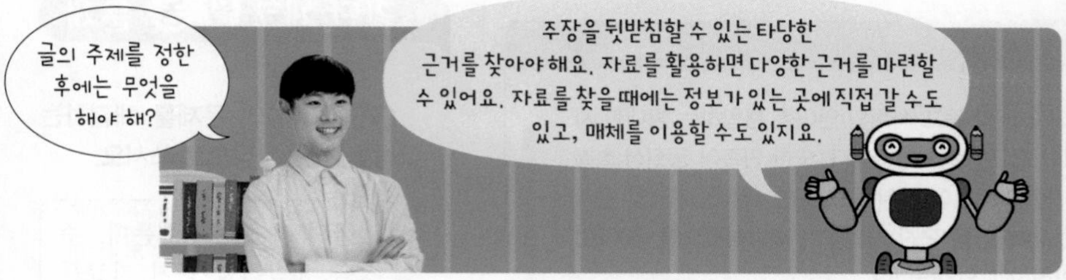

글의 주제를 정한 후에는 무엇을 해야 해?
주장을 뒷받침할 수 있는 타당한 근거를 찾아야 해요. 자료를 활용하면 다양한 근거를 마련할 수 있어요. 자료를 찾을 때에는 정보가 있는 곳에 직접 갈 수도 있고, 매체를 이용할 수도 있지요.

2 다음은 '미르'가 주장하는 글을 쓰기 위해 수집한 자료들이다. 각 자료의 주제를 파악하고, '미르'의 자료 수집 방법을 정리해 보자.

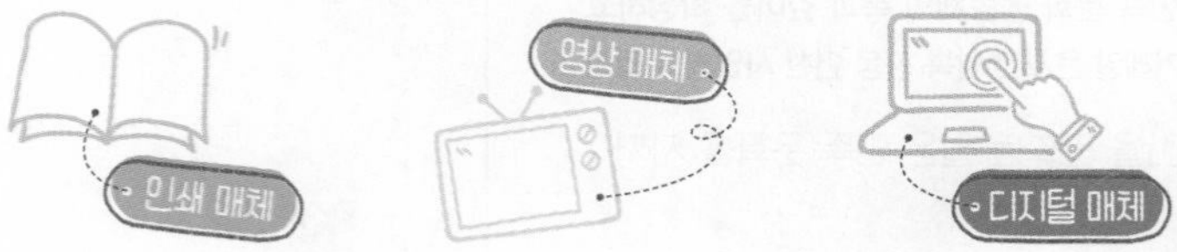

영상 매체
인쇄 매체
디지털 매체

자료 1 인쇄 매체 - 신문

경향신문 2015. 3. 18.

밥곽은 도시락, 꽝포는 거짓말 …… 북한어 번역 앱 나와

탈북 학생들의 언어생활을 돕기 위해 북한어를 남한에서 사용하는 단어로 번역해 주는 애플리케이션(앱)이 나왔다.

이 앱은 일종의 전자사전으로, 고교 국어 교과서 3종에서 추출한 단어와 생활어 등 약 3,600개 단어의 변환 서비스를 제공한다. 앱에다 바코드를 찍듯이 단어를 비추면 해당 단어에 맞는 북한 단어와 뜻풀이가 나온다.

지난해 탈북 후 고등학교에 진학한 김은철(18·가명) 군은 "교과서, 뉴스, 표지판 등에 모르는 단어가 너무 많아 답답했는데 이 앱이 이를 해소해 주길 바란다."라고 말했다.

전문가들은 남북한 언어 차이가 생활 언어는 30~40 퍼센트, 전문 용어는 60 퍼센트 이상인 것으로 본다. 발개돌이(개구쟁이), 가마치(누룽지), 삯발이(서비스), 닭유찜(치킨) 등 남한과 북한에서 쓰는 말이 완전히 다른 경우도 많다.

국립 국어원이 2012년 펴낸 「탈북 주민 한국어 사용 실태 보고서」에 따르면 탈북 주민은 남한에서 쓰는 단어의 절반 정도밖에 이해하지 못하는 것으로 나타났다. 특히 탈북 청소년의 언어 장벽 문제는 그들의 원활한 정착과 성장을 위해 해결해야 할 시급한 과제로 지적되었다.

● **이 자료의 주제:** 북한어를 남한에서 사용하는 단어로 번역해 주는 앱이 개발되었다.

자료 2 영상 매체 - 텔레비전 뉴스

'만남'이 통합의 밑거름
8NEWS

2011년 열린 국제 친선 탁구 대회 모습입니다. 남북 탁구 단일팀은 남자 복식에서 우승, 여자 복식에서 준우승을 차지하며, 한겨레의 힘을 보여 줬습니다. 스포츠 단일팀 구성에서 보듯, 민간 교류는 정치적 대립을 뛰어넘는 통합의 힘을 발휘합니다.

개성 공단에서는 70년 분단의 세월 동안 많이 달라진 남북의 언어가 자연스럽게 하나가 되어 가고 있습니다. 남측이 주로 써 왔던 외래어를 북측 노동자들도 이해할 수 있는 고유어로 순화한 것이 한 예입니다. 또한 겨레말 큰사전 편찬 작업이 5년 만에 재개되는 등 남북 민간 교류의 문이 조금씩 열리고 있습니다.

이처럼 다양한 분야에서 민간 차원의 교류를 폭넓게 허용하면 언어의 통합을 비롯한 남북의 통합도 앞당길 수 있을 것입니다.

– 「에스비에스(SBS) 뉴스」, 2015. 1. 3.

● **이 자료의 주제:** 답 ☐☐ 차원의 교류가 폭넓게 허용되면 언어의 통합을 비롯해 남북의 통합을 앞당길 수 있다.

간단 체크 활동 문제

03 '자료 1'이 뒷받침할 수 있는 주장으로 가장 적절한 것은?

① 남북 언어학자들의 교류를 추진해야 한다.
② 남북한 공통 국어사전 편찬 작업이 필요하다.
③ 북한어 번역 앱 제작을 탈북 청소년에게 맡겨야 한다.
④ 남북 간의 원활한 소통을 위해 통역관을 양성해야 한다.
⑤ 남북한의 언어 차이를 줄일 수 있는 기술적 방법을 개발해야 한다.

04 다음 대화에서 '미르'가 할 말로 알맞은 것은?

> 선생님: 내용 생성하기 단계에서는 주제에 맞게 자료를 수집해야 하는 거 알지? '미르'가 수집한 '자료 2'는 어떤 내용을 다룰 때 활용하려는 거니?
> 미르: 네. (　　　　　　　　) 활용하려고 해요.

① 남북 간 민간 교류의 필요성을 내세울 때
② 국제 친선 탁구 대회 개최의 어려움을 환기할 때
③ 개성 공단이 남북 경제에 미치는 영향을 강조할 때
④ 남북 언어 학습을 교육과정에 넣어야 함을 주장할 때
⑤ 남북의 통합은 이념 대립의 극복이 전제되어야 함을 보여 줄 때

자료 3 디지털 매체 누리집

『겨레말 큰사전』 편찬 사업은 남한과 북한, 그리고 해외 동포 사회의 언어를 통합하는 방대한 사업으로, 그 소요 기간이 길며 높은 수준의 전문성이 요구되는 사업입니다. 또한 민족어 동질성 회복과 언어 통일 준비라는 국가적·민족적 차원의 사업입니다. 이를 위해 2006년 1월에 『겨레말 큰사전』 편찬 사업을 전담하는 기구로 겨레말 큰사전 남북 공동 편찬 사업회가 출범하였으며, 2007년 4월에는 특별법이 제정되어 사업의 안정성을 뒷받침하게 되었습니다.

말과 글은 인간 문화의 생명입니다. 인류는 언어를 통해 문화를 창조하고 발전해 왔으며, 언어를 통해 공동체 사회를 건설하였습니다. 그러나 분단 때문에 우리말은 많이 훼손되고, 또 이질화되었습니다. 겨레의 말 하나하나는 우리의 과거와 현재, 그리고 미래의 뼈와 살입니다. 따라서 우리말을 회복하고 또 발전시켜야 우리 민족의 문화를 지킬 수 있습니다. 결국 남과 북이 함께 『겨레말 큰사전』을 만드는 일은, 단순한 어휘의 통합과 집대성을 넘어 민족 문화 공동체의 폭과 깊이를 확장하고 진정한 통일을 준비하는 일입니다.

– 겨레말 큰사전 남북 공동 편찬 사업회 누리집

- 이 자료의 주제: 답 남과 북이 함께 『겨레말 큰사전』을 만드는 일은 민족 문화를 지키고 진정한 통일을 준비하는 일이다.

'미르'의 자료 수집 방법: 답 □□ 매체(신문), 영상 매체(텔레비전 뉴스), 디지털 매체(누리집)를 이용해 주장을 뒷받침할 수 있는 다양한 근거를 마련했다.

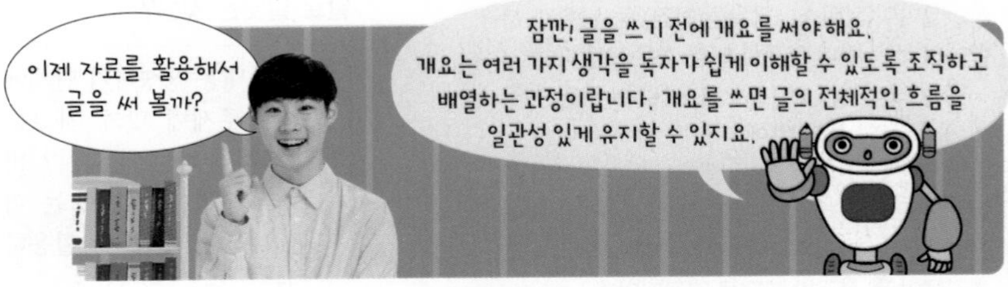

이제 자료를 활용해서 글을 써 볼까?
잠깐! 글을 쓰기 전에 개요를 써야 해요. 개요는 여러 가지 생각을 독자가 쉽게 이해할 수 있도록 조직하고 배열하는 과정이랍니다. 개요를 쓰면 글의 전체적인 흐름을 일관성 있게 유지할 수 있지요.

3 다음은 '미르'가 주장하는 글을 쓰기 위해 작성한 개요이다. 앞에서 찾은 자료들을 바탕으로 개요를 완성해 보자.

- 제목: 통일 시대의 남과 북, 하나되는 언어

서론
- 문제 제기: 분단 이후 남한과 북한의 언어에는 많은 차이가 생겨 소통이 어려워졌다.

㉠본론
- 주장 1: 남북한 공통 국어사전의 편찬 작업을 이어 가야 한다.
  - 근거 1: 국어사전은 그 나라 언어의 표준이다.
  - 근거 2: 남북한 공통 국어사전 편찬 작업을 통해 답 민족 문화 공동체의 폭과 깊이를 확장하고 진정한 통일을 준비할 수 있다.
- 주장 2: 답 남북 간의 □□ □□가 활발해져야 한다.
  - 근거 1: 스포츠 단일팀과 같은 민간 교류는 정치적 대립을 뛰어넘는 통합의 힘을 발휘한다.
  - 근거 2: 민간 차원에서 폭넓게 교류하면 언어의 통합을 비롯한 남북의 통합도 앞당겨질 수 있다.

간단 체크 활동 문제

05 〈보기〉의 문제를 해결하는 방법을 한 문장으로 쓰시오.

보기
글의 주제는 정했는데, 주장을 뒷받침할 근거 자료를 어떻게 찾지?

중요
06 주장하는 글의 개요 작성 시 고려할 점으로 적절한 것만을 〈보기〉에서 모두 골라 묶은 것은?

보기
ㄱ. 독자가 글을 쉽게 이해할 수 있도록 조직한다.
ㄴ. 다양한 표현을 활용하여 글을 쓰고 수정한다.
ㄷ. 독자가 흥미를 가질 수 있는 내용 순서로 배열한다.
ㄹ. 글의 전체적인 흐름이 일관성 있게 유지되는지 확인한다.

① ㄱ, ㄴ ② ㄱ, ㄷ ③ ㄱ, ㄹ ④ ㄴ, ㄷ ⑤ ㄷ, ㄹ

07 '미르'가 ㉠의 내용을 통해 궁극적으로 말하고자 한 바로 알맞은 것은?

① 남북한 언어 통합의 문제점
② 남북한의 언어 차이를 좁히는 방법
③ 남북한 언어의 동질성 회복의 효과
④ 남북한의 언어 차이가 발생한 궁극적인 원인
⑤ 남북한의 언어 차이가 드러나는 구체적인 사례

	• 주장 3 : 기술을 이용해 남북한의 언어 차이를 줄일 수 있는 방법을 다양하게 개발해야 한다. - 근거 1 : 남북한 언어의 차이를 빠르게 비교할 수 있는 다양한 기술이 있다면 남북한 언어 차이를 극복하는 데 도움이 될 것이다. - 근거 2 : 실제로 답 북한의 언어를 남한의 언어로 번역해 주는 앱이 개발되어 탈북 학생에게 도움을 줄 것으로 기대하고 있다.
	⋮
결론	통일 시대의 국어에 관심을 가지고 남북 간의 언어 차이를 좁히기 위해 노력해야 한다.

이제 개요를 바탕으로 글을 써 보세요. 막상 글을 쓰려니 어렵다고요? 그렇다면 제가 방법을 알려 드릴게요.

주장하는 글을 쓰는 방법

서론 쓰기

서론은 글의 전체적인 인상을 좌우하는 부분이에요. 무엇에 대해 쓰려고 하는지, 왜 쓰려고 하는지를 제시하고, 독자가 글을 읽고 싶은 마음이 들 수 있도록 독자의 주의를 끌어야 한답니다.

쓰는 방법
- 용어 정의하기: 글에 쓰이는 용어의 의미와 범위를 명확하게 밝히기
- 인용하기: 주제와 관련된 속담, 격언 등을 인용하기
- 개인적인 경험 쓰기: 주제와 관련된 글쓴이의 경험 제시하기
- 사회 현상 설명하기: 주제와 관련된 사회 현상을 설명하고, 그에 대한 문제 제기하기

본론 쓰기

본론은 글의 중심이 되는 부분이에요. 객관적이고 타당한 근거를 들어 자신의 주장을 논리적으로 펼쳐야 해요.

쓰는 방법
- 해결 방안 제시하기: 서론에서 제기한 문제의 원인을 밝히고 해결책 제시하기
- 타당한 근거 들기: 주장을 뒷받침할 수 있는 근거를 제시하고, 구체적인 예 들기

결론 쓰기

결론은 글을 마무리하는 부분이에요. 글 전체가 완성된 느낌을 줄 수 있도록 하고, 글이 독자의 기억에 오래 남을 수 있도록 작성해야 해요.

쓰는 방법
- 문제에 답하기: 서론에서 제기한 문제에 대해 답하는 형식으로 정리하기
- 요약정리하기: 본론을 요약하고 앞으로의 전망이나 과제를 덧붙이며 마무리하기

다 쓴 글을 다시 읽어 보고, 틀린 부분이나 어색한 부분이 있으면 고쳐 써야 더 좋은 글이 될 수 있어요.

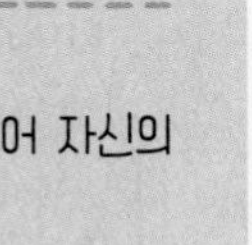

간단 체크 활동 문제

중요

08 다음은 글의 구조에 따라 주장하는 글을 쓰는 방법을 정리한 것이다. 내용이 알맞은 것들을 골라 바르게 묶은 것은?

글의 구조	글을 쓰는 방법
서론	• 글에 쓰이는 용어의 의미와 범위를 명확히 밝히기 • 독자의 주의를 환기할 수 있는 개인적 경험이나 속담 및 격언 인용하기 …… ㄱ • 주제와 관련된 사회 현상을 설명하고, 그에 대한 문제 제기하기 …… ㄴ
본론	• 서론에서 제기한 문제에 대해 답하는 형식으로 간결하게 정리하기 …… ㄷ • 주장을 뒷받침할 수 있는 객관적이고 타당한 근거를 제시하기 …… ㄹ
결론	• 글이 독자의 기억에 오래 남을 수 있게 글을 쓰게 된 동기를 명확히 밝히기 …… ㅁ • 본론의 내용을 요약하고 앞으로의 전망이나 과제를 덧붙이며 글을 마무리하기

① ㄱ, ㄴ, ㄹ ② ㄱ, ㄷ, ㅁ
③ ㄴ, ㄷ, ㄹ ④ ㄴ, ㄹ, ㅁ
⑤ ㄷ, ㄹ, ㅁ

4 다음은 '미르'가 완성한 주장하는 글이다. 글을 읽고 다음 활동을 해 보자.

통일 시대의 남과 북, 하나되는 언어

얼마 전 평창 동계 올림픽 여자 아이스하키 남북 단일팀에 관한 뉴스를 보았다. 선수들은 같은 말을 쓰는 같은 민족이지만 서로의 언어를 이해하지 못해 의사소통에 어려움이 있었다고 한다. 남한과 북한의 언어는 분단 이후 다른 길을 걸어왔고, 그 결과 남한과 북한의 언어에는 큰 차이가 생겼다. 국립 국어원이 2012년에 펴낸 「탈북 주민 한국어 사용 실태 보고서」에 따르면, 탈북 주민은 남한에서 쓰는 단어의 절반 정도밖에 이해하지 못하는 것으로 나타났다. 이러한 언어의 이질성을 극복하기 위해서는 어떻게 해야 할까?

먼저 남북한 공통 국어사전의 편찬 작업을 이어 가야 한다. 현재 남한과 북한에는 각각 다른 국어사전이 존재한다. 국어사전은 그 나라 언어의 표준이다. 통일 후에도 국어사전이 두 개라면 불편한 점이 많을 것이다. 현재 남북 학자들이 모여 『겨레말 큰사전』을 편찬하고 있다. 이러한 편찬 작업은 남북의 어휘를 통합하고 집대성하여, 민족 문화를 지키고 민족 문화 공동체의 폭을 넓힐 수 있을 것이다.

두 번째로 남북 간의 민간 교류가 활발하게 이루어져야 한다. 언어는 문화의 일부이다. 서로의 문화를 이해하기 위해서는 끊임없는 교류가 필요하다. 민간 차원의 문화 교류를 이어 간다면 더 쉽게 서로의 언어를 이해할 수 있고, 남북한 통합도 앞당길 수 있을 것이다. 예를 들어 남북 단일팀과 같이 스포츠 분야에서 민간 교류가 이루어진다면 서로의 문화를 이해하며 그 분야에서 쓰는 언어를 교류할 수 있을 것이다. 특히 내가 제일 좋아하는 스포츠 종목이 축구이므로 남북 축구 단일팀을 만들어야 한다.

세 번째로 기술을 이용해 남북한의 언어 차이를 줄일 수 있는 방법을 다양하게 개발해야 한다. 실제로 우리나라의 한 회사는 남한의 어휘를 북한의 어휘로 바꾸어 주는 앱을 개발하여 탈북 청소년에게 도움을 주고 있다고 한다. 이와 같은 기술을 개발해 나간다면 남북한의 언어 차이를 줄일 수 있을 것이다.

분단이라는 역사적 상황으로 남북한의 언어생활에는 많은 차이가 생겼다. 하지만 남북한에서 쓰는 언어는 하나의 민족어로서 동질성이 더 크다. 『겨레말 큰사전』 편찬을 이어 가고, 민간 교류를 확대하며, 소통에 도움이 되는 다양한 기술을 개발한다면 남북 간의 언어 차이를 줄여 갈 수 있을 것이다. 우리는 같은 언어를 쓰는 한 민족이다. 그러므로 서로의 언어에 관심을 기울이고, 언어 차이를 좁히기 위해 노력함으로써 ㉠다가오는 통일 시대에 진정한 통합을 이룰 수 있도록 대비해야 한다.

드디어 숙제 끝!
지오 덕분에 주장하는 글을 완성할 수 있었어.
주장하는 글을 쓸 때에는 타당한 근거를
들어야 하는 것을 잊지 말아야지.

간단 체크 활동 문제

09 이와 같은 글에 대한 설명으로 알맞지 않은 것은?

① 주장을 명료하게 제시한다.
② 타당한 근거를 들어 주장을 뒷받침한다.
③ 내용을 체계적이고 논리적으로 전개한다.
④ 되도록 다양한 표현 방법을 활용하여 쓴다.
⑤ '서론 – 본론 – 결론'으로 짜임새 있게 구성한다.

10 이 글을 토대로 할 때, ㉠을 위한 태도로 알맞지 않은 것은?

① 남북한의 언어 차이를 이해하고 이를 극복하기 위해 노력한다.
② 남북 간이 서로의 문화를 이해하기 위해 민간 차원의 교류를 확대한다.
③ 남북한의 학자들이 『겨레말 큰사전』의 편찬 작업을 계속 이어 가도록 한다.
④ 남한의 언어를 공용어로 쓸 수 있도록 도움을 주는 앱을 개발하여 남북한에 보급한다.
⑤ 남북한이 쓰는 언어가 하나의 민족어임을 인식하고 서로의 언어에 적극적으로 관심을 기울인다.

(1) 다음 기준에 따라 '미르'가 쓴 글을 평가해 보자.

평가 기준	
• 주장이 명료하게 드러나는가?	☆☆☆☆☆
• 주장을 뒷받침하는 근거가 보편적이고 타당한가?	☆☆☆☆☆
• '서론 – 본론 – 결론'으로 적절하게 구성되었는가?	☆☆☆☆☆

예시 답》 생략

(2) **(1)**에서 평가한 내용을 바탕으로 '미르'의 글에서 밑줄 친 문장의 문제점이 무엇인지 써 보자.

> 밑줄 친 문장은 답 글쓴이 자신의 개인적 선호를 주장의 근거로 삼은 것으로, 타당성과 객관성이 부족하다.
> 따라서 이 문장은 고쳐 쓰거나 삭제해야 한다.

(3) 남북한 언어의 차이를 극복할 수 있는 방안에 대해 친구들과 이야기를 나누어 보자.

예시 답》 • 남북한 공통의 표준어를 만든다.
• 남북한이 함께 사용하는 국어 교과서를 만들어 통일된 언어를 가르친다.
• 남북한이 자주 왕래하여 주민들 간에 친근하게 대화할 수 있는 기회를 늘린다.
• 남한에서 사용하는 말과 다른 북한어를 배울 수 있는 텔레비전 프로그램을 제작하여 방영한다.

학습콕

❶ 주장하는 글을 쓰는 과정과 방법

계획하기	글의 주제와 목적, □□ □□ 등을 구체적으로 설정함.
내용 □□하기	• 인쇄 매체, 영상 매체, 디지털 매체 등을 이용하여 다양한 내용의 자료를 수집함. • 수집한 자료 중 주장을 뒷받침할 수 있는 내용을 선정함. • 더 필요한 내용이 없는지 점검함.
내용 조직하기	수집한 자료를 정리하여 '서론 – 본론 – 결론'에 맞게 개요를 작성함.
□□하기	• 글의 목적과 주제에 맞게 글을 씀. • 타당한 근거를 들어 구성 단계에 맞게 글을 씀.
평가하고 고쳐 쓰기	평가 기준에 따라 글을 평가하고 보완해야 할 부분을 고쳐 씀.

❷ 통일 시대의 국어 생활에 대비하는 태도

분단 이후 남북한의 언어가 많이 달라졌기 때문에 통일 시대를 대비하여 남북한 언어에 관심을 갖고 언어의 차이를 극복하기 위해 노력해야 함. → 방안 → 남북한 공통의 □□□를 만들거나, 남북한이 함께 사용하는 국어 교과서를 만들어 통일된 언어를 가르치는 등의 노력을 할 수 있음.

간단 체크 활동 문제

중요

11 '미르'가 쓴 글에서 밑줄 친 문장을 삭제해야 하는 이유로 가장 알맞은 것은?

① 근거의 객관성이 부족하기 때문에
② 근거의 출처가 불분명하기 때문에
③ 근거가 사실과 다른 내용이기 때문에
④ 실현 가능성이 없는 주장이기 때문에
⑤ 주장만 나타나고 근거가 없기 때문에

12 남북한 언어의 차이를 극복하기 위한 방안을 이야기한 내용으로 적절하지 않은 것은?

① 남북한 공통의 표준어를 만드는 작업을 꾸준히 해야 할 거 같아.
② 남북한이 함께 사용하는 국어 교과서를 만들어 통일된 언어를 가르치면 좋겠어.
③ 남북한 청소년들이 자주 왕래하여 친근하게 대화할 수 있는 기회를 늘리는 것이 좋겠어.
④ 남한에서 사용하는 말과 다른 북한어를 배울 수 있는 텔레비전 프로그램을 제작하여 보급하는 건 어떨까?
⑤ 남북 언어학자들이 모여 남북의 언어를 통합하고 집대성할 때 남북한의 이념이 잘 드러나는 어휘들을 중심으로 추려야 할 듯해.

(2) 주장하는 글 쓰기

적용
❶ 관심과 흥미에 따라 글의 주제를 정하고 자료 수집 및 개요 작성하기
❷ 타당한 근거를 들어 주장하는 글 써 보기

자신의 관심과 흥미에 따라 주제를 정하고, 타당한 근거를 들어 주장하는 글을 써 보자.

그럼 우리가 직접 글을 써 볼까요?

막상 글을 쓰려니 쉽지 않네.
먼저 무엇을 했었지?
내가 '지오'와 글을 썼던 과정을 떠올려 봐.
아! 글의 주제부터 정해야 해!

1 다음을 참고하여 자신의 관심과 흥미에 따라 주장하는 글의 주제를 정해 보자.

팬클럽 활동 | 진로 설정 | 학교 성적 | 외모 가꾸기 | 또래 문화 | ?

- 내가 고른 글의 화제: 예 팬클럽 활동
- 글의 화제에 대한 나의 입장: 예 팬클럽 활동은 청소년에게 긍정적인 영향을 미친다.

예시 답 〉〉

내가 고른 글의 화제	외모 가꾸기
글의 화제에 대한 나의 입장	진정한 아름다움은 내면의 아름다움이다.

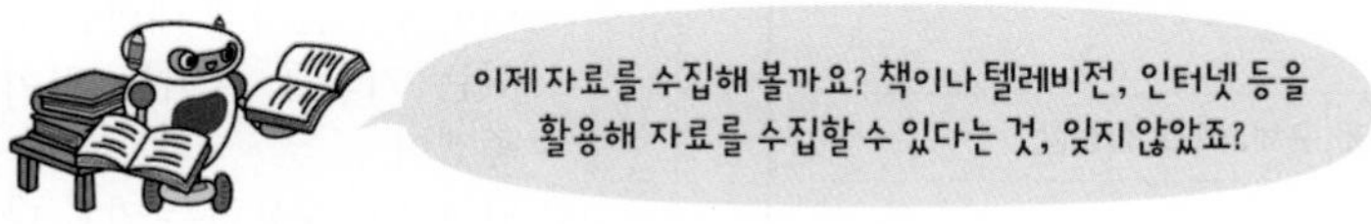
이제 자료를 수집해 볼까요? 책이나 텔레비전, 인터넷 등을 활용해 자료를 수집할 수 있다는 것, 잊지 않았죠?

2 1에서 정한 주제와 관련된 자료를 수집해 보자.

- 인쇄 매체: 예 팬클럽 회원이 함께 모여 봉사 활동을 했다는 내용을 담은 신문 기사
- 영상 매체: 예 청소년의 팬클럽 활동이 긍정적인 자아 형성에 도움이 된다는 연구 결과를 소개한 텔레비전 뉴스 기사
- 디지털 매체: 예 한국 청소년 정책 연구원 누리집에 게시된, 청소년의 팬클럽 활동이 학교생활에 끼치는 영향을 분석한 자료

예시 답 〉〉

인쇄 매체	• 청소년의 외모 지상주의의 문제점을 다룬 책 • 청소년들이 우리 사회의 차별 요인 중 하나가 외모라고 여긴다는 신문 기사
영상 매체	청소년들의 절반이 외모로 인해 고민하고 있다는 내용을 다룬 뉴스 기사
디지털 매체	청소년들의 외모에 대한 관심이 증가한 원인을 다룬 누리집 게시물

간단 체크 활동 문제

13 〈보기〉에서 글의 주제를 정할 때 고려한 점을 쓰시오.

〈보기〉
요즘 좋아하는 가수가 생겨서 팬클럽 활동에 대해 이것저것 알아보고 있어. '팬클럽 활동은 청소년에게 긍정적인 영향을 미친다.'라는 주제로 글을 써 볼까?

14 〈보기〉의 주제로 글을 쓰기 위해 수집한 자료 중 적절하지 않은 것은?

〈보기〉
진정한 아름다움은 내면의 아름다움이다.

① 외모를 중시하는 사회의 문제점을 다룬 책
② 성형 수술이 자신감과 안정감을 준다는 통계 자료
③ 외모에 대한 차별적 표현의 사례를 담은 누리집 자료
④ 청소년들의 외모에 대한 관심이 증가한 원인을 다룬 칼럼
⑤ 외모 때문에 스트레스를 받는 청소년들에 관한 다큐멘터리 영상

자료를 수집했다면 주장을 뒷받침하기에 적절한지, 객관적이고 정확한 자료인지를 판단하여 주장의 근거로 쓸 자료를 선택해 보세요.

자료를 수집하고 적절한 자료를 선정했다면 글에 어떤 내용을 담을지 생각하며 개요를 작성해 보세요. 개요를 작성할 때에는 주장하는 글의 구성 단계를 고려해야 해요.

3 2에서 수집한 자료를 바탕으로 개요를 작성해 보자.

예 • 제목: 청소년에게 긍정적 영향을 끼치는 팬클럽 활동

서론에서는 무엇에 대해, 왜 글을 쓰려고 하는지 제시해요.	서론	• 최근 청소년들이 팬클럽 활동에 참여하는 경우가 늘어나고 있다.
본론에서는 타당한 근거를 들어 주장을 펼쳐요.	본론	• 주장 1: 팬클럽 활동은 청소년의 자아 형성에 도움을 준다. – 근거 1: 팬클럽 활동은 청소년이 스스로 원해서 하는 주체적인 활동이므로, 자아 형성에 긍정적 영향을 미친다.
결론에서는 본론을 요약하고 앞으로의 과제를 제시하며 글을 마무리해요.	결론	• 팬클럽 활동은 청소년의 자아 형성에 도움을 주고 학교생활에 긍정적 영향을 미친다.

예시 답 〉〉

서론	청소년들 사이에서 외모 지상주의가 자리하고 있다. 외모에 집착하는 현상이 바람직한 것일까?
본론	• 외모 지상주의의 문제는 외모가 차별 요소로 작용한다는 점이다. • 대중 매체는 외모 지상주의를 부추기고, 이로 인해 많은 청소년들이 외모를 가꾸기 위해 화장이나 다이어트 등에 몰두하고 있다.
결론	진정한 아름다움은 □□의 아름다움이다.

개요를 바탕으로 주장하는 글을 써 보도록 해요. 주장하는 글을 쓸 때에는 타당한 근거를 들어서 설득력 있게 써야 해요. 소단원 (1)에서 배운 논증 방법을 활용하면 더욱 체계적으로 글을 쓸 수 있을 거예요.

간단 체크 활동 문제

15 3의 개요를 작성하는 과정에서 고려한 내용으로 알맞지 않은 것은?

① '서론'에서 최근 팬클럽 활동에 참여하는 청소년들에 대해 다룰 것임을 안내하자.
② '서론'에서 청소년 팬클럽의 선행 활동 사례를 제시해 독자의 관심을 끌어 보자.
③ '본론'에서 팬클럽 활동이 청소년의 자아 형성에 도움이 된다는 연구 결과를 근거로 들어야겠어.
④ '결론'에서 팬클럽 활동 참여가 청소년들에게 긍정적인 영향을 주고 있다는 내용을 요약정리해 주자.
⑤ '결론'에서 일부 팬클럽 회원들이 좋아하는 가수의 음원을 사재기하는 것이 화제가 되고 있다는 내용을 덧붙이는 게 좋겠어.

16 다음 주장을 뒷받침하는 근거로 적절하지 않은 것은?

주장	청소년기의 외모 집착 현상은 바람직하지 않다.
근거	• 외모 지상주의는 인간의 본능적 욕구이다. ······ ① • 외모 지상주의는 불필요한 소비를 조장한다. ······ ② • 외모 지상주의가 자라나는 아이들의 자존감을 떨어뜨린다. ······ ③ • 외모 지상주의의 문제는 외모가 차별 요소로 작용하는 것이다. ······ ④ • 외모 지상주의로 인해 청소년들이 무분별한 다이어트를 하게 되어 건강을 해친다. ······ ⑤

4 작성한 개요를 바탕으로 주장하는 글을 써 보자.

예시 답 〉〉

제목: 외모보다 중요한 내면의 아름다움

㉠
요즘 청소년들의 관심사 중 많은 부분이 외모와 관련되어 있다. 친구들 사이에서도 '얼짱', '몸짱'을 뽑는 것이 일반화되었고, 개학날 아침에 방학 동안 성형 수술을 받았거나 다이어트를 한 친구들을 보는 것도 더 이상 낯선 풍경이 아니다. 외모가 가장 중시되는 '외모 지상주의'가 어느덧 청소년들에게까지 자리한 것이다. 이런 현상이 바람직한 것일까?

외모 지상주의의 가장 큰 문제는 외모가 차별 요소로 작용한다는 점이다. 한 신문 기사에 따르면 청소년들은 우리 사회의 차별 요인 중 하나가 외모라고 생각한다고 한다. 그러나 외모는 인종이나 성별처럼 타고나는 것이므로 이로 인한 차별은 바람직하지 않다.

대중 매체는 외모 지상주의를 부추기는 주범이다. 여자는 마른 몸매, 남자는 근육질 몸매를 가져야 아름다운 것처럼 왜곡된 미의 기준을 시청자에게 주입하고 있다. 이로 인해 많은 청소년들이 자신의 외모에 만족하지 못하고 다이어트 등에 몰두하고 있다.

진정한 아름다움은 내면의 아름다움이다. 사회적으로 존경받는 사람들은 수려한 외모로 인해 성공을 거둔 것이 아니다. 따라서 진정한 가치는 외적인 모습에서 얻어지는 것이 아니다. 외면의 아름다움은 순간이지만 내면의 아름다움은 영원하다.

글을 다 쓴 후에는 163쪽에 제시된 평가 기준을 바탕으로 자신의 글을 점검하고, 글을 고쳐 써 보세요.

간단 체크 활동 문제

17 ㉠에 대한 설명으로 알맞지 <u>않은</u> 것은?

① 결론 부분에 주장이 명확히 드러나 있다.
② 질문을 던져 독자의 관심을 불러일으키고 있다.
③ 주장을 뒷받침하는 근거를 타당하게 제시하고 있다.
④ 문제를 제기하고 이에 대한 입장을 분명히 밝히고 있다.
⑤ 본론 부분에서 글쓴이의 경험을 근거로 제시하여 주장을 강조하고 있다.

활동 마당

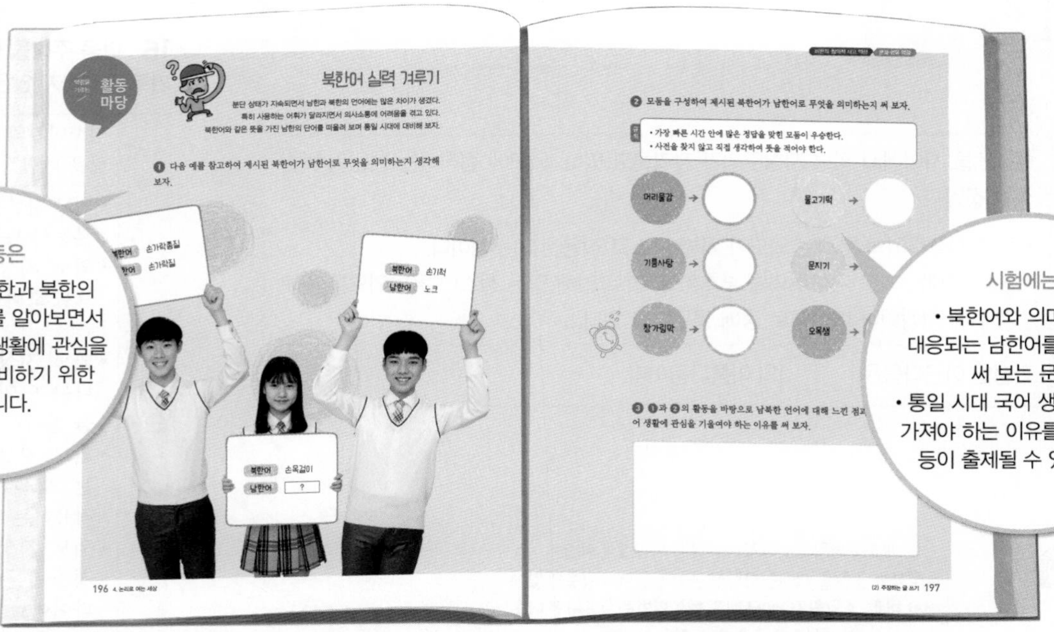

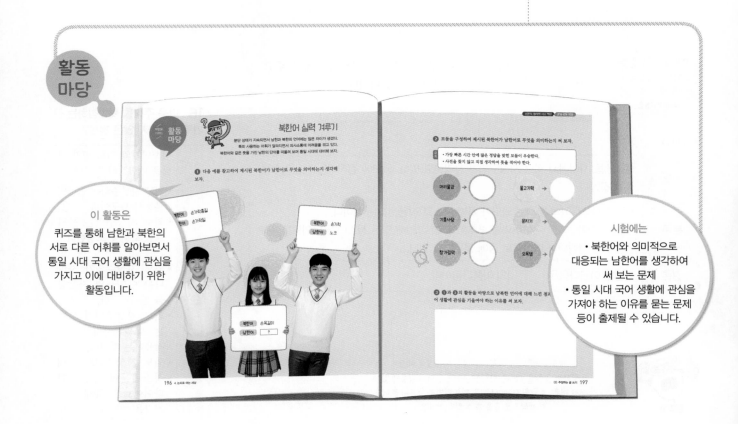

이 활동은
퀴즈를 통해 남한과 북한의 서로 다른 어휘를 알아보면서 통일 시대 국어 생활에 관심을 가지고 이에 대비하기 위한 활동입니다.

시험에는
• 북한어와 의미적으로 대응되는 남한어를 생각하여 써 보는 문제
• 통일 시대 국어 생활에 관심을 가져야 하는 이유를 묻는 문제
등이 출제될 수 있습니다.

압축 파일

• 정답과 해설 22쪽

●● '미르'가 주장하는 글을 쓰는 과정

단계	내용	예
계획하기	글의 ❶□□와 예상 독자 등을 설정하기	• 주제: 남북한의 언어 차이를 좁히기 위해 노력해야 한다. • 예상 독자: 우리 반 친구들

⬇

내용 생성하기

• 인쇄 매체, 영상 매체, 디지털 매체 등을 이용하여 다양한 내용의 자료를 수집하기
• 다양한 자료 중 주장을 뒷받침할 수 있는 내용을 선별하기
• 주장을 뒷받침하기 위해 더 필요한 내용이 없는지 점검하기

	활용 매체	주제
자료 1	인쇄 매체: 신문	북한어를 남한에서 사용하는 단어로 번역해 주는 앱이 개발되었다.
자료 2	❷□□ 매체: 텔레비전 뉴스	민간 차원의 교류가 폭넓게 허용되면 언어의 통합을 비롯해 남북의 통합도 앞당길 수 있다.
자료 3	❸□□□ 매체: 누리집	남과 북이 함께 『겨레말 큰사전』을 만드는 일은 민족 문화를 지키고 진정한 통일을 준비하는 길이다.

⬇

내용 조직하기

수집한 자료를 정리하여 주장하는 글의 구조인 '서론 – 본론 – 결론'에 맞게 ❹□□를 작성함.

서론	분단 이후 남한과 북한의 언어에는 많은 차이가 생겨 소통이 어려워졌다.
본론	• 주장 1: 남북한 공통 국어사전의 편찬 작업을 이어가야 한다. • 주장 2: 남북 간의 민간 교류가 활발해져야 한다. • 주장 3: 기술을 이용해 남북한의 언어 차이를 줄일 수 있는 방법을 다양하게 개발해야 한다.
결론	통일 시대의 국어에 관심을 가지고 남북 간의 언어 차이를 좁히기 위해 노력해야 한다.

⬇

단계	내용	예
초고 쓰기	• 글의 목적과 ❺□□에 맞게 글 쓰기 • 타당한 근거를 들어 구성 단계에 맞게 글 쓰기	'통일 시대의 남과 북, 하나되는 언어'라는 글의 제목에 맞게 타당한 ❻□□를 들어 주장이 분명하게 드러나게 씀.

⬇

평가하고 고쳐 쓰기

• 평가 기준에 따라 자신이 쓴 글을 평가하기
• 평가 결과에 따라 보완해야 할 부분을 고쳐 쓰기

글에서 보완해야 할 부분	이유
'특히 내가 제일 좋아하는 스포츠 종목이 축구이므로 남북 축구 단일팀을 만들어야 한다.'라는 문장을 삭제해야 함.	글쓴이의 개인적 선호를 근거로 삼아 타당성과 ❼□□□이 부족함.

●● 남북한 언어의 차이를 극복할 수 있는 방안

• 남북한 공통의 표준어 제정하기
• 남북한 공용 국어 교과서를 만들어 통일된 언어 교육하기
• 남북한의 잦은 왕래를 통해 주민들 간의 교류 활성화하기
• 남북한이 서로 차이가 나타나는 말을 배울 수 있도록 텔레비전 프로그램을 제작하여 방영하기
• 남북한 언어의 ❽□□□ 회복에 관심을 갖고 노력하기

시험에 나오는 소단원 문제

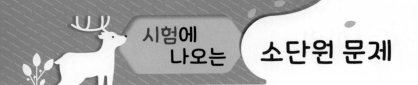

01~04 **다음을 읽고, 물음에 답하시오.**

(가) 미르: 남과 북이 같은 말을 쓴다고 생각했었는데, 같은 언어를 사용하는 민족임에도 언어 차이 때문에 어려움을 겪을 수 있다는 것을 알게 되었어. 남북한의 언어 차이를 좁히기 위해 노력해야 한다는 주장을 담은 글을 써서 우리 반 친구들에게 내 생각을 전달해야겠어.

(나)

자료 1 인쇄 매체 • 신문

경향신문 2015. 3. 18.

밥곽은 도시락, 꽝포는 거짓말 ……
북한어 번역 앱 나와

탈북 학생들의 언어생활을 돕기 위해 북한어를 남한에서 사용하는 단어로 번역해 주는 애플리케이션(앱)이 나왔다.

이 앱은 일종의 전자사전으로, 고교 국어 교과서 3종에서 추출한 단어와 생활어 등 약 3,600개 단어의 변환 서비스를 제공한다. 앱에다 바코드를 찍듯이 단어를 비추면 해당 단어에 맞는 북한 단어와 뜻풀이가 나온다.

지난해 탈북 후 고등학교에 진학한 김은철(18·가명) 군은 "교과서, 뉴스, 표지판 등에 모르는 단어가 너무 많아 답답했는데 이 앱이 이를 해소해 주길 바란다."라고 말했다.

자료 2 영상 매체 • 텔레비전 뉴스

2011년 열린 국제 친선 탁구 대회 모습입니다. 남북 탁구 단일팀은 남자 복식에서 우승, 여자 복식에서 준우승을 차지하며, 한겨레의 힘을 보여 줬습니다. 스포츠 단일팀 구성에서 보듯, 민간 교류는 정치적 대립을 뛰어넘는 통합의 힘을 발휘합니다.

개성 공단에서는 70년 분단의 세월 동안 많이 달라진 남북의 언어가 자연스럽게 하나가 되어 가고 있습니다. 남측이 주로 써 왔던 외래어를 북측 노동자들도 이해할 수 있는 고유어로 순화한 것이 한 예입니다. 또한 겨레말 큰사전 편찬 작업이 5년 만에 재개되는 등 남북 민간 교류의 문이 조금씩 열리고 있습니다.

이처럼 다양한 분야에서 민간 차원의 교류를 폭넓게 허용하면 언어의 통합을 비롯한 남북의 통합도 앞당길 수 있을 것입니다. – 「에스비에스(SBS) 뉴스」, 2015. 1. 3.

01 **글쓰기의 과정 중 (가), (나)에 해당하는 단계를 바르게 연결한 것은?**

	(가)	(나)
①	계획하기	초고 쓰기
②	계획하기	내용 생성하기
③	계획하기	내용 조직하기
④	내용 생성하기	계획하기
⑤	내용 생성하기	내용 조직하기

학습 활동 응용

02 **글쓰기 과정을 고려할 때, (가)의 단계에서 '미르'가 수행한 일로 알맞은 것은?**

① 글의 구조를 고려해 떠오르는 내용 배열하기
② 글의 주제를 뒷받침할 타당한 근거 정리하기
③ 자료를 수집하고 개요에 넣을 내용 선정하기
④ 글의 목적을 고려하며 주제와 예상 독자 정하기
⑤ 예상 독자를 고려해 적절한 표현 방법 떠올리기

03 **(나)와 같은 단계에서 떠올린 생각으로 알맞지 않은 것은?**

① 주제와 관련된 자료를 찾아봐야겠어.
② 자료가 객관적이고 정확한 것인지 고려해야 해.
③ 수집한 자료가 주장을 뒷받침하기에 적절한지 판단해야 해.
④ 인쇄·영상·디지털 매체 등 다양한 매체의 자료를 활용해야지.
⑤ 자료의 신뢰성을 확보하려면 자료가 전문적인 용어로 쓰였는지 확인해야 해.

서술형 학습 활동 응용

04 **(나)의 '자료 1'과 '자료 2'가 공통적으로 뒷받침할 수 있는 주제를 쓰시오.**

조건
① 주제를 (가)에서 찾아 한 문장으로 쓸 것

05~08 다음 글을 읽고, 물음에 답하시오.

가 얼마 전 평창 동계 올림픽 여자 아이스하키 남북 단일팀에 관한 뉴스를 보았다. 선수들은 같은 말을 쓰는 같은 민족이지만 서로의 언어를 이해하지 못해 의사소통에 어려움이 있었다고 한다. 남한과 북한의 언어는 분단 이후 다른 길을 걸어왔고, 그 결과 남한과 북한의 언어에는 큰 차이가 생겼다.

나 먼저 남북한 공통 국어사전의 편찬 작업을 이어 가야 한다. 현재 남한과 북한에는 각각 다른 국어사전이 존재한다. 국어사전은 그 나라 언어의 표준이다. 통일 후에도 국어사전이 두 개라면 불편한 점이 많을 것이다. 현재 남북 학자들이 모여『겨레말 큰사전』을 편찬하고 있다.

다 두 번째로 남북 간의 민간 교류가 활발하게 이루어져야 한다. 언어는 문화의 일부이다. 서로의 문화를 이해하기 위해서는 끊임없는 교류가 필요하다. 민간 차원의 문화 교류를 이어 간다면 더 쉽게 서로의 언어를 이해할 수 있고, 남북한 통합도 앞당길 수 있을 것이다. 예를 들어 남북 단일팀과 같이 스포츠 분야에서 민간 교류가 이루어진다면 서로의 문화를 이해하며 그 분야에서 쓰는 언어를 교류할 수 있을 것이다. 특히 내가 제일 좋아하는 스포츠 종목이 축구이므로 남북 축구 단일팀을 만들어야 한다.

라 세 번째로 기술을 이용해 남북한의 언어 차이를 줄일 수 있는 방법을 다양하게 개발해야 한다. 실제로 우리나라의 한 회사는 남한의 어휘를 북한의 어휘로 바꾸어 주는 앱을 개발하여 탈북 청소년에게 도움을 주고 있다고 한다. 이와 같은 기술을 개발해 나간다면 남북한의 언어 차이를 줄일 수 있을 것이다.

마 분단이라는 역사적 상황으로 남북한의 언어생활에는 많은 차이가 생겼다. 하지만 남북한에서 쓰는 언어는 하나의 민족어로서 동질성이 더 크다.『겨레말 큰사전』 편찬을 이어 가고, 민간 교류를 확대하며, 소통에 도움이 되는 다양한 기술을 개발한다면 남북 간의 언어 차이를 줄여 갈 수 있을 것이다. 우리는 같은 언어를 쓰는 한 민족이다. 그러므로 서로의 언어에 관심을 기울이고, 언어 차이를 좁히기 위해 노력함으로써 다가오는 통일 시대에 진정한 통합을 이룰 수 있도록 대비해야 한다.

05 이와 같은 글을 쓰는 방법으로 알맞지 않은 것은?

① '서론 – 본론 – 결론'의 짜임에 맞게 통일성을 갖추어 써야지.
② 초고의 내용을 바탕으로 글의 목적을 수정·보완하도록 해야겠어.
③ 서론에서 주제와 관련된 사회 현상을 설명하고 그에 대한 문제를 제기하면 좋겠어.
④ 본론에서는 보편적이고 타당한 근거를 들어 주장을 논리적으로 뒷받침하도록 해야겠어.
⑤ 결론에서는 본론의 내용을 요약하고 앞으로의 과제를 덧붙이며 글을 마무리하는 게 좋겠어.

학습 활동 응용

06 이 글의 개요를 정리한 내용으로 알맞지 않은 것은?

서론	분단 이후 남한과 북한의 언어에는 많은 차이가 생겨 의사소통이 어려워졌다. ······ ①
본론	• 남북한 공통 국어사전의 편찬 작업을 이어 가야 한다. ······ ② • 남북 간의 민간 교류가 활발하게 이루어져야 한다. ······ ③ • 기술을 이용해 남북한의 언어 차이를 줄일 수 있는 방법을 개발해야 한다. ······ ④
결론	남북한에서 쓰는 언어는 하나의 민족어로서 동질성이 더 크다. ······ ⑤

서술형

07 〈보기〉를 고려하여 이 글에서 삭제해야 할 문장을 찾아 쓰시오.

| 보기 |
주장을 뒷받침하는 근거가 보편적이고 타당한가?

08 (가)와 (나) 사이에 들어갈 내용으로 알맞은 것은?

① 남북한 언어의 공통점과 차이점을 알아보자.
② 남북한 언어의 차이가 나타난 원인은 무엇일까?
③ 통일 시대에는 남북한 언어를 어떻게 쓰게 될까?
④ 남북한 언어의 이질성을 극복하려면 어떻게 해야 할까?
⑤ 남북한 청소년들은 통일을 위해 어떤 노력을 하고 있을까?

어휘력 키우기

교과서 198~199쪽

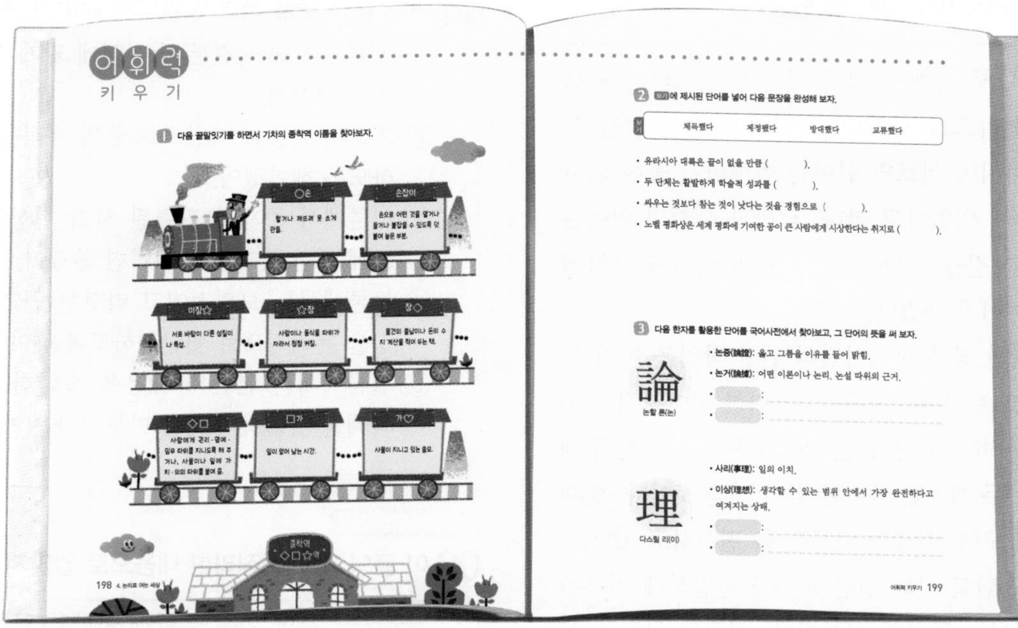

어휘력 키우기

1 다음 끝말잇기를 하면서 기차의 종착역 이름을 찾아보자.

○손: 헐거나 깨뜨려 못 쓰게 만듦.

손잡이: 손으로 어떤 것을 열거나 들거나 붙잡을 수 있도록 덧붙여 놓은 부분.

이질☆: 서로 바탕이 다른 성질이나 특성.

☆장: 사람이나 동식물 따위가 자라서 점점 커짐.

장◇: 물건의 출납이나 돈의 수지 계산을 적어 두는 책.

◇□: 사람에게 권리 · 명예 · 임무 따위를 지니도록 해 주거나, 사물이나 일에 가치 · 의의 따위를 붙여 줌.

□가: 일이 없어 남는 시간.

가♡: 사물이 지니고 있는 쓸모.

종착역 ◇□☆역

198 4. 논리로 여는 세상

2 보기에 제시된 단어를 넣어 다음 문장을 완성해 보자.

보기: 체득했다 제정됐다 방대했다 교류했다

- 유라시아 대륙은 끝이 없을 만큼 ( ).
- 두 단체는 활발하게 학술적 성과를 ( ).
- 싸우는 것보다 참는 것이 낫다는 것을 경험으로 ( ).
- 노벨 평화상은 세계 평화에 기여한 공이 큰 사람에게 시상한다는 취지로 ( ).

3 다음 한자를 활용한 단어를 국어사전에서 찾아보고, 그 단어의 뜻을 써 보자.

論 논할 론(논)
- 논증(論證): 옳고 그름을 이유를 들어 밝힘.
- 논거(論據): 어떤 이론이나 논리, 논설 따위의 근거.
- :
- :

理 다스릴 리(이)
- 사리(事理): 일의 이치.
- 이상(理想): 생각할 수 있는 범위 안에서 가장 완전하다고 여겨지는 상태.
- :
- :

어휘력 키우기 199

예시답안

1.

훼(○)손 – 손잡이 – 이질성(☆) – 성(☆)장 – 장부(◇) – 부(◇)여(□) – 여(□)가 – 가치(♡)

- 종착역 이름: 부(◇)여(□)성(☆)역

2.

- 유라시아 대륙은 끝이 없을 만큼 (방대했다).
- 두 단체는 활발하게 학술적 성과를 (교류했다).
- 싸우는 것보다 참는 것이 낫다는 것을 경험으로 (체득했다).
- 노벨 평화상은 세계 평화에 기여한 공이 큰 사람에게 시상한다는 취지로 (제정됐다).

3.

論 논할 론(논)	• 논문(論文): ① 어떤 것에 관하여 체계적으로 자기 의견이나 주장을 적은 글. ② 어떤 문제에 대한 학술적인 연구 결과를 체계적으로 적은 글. • 의논(議論): 어떤 일에 대하여 서로 의견을 주고받음.
理 다스릴 리(이)	• 도리(道理): ① 사람이 어떤 입장에서 마땅히 행하여야 할 바른길. ② 어떤 일을 해 나갈 방도. • 요리(料理): 여러 조리 과정을 거쳐 음식을 만듦. 또는 그 음식. 주로 가열한 것을 이른다.

확인 문제

01 단어의 뜻풀이가 바르지 않은 것은?

① 체득하다: 몸소 체험하여 알다.
② 훼손: 헐거나 깨뜨려 못 쓰게 만듦.
③ 제정되다: 다시 정돈되어 갖추어지다.
④ 방대하다: 규모나 양이 매우 크거나 많다.
⑤ 이질성: 서로 바탕이 다른 성질이나 특성

02 밑줄 친 단어의 사용이 바르지 않은 것은?

① 청소년들이여, 높은 이상을 품어라.
② 그는 사리를 분별할 줄 아는 사람이다.
③ 우리는 회의에서 논거 끝에 결론을 내렸다.
④ 논증이 불가능한 사실은 근거가 되지 않는다.
⑤ 학업에 관심을 가지려면 동기 부여가 필요하다.

• 정답과 해설 23쪽

01~04 다음 글을 읽고, 물음에 답하시오.

가 학생의 본분은 공부라지만 그와 함께 적당한 휴식과 놀이도 필요하다. 하지만 청소년들이 놀 수 있는 시간은 부족하고, 마음 놓고 놀 만한 공간은 많지 않다. 운동장이나 놀이터는 청소년의 다양한 욕구를 반영하지 못한다는 점에서 놀이 공간의 역할을 하기에 부족하고, 피시방이나 노래방 등은 쉽게 일탈에 노출될 수 있다는 점에서 우려의 목소리가 높은 공간이다.

나 만약 청소년들에게 그들만의 문화를 형성하고 자유롭게 즐길 수 있는 놀이 공간이 주어진다면 어떠할까? 앞에서 살펴본 문제가 해결되지 않을까? 여기서는 청소년 놀이 공간 확대의 긍정적인 측면에 대해 생각해 보도록 하자.

다 우리는 놀면서 자연스럽게 다른 사람의 생각과 감정을 알게 되고, 그들의 눈에 비친 자신을 발견한다. 또한 자신의 생각과 감정을 다른 사람과 공유하려 노력한다. 나와 타인을 이해하고 나아가 타인과 타협하는 것이 곧 사회성을 익히는 과정이다. 청소년 놀이 공간에서는 다양한 경험과 만남의 기회가 제공되며, 이는 청소년의 공감 능력, 관계 형성 능력, 협동 능력, 사회 규율에 대한 이해력 등 일련의 사회성을 기르는 데에 기여할 것이다.

라 놀이를 통한 휴식과 재충전은 삶에 활력을 준다. 놀이는 재미있다. 놀이 그 자체가 수단이 아닌 목적이기 때문이다. 무엇보다 놀이는 누가 시켜서 하는 행동이 아니라 자신이 좋아서 하는 행동이다. 그래서 놀이를 하는 동안은 누구나 즐겁고 행복하다. 문화, 여가, 오락, 휴식 등을 즐길 수 있는 놀이 공간이 확대되어 다양한 놀이를 할 수 있다면, 청소년들은 각종 스트레스에서 벗어나 삶의 활력을 되찾을 수 있을 것이다.

마 청소년들은 청소년 놀이 공간에서 자신의 욕구를 바르게 표현하는 방법을 익히고, 체육, 예술, 취미, 진로 활동을 하며 자신들만의 문화를 생산해 낼 것이다. 돈을 쓰지 않고도, 어른들의 간섭이 없이도 자신들의 문화가 보장되는 청소년 놀이 공간이 확대된다면 왜 구태여 가지 말라는 곳에 가며, 하지 말라는 행동을 하겠는가? 청소년 놀이 공간은 사회 안전망 역할을 하여 청소년 일탈과 범죄 예방에 기여할 것이다.

01 이 글의 내용과 일치하지 않는 것은?

① 놀이를 통해 타인의 생각과 감정을 알 수 있다.
② 놀이를 통한 휴식과 재충전은 삶에 활력을 준다.
③ 청소년 놀이 공간은 사회 안전망과 감독이 필요하다.
④ 청소년들은 놀이 공간에서 그들만의 문화를 형성할 수 있다.
⑤ 청소년 놀이 공간에서는 다양한 경험과 만남의 기회를 제공한다.

02 (가)~(나)에 대한 설명으로 알맞은 것을 〈보기〉에서 모두 골라 묶은 것은?

보기
ㄱ. 문제가 발생한 원인을 다각도로 분석한다. ㄴ. 청소년 놀이 공간의 부족을 문제로 제기한다. ㄷ. 놀이를 즐기지 못하는 청소년들에 대한 비판적인 관점을 제시한다. ㄹ. 질문을 통해 독자의 주의를 환기하고 이어질 내용에 대한 흥미를 높인다.

① ㄱ, ㄴ ② ㄱ, ㄷ ③ ㄴ, ㄷ
④ ㄴ, ㄹ ⑤ ㄷ, ㄹ

03 (다)~(마)를 통해 〈보기〉의 주장을 이끌어 내는 과정에서 사용된 논증 방법에 대한 설명으로 알맞은 것은?

보기
청소년 놀이 공간을 확대해야 한다.

① 결론의 내용이 전제에 포함되어 있다.
② '대전제 – 소전제 – 결론'의 순서로 전개된다.
③ 전제가 참이면 결론도 언제나 참일 수밖에 없다.
④ 두 대상 간의 유사점을 근거로 들어, 그것들 사이의 또 다른 점도 유사할 것이라고 추론한다.
⑤ '참새, 까치는 알을 낳는다. 참새, 까치는 새이다. 따라서 새들은 알을 낳는다.'와 논증 방법이 같다.

고난도 서술형

04 (다)~(마)를 바탕으로 글쓴이의 주장을 뒷받침할 근거 세 가지를 서술하시오.

05~08 다음 글을 읽고, 물음에 답하시오.

(가) 우리나라의 청소년들은 과도한 경쟁과 학업 스트레스로 위기에 내몰리고 있다. 이 때문에 다양한 신체 활동과 예술 활동을 하며 휴식과 여가를 즐길 기회를 제공해 줄 놀이 공간의 확대가 절실하다. 이는 청소년의 삶의 질 향상과 문화적 욕구 해소, 그리고 사회 복지를 위해 꼭 필요하다.

(나) 청소년이 나라의 미래라고 하지만 정작 그들에게 필요한 여가 시간과 놀 공간은 부족한 것이 현실이다. 우리 사회는 청소년 놀이 공간을 확대하기 위해 노력해야 한다. 이를 통해 청소년들은 건전한 놀이를 하면서 또래와 유익한 관계를 형성하고 행복한 성장을 이어갈 수 있을 것이다.

(다) 아름다움에는 우열이 없다. 개나리의 노랑과 진달래의 분홍을 두고 무엇이 아름다운지 증명할 수 없듯이, 아름다움이란 그 자체로 가치를 지닐 뿐 우열을 가릴 수 있는 대상이 아니다. 음악도 이와 마찬가지이다. 우리가 음악을 듣고 감동을 받는 것은 음악이 아름답기 때문이다. 따라서 음악의 아름다움 사이에는 우열이 존재하지 않는다. 그런데 방송 프로그램 중에는 음악의 아름다움을 두고 우열을 가리려는 것이 많다. 가요의 순위를 정하고, 오디션을 통해 1등을 뽑고, 유명 가수들이 경연을 펼치기도 한다. 이런 프로그램들은 음악이 전하는 아름다움에 점수를 매기고, 순위를 결정하려 한다. 과연 일곱 사람을 감동시킨 음악보다 여덟 사람, 열 사람을 감동시킨 음악이 더 우월하다고 할 수 있을까?

(라) 대한민국 헌법 제10조는 '모든 국민은 인간으로서 존엄과 가치를 가지며'라고 인간의 존엄성을 선언하고 있습니다. 그런데도 우리 주변에서는 인간의 존엄성을 위협하는 일들이 많이 벌어집니다. 때로는 스스로 자신의 존엄성을 훼손하기도 합니다. 가장 대표적인 경우가 자신을 낮게 평가하는 것입니다. '나는 공부 못하는 아이, 쓸모없는 아이, 사랑받을 가치가 없는 아이, 모두가 싫어하는 아이야.'라고 생각하는 것은 자신의 존엄성을 스스로 훼손하는 것입니다.

우리는 모두 존엄한 인간입니다. 고유의 정체성을 가진 세상에 하나뿐인 존재입니다. 하루하루 자신을 존엄하게 여기며 살아가야 합니다. 다른 사람도 그러하다는 것을 인정하면서 말입니다.

05 논증 방법을 파악하며 주장하는 글을 읽을 때의 장점으로 알맞지 않은 것은?

① 글쓴이의 주장을 정확하게 파악할 수 있다.
② 글의 논지 전개 방식을 쉽게 파악할 수 있다.
③ 주장에 대한 근거가 적절한지 판단할 수 있다.
④ 글에 담긴 정보들 간의 중요도를 판단할 수 있다.
⑤ 글의 구조를 파악하고 글을 체계적으로 이해할 수 있다.

서술형

06 (가)~(나)에서 글쓴이가 주장하려는 바를 청유형의 한 문장으로 쓰시오.

07 (다)에 대한 설명으로 알맞지 않은 것은?

① '음악은 아름답다.'는 소전제에 해당한다.
② '아름다움에는 우열이 없다.'는 대전제에 해당한다.
③ 전제로부터 '음악에는 우열이 없다.'는 결론을 이끌어 낼 수 있다.
④ 음악의 아름다움을 두고 우열을 가리려는 현실을 비판하고 있다.
⑤ 음악을 예로 들어 색깔의 아름다움 사이에도 우열이 없음을 주장하고 있다.

08 (라)에서 〈보기〉와 같은 결론을 이끌어 내는 대전제로 알맞은 것은?

보기

나 자신을 비롯한 모든 사람은 존엄성을 지닌다.

① 인간은 모두 존엄성을 지닌다.
② 인간의 존엄성을 위협하는 일이 많다.
③ 나 자신을 비롯한 모든 사람은 인간이다.
④ 나 자신의 존엄성을 훼손하는 경우가 있다.
⑤ 하루하루를 자신을 존엄하게 여기며 살아가야 한다.

09~12 **다음을 읽고, 물음에 답하시오.**

가

한 번도 맞춰 보지 않아 여러 어려움이 있었는데
그중 가장 어려웠던 것은 언어 문제였어요.

박종아
평창 동계 올림픽
여자 아이스하키 단일팀 주장

저희가 북측 선수들과 단일팀을 구성하며 겪은 어려움 중 가장 큰 것은 언어에 대한 문제였어요. 운동 중에 저희가 사용하는 말을 북측 선수들이 잘 알아듣지 못하고, 또 북측 선수들이 말하는 것을 저희가 이해하지 못해 서로 맞춰 가는 데 시간이 오래 걸리고 어려웠습니다.

– 「케이비에스(KBS) 뉴스」, 2018. 2. 5.

나 미르: 글의 주제를 정한 후에는 무엇을 해야 해?
지오: (㉠) 자료를 활용하면 다양한 근거를 마련할 수 있어요. 자료를 찾을 때에는 정보가 있는 곳에 직접 갈 수도 있고, 매체를 이용할 수도 있지요.

다

자료 3 디지털 매체 누리집

『겨레말 큰사전』 편찬 사업은 남한과 북한, 그리고 해외 동포 사회의 언어를 통합하는 방대한 사업으로, 그 소요 기간이 길며 높은 수준의 전문성이 요구되는 사업입니다. 또한 민족어 동질성 회복과 언어 통일 준비라는 국가적·민족적 차원의 사업입니다. 이를 위해 2006년 1월에 『겨레말 큰사전』 편찬 사업을 전담하는 기구로 겨레말 큰사전 남북 공동 편찬 사업회가 출범하였으며, 2007년 4월에는 특별법이 제정되어 사업의 안정성을 뒷받침하게 되었습니다.

말과 글은 인간 문화의 생명입니다. 인류는 언어를 통해 문화를 창조하고 발전해 왔으며, 언어를 통해 공동체 사회를 건설하였습니다. 그러나 분단 때문에 우리말은 많이 훼손되고, 또 이질화되었습니다. 겨레의 말 하나하나는 우리의 과거와 현재, 그리고 미래의 뼈와 살입니다. 따라서 우리말을 회복하고 또 발전시켜야 우리 민족의 문화를 지킬 수 있습니다. 결국 남과 북이 함께 『겨레말 큰사전』을 만드는 일은, 단순한 어휘의 통합과 집대성을 넘어 민족 문화 공동체의 폭과 깊이를 확장하고 진정한 통일을 준비하는 일입니다.

– 겨레말 큰사전 남북 공동 편찬 사업회 누리집

라 미르: 이제 자료를 활용해서 글을 써 볼까?
지오: 잠깐! ㉡글을 쓰기 전에 개요를 써야 해요. 개요는 여러 가지 생각을 독자가 쉽게 이해할 수 있도록 조직하고 배열하는 과정이랍니다. 개요를 쓰면 글의 전체적인 흐름을 일관성 있게 유지할 수 있지요.

09 **(가)를 바탕으로 다음과 같은 글의 서론을 쓰려고 할 때, 그 내용으로 가장 알맞은 것은?**

제목: 통일 시대의 남과 북, 하나되는 언어

① 남북한 선수들이 함께 언어를 다듬어야 한다.
② 남북한 비교 어휘집을 제작하여 배포해야 한다.
③ 남북한의 화합을 위해 스포츠 단일팀을 구성해야 한다.
④ 남북한 선수들끼리 교류의 기회를 확대할 필요가 있다.
⑤ 분단 이후 남북한의 언어에 많은 차이가 생겨 소통이 어려워졌다.

10 **(다)가 뒷받침할 수 있는 주장으로 알맞은 것은?**

① 『겨레말 큰사전』은 통일 이후에 편찬해야 한다.
② 사전을 편찬할 때 제정된 특별법에 따라야 한다.
③ 남북한 공통 국어사전의 편찬 작업을 이어 가야 한다.
④ 분단이 지속될수록 우리말은 점점 더 훼손되고 이질화될 것이다.
⑤ 『겨레말 큰사전』 편찬 사업은 남과 북 모두에게 경제적 이익을 가져올 것이다.

11 **㉠에 들어갈 내용으로 알맞은 것은?**

① 글을 쓰고자 하는 목적을 정해 봐요.
② 독자의 흥미를 끌 만한 표현을 찾아봐요.
③ 작성한 개요를 바탕으로 글을 써 보도록 해요.
④ 주장을 뒷받침할 수 있는 타당한 근거를 찾아야 해요.
⑤ 글의 주장과 근거가 타당한지 점검하고 고쳐 써 보세요.

12 **㉡과 같은 과정에서 각 부분에 배치할 내용이 바르게 연결된 것은? (정답 2개)**

① 서론 – 글의 화제 및 글을 쓴 동기 제시
② 서론 – 주장과 이를 뒷받침하는 근거 제시
③ 본론 – 미래에 대한 전망 제시
④ 결론 – 문제 상황 설명 및 문제 제기
⑤ 결론 – 내용 요약 및 앞으로의 과제 제시

• 정답과 해설 23쪽

13~17 다음 글을 읽고, 물음에 답하시오.

가 국립 국어원이 2012년에 펴낸 「탈북 주민 한국어 사용 실태 보고서」에 따르면, 탈북 주민은 남한에서 쓰는 단어의 절반 정도밖에 이해하지 못하는 것으로 나타났다. 이러한 언어의 이질성을 극복하기 위해서는 어떻게 해야 할까?

나 먼저 남북한 공통 국어사전의 편찬 작업을 이어 가야 한다. 현재 남한과 북한에는 각각 다른 국어사전이 존재한다. 국어사전은 그 나라 언어의 표준이다. 통일 후에도 국어사전이 두 개라면 불편한 점이 많을 것이다. 현재 남북 학자들이 모여 『겨레말 큰사전』을 편찬하고 있다. 이러한 편찬 작업은 남북의 어휘를 통합하고 집대성하여, 민족 문화를 지키고 민족 문화 공동체의 폭을 넓힐 수 있을 것이다.

다 두 번째로 남북 간의 민간 교류가 활발하게 이루어져야 한다. 언어는 문화의 일부이다. 서로의 문화를 이해하기 위해서는 끊임없는 교류가 필요하다. 민간 차원의 문화 교류를 이어 간다면 더 쉽게 서로의 언어를 이해할 수 있고, 남북한 통합도 앞당길 수 있을 것이다. 예를 들어 남북 단일팀과 같이 스포츠 분야에서 민간 교류가 이루어진다면 서로의 문화를 이해하며 그 분야에서 쓰는 언어를 교류할 수 있을 것이다. ㉠<u>특히 내가 제일 좋아하는 스포츠 종목이 축구이므로 남북 축구 단일팀을 만들어야 한다.</u>

라 세 번째로 기술을 이용해 남북한의 언어 차이를 줄일 수 있는 방법을 다양하게 개발해야 한다. 실제로 우리나라의 한 회사는 남한의 어휘를 북한의 어휘로 바꾸어 주는 앱을 개발하여 탈북 청소년에게 도움을 주고 있다고 한다. 이와 같은 기술을 개발해 나간다면 남북한의 언어 차이를 줄일 수 있을 것이다.

마 『겨레말 큰사전』 편찬을 이어 가고, 민간 교류를 확대하며, 소통에 도움이 되는 다양한 기술을 개발한다면 남북 간의 언어 차이를 줄여 갈 수 있을 것이다. 우리는 같은 언어를 쓰는 한 민족이다. 그러므로 서로의 언어에 관심을 기울이고, 언어 차이를 좁히기 위해 노력함으로써 다가오는 통일 시대에 진정한 통합을 이룰 수 있도록 대비해야 한다.

13 이와 같은 글을 고쳐 쓰기 위한 평가 기준으로 적절하지 <u>않은</u> 것은?

① 문단의 배열이 자연스러운가?
② 근거가 기발하고 독창적인가?
③ 주장이 명료하게 드러나는가?
④ 글의 주제에 어긋난 내용은 없는가?
⑤ 근거를 바탕으로 한 주장이 설득력이 있는가?

14 이 글에 나타난 통일 시대의 국어를 준비하는 자세로 적절하지 <u>않은</u> 것은?

① 남북 간의 민간 교류를 활발히 한다.
② 『겨레말 큰사전』의 편찬 작업을 이어 나간다.
③ 탈북 청소년들이 남북한 언어 번역 앱을 만든다.
④ 기술을 이용해 남북한의 언어 차이를 줄일 수 있는 방법을 개발한다.
⑤ 남북한이 서로의 언어에 관심을 갖고 언어 차이를 극복하기 위해 노력한다.

15 이 글을 쓸 때 참고한 자료로 알맞지 <u>않은</u> 것은?

① 「탈북 주민 한국어 사용 실태 보고서」
② 『겨레말 큰사전』 편찬 사업을 담은 누리집
③ 남한과 북한의 언어 순화 정책을 비교한 책
④ 민간 교류가 남북을 통합하는 힘이 된다는 뉴스
⑤ 북한어를 남한어로 번역하는 앱 개발에 관한 기사문

서술형

16 이 글에서 본론에 해당하는 문단을 밝히고, 각 문단의 공통적인 짜임을 밝혀 쓰시오.

조건
① '~는 ~(으)로 구성되어 있다.'의 형식으로 쓸 것

17 ㉠의 문제점으로 알맞은 것은?

① 정확하고 분명한 어휘를 사용하지 않았다.
② 결론에 들어가야 할 내용이 잘못 배치되었다.
③ 주장하는 내용이 사회의 공익성을 해칠 수 있다.
④ 독자의 흥미를 고려하지 않고 일방적인 주장만 내세웠다.
⑤ 보편타당한 사실이 아닌 개인적 선호를 주장의 근거로 삼았다.

창의적 사고력을 키우는

창의·융합

교과서 202~205쪽

분야별로 나누어진 다양한 질문에 답하며 자신의 중학교 생활을 되돌아보도록 해요.

이 활동은

분야별로 나뉜 질문에 답하며 자신의 중학교 생활을 돌아보고, 제시된 도형에 질문에 대한 답을 적어 모둠별로 다면체 형태의 공을 만들어 봄으로써 친구들과 중학교 생활에 대해 이야기해 보는 활동입니다.

자신의 중학교 생활을 간단하게 정리하여 도형에 기록하면서 공을 꾸며 보도록 해요.

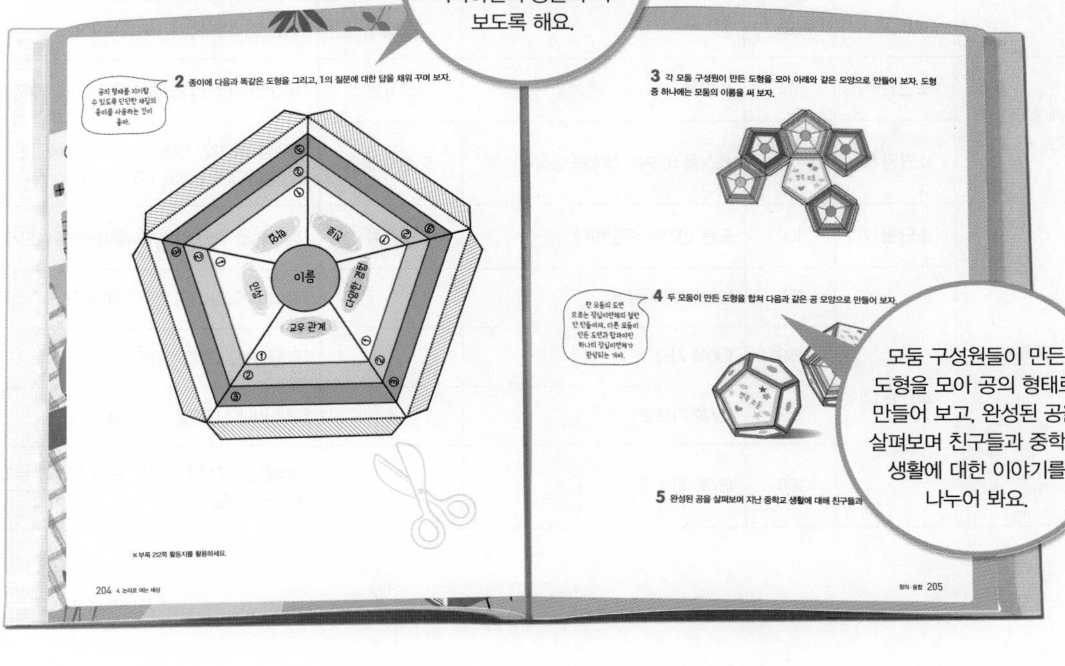

모둠 구성원들이 만든 도형을 모아 공의 형태로 만들어 보고, 완성된 공을 살펴보며 친구들과 중학교 생활에 대한 이야기를 나누어 봐요.

한끝 교과서편 3-2 수록 목록

대단원	소단원	교재 쪽수	제재명	저자	출처
1. 문제를 해결하는 힘	소단원 (1)	010	플라스틱은 전혀 분해되지 않았다	박경화	『지구인의 도시 사용법』 (휴, 2015), 12~21쪽
		011	미세 플라스틱		시사 상식 사전(https://terms.naver.com)
		017	'항아리 냉장고'를 아시나요?	이원춘, 전윤영, 김경희	『상식 속, 상식 밖 사이언스』(북&월드, 2015), 121~128쪽
		021	28쪽 ① 자료 글	프란시스코 자메네즈	하정임 옮김, 『프란시스코의 나비』, (다른, 2010), 47쪽
2. 문학으로 느끼는 삶	소단원 (1)	052	제망매가	월명사	김완진 옮김, 『향가 해독법 연구』 (서울대학교출판부, 1980), 127쪽
		054	나보다 조금 더 높은 곳에 니가 있을 뿐	신승훈	『5집 나보다 조금 더 높은 곳에 니가 있을 뿐』 (1996)
			들길에 서서	신석정	『그 먼 나라를 알으십니까』 (창비, 1990), 48쪽
		055	수라	백석	『나와 나타샤와 흰 당나귀』 (다산북스, 2005), 48~49쪽
		057	흥부전	작가 미상	신동흔 옮김, 『이 박을 타거들랑 밥 한 통만 나오너라』 (나라말, 2006), 29~34쪽
		061	내 앞자리만 안 내림	하상욱	『서울 시』 (중앙북스, 2013), 95쪽
	소단원 (2)	069	노새 두 마리	최일남	『한국 단편소설 베스트 39』 (혜문서관, 2014), 655~671쪽
		090	전쟁의 잔혹함과 인정의 아름다움	박동규	『내 생애 가장 따뜻한 날들』 (대산출판사, 2002), 33~36쪽
		103	형	노라조	『야심작』 (2009)
3. 정확하게 말하고, 비판적으로 듣고	소단원 (1)	114	빗방울	오규원	『오규원 시 전집 2』 (문학과지성사, 2017), 434쪽
	소단원 (2)	124	세상을 바꾸는 실패와 상상력	조앤 K. 롤링	제재형 외 11인 엮음, 『세계를 주름잡은 리더들의 명연설 2』 (청미디어, 2016), 173~184쪽
4. 논리로 여는 세상	소단원 (1)	152	모든 인간은 존엄하다	구정화	『청소년을 위한 인권 에세이』 (해냄출판사, 2015), 15~21쪽
	소단원 (2)	158	185쪽 1번 자료 글		『케이비에스(KBS) 뉴스』, 2018. 2. 5.
		159	186쪽 자료 1		『경향신문』, 2015. 3. 18.
		159	187쪽 자료 2		『에스비에스(SBS) 뉴스』, 2015. 1. 3.
		160	187쪽 자료 3		겨레말큰사전 남북 공동 편찬 사업회 누리집(http://www.gyeoremal.or.kr)

한권으로 끝내기!

필수 개념과 시험 대비를 한 권으로 끝!

국어 공부의 진리입니다.

한끝과 함께 언제, 어디서든 즐겁게 공부해!

한끝으로 끝내고, 이제부터 활짝 웃는 거야!

15개정 교육과정

한끝

정답과 해설

중등국어

3·2

교과서편

visang

한끝

정답과 해설

비상교육 교과서편

중등 국어 3-2

정답과 해설

1 문제를 해결하는 힘

(1) 능동적으로 해결하며 읽기

간단 체크 개념 문제 본문 008~009쪽

1 (1) ○ (2) ○ (3) × **2** 서론 **3** ⑤ **4** (1) × (2) ○ (3) ○
5 비교 **6** ②

1 (3) 주장하는 글은 서론, 본론, 결론의 3단 구성에 따라 내용을 체계적으로 조직하는 것이 일반적이다.

2 주장하는 글의 서론은 주제에 관한 현실의 상황을 제시하며 글을 시작하는 단계로 무엇에 대해, 왜 쓰려고 하는지를 제시해야 한다.

3 문제 해결 과정으로서의 읽기는 글에 나타난 정보를 단서로 독자 자신의 배경지식을 활용하여 의미를 재구성해 나가는 것이다. 글의 내용 중 재미가 없는 부분을 제외하고 읽는 것은 올바른 읽기 방법으로 볼 수 없다.

4 (1) 설명하는 글은 개인의 의견이나 감정보다 사실에 바탕을 두고 있다.

5 비교는 둘 이상의 대상을 견주어서 공통점을 중심으로 설명하는 방식이다.

6 목표나 결과에 도달하기 위한 행동, 변화, 단계 등을 순서대로 설명하는 방법을 과정이라고 한다. 〈보기〉에서는 자유형을 하기 위해 몸동작을 어떻게 해야 하는지를 순서대로 제시하고 있다.

학습콕 본문 010~013쪽

010쪽	플라스틱, 절연성
013쪽	분해, 재활용, 이물질, 영양실조, 일회용 플라스틱

간단 체크 내용 문제 본문 010~013쪽

010쪽	01 ④	02 ③	03 ③
011쪽	04 ④	05 ④	06 예시
012쪽	07 ⑤	08 ⑤	09 ①
013쪽	10 ①	11 ②	

01 글쓴이는 현대 사회를 '플라스틱 시대'라고 인식하고 있는데, 이는 우리의 일상생활에 플라스틱이 많이 사용되고 있는 상황을 지적한 것이다.

02 (다)에서 플라스틱이 분해되려면 500년 혹은 그 이상의 기간이 걸린다고 하였을 뿐, 플라스틱을 분해하는 방법에 대해서는 언급하지 않았다.

03 (다)는 플라스틱의 특성을 바탕으로, 일상생활 속에서 흔히 사용하는 플라스틱이 심각한 문제점을 유발할 수 있다는 글쓴이의 의견을 제시하고 있는 부분이다. 글쓴이의 경험과 정서가 표현된 부분은 찾을 수 없으므로 ③은 (다)를 읽는 방법으로 적절하지 않다.

04 (라)를 통해 재활용하는 플라스틱의 양이 적은 이유가 플라스틱을 재질별로 선별하는 것이 쉽지 않고, 재활용을 하더라도 품질이 떨어지는 제품을 만들 수밖에 없기 때문임을 알 수 있다.

오답 풀이 ㄱ. 페트병을 제외하고는 수거가 되지 않는다는 내용은 (라)에 제시되지 않았다.
ㄷ. (라)에서는 재활용되지 않은 플라스틱 쓰레기를 처리하는 방법으로 태우거나 매립장에 묻는 방법을 사용함을 설명하고 있을 뿐이다. 이는 재활용되는 플라스틱의 양이 많지 않은 것과는 관련이 없다.

05 (마)에는 앨버트로스가 작은 크기로 부서진 플라스틱 조각을 먹이로 착각하여 삼킨다는 내용이 제시되어 있다. ④에서 앨버트로스가 삼킨 작은 크기로 부서진 플라스틱 조각을 미세 플라스틱이라고 한 것은 글의 내용과 관련된 배경지식을 활용하여 (마)의 내용을 이해한 것에 해당한다. 나머지 선지는 모두 (마)에 이미 제시되어 있는 내용에 해당한다.

06 (마)는 앨버트로스를 예로 들어 바다에 버려진 플라스틱이 동물에게 피해를 줄 수 있음을 설명하고 있다.

07 (바)는 붉은바다거북을 예로 들어 플라스틱이 동물의 생존을 위협하고 있음을 설명하고 있다.

08 플라스틱으로 인해 동물이 피해를 입은 국내 사례를 제시함으로써 문제에 대한 독자의 경각심을 불러일으킬 수 있다. 외국 사례만 제시했을 경우 독자는 플라스틱 문제가 자신과 상관이 없는 문제라고 인식할 수 있다.

09 (아)에서는 사람의 눈에 잘 보이지 않는 미세 플라스틱으로 인해 인간의 건강을 위협한다고 하였을 뿐 미세 먼지에 대해서는 언급하지 않았다.

10 제시된 반응은 글쓴이의 주장이 보편적 가치에 부합되며 누구나 수용할 수 있는지를 판단한 내용이다. 따라서 주장의 합리성과 타당성을 판단하면서 글을 읽었다고 볼 수 있다.

11 (자)에서 글쓴이는 플라스틱을 전혀 사용하지 않고 생활하기는 어렵다는 것을 인정하면서 플라스틱 사용을 줄이자고 주장하고 있다.

학습 활동 본문 014~021쪽

이해	재활용, 먹이, 플라스틱, 건강, 인간
적용	큐 드럼, 사전

간단 체크 활동 문제

본문 014~021쪽

014쪽	01 ②	02 플라스틱은 동물에게 피해를 준다.
015쪽	03 ③	04 ⑤
016쪽	05 ④	06 ㄴ, ㄷ
017쪽	07 ③	08 ②
018쪽	09 ③	10 ③
019쪽	11 ②	12 ③
020쪽	13 ②	14 ①
021쪽	15 ②	

01 플라스틱은 재활용을 하더라도 원래의 제품으로 다시 만들 수 없으며 주로 품질이 떨어지는 제품을 만드는 데 이용된다.

02 제시된 사례의 동물들은 모두 플라스틱 쓰레기를 먹이로 착각하고 삼켜 영양 부족 등으로 죽음을 맞이하였다.

03 다양한 빛깔로 만들 수 있으며 절연성이 뛰어나다는 ③의 내용은 플라스틱의 장점이므로 플라스틱을 긍정적 관점에서 평가한 내용에 해당한다. 나머지 선지는 모두 플라스틱 사용으로 인한 피해로 플라스틱을 부정적 관점에서 평가한 내용에 해당한다.

04 '작은 것을 탐하다가 큰 것을 잃음.'이라는 '소탐대실'의 뜻에서 '작은 것을 탐하다가'는 플라스틱을 편하게 쓰고 쉽게 버리는 행태를, '큰 것을 잃음'은 환경이 오염되고 동물과 사람의 건강이 위협받는 상황을 맞는 것을 의미한다.

05 '플라스틱 사용을 줄이자.'라는 주제로 주장을 펼치는 글이므로 본론에서는 플라스틱이 유발하는 문제점이나 부작용을 강조해야 한다. 플라스틱 사용으로 얻을 수 있는 경제적 이익은 글에서 전하고자 하는 주제와 대조되는 내용이므로 글의 흐름을 고려하여 '본론'에서 다루지 않아야 한다.

06 ㄴ과 ㄷ은 플라스틱 사용을 줄이자는 것에 반대하는 입장을 보이고 있다. 이는 글쓴이의 주장과 대조되므로, 글쓴이의 주장에 대해 '타당하지 않다.'는 평가를 내리기 위한 근거로 적절하다.

07 (가)에서는 일상생활 속에서 다양하게 사용되고 있는 전기 에너지의 중요성에 대해 언급하고 있는데, 이는 화제인 '적정 기술'의 중요성 또는 필요성을 부각하기 위한 것이다. 따라서 '처음' 부분의 중심 내용은 (나)에서 설명하고 있는 적정 기술의 개념과 장점이다.

08 (다)를 통해 '항아리 냉장고'는 나이지리아의 교사인 모하메드 바 압바가 발명한 것임을 알 수 있다.

오답 풀이 ① (다)의 첫 문장에서 적정 기술의 예로 '항아리 냉장고'가 유명함을 언급하고 있다.
③ (다)의 마지막 문장에서 '항아리 냉장고'가 보관 기간이 3일 정도인 식품들을 21일 정도까지 신선하게 보관할 수 있음을 언급하고 있다.
④ (다)의 두 번째 문장에서 '항아리 냉장고'가 냉장고가 없는 지역이나 냉장고가 있더라도 전기가 제대로 공급되지 않아 음식물 보관에 어려움을 겪는 사람들에게 유용한 발명품임을 언급하고 있다.
⑤ (나)의 마지막 문장에서 적정 기술은 현지에서 구할 수 있는 재료를 사용하고, 누구나 쉽게 배우고 쓸 수 있다는 장점이 있음을 언급하고 있다.

09 〈보기〉에서 학생은 앞뒤 문맥을 살펴 단어의 의미를 파악하고 있다. 이처럼 앞뒤 문맥을 살펴본 것은 글에 나타난 정보를 활용한 방법에 해당한다.

10 (바)에 따르면 적정 기술은 오늘날에 처음 등장한 것이 아니라 아주 오래전부터 세계 곳곳에서 활용되어 왔던 기술이다.

11 (아)에 의하면 이글루의 재료는 주변에서 쉽게 구할 수 있는 눈이다. 또한 이글루는 내부 기온을 높여 실내를 따뜻하게 만드는데, 이는 이글루의 내부 벽에 뿌린 물이 얼면서 응고열을 방출하기 때문이다.

12 글쓴이는 적정 기술이 이미 세계 구석구석에서 활용되고 있으며, 과학적 사고를 바탕으로 적정 기술을 개발하면 현대 사회의 부족한 에너지를 보충할 수 있을 것이라고 생각하고 있다. 그러나 적정 기술을 개발하는 데에 자본이 많이 든다는 것은 (자)에 나타난 글쓴이의 생각과 관련이 없다.

13 '끝' 부분에서 적정 기술을 개발하여 에너지 보충 방안을 모색하자는 제안을 하고 있으나, 적정 기술의 전망과 한계에 대해서는 언급하지 않았다.

14 〈보기〉는 글쓴이의 제안에 대해 부정적 평가를 내리고 있다. 따라서 이를 뒷받침하는 근거는 적정 기술의 문제점이나 한계 등에 대한 내용이어야 한다. 적정 기술 중 실패하거나 우리 삶과 관련이 없는 것들이 많다는 것은 적정 기술의 한계에 해당한다.

15 글쓴이와 자신의 생각을 비교하며 읽는 것은 능동적인 읽기 방법에 해당하지만, 자신의 생각과 다른 내용을 건너뛰고 읽는 것은 올바른 읽기 방법으로 볼 수 없다.

압축 파일

본문 022~023쪽

❶ 장점 ❷ 재활용 ❸ 먹이 ❹ 일회용 ❺ 건강
❻ 에너지 ❼ 발명품 ❽ 이글루 ❾ 배경지식 ❿ 타당

시험에 나오는 소단원 문제

본문 024~025쪽

01 ⑤ **02** ⑤ **03** ④ **04** 글쓴이는 플라스틱을 전혀 사용하지 않는 것이 어려우므로 플라스틱 사용을 줄이자고 주장하고 있는데 반해, '용한'은 플라스틱을 사용하지 말자는 것으로 글쓴이의 주장을 잘못 파악하고 있다. **05** ② **06** ② **07** ⑤
08 사전을 찾거나 앞뒤 문맥을 고려하여 단어의 의미를 파악한다.

01 ⑤는 수필과 같이 정서를 표현하는 글을 읽는 방법에 해당한다. 이 글과 같은 주장하는 글에는 글쓴이의 주장과 의견 등은 제시되어 있지만, 글쓴이의 경험이나 정서 등은 잘 드러나지 않는다.

02 글쓴이는 플라스틱이 동물뿐만 아니라 인간의 건강까지 위협하는 것임을 말하고 있지만, 그 정도의 차이를 비교하고 있지는 않다.

오답 풀이 ① (가)와 (마)의 내용을 통해 추론할 수 있다.
② (나)에서 '재활용을 하더라도 플라스틱 함지나 정화조처럼 품질이 떨어지는 제품을 만들 수밖에 없다.'라고 한 것을 통해 추론할 수 있다.
③ (다)에서 '그 몸속에는 플라스틱 뚜껑과 작게 부서진 플라스틱 조각들이 가득 차 있었다.'라고 한 것을 통해 추론할 수 있다.
④ (라)에서 '해양 쓰레기의 60에서 80 퍼센트는 플라스틱이 차지하고 있다.'라고 한 것을 통해 추론할 수 있다.

03 ㉠은 우리들이 플라스틱 제품을 편하게 쓰고 쉽게 버리는 행태가 자연환경과 생태계에 심각한 문제를 야기한다는 사실을 강조하고 있다. 따라서 ㉠의 근거는 무분별한 플라스틱의 사용이 야기하는 문제점이다. 이물질이 많이 묻어 있거나 세척되지 않았다는 것은 플라스틱 재활용이 어려운 이유일 뿐, 플라스틱의 남용이 야기하는 문제점으로 볼 수 없다.

04 서술형 (마)에서 글쓴이는 플라스틱을 전혀 사용하지 않고 생활하는 것이 어렵다고 하며 플라스틱 사용을 줄이고, 일회용 플라스틱 제품을 사용하지 말자고 주장하고 있다.

05 (가)에서 이 글의 중심 화제인 적정 기술의 개념을 설명하고 있으며, (나)~(마)에서 적정 기술이 적용된 구체적 사례를 제시하고 있다.

06 ㉠~㉤은 모두 적정 기술을 적용한 발명에 해당한다. (가)에 따르면 적정 기술은 현지에서 구할 수 있는 재료를 사용하며, 누구나 쉽게 배우고 쓸 수 있는 방식으로 만든다. 실제로 (나)~(마)의 내용을 보면 ㉠~㉤ 모두 현지에서 구할 수 있는 재료를 이용하여 누구나 쉽게 쓸 수 있도록 만들어졌음을 확인할 수 있다.

오답 풀이 ㄴ. '라이프 스트로'나 '큐 드럼'과 같은 발명품들은 식수를 구하기가 어려운 지역의 사람들을 돕기 위한 것이긴 하지만, '흙벽돌로 지은 집'이나 '이글루'와 같은 것들은 지역의 기후적 특성을 극복하기 위한 목적으로 만들어진 것이다. 따라서 ㄴ은 ㉠~㉤의 공통점으로 볼 수 없다.
ㄹ. '항아리 냉장고'만 해도 전기를 이용할 수 없는 지역에서 음식물을 신선하게 보관할 수 있도록 하는 발명품이고, '라이프 스트로'나 '큐 드럼' 또한 식수를 구하기 어려운 지역의 사람들을 돕기 위한 발명품일 뿐 전기를 효율적으로 이용한 발명품은 아니다. 따라서 ㄹ은 ㉠~㉤의 공통점에 해당하지 않는다.

07 '이글루'는 눈으로 만든 집으로 이글루의 내부 벽에 물을 뿌리면, 그 물이 얼음이 된다. 〈보기〉에 따르면 이는 액체가 열에너지를 잃어 고체로 상태가 변하는 것이다. (마)에서는 이를 응고열을 방출하는 것이라고 설명하고 있다.

08 서술형 '지운'은 글을 읽으면서 모르는 단어를 만나 어려움을 겪고 있다. 이를 해결할 수 있는 읽기 방법으로는 사전을 찾거나 앞뒤 문맥을 고려하여 단어의 의미를 파악하는 방법이 있다. 이 방법을 이용하면 글의 정보를 정확하게 이해할 수 있으며 글쓴이가 무엇을 말하고자 하는지 쉽게 이해할 수 있다.

(2) 설득의 힘을 기르는 토론

간단 체크 개념 문제

본문 026쪽

1 (1) × (2) × (3) ○ **2** 쟁점 **3** ⑤

1 (1) 토론은 찬성과 반대의 입장으로 나뉘는 논제에 대해 각 토론자가 자신의 주장이 타당함을 내세우며 상대측의 주장에 반박하는 말하기이다.
(2) 고전적 토론의 참여자는 입론과 반론의 기회를 갖는다. 입론, 반대 신문, 반론의 기회를 갖는 것은 반대 신문식 토론에 해당한다.

2 토론의 논제를 선정할 때에는 논제가 토론자들이 찬성이나 반대의 입장을 취할 수 있는 쟁점인지를 고려해야 한다.

3 토론 규칙의 준수 여부 등을 살피고 토론자를 평가하는 것은 청중의 역할이다.

학습콕

본문 027~032쪽

027쪽	논제, 자율화
029쪽	입론, 쟁점, 학습권, 환경
032쪽	수업 태도, 반론, 뇌 활성도, 친환경적

간단 체크 내용 문제

본문 027~032쪽

027쪽	**01** ④	**02** ②	
028쪽	**03** ⑤	**04** ⑤	
029쪽	**05** ③	**06** ①	
030쪽	**07** ⑤	**08** ④	**09** 주장의 타당성을 강조하고 신뢰성을 높이고 있다.
031쪽	**10** ②	**11** ③	
032쪽	**12** ①		

01 고전적 토론에서 반론은 반대 측부터 시작한다. 또한 입론과 마찬가지로 찬반 양측이 각각 두 번씩 실시한다.

02 (가)에서 사회자가 자신의 이름을 소개하기는 하였으나 토론자들을 소개한 적은 없다.

03 '현중'은 입론 1에서 학교 운영 예산이 한정되어 있음을 언급하였으나, 학교의 전기 요금 사용 실태를 제시하지는 않았다.

오답 풀이 ① '찬성 측에서는 우리에게 ~ 말씀하셨습니다.' 부분에서 상대측의 주장을 요약하여 제시하고 있다.
② '물론 쾌적한 환경에서 ~ 집중할 수 있을 테니까요.' 부분에서 상대측의 의견에 일부 동의하고 있음을 드러내고 있다.
③ '행정실장님 말씀에 따르면 ~ 올라간다고 합니다.' 부분에서 학교 관계자의 말을 인용하여 근거의 신뢰도를 높이고 있다.
④ '학교를 운영하는 예산은 ~ 즉 학습권을 잃게 됩니다.' 부분에서 상대측의 의견대로 학생들에게 에어컨을 자율적으로 사용하게 할 경우 발생할 수 있는 문제점을 지적하고 있다.

04 ㉠은 2005년부터 2011년까지 평균 실외 온도와 평균 시험 점수 대비 분포 차 간의 관계를 보여 주는 그래프 자료이다. 또한 실외 온도가 12~14℃일 때, 평균 시험 점수와 대비하여 양(+)의 분포 차가 가장 큼을 알 수 있는데, 이는 학생들이 평균 시험 점수에 비해 점수를 제일 잘 받았다는 의미이다.

05 '정은'은 '지구 생태 용량 초과의 날'이 앞당겨졌음을 언급하며 환경 문제의 심각성을 지적하고 있다. 또한 학교에서 자연환경을 아끼고 가꾸어 가는 자세를 배워야 함을 강조하면서, 에너지 절약을 위해 에어컨 사용을 자율화해서는 안 된다는 주장을 펼치고 있다.

06 '지구 생태 용량 초과의 날'은 인간이 사용하는 자원의 양이 지구가 1년 동안 회복할 수 있는 양을 초과하는 날로, 자원 소모의 속도에 따라 날짜가 조정된다.

오답 풀이 ②, ③ '지구 생태 용량 초과의 날'은 지구의 자원 소모가 빨라지고 있음을 인식할 수 있게 해 주는 날일 뿐, 에너지 자원의 효율적 관리 방법을 제안하거나 전 세계의 환경 문제들을 공유하는 역할을 하고 있지는 않다.
④ '지구 생태 용량 초과의 날'은 기존에 선정했던 날짜보다 자원 소모의 속도가 빨라질 경우, 날짜가 앞당겨지며 조정된다. 각 나라의 합의에 따라 매년마다 날짜를 새로 정하는 것은 아니다.

07 '현중'은 에어컨을 자율적으로 사용한다고 해도 모든 학생이 만족할 수는 없다며 상대측 주장이 공평하지 않음을 지적하고 있다. '나현'은 상대측 주장이 초·중등 교육법에 명시된 학생의 학습권을 침해할 수 있다며 상대측 주장이 타당하지 않음을 지적하고 있다.

08 ㉠에서 '현중'은 논제와 관련 없는 토론자의 평소 학습 태도를 근거로 반론을 제기하여 주장의 설득력을 떨어뜨리고 있다. 또한 ㉠과 같은 '현중'의 발언은 상대 토론자를 비난하는 내용을 담고 있어 상대방의 감정을 자극하거나 갈등을 유발할 수도 있다.

09 '현중'은 사람마다 추위나 더위를 느끼는 온도가 다르다는 것을 뒷받침하기 위해 ㉡을 활용함으로써 주장의 타당성을 높이고 있다. 또한 ㉡과 같이 신뢰 있는 기관의 연구 결과를 활용함으로써 주장의 신뢰성을 높이고 있다.

10 (차)에서 '사회자'는 반대 측과 찬성 측의 반론 내용을 요약·정리하여 제시하고 있다.

11 '정은'이 학생들의 건강을 위해 휴교나 단축 수업을 할 수밖에 없다고 한 것은, 환경 오염과 지구 온난화 문제가 해결되지 않았을 경우에만 해당되는 것이다.

12 (파)에서 '사회자'는 '반대 측'과 '찬성 측'의 반론 내용을 요약하여 제시하고 있다. 또한 토론의 논제를 다시 언급하며 토론을 마무리하고 있다.

간단 체크 어휘 문제 본문 027~032쪽

031쪽 (1) 절감하다 (2) 반론하다
032쪽 (1) ○ (2) ○ (3) × (4) ○

학습 활동 본문 033~038쪽

이해 행복 추구권, 지구 환경, 신뢰

간단 체크 활동 문제 본문 033~038쪽

033쪽	01 ③	02 찬성, 신뢰도	
034쪽	03 ①	04 ④	
035쪽	05 ⑤	06 ④	
036쪽	07 ③	08 ①	09 논제
037쪽	10 ⑤	11 ⑤	
038쪽	12 ⑤		

01 〈보기〉는 모든 국민이 행복을 추구할 권리가 있음을 보여 주는 자료이다. 에어컨 사용을 자율화하는 것은 학생들의 요구와 편의를 중시하는 것이므로 〈보기〉는 찬성 측에서 활용할 수 있는 자료이다. 찬성 측은 이를 활용하여 학생들의 행복 추구권을 보장하기 위해 에어컨 사용을 자율화해야 한다는 주장을 펼칠 수 있다.

02 찬성 측 토론자는 권위 있는 기관인 미국의 한 경제 연구소의 분석 결과를 근거로 제시한 후, 학습 효과를 높이기 위해서는 에어컨 사용을 자율화해야 한다고 주장하고 있다. 이처럼 출처가 분명한 연구 결과를 근거로 제시하면 주장의 신뢰도를 높일 수 있다.

03 〈보기〉의 토론자는 찬성 측의 주장이 한쪽으로 치우쳐 모든 사람들의 입장을 고려하지 못하고 있음을 지적하고 있다. 즉 공정성을 기준으로 상대측의 주장과 근거를 분석한 것이다.

04 논박은 상대측이 주장한 내용을 논리적으로 분석하고 타당한 근거를 들어 그 허점을 지적해야 한다. 그러나 2-(2)의 토론자는 논제와 관련이 없는 상대측 토론자의 평소 학습 태도를 근거로 들어 상대측 주장이 잘못되었다고 비난하고 있다. 이는 성숙한 토론 태도가 아니다.

05 토론의 논제는 찬반이 분명하게 나뉘어야 한다. 즉 찬성과 반대의 의견이 나뉘는 지점인 쟁점이어야 한다. 따라서 찬반의 대립이 적고 합의 가능한 내용을 토론의 논제로 선정하는 것은 적절하지 않다.

06 가짜 뉴스가 무엇인지, 언론을 어떠한 태도로 대해야 하는지에 대해 다룬 책이라는 점에서 모둠에서 언론의 역할과 표현의 자유를 주제로 선정하였음을 알 수 있다.

07 〈보기〉에서 학생은 글쓴이의 생각을 먼저 언급한 후, 그와 상반되는 자신의 생각을 제시하고 있다.

08 책의 판매량과 주요 독자층을 파악하는 것은 책의 인기 요인을 분석하거나 다른 이에게 책을 추천할 때 참고해야 하는 사항이다. 이는 독서 토론을 하기 위해 책 내용을 정리할 때 고려해야 할 사항에 해당하지 않는다.

09 독서 토론을 진행하기 위해서는 가장 먼저 토론의 논제를 정하고, 이후 각자 토론에서 맡을 역할을 분담해야 한다. 이때 토론의 논제는 책의 내용 중에서 토론 참여자들이 상반된 의견을 보이는 것을 중심으로 선정해야 한다.

10 가짜 뉴스로 인한 피해 사례가 늘고 있으므로 가짜 뉴스를 규제할 수 있는 법률을 강화해야 한다는 주장은 가짜 뉴스를 만든 사람을 처벌해야 한다는 논제에 대해 찬성하는 측에서 내세울 수 있는 주장이다.

11 〈보기〉는 가짜 뉴스를 만든 사람을 강력하게 처벌해야 한다는 논제에 대해 반대하는 입장으로, 가짜 뉴스를 처벌했을 경우 발생할 수 있는 문제점, 즉 어떤 문제에 대한 의혹 제기를 어렵게 한다는 점을 지적하고 있다. 따라서 〈보기〉의 주장을 논박하기 위해서는 가짜 뉴스와 합리적 의혹 제기의 차이점을 부각하여 반론을 펼치는 것이 좋다.

12 토론은 어떤 문제에 대하여 찬성과 반대로 나뉘어 자신의 주장이 타당함을 내세우고 상대측의 주장을 반박하는 말하기이다. 협력을 통해 최선의 문제 해결 방안을 찾는 것은 토론이 아닌 토의의 목적이므로 토론자를 평가하는 기준으로 적절하지 않다.

압축 파일

본문 039쪽

❶ 권리 ❷ 행복 ❸ 효과 ❹ 환경 ❺ 공평 ❻ 합리적 ❼ 신뢰

시험에 나오는 소단원 문제

본문 040~041쪽

01 ① **02** 학생들의 권리를 보호하기 위해 에어컨 사용을 자율화해야 한다. **03** ② **04** ② **05** ⑤ **06** ⑤ **07** 논제와 관련이 없는 상대측 토론자의 평소 학습 태도를 근거로 들어 상대측 주장이 잘못되었다고 비난하고 있기 때문이다.

01 토론은 어떤 문제에 대하여 찬성과 반대로 나뉘어 자신의 주장이 타당함을 내세우고, 상대측의 주장에 반박하는 말하기이다. 상대측과의 의견 차이를 절충하거나 합의하는 말하기는 협상이다.

오답 풀이 ② 입론 과정에서 토론자는 쟁점에 대한 자신의 주장이 타당함을 객관적인 근거를 들어 내세울 수 있어야 한다.
③ 반론 과정에서 토론자는 상대측 토론자의 주장에 담긴 논리적 허점이나 오류 등을 파악한 후 이를 지적하고 조리 있게 비판할 수 있어야 한다.
④ 고전적 토론에서는 찬성 측 2명, 반대 측 2명의 토론자가 각각 한 조가 되고, 각 토론자가 한 번씩 입론과 반론을 하며 진행된다. 토론자는 이러한 토론의 규칙을 준수하며 예의를 갖춰 발언해야 한다.
⑤ 토론자는 토론을 준비하는 과정에서 상대측의 주장을 논박하기 위해 필요한 자료를 수집하고 정리해 두어야 한다.

02 서술형 (가)에서 '나현'은 학생들의 행복 추구권을 실현할 수 있도록 에어컨 사용을 자율화해야 한다고 주장하고 있으며, (나)에서 '현중'은 학생들의 학습권을 보호하기 위해 에어컨 사용을 자율화하면 안 된다고 주장하고 있다. 따라서 찬성과 반대의 의견이 나뉘는 지점인 쟁점은 '학생들의 권리를 보호하기 위해 에어컨 사용을 자율화해야 한다.'임을 알 수 있다.

03 (가)에서 '나현'은 헌법을 근거로 들어 학생들에게 행복을 추구할 권리가 있음을 주장하고 있을 뿐, 학교의 설립 목적을 제시하지는 않았다.

04 '현중'은 학생들의 학습권을 보장하기 위해 중앙에서 에어컨을 관리해야 한다고 주장하고 있으며, '미르'는 에어컨 사용의 자율화를 통해 학습 효과를 높일 수 있다고 주장하고 있다. 주장의 내용은 다르지만, 이들 모두 학생들의 학습을 중시하고 있음을 알 수 있다. 또한 '현중'과 '미르' 모두 쾌적한 환경일 때 공부에 집중할 수 있다고 발언하고 있다.

05 (나)에서 '나현'은 초·중등 교육법에 명시된 학교의 설립 목적에 위배된다는 점을 근거로 들어 상대측 주장이나 근거가 합리적이지도, 타당하지도 않다고 비판하고 있다. 또한 (다)에서 '정은'은 찬성 측이 제시한 것과는 또 다른 실험 결과를 근거로 들어 상대측의 주장과 근거를 신뢰할 수 없다고 비판하고 있다.

오답 풀이 ① (나)와 (다) 모두 상대측 주장의 공정성을 비판하고 있지 않다.
② (나)는 상대측 주장에 허위 정보가 있음을 지적하고 있지 않다. (다)는 상대측에서 제시한 것과 결과가 다르게 나온 실험 결과를 내세워 상대측의 근거가 절대적인 것이 아님을 증명하고 있을 뿐, 그것이 허위 정보임을 지적하고 있지는 않다.
③ (다)는 (나)와 달리 실험 결과를 인용하여 상대측 주장을 반박하고 있다.
④ (나)의 토론자가 제시하고 있는 근거 자료는 초·중등 교육법에 의거한 것으로 출처가 분명한 것이다.

06 (라)에서 '미르'는 반대 측에서 제기한 에어컨 사용을 자율화할 때의 전기 요금 문제와 환경 오염 문제에 대해 에너지 자원을 절약할 수 있는 구체적인 방안을 제시하고 있다. 또한 학교에 태양광 발전기를 설치할 경우 전기 요금을 아끼고 환경 오염 문제도 해소할 수 있다며 그 기대 효과를 언급하고 있다.

07 서술형 ㉠에서는 찬성 측 주장의 논리적 오류나 허점을 지적하지 않고 있으며, 오히려 찬성 측 토론자를 감정적으로 비난하는 발언을 함으로써 반론의 질을 떨어뜨리고 있다.

어휘력 키우기

본문 042쪽

01 ①

01 '팽창하다'는 '부풀어서 부피가 커지다.'라는 의미를 지닌 단어이다. '양이나 수치가 늘다.'라는 의미를 지닌 단어는 '증가하다'이다.

시험에 나오는 대단원 문제

본문 043~046쪽

01 ④ **02** ⑤ **03** 플라스틱 사용을 줄이고, 일회용 플라스틱 제품은 선택하지 말자. **04** ⑤ **05** ① **06** ④ **07** 글쓴이의 생각이 합리적이고 타당한지 판단하면서 읽고 있다. 이처럼 글의 의미를 구성하는 과정에서 마주하는 문제들을 해결하며 글을 읽으면, 주체적인 관점을 가지고 글쓴이의 생각을 비판적으로 수용할 수 있다. **08** ① **09** ④ **10** 상대의 의견을 경청하고 있음을 드러낼 수 있다. **11** ⑤ **12** 주장이나 근거가 합리적이지 않다. / 주장이나 근거가 타당하지 않다. **13** ③

01 (가)에서 전문가의 의견을 제시하고 있으나, 그 출처를 밝히지는 않고 있다.

오답 풀이 ① (가)에서 플라스틱이 분해되는 데 걸리는 시간과 관련한 객관적 정보를, (다)에서 미국의 사진작가가 찍은 앨버트로스의 몸속 사진과 관련된 정보를 제시하며 독자를 이해를 돕고 있다.
② (다)와 (라)에서 플라스틱으로 인해 발생하는 피해 사례들을 제시하며 문제 상황을 부각하고 있다.
③ (가)에서 '소탐대실'이라는 사자성어를 이용하여 문제 상황에 대한 글쓴이의 인식을 드러내고 있다.
⑤ (가)에서 글쓴이는 사람들이 플라스틱을 재활용할 수 있다는 통념을 가지고, 플라스틱 제품을 편하게 쓰고 쉽게 버리고 있음을 지적하고 있다. 그리고 (나)에서 생각과 달리 플라스틱 재활용이 쉽지 않음을 제시하며 플라스틱 사용을 줄여야 하는 이유에 대해 독자의 주의를 환기하고 있다.

02 (라)에서 플라스틱이 선박의 안전을 위협한다고는 하였으나 그 이유를 설명하지는 않았다.

오답 풀이 ① (가)의 '플라스틱이 만들어진 지 100년 정도밖에 되지 않았다는 점'을 통해 확인할 수 있다.
② (나)의 '페트병, 요구르트병 ~ 재질별로 선별하는 것이 쉽지 않기 때문이다.'를 통해 확인할 수 있다.
③ (다)와 (라)의 전체 내용을 통해 확인할 수 있다.
④ (나)의 '재활용을 하더라도 ~ 품질이 떨어지는 제품을 만들 수밖에 없다.'를 통해 확인할 수 있다.

03 서술형 (마)의 마지막 부분에 글쓴이가 독자에게 당부하는 바가 제시되어 있다.

04 물고기의 내장이나 굴 속에 유입된 미세 플라스틱은 눈으로 확인하지 못하는 것들인데, 인간이 이것들을 섭취하게 됨으로써 건강을 해치게 되는 것이다.

05 '큐 드럼'은 자동차 바퀴처럼 둥글게 생긴 통을 이용하여 만든, 적정 기술이 적용된 제품이다. 이와 같이 적정 기술이 적용된 제품들은 현지에서 구할 수 있는 재료를 사용하여 만들고, 누구나 쉽게 배우고 쓸 수 있다는 장점이 있다. 하지만 '큐 드럼'에 첨단 과학 기술이 응용되었다고 볼 수는 없다.

오답 풀이 ② (다)에서 '라이프 스트로'는 오염된 물을 정화할 수 있는 휴대용 물 정화 장치라고 하였다.
③ (라)에서 서남아시아 지역의 '흙벽돌 집'은 실내 온도를 시원하게 유지하게 해 준다고 하였고, (마)에서 '이글루'는 응고의 원리를 이용해 실내 온도를 따뜻하게 유지하게 해 준다고 하였다.
④ (나)에서 식품을 신선하게 보관할 수 있는 '항아리 냉장고'의 과학적 원리를 제시하였다.

06 (나)~(마) 모두 적정 기술이 적용된 사례에 해당한다. 또한 이들이 특정 지역이나 국가에 국한된 사례가 아니라는 점에서 세계 곳곳에서 적정 기술이 다양하게 활용되고 있음을 보여 준다.

07 고난도 서술형 제시된 학생의 반응에서 학생은 적정 기술을 긍정적으로 인식하고 있는 글쓴이의 생각에 동의하지 않고 있다. 또한 적절한 근거를 들어 글쓴이의 생각이 타당하지 않은 이유를 밝히고 있다.

평가 목표	문제 해결 과정으로서의 읽기의 방법과 효과를 이해하기
채점 기준	✔ 주어진 〈조건〉을 충족하며 학생의 읽기 방법과 효과를 바르게 쓴 경우 [상] ✔ 주어진 〈조건〉을 충족하였으나, 학생의 읽기 방법과 효과 중 한 가지만 바르게 쓴 경우 [중] ✔ 주어진 〈조건〉과 관계없이 학생의 읽기 방법과 효과를 쓴 경우 [하]

08 이 토론의 첫 번째 쟁점은 (가), (나)에서 알 수 있고, 두 번째 쟁점은 (다), (라)에서 알 수 있다. (가)에서 '나현'은 학생들의 행복 추구권을 실현할 수 있도록 에어컨 사용을 자율화해야 한다고 주장하고 있으며, (나)에서 '현중'은 학생들의 학습권을 보호하기 위해 에어컨 사용을 자율화하면 안 된다고 주장하고 있다. 또한 (다)에서 '미르'는 온도가 낮을 때 학생들의 시험 점수가 높아졌다는 연구 결과를 근거로 들고 있는데 이는 학습 효과를 높이기 위해 에어컨 사용을 자율화해야 한다는 주장을 뒷받침하기 위한 것이다. 반면 (라)에서 '정은'은 학습도 중요하지만 지구 환경 보호를 위해 에어컨 사용을 자율화하지 말아야 한다고 주장하고 있다.

09 '현중'은 학교 관계자의 말을, '미르'는 미국의 한 경제 연구소의 연구 결과를 근거 자료로 활용하고 있다. 이처럼 출처가 분명한 근거 자료를 활용하면 주장의 신뢰도를 높일 수 있다.

10 서술형 ㉠과 ㉡은 모두 상대측의 의견에 동의하는 부분이 있음을 밝히고 있다. 토론에서는 이와 같은 말을 통해 상대방의 의견을 경청 또는 존중하고 있음을 드러낼 수 있다.

11 (가)~(라)는 토론의 단계 중 반론에 해당한다. 반론은 상대방 주장의 모순점을 논리적으로 지적하고 자기주장의 논리성을 강화하는 단계이다.

오답 풀이 ① 토론의 단계 중 입론에 해당하는 설명이다.
② 토론의 개회 단계에 해당하는 설명이다.
③ 토론의 마무리 단계에 해당하는 설명이다.
④ 토론이 아닌, 토의의 마무리 단계에 해당하는 설명이다.

12 서술형 '나현'은 초·중등 교육법 제2조에 명시된 학교의 설립 목적을 근거로 들어 에어컨 사용을 자율화해서는 안 된다는 상대측의 주장을 비판하고 있다. 즉 폭염 때문에 어쩔 수 없다고 해도 학교가 교육 활동을 할 수 없는 환경을 제공하는 것은 학생의 학습권을 침해하는 것이라고 논박하고 있는데, 이는 상대측 주장이 합리적이지 않음을 지적한 것이다.

13 '미르'는 에어컨 사용의 자율화로 인한 문제점, 즉 전기 요금이 많이 나오고 환경 오염 문제를 일으킨다는 점에 대해 에어컨 청소, 태양광 발전기 설치 등의 방법을 통해 해결 가능하다고 주장하고 있다.

2 문학으로 느끼는 삶

(1) 마음을 나누는 문학

간단 체크 개념 문제
본문 050~051쪽

1 (1) × (2) × (3) ○ 2 정서 3 ④ 4 ⑤ 5 ③ 6 ④

1 (1) 시의 3요소는 주제, 운율, 심상이다.
(2) 행과 연의 구분 없이 산문처럼 줄글로 쓴 시를 산문시라고 한다.

2 시 속에는 말하는 이가 시적 대상이나 상황으로부터 느끼는 다양한 정서가 나타난다. 독자는 이와 같은 말하는 이의 정서를 파악함으로써 시의 전체적인 분위기와 주제를 이해할 수 있다.

3 이 시의 말하는 이는 자신의 과거를 고백하고 반성하면서 부끄러움 없는 미래의 삶에 대한 소망과 의지를 드러내고 있다.

4 낙구(9~10구)의 첫머리에 감탄사가 오는 것은 10구체 향가에만 해당하는 특징이다.

5 고전 소설에서는 한 계층을 대표하는 전형적 인물과 처음부터 끝까지 성격이 변하지 않는 평면적 인물이 주로 등장한다.

6 문학 작품을 통한 심미적 체험이란 작품이 지닌 아름다움과 가치를 파악하는 것으로 이는 작가의 심미적 인식을 파악하는 데서 시작되는 것이며, 작품의 형식적인 부분에 국한되는 것은 아니다.

학습콕
본문 052쪽

제사, 슬픔

간단 체크 내용 문제
본문 052쪽

01 ③ 02 아아 03 ⑤

01 이 시가는 신라 경덕왕 때의 승려 월명사가 지은 10구체 향가이다. 향가는 한자의 음과 뜻을 빌려 국어 문장 전체를 적은 표기법인 향찰로 기록되었다.

02 이 시가에서는 감탄사 '아아'를 전후로 하여 말하는 이의 태도가 바뀌고 있다. 즉, 1~8구까지 말하는 이는 누이의 죽음에 대한 슬픔과 인생의 무상함을 느끼다가 9~10구에 이르러서는 누이와 재회하기를 기대하며 슬픔을 극복하고 있다.

03 '이른 바람'은 '누이의 때 이른 죽음'을 비유(은유법)하는 표현이다.

학습 활동
본문 053~054쪽

이해 극복, 종교

간단 체크 활동 문제
본문 053~054쪽

053쪽 01 종교적 힘(신념) 02 ④
054쪽 03 ⑤

01 이 시가의 '기~서(1~8구)'에서 말하는 이는 누이의 죽음으로부터 슬픔과 안타까움, 삶의 무상함과 허망함을 느낀다. 그러나 '결(9~10구)' 부분에 이르러서는 자신의 종교적 신념(불교적 사상)을 바탕으로 슬픔을 극복하고 누이와 재회할 것을 다짐한다.

02 이 시가의 9~10구에서 말하는 이는 누이의 죽음으로 인한 슬픔을 종교의 힘으로 극복하고 극락에서 누이와 재회할 것을 기약하고 있다. 이처럼 종교적인 수행과 노력을 통해 슬픔을 극복하고자 하는 말하는 이의 태도에서 숭고한 아름다움을 느낄 수 있다. 하지만 말하는 이가 절대자로부터 구원을 바라는 마음은 드러나지 않는다.

03 이 시가의 말하는 이는 누이와의 사별로 인한 슬픔을 종교적 신앙심으로 극복하려는 의지를 드러내고 있다. [A]의 말하는 이 또한 뼈가 저리도록 슬픈 상황에서도 좌절하지 않고, 푸른 별을 바라보며 이상과 희망을 추구하는 의지적인 태도를 보여 주고 있다.

학습콕
본문 055쪽

무심, 새끼, 공동체

간단 체크 내용 문제
본문 055쪽

01 ④ 02 ③ 03 이것의, 슬퍼한다

01 이 시의 각 연에서는 말하는 이의 동일한 행위(거미를 문밖으로 쓸어 버리는 행위)가 반복되고, 그 행위로 인해 야기되는 정서의 변화가 나타난다. 이때 말하는 이의 행위가 반복되는 공간은 모두 방 안으로 동일하다.

02 '아무 생각 없이'는 1연에서 말하는 이가 무심하게 거미 새끼 한 마리를 문밖으로 쓸어 버릴 때의 정서이다. '아린 가슴', '서러워한다', '가슴이 짜릿한다', '가슴이 메이는 듯하다'와 같은 시어는 2~3연에서 말하는 이가 거미 가족의 처지에 공감하며 느끼는 반응들이다.

03 3연의 마지막 행에는 거미 가족의 재회에 대한 소망, 즉 붕괴된 당시 우리 민족의 가족 공동체가 회복되기를 바라는 말하는 이의 바람이 담겨 있다.

학습 활동
본문 056~061쪽

이해 큰 거미, 메임, 우리 민족
적용 체면, 볼기, 언어유희

간단 체크 활동 문제

본문 056~061쪽

056쪽 **01** ② **02** 가족과 헤어지게 된 우리 민족 / 가족이 해체된 우리 민족의 모습
057쪽 **03** ④ **04** ④
058쪽 **05** ② **06** 장, 닭장 **07** ②
059쪽 **08** ⑤ **09** 곤장 열 대를 대신 맞기로 하였다.
060쪽 **10** ③ **11** ④
061쪽 **12** ⑤

01 2연에서 새끼 거미가 쓸려 나간 곳에 큰 거미가 온 것을 보고 말하는 이가 가슴이 짜릿함을 느낀 이유는, 큰 거미가 자신이 문밖으로 쓸어 버린 새끼 거미의 어미일 것이라 여겨 연민이 생겼기 때문이다.

02 '수라'는 싸움이나 그 밖의 다른 일로 큰 혼란에 빠진 곳이나 그곳에 사는 존재를 의미한다. 시인은 뿔뿔이 흩어진 거미 가족이나 일제 강점기 당시 가족 공동체가 해체된 우리 민족의 삶이 '수라'와 같다고 생각하여 이와 같은 제목을 붙인 것으로 보인다.

03 2연과 3연에서 말하는 이가 계속해서 거미들을 문밖으로 쓸어 버리는 행동을 하는 것은 자신이 쓸어 버린 거미 새끼가 있는 차디찬 밖에서라도 거미 가족들이 다시 만나기를 바라는 마음이 들었기 때문이다. 따라서 ④와 같은 감상은 적절하지 않다.

04 고전 소설은 기이하거나 우연적이고 비현실적인 요소들이 내용 전개에 중요한 영향을 미친다. 현실적인 사건과 필연적인 사건 전개는 현대 소설의 특징에 해당한다.

05 이 글에서는 '흥부'가 곡식을 꾸어 먹고 도망쳤다는 내용은 나타나 있지 않다. (가)에서 아내가 '그 모양에 곡식 먹고 도망한다고 안 줄 테니 가 보아야 소용없는 일입니다.'라고 말한 것은 '흥부'의 차림새가 보잘것없어 곡식을 빌리기 어려울 것이라는 의미이다.

06 (가)에서는 '옷장(장)'과 '닭장'의 발음의 유사성을 이용한 언어유희를 통해 곤궁한 '흥부'의 처지를 해학적으로 드러내고 있다.

07 (나)는 '흥부'가 의관을 갖추는 상황을 묘사한 부분으로, 양반이라는 신분으로 의관을 갖추어 입었지만 형편이 어려워 그 차림이 매우 궁색한 것을 알 수 있다. (다)는 양반 신분인 '흥부'가 아전들에게 존대를 하지 않으면서도 그들의 기분을 맞추려고 노력하는 상황을 나타낸 부분으로, 가난하지만 끝까지 양반으로서의 체면은 지키려 하는 부분에서 웃음을 유발하고 있다. 이와 같이 (나)와 (다)에서는 어설프게 체면을 차린 '흥부'의 모습을 해학적으로 드러내고 있다.

08 (바)에서 돈의 출처를 들은 '흥부'의 아내는 굶주리더라도 돈을 돌려주고 매품팔이를 하지 말라며 걱정한다. 하지만 이에 '흥부'는 '볼기'를 가지고 농담을 하며 걱정하는 아내를 달래고 있다. 따라서 ⑤의 내용은 적절하지 않다.

09 (라)에서 '흥부'는 매를 맞으면 돈을 벌 수 있다는 아전들의 말을 듣고, 고을 좌수 대신 곤장 열 대를 맞고 삯을 받는 매품팔이를 할 결심을 한다.

10 '흥부'는 고을 좌수 대신에 매를 맞으면 서른닷 냥을 받을 수 있다는 아전들의 말을 들은 후, 아전들에게 잘 보이려고 존대 말투('하시오')를 쓰기 시작한다.

11 이 글에서는 '흥부'의 외양이나 처지를 과장하거나 왜곡하는 등의 우스꽝스런 표현을 통해 해학적 웃음을 유발하고 있다. 이를 통해 비참할 수도 있는 '흥부'의 처지나 상황을 웃음을 통해 부드럽고 따뜻하게 전달하고 있다. ④ '흥부'가 굴뚝 속에 보관해 둔 것은 '마삯'이 아니라 '갓'이다.

12 ㉠에서는 누구나 공감할 수 있는 일상적인 내용을 2행의 시로 간결하게 제시하고, 제목으로 시적 상황을 연상할 수 있도록 하고 있다. 작가는 이런 표현 방법을 통해 시의 내용을 참신하고 감각적으로 전달함으로써 웃음을 유발하고 있다.

압축 파일

본문 062~063쪽

❶ 죽음 ❷ 불교적 ❸ 추모 ❹ 극복 ❺ 거미 ❻ 심화 ❼ 의관 ❽ 존대 ❾ 해학미

시험에 나오는 소단원 문제

본문 064~066쪽

01 ① **02** ④ **03** 아아 **04** ② **05** ⑤ **06** ③
07 ④ **08** ③ **09** ④ **10** 우리 민족이 공동체적 삶을 회복하는 것 **11** ㄱ, ㄴ **12** ④ **13** ④

01 향가는 신라 시대에 생겨나 고려 시대까지 이어진 노래로, 향찰로 기록되었다. ②~⑤는 향가의 특징에 해당한다.

02 이 시가의 9~10구에서 말하는 이는 불교적 사상(종교적 신념)을 통해 누이를 잃은 슬픔을 극복하고, 미타찰(彌陀刹)에서 누이와 다시 만날 것을 다짐하고 있다. 이 시가에 자연에 대한 동화(同化)는 나타나지 않는다.

03 서술형 9구의 첫머리에 있는 감탄사 '아아'는 낙구(9~10구)의 첫머리를 감탄사로 시작하는 10구체 향가의 특징으로, 이 시가에서는 말하는 이의 정서와 시상의 흐름을 전환하는 계기가 된다.

04 ㉠에는 누이의 갑작스러운 죽음을 통해 실감하는, 죽음에 대한 말하는 이의 두려움이 잘 드러나 있다.

05 ㉡에서는 '누이의 죽음(원관념)'을 '~처럼'으로 연결하여 '떨어질 잎'에 직접 비유한 직유법이 쓰이고 있다. ⑤에서도 '고양이의 눈'을 '금방울과 같이'라고 비유하고 있다.

오답 풀이 ①과 ③에는 은유법과 의인법이 쓰였다.
②에는 역설법이 쓰였다.
④에는 반어법이 쓰였다.

06 이 시가의 3~4구에서는 누이의 말을 인용하듯 표현하고 있다. 따라서 ⓒ의 '나'는 어떤 말도 남기지 못하고 갑작스럽게 세상을 떠난 '누이'를 가리키는 표현이다.

07 1연에서 말하는 이는 거미 새끼를 무심하게 문밖으로 쓸어 버린다. 그러나 2연에서 큰 거미가 자신이 문밖으로 버린 거미의 어미일 것이라고 생각한 뒤부터는 거미 가족에게 정서적인 공감을 하게 되고, 3연으로 갈수록 거미 가족의 상황에 서러움과 슬픔을 느끼게 되는 등 점점 정서가 심화된다. ⓓ는 1연의 말하는 이의 행동에 따른 정서이므로 무심함(아무 생각이 없음)이 적절하다.

08 역설적 표현이란 겉으로는 모순된 표현이지만 그 속에 진실된 의미를 담고 있는 표현으로, 문장 자체에 논리적 모순이 나타난다. 이 시에 역설적 표현은 쓰이지 않고 있다.

09 이 시의 말하는 이는 거미 가족의 처지에 점점 공감하며 정서가 심화되고 있다. 이와 같은 태도로 볼 때, 시인이 거미 가족에 대해 부정적인 인식을 지니고 있다고 볼 수는 없다.

10 서술형 ㉠에는 뿔뿔이 흩어진 거미 가족이 빨리 다시 만나기를 바라는 말하는 이의 마음이 담겨 있다. 이 시가 창작된 일제 강점기 우리 민족의 처지를 고려할 때, 거미 가족이 다시 만나기를 기원하는 것에는 우리 민족이 공동체적 삶을 회복하기를 바라는 말하는 이의 소망이 담겨 있다고 볼 수 있다.

11 이 글은 판소리 사설의 문체가 남아 있는 판소리계 소설(ㄱ)로 산문이면서도 운율감이 느껴지는 어투가 사용되고 있다(ㄴ).

12 (다)에서 가난한 양반이자 가장인 '흥부'가 가족들을 먹일 양식을 구하기 위해 매품을 팔겠다고 말하고 있다. 이 부분은 '흥부'의 가족을 생각하는 마음과 가장으로서의 책임감을 느낄 수 있는 장면이지, 해학미가 두드러지는 부분은 아니다.

13 환자(還子)는 환곡, 즉 조선 시대에, 곡식을 사창(社倉)에 저장하였다가 백성들에게 봄에 꾸어 주고 가을에 이자를 붙여 거두던 일이나, 그 곡식을 말한다.

(2) 삶을 말하는 문학

간단 체크 개념 문제

본문 067~068쪽

1 (1) ○ (2) × (3) ○ **2** 서술자 **3** ④ **4** ⑤ **5** ③ **6** ③

1 (2) 소설의 3요소는 주제, 구성, 문체이며, '인물, 사건, 배경'은 소설 구성의 3요소에 해당한다.

2 소설의 서술자는 작가를 대신해 이야기를 전달하는 존재이다.

3 〈보기〉는 주인공 '나'가 자신의 내면 심리까지 전달하고 있는 글이므로 1인칭 주인공 시점에 해당한다.

4 갈등이 두드러지게 나타나는 문학 갈래는 소설이나 희곡이다.

5 ③은 주장하는 글을 읽는 방법이다. 사회적인 문제를 다루는 중수필의 경우 글쓴이의 주장이 담길 수도 있지만, ③의 방법은 일반적인 수필 감상 방법은 아니다.

6 과거의 삶이 반영된 문학 작품을 감상함으로써 오늘날까지 변하지 않는 가치나, 오늘날의 관점에서 새롭게 평가될 수 있는 가치를 발견할 수 있다.

학습콕

본문 069~085쪽

070쪽	동네, 문화 주택, 판잣집, 구멍가게
073쪽	애정, 연탄 짐
079쪽	이기적, 자동차, 관심
084쪽	동물원, 삼륜차, 대조적, 시대
085쪽	순경, 도시 하층민, 자동차

간단 체크 내용 문제

본문 069~085쪽

069쪽	**01** ③ **02** 그 골목은 몹시도 가팔랐다. **03** ②
070쪽	**04** ④ **05** ②
071쪽	**06** ⑤ **07** ①, ③ **08** ③
072쪽	**09** ③ **10** 새 동네 아이들, 구동네 아이들 **11** ⑤
073쪽	**12** ③ **13** ④ **14** 그랬는데 그 노새가 오늘은 우리 집에 없다.
074쪽	**15** ② **16** 얘기의, 있다 **17** ④
075쪽	**18** '노새'가 도망침(달아남). **19** ④ **20** ②
076쪽	**21** ② **22** ⑤ **23** '노새'나 말을 부리는 것이 시대에 뒤떨어지는 일이었다.
077쪽	**24** ① **25** ⑤ **26** ②
078쪽	**27** 어떤 신사 아저씨, 어떤 아주머니 **28** ⑤ **29** ③
079쪽	**30** ③ **31** 삼륜차 **32** ④
080쪽	**33** ① **34** ⑤
081쪽	**35** ② **36** 큰 시장, 한강 다리 **37** 검은 물
082쪽	**38** ④ **39** 꿈속에서 시장으로 도망치던 '노새'를 보았기 때문이다. **40** ④
083쪽	**41** ⑤ **42** 얼룩말 **43** ④
084쪽	**44** ④ **45** ④ **46** ④
085쪽	**47** ① **48** '아버지' **49** ④

01 (가)의 마차, 연탄, (나)의 문화 주택, 슬래브 집, 판잣집 등은 1970년대의 시대 상황을 짐작하게 해 주는 소재이다. '변두리'는 '어떤 지역의 가장자리가 되는 곳'을 뜻하는 말로, 시대 상황과는 관계가 없다.

02 (가)의 첫 문장에는 '노새'가 마차를 끄는 데 어려움을 안겨 주는 장소가 제시되어 있으며, 이는 '노새' 마차를 끄는 '아버지'의 고단한 삶을 짐작하게 한다. 또한 '그 골목'은 원래의 집들과 문화 주택들을 경계 짓는 공간이다.

03 (나)로 보아, 우리 동네는 당시 진행되던 도시화에 따라 이삼 년 전부터 문화 주택이 들어섰음을 알 수 있다. 판잣집들은 멀리서 볼 때 2층 슬래브 집들에 가려 보이지 않았을 뿐이지 모두 사라진 것은 아니다.

04 '슈샤인 보이'는 구두닦이 소년을 가리키는 말로, 새 동네가 생기기 전에는 얼씬도 않다가 새 동네가 들어서면서 나타났다.

05 구동네의 사람들은 연탄을 많이 사지 않아 '아버지'가 멀리까지 배달을 자주 다녀야 했지만, 동네에 새 집이 들어서면서부터는 멀리 떨어진 동네까지 배달을 가지 않아도 되었기 때문이다.

06 (라)에서 구동네와 새 동네 사람들이 서로 어울리는 법이 없었음을 언급한 후, 그것이 새 동네 사람들이 구동네 사람들과 교류하고 싶어 하지 않았기 때문임을 제시하고 있다.

07 평소 '노새'를 볼 기회가 적었던 새 동네 사람들은 '노새'를 신기해하고 귀여워했으며, 호의와 흥미를 가지고 대했다.

08 '나'는 말과 '노새'도 잘 구별 못하고, 아무 데서나 가래침을 뱉으면서 '노새'에게 눈을 흘기며 함부로 대하는 구동네 어른들에게 적개심을 느낀다.

09 (마)에서 '나'는 새 동네 아이들은 저희끼리만 어울려 놀았지만, 구동네 아이들도 끼워 달라고 한 일이 없었다고 말하고 있다. 따라서 ③의 내용은 적절하지 않다.

10 (마)에서 새 동네 아이들은 '노새'를 보면 놀라거나 칭찬했지만, 구동네 아이들은 '노새'의 엉덩이를 툭 치거나 콧잔등을 쥐어박으며 괴롭혔음을 알 수 있다.

11 ㉠은 '노새'를 신기해하며 좋아하는 새 동네 아이들의 관심에 대한 '아버지'의 자부심이 반영된 행동으로 볼 수 있다.

12 (바)를 통해 '노새'의 뒤치다꺼리는 '나'가 주로 맡았으며, 큰형은 군대에 가기 전까지 더러 돌봐 준 정도임을 알 수 있다.

13 '아버지'는 처음에 말과 '노새'를 바꾸자는 제안을 거절했지만, 말의 건강 상태가 좋지 않자 두 번째 제안을 승낙한 것이다.

14 (바)의 마지막 문장인 '그랬는데 그 노새가 오늘은 우리 집에 없다.'라는 내용을 통해 앞으로 벌어질 이 글의 중심 사건을 짐작할 수 있다.

15 (사)에서 '나'가 '아버지'에게 공부를 다 했다고 말하고 '아버지'를 따라다니는 것은 '노새'를 부리며 일하는 '아버지'의 곁에 있고 싶은 마음과, '아버지'를 돕고 싶다는 마음에서 나온 행동으로 볼 수 있다.

16 (사)에서는 '나'의 '아버지'가 연탄 가게의 주인이 아니며, 큰길가에 있는 연탄 공장에서 배달 일만 맡고 있음이 드러난다.

17 가파른 골목에 연탄을 잔뜩 싣고 올라가는 것도 힘든데 살얼음까지 깔려 있다. 이는 '노새'와 '아버지'의 고난을 가중시킬 뿐 '아버지'의 재주가 발휘될 상황은 아니다.

18 (아)에서 가파른 골목의 오름길 중턱에 걸린 연탄 마차는 아래로 흘러내리고 '노새'가 고꾸라지며 연탄 더미가 무너진다. 이로 인해 결국 '노새'가 도망치는 사건이 벌어지게 된다.

19 '노새'를 아끼던 '아버지'가 평소와 달리 과격한 행동을 하는 이유는 마차가 밀려 내려올까 봐 초조하고 당혹스러웠기 때문이지 '노새'에게 배신감을 느꼈기 때문은 아니다.

20 '나'와 '아버지'가 가파른 골목을 오르기 위해 쩔쩔매고 있음에도 사람들은 옷을 망칠까 봐 돕지 않고 지나친다. 이를 통해 작가는 인정이 메마른 현대인들의 이기적이고 자기중심적인 모습을 보여 주고 있다.

21 당황하고 놀라 필사적으로 '노새'를 쫓는 '아버지'와 달리, 사람들은 골목에 몰려 상황을 구경하거나 서로 모여서 웅성거렸을 뿐 아무도 '아버지'를 도와줄 생각은 하지 않았다.

22 '아버지'는 연탄 배달을 망치고 생계 수단인 '노새'까지 잃어버려 당혹스럽고, 깊은 실망과 낭패감에 망연자실했을 것이다. ⑤는 '아버지'를 바라보는 '나'의 심정에 해당한다.

23 ㉠은 '노새'가 달아나는 것을 본 누군가가 한 말이다. 이를 통해 '노새'나 말을 부리는 것이 당시의 시대에 뒤떨어지는 일이었음을 짐작할 수 있다.

24 '나'는 이 글의 서술자로, 어린아이의 순수한 시선을 통해 작품의 주인공인 '아버지'의 고달픈 삶을 전달하고 있다.

25 (카)에는 1970년대의 변화하고 복잡한 거리의 모습이 잘 나타나 있다. 거리의 사람들이 아무도 '나'의 일에 관심을 기울이지 않는 데서 인정이 메마른 도시 사람들의 모습을 볼 수 있다.

26 '나'는 '노새'를 찾고 싶은 간절한 마음 때문에 '노새'의 역할을 대신하고 있는 자동차가 마치 '노새'처럼 보인 것이다.

27 (타)에서 '어떤 신사 아저씨'와 '어떤 아주머니'는 '나'가 '노새'를 찾기 위해 뛰어다니다가 만난 인물들이다. 그들은 '나'에게 부닥치거나 치마꼬리를 밟힌 것에만 반응할 뿐, '나'가 왜 이처럼 뛰어다니고 있는지에 대해서는 관심이 없다.

28 가난한 구동네 사람들은 뻥튀기나 번데기 장사, 포장마차 장사, 시장 경비원, 연탄 배달 등 대부분 그날그날 벌어먹고 사는 일을 생업으로 하고 있다.

29 (타)에서 '나'의 회상을 통해 '노새'에 대한 '나'의 애정을 확인할 수 있다.

30 (파)에서 '어머니'는 '나'가 혼자 들어온 것을 통해 '노새'를 찾지 못했음을 짐작했지만, 혹시나 상황이 달라졌을까 하는 기대감에 '나'를 다그친 것이다. 다시 말해 '아버지'가 혹시 '노새'를 찾아서 늦는 것인지 궁금해서 '나'를 다그친 것이지, '나'가 '아버지'를 두고 왔기 때문에 그런 것은 아니다.

31 오르막길도 끄떡없이 오르고, 골목 안 집까지 접근하는 삼륜차는 도시화·산업화의 산물로서, 시대 변화에 따라 점차 사라지는 운송 수단인 말 마차나 소달구지, '노새' 마차와 대비되는 대상이다.

32 (하)를 통해 '작은형' 또한 '아버지'가 '노새'를 찾아 돌아오기를 기다리며 기타도 치지 않고 죽은 듯이 방 안에만 있었음을 알 수 있다.

33 ㉠은 시대의 변화를 거부한 채, 자신이 평생 해 온 마부 일이 점차 사라질 것이라는 현실을 인정하지 않는 '아버지'의 태도를 '나'의 입장에서 나타낸 표현이다.

34 '나'의 꿈속에서 '노새'는 연탄 마차를 끌 때와는 달리 훨훨 날 것처럼 자유롭게 뛰어다니고 있다. '연탄 짐, 가파른 길, 채찍질, 앞길을 막는 사람'은 현실에서 연탄 마차를 끄는 '노새'를 힘겹게 만들고 괴롭히던 것들이다.

35 (너)~(러)에서는 '나'의 꿈속 상황을 보여 주고 있지만, '나'가 꿈속에 등장하고 있지는 않다.

36 '나'의 꿈속 상황인 (거)~(러)에 나타난 '노새'의 이동 경로는 '(거): 큰길 → (너): 번화가 → (더): 큰 시장 → (러): 한길, 한강 다리, 고속 도로'이다.

37 '검은 물'은 오랫동안 연탄 마차를 나르면서 '노새'의 몸에 배어든 연탄 때가 땀을 물들이며 흘러내린 것을 의미한다. 이를 통해 '노새'의 고단했던 삶을 짐작해 볼 수 있다.

38 (거)~(러)의 꿈속에서 '노새'가 자유롭게 질주하며 돌아다니던 모습은 결국 도시의 힘겨운 일상에서 벗어나 자유롭게 살고 싶어 하는 도시 빈민들의 희망을 상징한다.

39 '나'는 어디를 가야 할지 막연한 기분에, 간밤의 꿈속에서 '노새'가 번화가 옆의 시장으로 도망친 것을 떠올리고는 혹시나 하는 마음이 들어 '아버지'에게 시장으로 가 보자고 말한 것이다.

40 (버)에서 '나'는 '아버지'와 자연스럽게 손을 잡고 길을 걷는 것이 꿈에도 상상할 수 없는 일이었기에 놀라우면서도 좀 우쭐한 생각이 들었다고 말하고 있다.

41 '나'와 '아버지'는 '노새'를 찾아 헤매던 중 무심코 동물원에 들어오게 되었으며, 얼룩말 우리 앞에 서서 잃어버린 '노새'를 떠올리고 있다.

42 '나'는 우연히 들어간 동물원에서 얼룩말 우리 앞에 멍하니 서 있는 '아버지'와 얼룩말을 쳐다보고선 '아버지'의 모습이 말이나 '노새'를 닮았다는 생각을 하게 된다.

43 '아버지'가 오랫동안 '노새'와 함께 고달픈 일을 해 왔으므로, '나'는 자연스레 '아버지'의 고단한 얼굴과 '노새'가 겹쳐 보였을 것이다.

44 '나'는 대폿집에 있는 동안 '아버지'와 자신의 마음이 누그러지는 것을 느끼며, 어른들이 술을 마시는 이유를 어렴풋이 짐작한다.

45 ㉠에는 '노새'를 잃어버린 낭패감을 극복하고 가장으로서 책임을 다하고자 하는 '아버지'의 마음이 담겨 있다.

46 '나'는 스스로 '노새'가 되겠다는 '아버지'의 말에 '나'와 가족 모두가 '노새'라고 생각한다. 이런 생각에는 '나'의 가족이 '노새'처럼 힘들고 어려운 삶을 살아가는 존재들이라는 인식이 반영되어 있다.

47 '비행기, 헬리콥터, 자동차, 자전거'는 산업화의 산물로서, 시대의 변화에서 소외되는 '노새'와 대비되는 교통수단이다.

48 ㉢은 연탄 마차를 끌며 힘든 삶을 살았던 '노새'처럼, 역시 힘들고 고단한 삶을 살아가는 존재인 '아버지'를 빗댄 표현이다.

49 스스로 '노새'가 되겠다고 다짐하며 의지를 보이던 '아버지'는 순경이 찾아왔었다는 말을 듣고 망연자실하여 끝내 집을 나가게 된다. 결국 이 글에서 '우리 같은 노새'는 시대의 변화에 적응하지 못하고 소외되는 도시 하층민을 상징한다.

간단 체크 어휘 문제 본문 069~085쪽

070쪽	(1) ○ (2) ○ (3) ×
076쪽	(1) ㉡ (2) ㉢ (3) ㉠
078쪽	(1) 뇌까리다 (2) 설치다 (3) 부산하다
080쪽	(1) 막무가내 (2) 풍비박산 (3) 보통이

학습 활동 본문 087~092쪽

이해	노새, 통행금지, 도시화, 도시, 소외
적용	다정함, 친구, 폭격

간단 체크 활동 문제 본문 087~092쪽

087쪽	**01** ③ **02** ④
088쪽	**03** ④ **04** ⑤ **05** 도시화·산업화되는 시대의 변화에 적응하지 못하고 소외된 존재
089쪽	**06** ⑤
090쪽	**07** ⑤ **08** ⑤ **09** ⑤
091쪽	**10** ③ **11** 한패 **12** ②
092쪽	**13** ③

01 이 글의 중심 사건은 연탄 배달 도중에 '노새'가 도망치는 일이 벌어진 것이다.

02 당시에는 야간 통행금지가 시행되는 중이었으며, 사람들이 야간에 통행하는 것을 국가에서 통제하였다.

03 오늘날에는 노새도 삼륜차도 쓰이지 않는다. 그러므로 삼륜차 역시 시대의 변화에서 결국 사라지는 대상이다.

04 '노새'가 달아난 것은 힘겹고 고달픈 상황에 극단적으로 몰리게 되면서 우연히 일어난 사건이다. 또한 '아버지'는 어려운 상황을 회피하려 하지 않고, 가장으로서의 책임을 다하려고 의지를 보이는 인물이다.

05 '노새 두 마리'는 '아버지'와 '노새'를 함께 가리키는 이 글의 제목이다. 두 존재는 모두 급변하는 시대 변화에 적응하지 못해 점차 소외되어 가는 대상이다.

06 ①~④는 시대에 따른 인식의 변화 속에서도 오늘날까지 변하지 않는 가치가 담긴 장면을 고른 것이지만, ⑤는 오늘날 우리의 관점에서 새롭게 평가될 수 있는 가치가 담긴 장면을 고른 것이다.

07 수필은 글쓴이가 직접 체험한 사실을 바탕으로 쓰는 글이다.

08 '조폐 공사'는 화폐, 은행권, 국채, 수입 인지 등의 제조를 주요 업무로 하는 특수 법인으로, 특정 시대에만 존재하는 것이

아니다. 따라서 글의 시대적 배경을 짐작할 수 있게 하는 소재에 해당하지 않는다.

09 '나'와 친구들은 한 아이가 가져온 고구마와 옥수수를 먹고 있던 중에 성당 수위실에서 보초를 서던 '인민군' 병사가 갑자기 다가와 놀란 것이다.

10 (라)에서 아이들은 '인민군' 병사가 자신들에게 다가오자 두려움과 공포를 느꼈지만, '인민군' 병사로부터 뜻밖의 다정함을 느낀 뒤로는 그에 대해 친근감을 갖게 된다.

11 (바)에서 '인민군' 병사가 파편에 맞은 아이를 도와준 일을 계기로 아이들과 '인민군' 병사는 완전한 친구가 되었다.

12 아이들은 성당 앞 수위실에 갑자기 나타난 '인민군'을 경계하였지만, '인민군'이 다정하게 말을 건 뒤부터는 그와 잘 어울렸다. 또 아이들은 '인민군'이 다친 아이를 도와준 후부터는 그와 진정한 친구가 되었다.

13 이 글은 전쟁의 참혹한 상황 속에서도 아이들과 소년인 '인민군' 병사가 순수하게 서로 어울렸던 추억을 그리고 있다. 이를 통해 따뜻한 인정(人情)의 아름다움이란 가치를 돌아보게 한다.

압축 파일

본문 093~094쪽

❶ 노새 ❷ 판잣집 ❸ 문화 주택 ❹ 관심 ❺ 도시화 ❻ 노새 ❼ 아버지 ❽ 인민군 ❾ 회상 ❿ 한패 ⓫ 전쟁

시험에 나오는 소단원 문제

본문 095~097쪽

01 ② **02** ② **03** ③ **04** ⓐ: 구동네, ⓑ: 새 동네 **05** ④ **06** ③ **07** ㉠: 도시화·산업화(시대의 변화) 때문에 점차 사라지는 존재, ㉡: 도시화·산업화의 산물 **08** ② **09** ⑤ **10** 이제부터 내가 노새다. **11** ⑤ **12** ③

01 이 글은 연탄 배달을 하며 힘겹게 살아가는 '아버지'의 모습을 어린아이인 '나'의 눈을 통해 객관화하여 담아내고 있다.

02 같은 도시 변두리라고 해도 '나'가 전부터 살던 판잣집 동네의 사람들보다 새로 지어진 슬래브 집에 사는 사람들의 경제 사정이 더 좋다는 것을 알 수 있다.

오답 풀이 ①, ③ '아버지'는 말 마차나 '노새' 마차로 동네마다 연탄을 배달하는 마부 일을 하고 있다.
④, ⑤ (나)에서 이삼 년 전부터 문화 주택이 들어서기 시작했다고 하며 멀리서 보면 판잣집들이 2층 슬래브 집들에 가려 잘 보이지 않는다고 하였다. 이를 통해 서울 변두리에 흔하게 생긴 신흥 부락이 곧 도시화에 따른 주택 재개발 사업의 결과물임을 알 수 있다.

03 ㉠의 골목은 구동네와 새 동네를 금을 긋듯 나누는 경계이자, 힘겹게 연탄 배달을 하는 '아버지'와 '노새'에게 어려움을 안겨 주는 장소이다.

04 서술형 (라)에서 '나'가 이전부터 살던 판잣집 동네를 구동네, 문화 주택들이 들어선 동네를 새 동네로 구분하여 부르고 있음을 알 수 있다.

05 (다)에서 '아버지'는 자신이 평생 해 온 마부 일이 점차 사라질 것이라는 걱정과 불안을 숨기고, 오히려 오기와 같은 자존심을 내세우며 현실을 부정하고 있다.

06 (가)에서 새 동네 사람들이 문을 꼭꼭 걸어 잠그고 구동네 사람들과 어울리지 않으려고 함을 알 수 있다.

07 서술형 이 글에서 '삼륜차'는 자동차와 마찬가지로 도시화·산업화의 산물인 운송 수단이며, '노새'나 말이 부리는 마차나 소달구지는 사회의 변화에 따라 점차 사라지고 있는 운송 수단이다.

08 ⓑ는 여전히 말이나 '노새'를 부리는 사람이 있다는 것이 별나고 이상하다는 사람들의 반응이다. 이를 통해 말이나 '노새' 마차를 부리는 일이 시대에 뒤떨어진 일임을 짐작할 수 있다.

09 (가)~(나)는 개연성이 있는 허구의 이야기를 바탕으로 하는 소설이다. 반면 (다)~(마)는 글쓴이가 체험한 사실을 바탕으로 하는 수필이다.

10 (가)에서 '아버지'는 자신이 '노새'가 되겠다고 말하고 있다. 이 말에는 자신이 달아난 '노새'의 역할까지 맡아서라도 가족의 생계를 책임지겠다는 의지가 담겨 있다.

11 이 글에서 '노새' 마차를 끌며 연탄을 배달하는 '아버지'는 시대의 변화에 적응하지 못하고 점차 뒤처지는 도시 하층민을 상징한다. 작가는 이런 '아버지'가 집을 나간 것으로 결말을 처리함으로써 도시화·산업화로 인해 소외되는 도시 하층민의 삶이 나아지지 않을 것임을 보여 준 것이다.

12 (다)에서 서울이 인민군 치하에 있었고 글쓴이의 아버지가 국군을 따라 남쪽으로 내려갔다고 언급하고 있다. 따라서 당시는 육이오 전쟁 초반이며 국군이 인민군에 밀려 남쪽으로 후퇴했던 시기임을 짐작할 수 있다.

오답 풀이 ①, ② (다)에서 '나'가 1950년 즉, 육이오 전쟁이 일어난 해에 인민군 치하에 있던 서울 전차 종점에 살고 있다고 하였다.
④ (라)에서 '인민군'의 나이가 열여섯 살이었다는 데서 소년들까지 전쟁에 징집되어야만 했던 당시의 상황을 알 수 있다.
⑤ (다)에서 폭격이 시작되면 파편이 비 오듯 쏟아지곤 했다고 하였으며, (마)에서 폭격으로 다친 한 아이를 '인민군'이 업고 병원으로 데려갔다고 하였다.

어휘력 키우기

본문 098쪽

01 ③

01 '바득바득'은 '악착스럽게 애쓰는 모양'을 뜻한다. 제시된 문장에서는 '어떤 일에 대하여 옳다느니 그르다느니 함.'을 뜻하는 '가타부타'로 교체하는 것이 적절하다.

시험에 나오는 대단원 문제

099~102쪽

01 ⑤ **02** ② **03** 불교적 사상(종교적 신념)을 통한 슬픔의 극복과 재회에 대한 기약 **04** ④ **05** ⑤ **06** ④ **07** ③ **08** 매품 **09** ② **10** ③ **11** ⑤ **12** 운송 수단으로 자동차를 이용하는 시대(산업화 시대) 상황에 맞지 않게 여전히 '노새'를 부리는 '아버지'를 비꼬는 말이다. **13** ④ **14** ④ **15** ③ **16** ③ **17** ③ **18** '인민군'이 자신들을 보고 있을 때는 두려움(무서움)을 느끼다가, '인민군'이 다정하게 말을 건네자 친근감을 느낀다.

01 (가)와 (나)의 시에서는 시적 대상인 죽은 누이, 거미 가족으로부터 불러일으켜진 말하는 이의 정서를 드러내고 있다. ①과 ③은 (가)의 특징이며, ②와 ④는 (나)의 특징이다.

02 (가)의 시적 대상은 말하는 이의 요절한 누이이다. 시에서 말하는 이와 누이의 관계를 드러내는 시어는 '같은 부모(핏줄, 혈육)'를 의미하는 '한 가지'이다.

03 서술형 이 시가의 결(9~10구) 부분에서는 불교적 사상(종교적 신념)을 통해 슬픔을 극복하고 재회를 기약하는 말하는 이의 태도가 나타난다.

04 ㉠에는 거미 가족이 다시 만나기를 바라는 말하는 이의 바람이 담겨 있다. 이 시의 창작 당시의 상황을 고려했을 때, 거미 가족은 일제 강점기에 공동체적 삶이 붕괴된 우리 민족을 나타낸다고 볼 수 있다.

05 3연에서 말하는 이가 '무척 작은 새끼 거미'까지 문밖으로 버리는 것은 이미 문밖으로 버려진 다른 거미 가족들을 만나게 해 주려는 마음 때문이다.

06 (다)에서 '흥부'가 관가에서 곡식을 꾸어 먹는 환자 대신에 매를 맞으려는 이유는 고을 좌수 대신 매를 맞으면 돈을 벌 수 있기 때문이다. 이는 가난한 형편의 가장인 '흥부'가 매를 맞아서라도 가족을 먹이려는 것으로 이 글에서 웃음을 유발하는 부분은 아니다.

07 (나)는 양반 신분인 '흥부'가 의관을 갖추는 상황을 묘사한 부분으로, 형편이 어려워 옹색하게 차려 입고 집을 나서는 '흥부'의 모습을 우스꽝스럽게 표현하고 있다.

08 '매품'은 예전에, 관가에 가서 삯을 받고 남의 매를 대신 맞아주는 데 들이던 품(삯을 받고 하는 일)을 의미한다. 이 글에서 '흥부'는 고을 좌수 대신에 매품을 팔 결심을 한다.

09 '흥부'는 아전이 제안한 매품팔이를 하겠다고 수락한 후, 마삯 닷 냥마저도 아껴 돈으로 받기 위해 아전에게 말 대신 자신의 다리로 가겠다고 말하였다.

10 이 글의 '나'는 작품의 등장인물이자 서술자(1인칭 관찰자)이다. '나'는 '아버지'의 고달픈 삶을 어린아이의 시선에서 관찰하며, '아버지'의 내면 심리를 추측하여 전달하기도 한다. ③ '나'는 '아버지'의 고달픈 삶과 처지에 공감하고 동질성을 느낀다.

11 (다)에서 한강 다리를 건넌 '노새'는 고속 도로 톨게이트를 빠져나갔다. 하지만 이것은 '나'의 꿈속에서 벌어진 일이지, 실제 사실은 아니다. 그래서 '나'는 꿈에서 깨어나 '노새'가 무거운 연탄을 끄는 일이 지겨워서 멀리 떠나버린 것은 아닌지 생각하며 헛헛함을 느꼈다.

12 고난도 서술형 (라)에서 '칠수 어머니'는 자동차가 일반적인 운송 수단인 시대 상황에 적응하지 못하고, 여전히 시대에 뒤처지며 '노새' 마차를 부리는 '나'의 아버지를 비꼬고 있다.

평가 목표	중요 문맥의 의미 파악하기
채점 기준	✔ 〈조건〉에 맞게 표현에 담긴 의미가 잘 드러나도록 바르게 쓴 경우 [상] ✔ 〈조건〉에 맞게 썼으나 표현에 담긴 의미가 잘 드러나지 않는 경우 [중] ✔ 〈조건〉에 맞게 쓰지 못했고, 표현에 담긴 의미도 잘 드러나지 않는 경우 [하]

13 '또 한 마리의 노새'는 시대에 맞지 않게 가파른 골목길에서 연탄을 나르며 힘겹고 고단한 삶을 살다가 도망친 '노새'처럼, 시대의 변화에 적응하지 못한 채 힘겨운 삶을 살아가는 '아버지'를 상징하는 표현이다. 이 글의 제목 '노새 두 마리'는 결국 '나'가 동일시하고 있는 '노새'와 '아버지' 두 존재를 의미한다.

14 (가)~(나)에는 도시화·산업화가 급격히 진행되던 1970년대의 사회·문화적 상황과 도시 하층민의 삶의 모습이 나타난다. 그리고 (다)~(라)에는 육이오 전쟁 당시 서울의 상황과 그 속에서 아이들과 '인민군' 소년병이 우정을 나누는 모습이 나타난다.

15 (가)의 대폿집에서 '아버지'는 자신이 '노새'가 되겠다는 마음으로 가족을 위해 책임을 다할 결심을 하고, '나' 또한 그런 '아버지'와 함께 '노새 가족'이 되겠다고 긍정한다. 그러나 이런 생각은 (나)에서 순경이 찾아왔었다는 말로 인해 절망으로 뒤바뀐다.

16 (나)에서 '노새'를 잃어버린 '아버지'는 엎친 데 덮친 격으로 '노새'가 끼친 피해로 순경이 찾아왔었다는 말까지 듣게 된다. 이와 같은 상황에는 '눈 위에 서리가 덮인다는 뜻으로, 난처한 일이나 불행한 일이 잇따라 일어남을 이르는 말'인 '설상가상'이 적절하다.

오답 풀이 ① 같은 병을 앓는 사람끼리 서로 가엾게 여긴다는 뜻으로, 어려운 처지에 있는 사람끼리 서로 가엾게 여김을 이르는 말이다.
② 마음과 마음으로 서로 뜻이 통함을 이른다.
④ 모든 일은 반드시 바른길로 돌아감을 이른다.
⑤ 인생의 길흉화복은 변화가 많아서 예측하기가 어려움을 이르는 말이다.

17 글쓴이는 이 글을 통해 전쟁의 참혹한 상황에서도 어린아이들이 순수하게 서로 어울리며 인정을 나누었던 추억을 그려 내고 있다.

18 서술형 아이들은 '인민군'이 뒤로 다가와 자신들을 보고 있다는 것을 알고선 놀라서 두려움을 느꼈지만, 그가 먼저 앳된 목소리로 다정하게 말을 걸자 두려움이 사라지고 친근감을 느끼게 된다.

3 정확하게 말하고, 비판적으로 듣고

(1) 음운의 세계

간단 체크 개념 문제 본문 106쪽

1 (1) ○ (2) × (3) ○ (4) × 2 이중 모음 3 ③

1 (2) 'ㅋ'은 혀의 뒷부분과 입천장 뒤쪽의 부드러운 부분 사이에서 나는 '여린입천장소리'이다.
(4) 'ㅣ'는 고모음이 맞지만, 'ㅏ'는 저모음에 해당한다.

2 국어의 모음은 소리를 낼 때 입술이나 혀가 고정되어 움직이지 않는 단모음과, 소리를 낼 때 입술이나 혀가 움직이는 이중 모음으로 나눌 수 있다.

3 발음할 때 입술을 평평하게 하는 평순 모음에는 'ㅏ, ㅐ, ㅓ, ㅔ, ㅡ, ㅣ'가 있다. 'ㅜ'는 발음할 때 입술을 둥글게 오므리는 원순 모음에 해당한다.

학습 활동 본문 107~117쪽

이해	ㄹ, 뒤쪽, 앞쪽, ㅎ, 밭, ㅇ, 캄캄, ㅌ, ㅣ, ㅟ
적용	거센소리, 원순 모음

학습콕 본문 107~117쪽

107쪽	뜻, 자음, 모음
111쪽	센입천장, ㅇ, ㄹ, 거센
113쪽	입술, 전설, 후설, ㅏ

간단 체크 활동 문제 본문 107~117쪽

107쪽	01 ⑤	02 ②	
108쪽	03 ③	04 ④	
109쪽	05 ③	06 ①	07 ④
110쪽	08 ②	09 ③	
111쪽	10 ⑤	11 ③	12 ③
112쪽	13 ②	14 ③	15 ④
113쪽	16 ㅡ, ㅗ	17 ⑤	18 ⑤
114쪽	19 ③	20 ③	
115쪽	21 ③	22 ④	
116쪽	23 ②	24 ④	
117쪽	25 ③		

01 음운이란 말의 뜻을 구별해 주는 소리의 가장 작은 단위를 말한다. 국어의 음운에는 자음과 모음이 있다.
오답 풀이 ① 음성, ② 형태소, ③ 단어, ④ 품사에 대한 설명이다.

02 '봄'과 '밤'에서 서로 다른 음운은 'ㅗ'와 'ㅏ'이다. 즉 '봄'과 '밤'은 음운 'ㅗ'와 'ㅏ'의 소리 차이 때문에 뜻이 구별되는 것이다.

03 두 입술이 닿았다가 떨어지며 소리 나는 자음에는 'ㅁ, ㅂ, ㅃ, ㅍ'이 있다.

04 'ㅈ, ㅉ, ㅊ'은 혓바닥과 입천장 앞쪽의 딱딱한 부분 사이에서 소리가 나는 '센입천장소리'이다.

05 'ㅎ'은 목청 사이에서 소리 나는 '목청소리'에 해당하지만, 'ㅇ'은 혀의 뒷부분과 입천장 뒤쪽의 부드러운 부분 사이에서 소리 나는 '여린입천장소리'에 해당한다.

06 발음할 때 입안이나 코안이 울리는 자음은 'ㄴ, ㄹ, ㅁ, ㅇ'으로 소리가 부드럽고 이어지는 느낌이 든다.

07 입안이나 코안이 울리는 단어는 자음 'ㄴ, ㄹ, ㅁ, ㅇ'이 받침에 포함된 단어이다. 이에 해당하는 것은 '간, 감, 강'이다.

08 발음할 때 입안이나 코안이 울리는 자음은 'ㄴ, ㄹ, ㅁ, ㅇ'인데, 이 중 혀끝을 잇몸에 대었다 떼며 공기를 그 양옆으로 흘려보내면서 내는 소리는 '흐름소리'인 'ㄹ'이다.
오답 풀이 ①, ③, ⑤ 'ㄴ', 'ㅁ', 'ㅇ'은 입안의 통로를 막고 코로 공기를 내보내면서 내는 '콧소리'이다.
④ 'ㅂ'은 두 입술이 닿았다가 떨어지며 나는 '입술소리'로, 콧소리나 흐름소리에 해당하지 않는다.

09 ㉡과 같이 거센소리의 자음이 쓰인 단어는 ㉠과 같이 예사소리의 자음이 쓰인 단어에 비해 발음할 때 크고 강한 느낌이 들거나, 무겁거나 거친 느낌이 든다.

10 소리의 세기에 따라 자음을 분류할 때, 'ㅋ, ㅌ, ㅍ, ㅊ'은 모두 '거센소리'에 해당한다.

11 <보기>는 '된소리'에 대한 설명이고, 제시된 자음 중 이에 해당하는 것은 'ㅆ'이다. 'ㄷ', 'ㅈ'은 예사소리이고, 'ㅌ', 'ㅊ'은 거센소리이다.

12 'ㅑ'는 이중 모음으로, 발음하는 중에 입이 크게 벌어지고 턱이 아래로 움직인다. 또한 소리를 낼 때 입술의 모양과 혀의 위치도 달라진다.

13 'ㅟ'는 발음할 때 입술의 모양이나 혀의 위치가 변하지 않는 단모음이다. 'ㅒ', 'ㅘ', 'ㅞ', 'ㅢ'는 모두 발음할 때 입술의 모양이나 혀의 위치가 변하는 이중 모음이다.

14 'ㅏ, ㅓ, ㅡ, ㅣ'는 입술이 평평한 상태에서 소리 내는 평순 모음이고, 'ㅗ, ㅚ, ㅜ'는 입술을 둥글게 오므린 상태에서 소리 내는 원순 모음이다.

15 원순 모음은 입술을 둥글게 오므린 상태에서 소리 내는 모음으로 'ㅗ, ㅚ, ㅜ, ㅟ'가 있다. 'ㅓ'는 입술이 평평한 상태에서 소리 내는 평순 모음에 해당한다.

16 발음할 때 혀의 최고점이 입안의 앞쪽에 있는 전설 모음에는 'ㅣ, ㅟ, ㅔ, ㅚ, ㅐ'가 있고, 혀의 최고점이 입안의 뒤쪽에 있는 후설 모음에는 'ㅡ, ㅜ, ㅓ, ㅗ, ㅏ'가 있다.

17 단모음은 발음할 때의 혀의 높이에 따라 고모음, 중모음, 저모음으로 나눌 수 있다. 제시된 모음 중 'ㅟ', 'ㅜ'는 고모음이고, 'ㅓ', 'ㅔ'는 중모음, 'ㅐ'는 저모음이다.

18 'ㅜ, ㅡ, ㅣ'는 발음할 때 혀가 움직이거나 입술 모양이 변하지 않는 단모음이며, 혀가 높이 올라가서 입천장 가까이에 있는 고모음이다.

오답 풀이 ①, ② 발음할 때 혀가 움직이거나 입술 모양에 변화가 있는 것은 이중 모음에 해당하는 설명이다.
③ 입술을 둥글게 오므린 상태에서 소리를 내는 것은 원순 모음이며, 제시된 모음 중 이에 해당하는 것은 'ㅜ'뿐이다.
④ 발음할 때 혀의 최고점이 입안의 앞쪽에 있는 것은 전설 모음이며, 제시된 모음 중 이에 해당하는 것은 'ㅣ'뿐이다.

19 이 시에서는 여러 장소에 떨어지는 빗방울 소리들을 '솝-솝-솝-솝', '롭-롭-롭-롭' 등과 같이 의성어의 자음에 변화를 줌으로써 각각 다르게 표현하고 있다. 이는 빗방울 소리에 통일성을 부여하기 위한 것이 아니라 빗방울 소리를 다양한 느낌으로 나타내기 위한 것이다.

20 'ㄹ'은 잇몸소리이자 흐름소리이며, 발음할 때 밝고 명랑한 느낌이 든다. 거칠고 강한 느낌이 드는 자음은 'ㅌ'과 같은 거센소리이다.

21 양성 모음은 주로 밝고 가볍고 작은 느낌을 주고, 음성 모음은 주로 어둡고 무겁고 큰 느낌을 준다. 따라서 ㉡에 쓰인 양성 모음 'ㅗ'를 음성 모음 'ㅜ'로 바꾸어 읽을 경우, 제시된 시구는 작고 가벼운 느낌에서 크고 무거운 느낌으로 다르게 느껴질 것이다.

22 (가)의 상황에서는 모음 'ㅗ'를, (나)의 상황에서는 모음 'ㅢ'를 발화자가 정확하게 발음하지 않았거나 청자가 잘못 들어서 오해가 발생하였다.

23 일상생활에서 정확하게 발음해야 하는 이유는 자신의 생각이나 의견을 정확하게 전달하고, 의사소통이 원활하게 이루어지도록 하여 상대방이 발화 의도를 오해하거나 발화자가 의도하지 않은 결과가 발생하는 것을 막기 위해서이다. 내용을 긴장감 있게 묘사하는 것은 말의 내용 차원의 문제이지 발음 차원의 문제는 아니다.

24 〈보기〉의 구절에는 'ㅘ'라는 이중 모음이 연속으로 나타나 있다. 이 경우 이중 모음을 발음하기 위해 입을 빠르게 움직여야 하므로 발음하는 데 어려움을 느낄 수 있다.

25 쉽고 정확하게 발음하기 위해서는 발음이 어려운 이유를 파악한 후 그에 맞게 입 모양을 움직이거나 또박또박 발음하는 연습을 하는 것이 좋다. 무조건 아나운서처럼 빠르게 발음하는 것을 목표로 하는 것은 적절하지 않다.

압축 파일 본문 118~119쪽

❶ 뜻 ❷ 모음 ❸ 잇몸 ❹ ㄹ ❺ 거센 ❻ 목청
❼ 평순 ❽ ㅡ ❾ 양성

시험에 나오는 소단원 문제

본문 120~122쪽

01 ④	02 ③	03 ⑤	04 ㄴ, ㄹ, ㅁ, ㅇ	05 ②
06 ②	07 ③	08 ⑤	09 ⑤	10 ①
11 ④	12 ②	13 ⑤	14 대나무, 바가지	15 ④
16 ③	17 ②	18 ③	19 ①	20 ⑤

01 자음은 공기의 방해를 받으며 나오는 소리로, 홀로 소리 낼 수 없으며 모음을 만나야 소리 낼 수 있다.

02 ❸은 입천장 앞쪽의 단단한 부분인데, 이 부분과 혓바닥 사이에서 소리 나는 자음은 센입천장소리인 'ㅈ, ㅉ, ㅊ'이다. 'ㅅ'은 ❷의 위치에서 소리 나는 자음이다.

03 〈보기〉는 여린입천장소리에 대한 설명이다. 이에 해당하는 자음에는 'ㄱ, ㄲ, ㅋ, ㅇ'이 있다.

04 서술형 자음 중 발음할 때 입안이나 코안이 울리는 자음은 'ㄴ, ㄹ, ㅁ, ㅇ' 4개이다.

05 'ㄴ, ㄹ, ㅁ, ㅇ'의 자음은 발음할 때 입안이나 코안이 울리며 소리가 부드럽고 이어지는 느낌이 들지만, 나머지 자음들은 발음할 때 입안이나 코안이 울리지 않으며 소리가 딱딱하고 막힌 느낌이 든다. 그러므로 〈보기〉의 단어 중, '박, 밥, 밭'은 발음할 때 소리가 딱딱하고 막힌 느낌이 들고, '반, 발, 밤, 방'은 발음할 때 소리가 부드럽고 이어지는 느낌이 든다.

06 혀끝과 윗니의 뒷부분, 윗잇몸 사이에서 나는 소리는 잇몸소리를 말한다. 그리고 혀끝을 잇몸에 대었다가 떼거나 잇몸에 댄 채 공기를 그 양옆으로 흘려보내면서 내는 소리는 흐름소리를 말한다. 따라서 잇몸소리이면서 흐름소리인 자음은 'ㄹ'에 해당한다.

오답 풀이 ① 'ㄴ'은 혀끝과 윗니의 뒷부분, 윗잇몸 사이에서 나는 잇몸소리이다. 그러나 'ㄴ'은 흐름소리가 아니라 콧소리에 해당한다.
③ 'ㅁ'은 잇몸소리와 흐름소리에 모두 해당하지 않으며, 입술소리이면서 콧소리에 해당한다.
④ 'ㅂ'은 입술소리이면서 파열음에 해당한다.
⑤ 'ㅎ'은 목청소리이면서 마찰음에 해당한다.

07 거센소리가 들어간 단어는 예사소리나 된소리로 된 단어에 비해 크고, 강하고, 무겁고, 거친 느낌이 든다. 그러므로 ㉢ '탄탄하다'가 ㉠ '단단하다'와 ㉡ '딴딴하다'에 비해 거친 느낌이 든다고 이야기한 ③의 내용은 적절하다.

08 소리의 세기에 따라 자음을 나눌 때, 가장 가볍고 부드러운 느낌이 드는 것은 예사소리인 'ㄱ, ㄷ, ㅂ, ㅅ, ㅈ'이다. 따라서 된소리가 사용된 ①과 거센소리가 사용된 ②~④에 비해, 예사소리가 사용된 ⑤가 가장 가볍고 부드러운 느낌이 드는 단어에 해당한다.

09 'ㅉ'은 공기의 흐름을 막았다가 서서히 터뜨리면서 마찰을 일으켜 내는 파찰음에 해당한다. 마찰음에 해당하는 자음에는 'ㅅ, ㅆ, ㅎ'이 있다.

10 소리를 낼 때 입술이나 혀가 고정되어 움직이지 않는 모음은 단모음이다. 'ㅓ, ㅗ, ㅔ, ㅚ, ㅟ'는 모두 단모음에 해당한다. 'ㅞ, ㅢ, ㅒ, ㅙ, ㅛ, ㅖ, ㅘ, ㅝ'는 소리를 낼 때 입술의 모양이나 혀의 위치가 변하는 이중 모음이다.

11 '외갓집'의 'ㅚ', 'ㅏ', 'ㅣ'는 모두 단모음이다.

오답 풀이 ①의 'ㅘ', ②의 'ㅢ', ③의 'ㅛ', ⑤의 'ㅠ'는 이중 모음이다.

12 입술이 평평한 상태에서 소리 내는 평순 모음에는 'ㅏ, ㅐ, ㅓ, ㅔ, ㅡ, ㅣ'가 있다. 'ㅗ, ㅚ, ㅜ, ㅟ'는 입술을 둥글게 오므린 상태에서 소리 내는 원순 모음이다.

13 'ㅣ, ㅟ, ㅔ, ㅚ, ㅐ'는 발음할 때 혀의 최고점이 입안의 앞쪽에 있는 전설 모음이고, 'ㅡ, ㅜ, ㅓ, ㅗ, ㅏ'는 발음할 때 혀의 최고점이 입안의 뒤쪽에 있는 후설 모음이다.

14 서술형 ㉠은 발음할 때 혀의 위치가 낮은 저모음이면서 동시에 발음할 때 혀의 최고점이 입안의 뒤쪽에 있는 후설 모음이다. 따라서 ㉠에는 저모음 'ㅐ'와 'ㅏ' 중, 후설 모음인 'ㅏ'가 들어가야 한다. 〈보기〉에서 'ㅏ'가 포함된 단어는 '대나무'와 '바가지'이다.

15 'ㅗ'는 발음할 때 입술이나 혀가 고정되어 움직이지 않는 단모음이고, 혀가 중간쯤의 높이에 있는 중모음이며, 입술을 둥글게 오므린 상태에서 소리 내는 원순 모음, 혀의 최고점이 입안의 뒤쪽에 있는 후설 모음이다. 따라서 'ㅗ'가 평순 모음에 해당한다는 설명은 적절하지 않다.

16 ㉠은 흐름소리 'ㄹ'로 인해 밝고 명랑한 느낌이 들고, ㉡은 거센소리 'ㅌ'으로 인해 거칠고 강한 느낌이 든다.

오답 풀이 ① ㉠과 ㉡에는 잇몸소리 'ㄹ'과 'ㅌ'이 포함되어 있다. ② ㉠에는 흐름소리 'ㄹ'이, ㉡에는 거센소리 'ㅌ'이 포함되어 있다. ④ ㉠과 ㉡은 자음 'ㄹ'과 자음 'ㅌ'의 차이만 있을 뿐, 모음 'ㅗ'와 받침으로 쓰인 자음 'ㅂ'이 모두 동일하다. 따라서 시구가 주는 느낌이 달라진 것은 자음 'ㄹ'과 'ㅌ'의 차이 때문인 것으로 파악할 수 있다. ⑤ ㉠에 쓰인 'ㄹ'은 흐름소리로 빗방울이 스며들듯 떨어지는 느낌을 주고, ㉡에 쓰인 'ㅌ'은 거센소리로 빗방울이 무언가에 맞아 튕겨지는 느낌을 준다.

17 〈보기〉는 양성 모음이 음성 모음으로 바뀌었을 때 단어가 주는 느낌이 완전히 달라질 수 있다는 것을 보여 준다. 〈보기〉의 시구에서 자음은 그대로이므로, 자음 소리의 밝기에 따라 시구의 의미가 달라진다는 감상 내용은 적절하지 않다.

18 〈보기〉의 조건을 모두 만족하는 자음은 'ㅌ'이며 이를 포함한 시어는 '울타리'이다.

19 제시된 상황에서 오해가 발생한 이유는 엄마가 'ㅗ'를 'ㅓ'로 발음하였거나 딸이 'ㅗ'를 'ㅓ'로 들었기 때문이다. 그러므로 이 상황에서 오해가 발생하는 것을 방지하기 위해서는 '금촌'의 'ㅗ'를 정확하게 발음해야 한다. 'ㅗ'는 원순 모음이므로 입술을 동그랗게 오므려서 발음하는 것이 적절하다.

20 'ㄱ'은 혀의 뒷부분과 입천장 뒤쪽의 부드러운 부분 사이에서 나는 여린입천장소리가 맞지만, 'ㅅ'은 혀끝과 윗니의 뒷부분, 윗잇몸 사이에서 나는 잇몸소리이다.

(2) 설득 전략이 담긴 연설

간단 체크 개념 문제

본문 123쪽

1 (1) × (2) ○ (3) × **2** 감성적 **3** ⑤

1 (1) 연설은 청중을 설득하려는 목적을 지닌 공적인 화법이다. (3) 청중은 연설에서 사용된 설득 전략이 타당한지 판단하며 비판적으로 들어야 한다.

2 감성적 설득 전략은 연설자가 청중의 욕망이나 자긍심, 동정심, 분노 등의 감정에 호소하여 청중을 설득하는 전략이다.

3 자연스러운 연설을 하기 위해서는 준언어적·비언어적 표현을 상황에 맞게 사용해야 하므로 이를 고려하여 연습해야 한다.

학습콕

본문 124~126쪽

124쪽 실패, 상상력
126쪽 군더더기, 공감, 영향력, 내면

간단 체크 내용 문제

본문 124~126쪽

124쪽 **01** ④ **02** ②
125쪽 **03** ④ **04** 자신이 생각보다 성실하고 의지가 강하며, 자신의 주변에 값진 사람들이 있다는 것 **05** ④
126쪽 **06** 상상하는 힘 **07** ② **08** ②

01 이 연설의 연설자는 대학을 졸업한 이후 삶에서 얻은 교훈을 청중에게 전하고자 하며, 청중은 대학 졸업을 앞둔 학생들이다.

02 (나)에서 연설자는 자신이 청중의 나이 때 가장 두려워했던 것이 실패였다고 말하고 있다.

03 (다)~(마)를 통해 연설자가 말하는 실패가 주는 혜택 세 가지가 'ㄱ', 'ㄴ', 'ㄹ'임을 알 수 있다.

04 ㉠의 뒤에 이어지는 '실패를 딛고 일어나는 과정에서 ~ 알게 되었습니다.' 부분을 통해 알 수 있다.

05 국제 사면 위원회의 직원들은 위기에 처한 생명을 구하고 속박당한 사람들에게 자유를 되찾아 주는 일을 한다.

06 연설자는 우리가 직접 경험하지 않은 타인의 아픔에 공감하게 하는 상상력의 가치를 중요하게 생각하고 있다.

07 연설자가 '세네카'의 말을 인용한 것은 자신이 청중에게 전달하고 싶은 내용을 '세네카'의 말이 잘 표현하고 있으며, 유명인의 말을 인용하여 연설의 신뢰도를 높일 수 있기 때문이다.

08 연설자는 ㉠을 통해 한 편의 이야기는 분량이 아니라 그 안에 담고 있는 내용의 가치가 중요한 것처럼 사람도 가치 있게 사는 것이 중요하다는 의미를 전달하고 있다.

간단 체크 어휘 문제

본문 124~126쪽

124쪽 (1) × (2) ○

학습 활동 본문 127~133쪽

이해 자신감, 국제 사면 위원회, 경험

간단 체크 활동 문제 본문 127~133쪽

127쪽	01 ⑤	02 ②
128쪽	03 감성적	04 ⑤
129쪽	05 ⑤	06 ④
130쪽	07 ④	08 감성적 설득 전략
131쪽	09 ②, ⑤	10 ③
132쪽	11 ④	12 ④
133쪽	13 ④	

01 이 연설의 목적은 연설자가 지금까지 살아오면서 얻은 교훈을 졸업생들에게 전달하는 것이다.

02 다른 곳에서 배울 수 없는 자기 자신을 알게 해 주는 것은, '상상력'이 아닌 '실패'가 주는 혜택이다.

03 연설자가 청중의 욕망이나 자긍심, 동정심, 분노와 같은 감정에 호소하여 청중을 설득하는 전략은 '감성적 설득 전략'이다.

04 이 연설의 연설자가 자신이 국제 사면 위원회에서 일했던 전문성을 바탕으로 연설에 신뢰를 갖게 한 것은 '인성적 설득 전략'에 해당한다.

05 이 연설의 청중은 대학 졸업을 앞두고 더 큰 세상에서 많은 일들을 할, 출발점에 서 있는 학생들이다. 따라서 청중에게 앞으로 세상에 긍정적인 영향을 미치는 사람이 되라고 당부하는 것은 그들의 처지와 지식수준을 고려한 것이다.

06 연설은 연설자의 신념이 아닌, 청중의 신념이나 행동을 변화시킬 수 있는 내용과 설득 전략으로 구성되어야 한다.

07 학교에 매점이 필요한 이유를 주제로 청중을 설득하기 위해서는 예상 청중인 학교 관계자들의 나이(ㄱ)와 그들이 연설자의 요구를 들어줄 수 있는 영향력(ㄹ)이 있는지, 그들이 학교에서 관심을 가지고 있는 분야(ㅁ)가 무엇인지를 분석하는 것이 좋다.

오답 풀이 청중의 가족 관계(ㄴ)나 매체 활용 여부(ㄷ)는 연설의 목적을 이루기 위해 필요한 정보가 아니므로 예상 청중 분석 항목으로 적절하지 않다.

08 '정은'은 청중의 동정심에 호소하는 설득 전략을 세우고 있다. 이처럼 연설자가 청중의 감정에 호소하여 청중을 설득하는 것은 '감성적 설득 전략'이다.

09 ②는 주장을 뒷받침할 수 있는 연구 결과를 근거로 제시하고 있고, ⑤는 주장과 관련된 전문가의 의견을 근거로 제시하고 있으므로 '이성적 설득 전략'에 해당한다.

오답 풀이 ①, ③ 청중의 마음을 움직이거나 청중의 감정에 호소하는 것은 감성적 설득 전략에 해당한다.
④ 연설자 자신의 됨됨이를 알리며 청중이 연설에 신뢰를 갖게 하는 것은 인성적 설득 전략에 해당한다.

10 '정은'은 본론에서 연구 결과를 근거로 제시하려고 하고 있다. 이처럼 연구 결과나 통계 자료, 전문가의 의견 등을 제시하여 논리적으로 설득하는 전략은 '이성적 설득 전략'이다.

11 연설문을 바탕으로 연설을 연습한 후 실제로 연설해야 하므로, 연설문은 실제 연설을 한다는 생각으로 말하듯이 상세하게 작성하는 것이 좋다.

12 작성한 연설문을 보면서 무조건 그대로 읽는 것이 아니라 청중의 반응에 따라 준언어적·비언어적 표현을 조절하며 자연스럽게 말을 할 수 있도록 연습해야 한다.

13 연설자의 목소리 크기, 말의 속도는 연설 내용과 청중의 반응에 따라 적절하게 달라져야 하지 일정해야 하는 것은 아니다.

압축 파일 본문 134쪽

❶ 상상력 ❷ 실패 ❸ 타인 ❹ 신뢰 ❺ 이성적
❻ 설득 전략 ❼ 청중 ❽ 준언어적

시험에 나오는 소단원 문제 본문 135~136쪽

01 ② 02 실패가 주는 혜택, 상상력의 중요성 03 ②
04 ① 05 ③ 06 ④ 07 ⑤

01 연설자는 자신의 경험을 바탕으로 실패가 주는 혜택에 대해 근거를 들어 논리적으로 설득하고 있을 뿐, 연설 내용에 전문가의 의견이나 통계 자료 등을 활용하고 있지는 않다.

02 서술형 (가)에서 연설자는 대학 졸업을 앞둔 청중의 상황을 고려하여 자신이 대학교를 졸업하던 당시를 떠올리고, 자신이 지금까지 얻은 교훈을 생각하며 '실패가 주는 혜택'과 '상상력의 중요성'이라는 두 가지 연설 주제를 소개하였다.

03 연설자는 실패의 경험을 통해 인생의 다양한 어려움에 대처할 수 있는 용기와 힘을 얻었다. 즉 앞으로 다시는 실패하지 않을 수 있는 힘을 얻은 것이 아니라, 실패를 하더라도 그것을 극복할 수 있는 자신감과 힘을 얻게 된 것이다.

04 '아무것도 실패하지 않고 사는 것은 불가능합니다.'를 통해 ㉡이 누구나 인생에서 실패를 겪을 수밖에 없다는 점을 의미한다는 것을 알 수 있다. 연설자는 ㉡과 같은 사실을 겸허히 받아들일 때 삶의 고난을 이겨 낼 수 있음을 전하고 있다.

05 (나)에서 연설자는 상상력이 직접 경험하지 않은 타인의 아픔에 공감하게 하는 힘을 가지고 있음을 언급하고 있다. 따라서 ③의 내용은 연설의 내용과 일치하지 않는다.

06 ㉣은 청중의 욕망과 같은 감정에 호소하여 청중을 설득하는 '감성적 설득 전략'을 활용한 부분으로, 논증 방법을 사용하여 청중을 이성적으로 설득하려 하고 있다고 보기는 어렵다.

07 '민영'은 연설의 내용에 감동받아 마음이 뭉클했다고 했는데, 이처럼 청중의 마음을 움직일 수 있는 사례나 말 등을 제시하여 청중에게 감동을 주는 설득 전략은 '감성적 설득 전략'이다.

어휘력 키우기

본문 137쪽

01 ⑤ 02 ④

01 ⑤는 '상상력'에 대한 설명이다. '영향력'은 '어떤 사물의 효과나 작용이 다른 것에 미치는 힘'을 의미한다.

02 '고기는 씹어야 맛이요, 말은 해야 맛이라'라는 속담은 고기의 참맛을 알려면 겉만 핥을 것이 아니라 자꾸 씹어야 하듯이, 하고 싶은 말이나 해야 할 말은 시원히 다 해 버려야 좋다는 의미이다. 말조심과는 관계가 없다.

시험에 나오는 대단원 문제

본문 138~140쪽

01 ② 02 ④ 03 ① 04 ② 05 ④ 06 ㉠은 예사소리인 'ㅂ'이 쓰였기 때문에 ㉡에 비해 작은(약한, 가벼운, 부드러운) 느낌이 들고, ㉡은 거센소리인 'ㅍ'이 쓰였기 때문에 ㉠에 비해 큰(강한, 무거운, 거친) 느낌이 든다. 07 ① 08 ② 09 ② 10 ⑤ 11 ⑤ 12 ⑤ 13 말하는 사람(김의민)이 모음 'ㅢ'를 정확하게 발음하지 않았기 때문이다. 14 ③ 15 ③ 16 ⓐ: 실패, ⓑ: 상상력

01 자음은 공기가 방해를 받으며 나오는 소리이다(ㄴ). 그리고 음운의 차이에 따라 발음할 때 느낌이 달라질 수 있다(ㄷ).

오답 풀이 ㄱ. 모음은 자음 없이 홀로 소리 낼 수 있다.
ㄹ. 음운은 말의 뜻을 구별해 주는 소리의 가장 작은 단위이다.

02 〈보기〉에서 알 수 있듯이, '곰'의 음운 'ㄱ, ㅗ, ㅁ' 중 한 개만 바뀌어도 단어의 뜻이 달라진다.

03 목청 사이에서 나는 소리는 자음 'ㅎ'이다. 'ㅇ'은 혀의 뒷부분과 입천장 뒤쪽의 부드러운 부분 사이에서 나는 여린입천장소리이다.

04 발음할 때 입안이나 코안이 울리는 자음에는 콧소리인 'ㄴ, ㅁ, ㅇ'과 흐름소리인 'ㄹ'이 있다. 그 외의 자음은 발음할 때 입안이나 코안이 울리지 않는다.

05 〈보기〉에서 설명하고 있는 있는 자음은 흐름소리로, 'ㄹ'이 이에 해당한다. 그러므로 'ㄹ'이 포함된 단어인 '코끼리'가 정답이다.

06 고난도 서술형 ㉠과 ㉡을 발음할 때 느낌이 다른 것은 자음 'ㅂ'과 'ㅍ'의 차이 때문이다. 소리의 세기에 따라 자음을 분류할 때 'ㅂ'은 예사소리이고 'ㅍ'은 거센소리이므로, 예사소리와 거센소리의 느낌 차이에 초점을 두어 서술해야 한다.

평가 목표	소리의 세기에 따른 단어의 느낌 차이 이해하기
채점 기준	✔ ㉠, ㉡을 발음할 때의 느낌 차이를 〈조건〉에 맞게 쓴 경우 [상] ✔ 〈조건〉 중 한 가지만 충족하며 ㉠, ㉡을 발음할 때의 느낌 차이를 바르게 쓴 경우 [중] ✔ 〈조건〉과 관계없이 ㉠, ㉡을 발음할 때의 느낌 차이를 미흡하게 쓴 경우 [하]

07 소리를 낼 때 입술이나 혀가 고정되어 움직이지 않는 단모음에는 'ㅏ, ㅐ, ㅓ, ㅔ, ㅗ, ㅚ, ㅜ, ㅟ, ㅡ, ㅣ'가 있다. 이러한 단모음으로만 이루어진 단어는 '고뇌'와 '수학'이다.

08 발음할 때 입술을 평평하게 하는 평순 모음에는 'ㅏ, ㅐ, ㅓ, ㅔ, ㅡ, ㅣ'가 있고, 입술을 둥글게 오므리는 원순 모음에는 'ㅗ, ㅚ, ㅜ, ㅟ'가 있다. '위로'의 'ㅟ'와 'ㅗ'는 원순 모음이다.

09 전설 모음은 'ㅐ, ㅔ, ㅚ, ㅟ, ㅣ'이고, 후설 모음은 'ㅏ, ㅓ, ㅗ, ㅜ, ㅡ'이다. 따라서 전설 모음으로만 이루어진 단어는 '귀리', '내외', '시내'이다.

10 '활성화'의 'ㅎ'은 목청소리이고, 'ㄹ', 'ㅅ'은 잇몸소리이다. 또한 'ㅘ'는 이중 모음이고, 'ㅓ'는 단모음이다.

오답 풀이 ① '진흥'의 'ㅈ'은 센입천장소리, 'ㄴ'은 잇몸소리, 'ㅎ'은 목청소리, 'ㅇ'은 여린입천장소리이므로 조건 ①을 충족하지만, 모음 'ㅣ'와 'ㅡ'는 모두 단모음이므로 조건 ②를 충족하지는 못한다.
② '소외'의 'ㅅ'은 잇몸소리이고, 'ㅗ'와 'ㅚ'는 모두 단모음이다. 따라서 '소외'는 조건 ①, ② 모두 충족하지 못한다.
③ '교육'의 'ㄱ'은 여린입천장소리이고, 'ㅛ'와 'ㅠ'는 모두 이중 모음이다. 따라서 '교육'은 조건 ①, ② 모두 충족하지 못한다.
④ '규모'의 'ㄱ'은 여린입천장소리, 'ㅁ'은 입술소리이고, 'ㅠ'는 이중 모음, 'ㅗ'는 단모음이므로 조건 ②만 충족한다.

11 제시된 내용은 원순 모음에 대한 설명으로 ㉠, ㉡, ㉣에는 원순 모음 'ㅜ'가, ㉢에는 원순 모음 'ㅗ'와 'ㅜ'가 포함되어 있으나, ㉤에는 원순 모음이 포함되어 있지 않다.

12 소리 낼 때 혀의 최고점이 앞쪽에 있는 전설 모음에는 'ㅣ, ㅟ, ㅔ, ㅚ, ㅐ'가 있는데, ㉮에는 사용되지 않았다. 'ㅗ'는 소리 낼 때 혀의 최고점이 입안의 뒤쪽에 있는 후설 모음이다.

오답 풀이 ①, ② '똡'의 'ㅗ'는 양성 모음이자 원순 모음에 해당한다.
③ 양성 모음은 밝고, 가볍고, 작은 느낌을 주는 모음이다. 따라서 양성 모음 'ㅗ'가 쓰인 '똡'을 반복하며 빗방울이 떨어지는 소리를 표현한 시구는 작은 빗방울이 가볍게 떨어지는 느낌을 줄 것이다.
④ 받침을 발음할 때 입안이나 코안이 울리는 소리는 'ㄴ, ㄹ, ㅁ, ㅇ'이다. '똡'에는 해당 자음이 쓰이지 않았으므로 받침을 발음할 때 입안이나 코안이 울리지 않는다.

13 서술형 직원은 '김의민'이라는 이름을 '김우민'이라고 잘못 들었는데, 이것은 말하는 사람이 모음 'ㅢ'를 정확하게 발음하지 못했기 때문이라고 할 수 있다.

14 이 연설은 연설자가 지금까지 살아오면서 얻은 교훈을 청중에게 전달하고, 청중이 실패를 통해 배우는 긍정적인 삶의 자세와 상상력을 통해 타인을 헤아리는 마음의 중요성을 깨닫도록 설득하는 것을 목적으로 하고 있다.

15 이성적 설득 전략이란 연설자가 자신의 주장에 대한 타당한 근거를 들어 청중을 논리적으로 설득하는 것으로, 다양한 논증 방법을 활용하거나 통계 자료, 전문가의 의견, 역사적 사실 등을 근거로 제시하는 방법을 활용한다. ㉢은 이러한 방법에 해당하지 않으므로 이성적 설득 전략이라 보기 어렵다.

16 서술형 연설자는 (가)~(다)의 내용을 통해 '실패를 경험하며 배우는 삶의 어려움을 극복하는 자세'에 대해 이야기하고 있으며, (라)~(마)의 내용을 통해 '상상력을 통해 타인의 아픔을 헤아리는 태도의 중요성'에 대해 이야기하고 있다.

4 논리로 여는 세상

(1) 논리적으로 읽기

간단 체크 개념 문제 본문 144쪽

1 (1) ○ (2) ○ (3) × **2** 논증 **3** ③

1 (3) 개별적이고 구체적인 사실에서 보편적이고 일반적인 주장을 이끌어 내는 논증 방법은 귀납에 해당하는 설명이다.

2 논증은 주장과 근거 간의 관계를 말하며, 어떤 명제에 대해 타당한 근거를 들어 주장을 이끌어 내는 방법을 말한다.

3 〈보기〉는 '곤충은 몸이 머리, 가슴, 배로 나뉜다.(대전제)', '잠자리는 곤충이다.(소전제)', '따라서 잠자리의 몸은 머리, 가슴, 배로 나뉜다.(결론)'의 삼단 논법이 쓰인 연역에 해당한다.

학습콕 본문 145~148쪽

145쪽 청소년, 문제 상황
146쪽 사회성
147쪽 활력, 스트레스
148쪽 범죄 예방, 주장, 귀납

간단 체크 내용 문제 본문 145~148쪽

145쪽 **01** ③ **02** ②
146쪽 **03** ② **04** ⑤ **05** 통계 자료의 인용
147쪽 **06** ② **07** ③
148쪽 **08** ① **09** ① **10** 우리 사회는 청소년 놀이 공간을 확대하기 위해 노력해야 한다.

01 (가)~(다)는 이 글의 서론 부분에 해당하며, 글쓴이의 핵심 주장인 '청소년에게 놀 공간을 제공하자.'는 서론에 제시되어 있지 않다.

02 (가)에서 글쓴이는 오이시디(OECD) 가입국 중 한국 학생들의 학습량은 최상위권을, 반대로 삶의 만족도는 최하위권을 차지하고 있어 한국 학생들이 불행하다고 하였다.

03 (라)~(마)는 청소년 놀이 공간의 확대 효과를 제시함으로써 청소년 놀이 공간을 확대해야 한다는 주장을 뒷받침하고 있다.

04 (라)에서 글쓴이는 청소년 놀이 공간이 청소년에게 다양한 경험과 만남의 기회를 제공해 주므로 청소년의 사회성을 기르는 데 기여할 것이라고 보았다.

05 (마)에서는 '2015년 통계청 조사'라는 객관적 자료를 제시해 글쓴이의 주장에 설득력을 높이고 있다.

06 ②는 시, 수필과 같은 정서를 표현하는 글을 읽는 방법이다. 이 글은 주장하는 글(논설문)로 이와 같은 갈래의 글을 읽을 때에는 글쓴이의 관점을 파악할 수 있어야 한다.

07 ①, ②, ④, ⑤는 청소년 놀이 공간 확대가 청소년 범죄를 예방하는 효과가 있음을 뒷받침하지만, ③은 청소년 범죄가 증가하는 현실을 보여 줄 뿐 ㉠을 뒷받침하는 내용이 아니다.

08 (사)는 이 글의 구성 단계 중 결론에 해당한다. 주장하는 글의 결론에서는 주로 본론의 주요 내용을 정리하고 글쓴이의 주장을 강조한다.

09 이 글에서는 청소년 놀이 공간 확대의 긍정적인 측면 세 가지를 근거로 제시하고, 이를 통해 '청소년 놀이 공간을 확대하자.'는 주장을 이끌어 내는 귀납 논증이 쓰였다.

10 이 글은 청소년 놀이 공간 확대의 효과를 근거로 제시해 '청소년 놀이 공간을 확대하자.'는 주장을 이끌어 냈다.

간단 체크 어휘 문제 본문 145~148쪽

147쪽 (1) ㉡ (2) ㉠ (3) ㉢

학습 활동 본문 149~154쪽

이해 설득, 놀이 공간, 우열, 우열, 연역, 구조
적용 존엄성, 연역, 귀납

간단 체크 활동 문제 본문 149~154쪽

01 ③ **02** ㉠: 근거, ㉡: 확대, ㉢: 귀납 **03** ④ **04** ④ **05** ③, ⑤ **06** ① **07** ⑤ **08** ④ **09** ① **10** 여름이는 가수야. **11** ②

01 이 글을 쓴 목적은 '청소년 놀이 공간을 확대해야 한다.'는 주장을 통해 독자를 설득하는 것이다.

02 이 글의 논지 전개를 살펴보면 청소년 놀이 공간 확대의 긍정적 측면들을 근거(㉠)로 청소년 놀이 공간을 확대(㉡)해야 한다는 주장을 이끌어 내고 있으므로 귀납(㉢) 논증에 해당한다.

03 이 글은 청소년 놀이 시설을 확대했을 때 발생할 개별적이고 구체적인 효과들을 근거로 하여 '청소년 놀이 시설을 확대해야 한다.'라는 일반적이고 보편적인 내용을 주장으로 제시하고 있다.

04 ㉠에서는 연역 논증을 통해 음악의 아름다움에는 우열이 존재하지 않는다는 결론을 이끌어 내고 있다. 또한 이를 근거로 방송 프로그램에서 음악의 아름다움을 두고 우열을 가리는 것은 적절하지 않다는 주장을 펼치고 있다.

05 ㉡에서는 연역 논증이 사용되었으며 이와 같은 논증 방법이 쓰인 것은 ①, ②, ④에 해당한다.

오답 풀이 ③ 일반화의 예로 일반화는 귀납에 속한다.
⑤ 유추의 예로 유추는 귀납에 속한다.

06 논증 방법을 파악하며 글을 읽으면 글쓴이의 주장이 논리적이고 타당한지 능동적으로 판단하며 읽을 수 있다.

07 이 글은 '인간이 모두 존엄하다는 사실을 알고 자신과 타인을 존중하며 살아가자.'는 글쓴이의 주장이 나타난 논설문이다.

08 이 글은 일반적인 원리에서 구체적이고 개별적인 결론을 이끌어 내는 연역 논증이 사용되었다.

09 연역 논증은 제시된 일반적인 사실이 참이면 결론도 언제나 참이며, 전제가 거짓이면 결론도 거짓이다.
오답 풀이 ②, ③ 귀납 논증의 특징에 해당한다.
④ 일반화에 대한 설명으로 일반화는 귀납에 속한다.
⑤ 유추에 대한 설명으로 유추는 귀납에 속한다.

10 '가수들은 노래를 잘해.'는 대전제, '여름이는 가수야.'는 소전제, '여름이도 노래를 잘하겠네.'는 결론에 해당한다.

11 ㉮, ㉯는 구체적 사실, ㉰는 구체적 사실로부터 이끌어 낸 일반적 원리에 해당한다. 이와 같이 구체적 사실에서 일반적 원리를 이끌어 내는 논증 방식을 귀납이라고 한다.

압축 파일 본문 155쪽

❶ 문제 ❷ 긍정적 ❸ 사회성 ❹ 귀납 ❺ 통계
❻ 귀납 ❼ 전제

시험에 나오는 소단원 문제 본문 156~157쪽

01 ⑤ **02** ② **03** 청소년 놀이 공간 확대의 긍정적인 측면
04 ③ **05** ① **06** 청소년 놀이 공간을 확대하면 청소년의 일탈이 줄게 되므로 범죄 예방에도 효과가 있다. **07** ③

01 이 글은 청소년 놀이 공간 확대의 효과들을 근거로 제시하여 청소년 놀이 공간을 확대해야 한다는 주장을 펼치고 있을 뿐, 글의 목적과 상반된 주장에 대해 반박하고 있지 않다.

02 (다)~(마)에서는 '청소년 놀이 공간 확대의 효과'라는 개별적이고 구체적인 내용을 근거로, '청소년 놀이 공간을 확대해야 한다.'라는 일반적이고 보편적인 내용을 주장하고 있다. 따라서 귀납 논증을 사용하고 있음을 알 수 있다. ②는 일반적인 원리나 법칙으로부터 개별적이고 구체적인 사례를 이끌어 내는 연역 논증을 사용한 예이다.
오답 풀이 ①, ③, ④ 귀납 논증을 사용한 예이다.
⑤ 유추를 사용한 예로, 유추는 귀납 논증에 속한다.

03 서술형 ⓐ, ⓑ는 모두 청소년 놀이 공간을 확대해야 한다는 글쓴이의 주장을 뒷받침하는 근거로서 청소년 놀이 공간 확대의 긍정적인 측면을 보여 준다.

04 (가)~(다)는 청소년 놀이 공간을 확대했을 때의 긍정적인 효과(청소년 범죄 예방 효과)를 제시해 청소년 놀이 공간을 확대해야 한다는 (라)의 주장을 뒷받침한다.

05 (다)에서 어른들의 간섭 없이 자신들의 문화가 보장되는 청소년 놀이 공간이 확대된다면 청소년의 일탈과 범죄도 예방할 수 있다고 하였으나, 청소년들끼리만 모아 두는 것이 일탈의 원인이 된다는 것은 아니다.

06 서술형 (가)~(다)에서는 청소년 놀이 공간이 확대되면 청소년의 범죄 예방에 효과가 있음을 말하고 있으며, 이것이 (가)의 첫 문장에 직접 제시되어 있다.

07 '인간이라면 모두 존엄성을 지니고 있습니다.'를 대전제로 보고, '나와 당신, 모두가 어떤 모습으로 살아가더라도 우리는 존엄한 존재입니다.'를 결론으로 본다면, 소전제는 '나와 당신, 모두는 인간이다.'가 된다.

(2) 주장하는 글 쓰기

학습 활동 본문 158~166쪽

이해 언어 차이, 민간, 인쇄, 민간 교류
적용 내면

학습콕 본문 158~166쪽

163쪽 예상 독자, 생성, 초고, 표준어

간단 체크 활동 문제 본문 158~166쪽

158쪽 **01** ㄷ, ㄹ **02** ③
159쪽 **03** ⑤ **04** ①
160쪽 **05** 다양한 매체를 활용해 주제와 관련된 자료를 수집한다. **06** ③ **07** ②
161쪽 **08** ①
162쪽 **09** ④ **10** ④
163쪽 **11** ① **12** ⑤
164쪽 **13** 자신의 관심과 흥미 **14** ②
165쪽 **15** ⑤ **16** ①
166쪽 **17** ⑤

01 글의 주제와 목적, 예상 독자 등에 따라 글의 구성이나 내용이 달라지므로 글을 쓰기 전 계획하기 단계에서 이를 구체적으로 설정해 두어야 한다.

02 ㉠은 남과 북이 같은 말을 쓰는 민족임에도 언어 차이 때문에 어려움을 겪었다는 내용을 담고 있다. '미르'가 이를 고려하여 주장하는 글을 쓴다면 '남북한의 언어 차이를 좁히기 위해 노력해야 한다.'는 주제로 글을 쓸 수 있을 것이다.

03 '자료 1'은 북한어를 남한에서 사용하는 단어로 번역해 주는 앱이 개발되어 탈북 학생에게 도움을 줄 것으로 기대하고 있다는 내용을 담고 있다. 이를 활용해 남북한 언어 차이를 줄일 수 있는 기술 개발이 필요하다는 주장을 뒷받침할 수 있다.

04 '자료 2'는 남북한 언어의 차이를 극복하는 방안 중에서도 남북 간 민간 차원 교류의 필요성과 효과에 대한 내용을 마련할 때 활용할 수 있다.

05 자료를 활용하면 주장을 뒷받침할 수 있는 다양한 근거를 마련할 수 있는데, 이때 인쇄 매체, 영상 매체, 디지털 매체 등을 활용할 수 있다.

06 개요는 글을 쓰기 전에 여러 가지 생각을 독자가 쉽게 이해할 수 있도록 조직하고 배열하는 과정을 말한다. 주장하는 글의 개요를 작성할 때에는 독자가 흥미를 가질 수 있는 내용 순서가 아니라 글의 일관성을 고려하여 '서론－본론－결론'의 짜임에 맞게 구성해야 한다.

07 '미르'가 작성한 개요에서 본론의 주장들은 곧 남북한의 언어 차이를 좁히기 위한 구체적인 방안에 대한 것이다.

08 서론은 글의 전체적인 인상을 좌우하므로 독자의 관심을 끌 만한 내용을 제시하고(ㄱ), 주제와 관련된 사회 현상에 대한 문제 제기를 하는 것이 좋다(ㄴ). 또한 본론은 글의 중심이 되는 부분이므로 주장을 뒷받침할 타당한 근거를 제시해야 한다(ㄹ).

오답 풀이 ㄷ. 일반적으로 서론에서 제기한 문제에 대해 답하는 형식으로 간결하게 정리하는 것은 결론을 쓰는 방법에 해당한다.
ㅁ. 글을 쓰게 된 동기를 명확히 밝히는 것은 서론을 쓰는 방법에 해당한다.

09 이 글은 글쓴이가 자신의 주장을 타당한 근거를 들어 논리적으로 서술하는 주장하는 글이다. 따라서 주장이 명확하게 드러나도록 체계적이고 짜임새 있게 글을 써야 한다. 표현 방법을 다양하게 쓸수록 좋은 글이 되는 것은 아니다.

10 이 글의 네 번째 문단에서 통일 시대 국어 생활에 대비하는 태도로 말하고자 하는 바는, 기술을 이용해 남북한의 언어 차이를 줄일 수 있는 방법을 개발해야 한다는 것이지 남한의 언어를 공용어로 결정해야 한다는 것은 아니다.

11 밑줄 친 문장은 글쓴이 자신의 개인적 선호를 주장의 근거로 삼은 것으로, 타당성과 객관성이 부족하다.

12 이념이 잘 드러나는 어휘들을 중심으로 남북한의 언어를 통합하면 남북한 언어의 이질성이 더 커질 것이므로 ⑤와 같은 반응은 적절하지 않다.

13 〈보기〉에서는 청소년의 팬클럽 활동에 대한 관심과 흥미를 바탕으로 이와 관련된 글의 주제를 정했다.

14 ②는 외모 지상주의를 부추길 수 있는 자료이므로 〈보기〉의 주제로 글을 쓸 때 활용하기에는 적절하지 않다.

15 이 글에서 글쓴이가 말하고자 하는 바는 청소년에게 긍정적 영향을 끼치는 팬클럽 활동에 관한 것이다. ⑤는 청소년 팬클럽 활동의 부정적인 면을 뒷받침하는 내용이므로 이 글의 '결론'에 들어갈 내용으로 적합하지 않다.

16 '청소년기의 외모 집착 현상은 바람직하지 않다.'는 주장을 뒷받침하려면 근거의 내용이 외모 지상주의의 문제점을 담고 있어야 한다. 하지만 ①은 외모 지상주의를 인간의 본능으로 인정하고 있으므로 제시된 주장에 대한 근거로 적절하지 않다.

17 본론에서는 주장을 뒷받침하는 근거로 신문 기사의 내용을 인용하고 있을 뿐 글쓴이의 경험을 직접 제시하고 있지 않다.

압축 파일

본문 167쪽

❶ 주제 ❷ 영상 ❸ 디지털 ❹ 개요 ❺ 주제 ❻ 근거 ❼ 객관성 ❽ 동질성

시험에 나오는 소단원 문제

본문 168~169쪽

01 ② **02** ④ **03** ⑤ **04** 남북한의 언어 차이를 좁히기 위해 노력해야 한다. **05** ② **06** ⑤ **07** 특히 내가 제일 좋아하는 스포츠 종목이 축구이므로 남북 축구 단일팀을 만들어야 한다. **08** ④

01 (가)는 글의 주제, 예상 독자 등을 정하는 계획하기 단계에 해당하며, (나)는 주제에 맞게 다양한 자료를 수집하는 내용 생성하기 단계에 해당한다.

02 (가)는 주장하는 글을 쓰는 과정 중 계획하기 단계에 해당한다. (가)의 내용으로 보아, '미르'는 '남북한의 언어 차이를 좁히기 위해 노력해야 한다.'라는 주제로 주장하는 글을 써서 예상 독자인 '우리 반 친구들'을 설득하고자 한다.

03 자료의 신뢰성은 자료의 객관성과 정확성이 전제될 때 확보되는 것이지 전문적인 용어의 사용 여부와는 관계가 없다.

04 서술형 '자료 1'은 북한어를 남한어로 번역해 주는 앱이 개발됐음을 보여 주는 인쇄 매체 자료이며, '자료 2'는 민간 차원의 교류를 통해 언어의 통합을 비롯한 남북의 통합도 앞당길 수 있음을 보여 주는 영상 매체 자료이다. 따라서 둘 모두 남북한의 언어 차이를 좁히기 위해 어떻게 해야 하는지를 뒷받침하는 자료에 해당한다.

05 초고는 글의 주제와 목적, 예상 독자를 정한 후 자료를 수집하여 내용을 조직한 후 쓰는 것이다. 초고를 쓴 후 틀린 부분이나 어색한 부분이 있으면 고쳐 쓰는 것이 좋지만, 글의 목적은 계획하기 단계에서 정해야만 글의 전체적인 흐름을 유지할 수 있고 주장과 근거의 일관성을 확보할 수 있으므로 초고를 쓰기 전에 확정 짓는 것이 좋다.

06 이 글의 결론에 해당하는 것은 (마)로, (마)의 중심 내용은 '통일 시대의 국어에 관심을 가지고 남북 간의 언어 차이를 좁히기 위해 노력해야 한다.'이다.

07 서술형 (다)의 '특히 내가 ~ 만들어야 한다.'는 글쓴이 자신의 개인적 선호를 주장의 근거로 삼은 것으로, 타당성과 객관성이 부족하다.

08 (나)~(라)에서 남북한 언어의 이질성을 극복하는 방안을 제시하고 있으므로 (가)와 (나) 사이에는 ④와 같은 내용이 오는 것이 적절하다.

어휘력 키우기

본문 170쪽

01 ③ **02** ③

01 '제정되다'는 '제도나 법률 따위가 만들어져서 정하여지다.'라는 의미이다. ③은 '재정비되다'의 뜻풀이에 해당한다.

02 ③에 어울리는 단어는 '의논'이며, '논거'는 '어떤 이론이나 논리, 논설 따위의 근거'를 뜻한다.

시험에 나오는 대단원 문제

본문 171~174쪽

01 ③ **02** ④ **03** ⑤ **04** 청소년 놀이 공간을 확대하면 청소년들의 사회성 함양, 스트레스 해소, 일탈과 범죄 예방에 도움이 된다. **05** ④ **06** 청소년 놀이 공간을 확대하자. **07** ⑤ **08** ① **09** ⑤ **10** ③ **11** ④ **12** ①, ⑤ **13** ② **14** ③ **15** ③ **16** (나), (다), (라)는 주장과 그에 대한 근거로 구성되어 있다. **17** ⑤

01 (마)에서 청소년 놀이 공간이 사회 안전망 역할을 하여 청소년 일탈과 범죄 예방에 기여한다고 했을 뿐, 청소년 놀이 공간이 별도의 사회 안전망과 감독이 필요하다는 것은 아니다.

02 (가)에서는 청소년이 놀 수 있는 시간과 공간이 부족한 상황을 문제로 제기하고(ㄴ), (나)에서는 질문을 통해 독자의 주의를 환기하는 한편 이어질 내용에 대한 흥미를 높이고 있다(ㄹ).

오답 풀이 ㄱ. (나)에서는 본론 부분에서 청소년 놀이 공간 확대의 긍정적인 측면에 대해 이야기할 것임을 안내하고 있을 뿐 문제가 발생한 원인을 다각도로 분석하고 있는 것은 아니다.
ㄷ. (가)에서는 청소년들이 여가를 즐길 수 있는 공간이 부족한 현실에 대해 문제를 제기하고 있을 뿐 놀이를 즐기지 못하는 청소년들을 비판하고 있는 것은 아니다.

03 이 글은 (다)~(마)에서 '청소년 놀이 공간 확대의 효과'라는 개별적이고 구체적인 내용을 근거로 제시하여 '청소년 놀이 공간을 확대해야 한다.'라는 일반적이고 보편적인 내용을 주장으로 이끌어 내고 있다. 따라서 귀납 논증이 사용되었음을 알 수 있다. ⑤에 제시된 내용이 귀납 논증에 대한 설명에 해당한다.

오답 풀이 ①, ②, ③ 연역에 해당하는 설명이다.
④ 유추에 해당하는 설명으로, 유추도 귀납에 포함되나 이 글에 유추는 사용되지 않았다.

04 고난도 서술형 이 글의 글쓴이는 청소년 놀이 공간을 확대하자는 주장을 내세우고 있다. 이를 뒷받침하기 위해 (다)에서는 청소년 놀이 공간 확대가 청소년의 사회성을 기르는 데 기여할 것이라는 근거를, (라)에서는 청소년의 스트레스 해소에 도움이 된다는 근거를, (마)에서는 청소년 일탈과 범죄 예방에 기여한다는 근거를 들고 있다.

평가 목표	주장을 뒷받침하는 근거 파악하기
채점 기준	✔ 주장을 뒷받침하는 근거 세 가지를 쓴 경우 [상] ✔ 주장을 뒷받침하는 근거 두 가지를 쓴 경우 [중] ✔ 주장을 뒷받침하는 근거 한 가지를 쓴 경우 [하]

05 논증은 주장과 근거 사이의 관계를 나타내는 것으로, 논증 방법을 파악하며 글을 읽는 것과 글에 담긴 정보들 간의 중요도를 판단하는 것은 관련이 없다.

06 서술형 (가)~(나)에서 글쓴이는 청소년을 위한 놀이 공간을 확대해야 하는 이유를 근거로 제시하고 청소년 놀이 공간의 필요성을 강조함으로써 '청소년 놀이 공간을 확대하자.'라고 주장하고 있다.

07 (다)에서는 색깔의 아름다움에 우열이 없음을 예로 들어 음악의 아름다움을 두고 우열을 가릴 수 없음을 말하고 있다.

08 (라)에서 '나 자신을 비롯한 모든 사람은 존엄성을 지닌다.'라는 결론을 이끌어 내려면 '인간은 모두 존엄성을 지닌다.'가 대전제가 되어야 하고, '나 자신을 비롯하여 모든 사람은 인간이다.'가 소전제가 되어야 한다.

09 (가)는 평창 동계 올림픽 당시 남북한 아이스하키 단일팀을 구성했지만 양측의 언어 차이로 선수들이 소통에 어려움을 느꼈음을 보여 주는 뉴스이다. 이를 통해 서론에서는 분단 이후 남한과 북한의 언어가 많이 달라져 소통이 어려워졌음을 문제로 제기할 수 있다.

10 (다)는 남과 북이 함께 『겨레말 큰사전』을 만드는 일은 민족 문화 공동체의 폭과 깊이를 확장하고 진정한 통일을 준비하는 일이라는 내용을 담고 있다. 따라서 남북한 공통 국어사전의 편찬 작업을 계속해서 이어 가야 한다는 주장을 뒷받침할 수 있다.

11 글의 목적과 주제, 예상 독자를 설정하는 계획하기 단계 이후 내용 생성하기 단계에서는 (나)와 같이 주장을 뒷받침할 수 있는 다양한 근거를 마련하기 위해 자료를 수집해야 한다.

12 개요를 작성할 때 서론에는 중심 화제나 글을 쓰고자 하는 동기를 제시하고, 결론에는 본론을 요약한 내용 및 앞으로의 과제를 제시하는 것이 적절하다.

오답 풀이 ② 본론에 들어가는 것이 적절한 내용이다.
③ 결론에 들어가는 것이 적절한 내용이다.
④ 서론에 들어가는 것이 적절한 내용이다.

13 주장하는 글에서 근거는 '주장을 뒷받침하기에 보편적이고 타당한가?'를 기준으로 평가해야 한다.

14 (라)에서 말하고자 한 바는 한 회사에서 남한의 어휘를 북한의 어휘로 바꾸어 주는 앱을 만들어 탈북 청소년에게 도움을 주었다는 것이지 탈북 청소년이 그러한 앱을 만들어야 한다는 것은 아니다.

15 이 글에 남한과 북한의 언어 순화 정책을 비교한 내용이나 이에 대한 내용을 담고 있는 책은 제시되어 있지 않다.

16 서술형 (가)는 서론, (나)~(라)는 본론, (마)는 결론에 해당한다. (나), (다), (라)에서는 각각 주장을 먼저 내세우고 이를 뒷받침하는 근거를 제시하는 형태의 짜임을 보인다.

17 ㉠은 글쓴이 자신의 개인적 선호를 근거로 삼은 것으로, 타당성과 객관성이 부족하므로 고쳐 쓰거나 삭제해야 한다.

① 문제를 해결하는 힘

(1) 능동적으로 해결하며 읽기

간단 복습 문제 본문 03쪽

쪽지 시험 **01** 주장 **02** 문제 **03** 반대 **04** ○ **05** × **06** ○ **07** ㉠ **08** ㉣ **09** ㉡ **10** ㉢

어휘 시험 **01** 간이 **02** 유입 **03** 매립 **04** 감안 **05** 모색 **06** 국한 **07** 위협 **08** ㉡ **09** ㉢ **10** ㉠

05 「플라스틱은 전혀 분해되지 않았다」에서는 플라스틱이 가볍고 모양을 변형하기 쉽다는 장점이 있다고 하였다.

06 「항아리 냉장고'를 아시나요?」에서는 적정 기술이 적용된 발명품인 '항아리 냉장고', '라이프 스트로', '큐 드럼'에 대해 소개하고, 서남아시아의 '흙벽돌 집'과 추운 지역의 '이글루'와 같이 적정 기술이 적용된 건축물에 대해 설명하고 있다.

---

04 '감안하다'는 '여러 사정을 참고하여 생각하다.'의 의미이고 '회고하다'는 '지나간 일을 돌이켜 생각하다.'의 의미이므로, 제시된 문장에는 '감안'이 들어가야 의미상 적절하다.

05 '모색'은 '일이나 사건 따위를 해결할 수 있는 방법이나 실마리를 더듬어 찾음.'의 의미이고 '물색'은 '어떤 기준으로 거기에 알맞은 사람이나 물건, 장소를 고름.'의 의미이므로, 제시된 문장에는 '모색'이 들어가야 의미상 적절하다.

06 '국한하다'는 '범위를 일정한 부분에 한정하다.'의 의미이므로, 제시된 문장에는 '국한'이 들어가야 의미상 적절하다.

07 '위협'은 '힘으로 으르고 협박함.'이라는 뜻을 지닌 단어로, '생명을 위협하다.', 인간의 생존을 위협하다.' 등과 같이 쓰인다.

예상 적중 소단원 평가 본문 04~05쪽

01 ④ **02** ⑤ **03** ③ **04** 우리가 편하게 쓰고 쉽게 버리는 플라스틱이 심각한 문제를 야기한다는 사실을 강조하기 위해서이다. **05** ③ **06** ⑤ **07** ③ **08** 전기를 사용하지 않으면서 사람들의 어려움을 해결해 준다.

01 이 글의 (가), (나)에서는 플라스틱이 잘 썩지 않으며 재활용이 쉽지 않다는 점, (다), (라)에서는 플라스틱이 동물과 인간에게 다양한 피해를 주고 있다는 점을 설명하고 있다. 이를 통해 이 글은 플라스틱 쓰레기로 인한 부작용을 지적하고 있음을 알 수 있다.

02 〈보기〉에서 학생은 글의 내용과 관련된 동영상을 보았던 자신의 경험을 떠올리고, 그때 얻었던 배경지식을 바탕으로 글을 읽음으로써 글쓴이의 주장을 명확하게 이해했다고 밝히고 있다. 이는 배경지식을 활용하여 글의 내용을 깊이 있게 이해한 예에 해당한다.

03 플라스틱 쓰레기가 깨지고 닳아 작은 크기로 부서진다고 하였는데, 이때 부서지면서 만들어진 플라스틱이 미세 플라스틱이다. 따라서 처음부터 미세 플라스틱으로 제조되었다고 볼 수 없다.

오답 풀이 ① '사람들의 생각과 달리 재활용되는 플라스틱의 양은 그리 많지 않다.'라고 하였으므로, 사람들은 플라스틱을 쉽게 재활용할 수 있다고 생각하고 있음을 알 수 있다.
② '이물질이 많이 묻어 있거나 세척되지 않은 채 버려지는 용기류가 많아' 재활용을 하더라도 품질이 떨어지는 제품을 만들 수밖에 없다고 하였다.
④ '앨버트로스는 이 플라스틱의 알록달록한 빛깔에 이끌려' 그것을 먹이로 착각하고 플라스틱 조각을 삼키게 된 것이다.
⑤ '미세 플라스틱은 물고기의 내장이나 싱싱한 굴 속에도 유입되어 우리의 식탁에 오른다.'라고 하였으므로, 어류를 섭취하는 과정에서 미세 플라스틱이 우리의 몸속으로 들어와 우리의 건강을 위협하게 되는 것임을 알 수 있다.

04 **서술형** '소탐대실'은 '작은 것을 탐하다가 큰 것을 잃는다.'라는 의미이다. 이를 바탕으로 볼 때, ⓐ는 편하다고 무분별하게 플라스틱을 사용하다 보면 결국 그 피해는 인간에게 더 크게 돌아오게 된다는 의미를 전달하는 것임을 알 수 있다. 따라서 글쓴이는 플라스틱이 심각한 문제를 야기할 수 있다는 점을 강조하기 위해 사자성어를 활용한 것으로 볼 수 있다.

05 (가)~(라)는 모두 적정 기술이 적용된 사례를 소개하고 있다(ㄴ). 또한 (나)에서는 '라이프 스트로'와 '큐 드럼', (다)에서는 '흙벽돌 집', (라)에서는 '이글루'의 기본 원리와 기능을 분석하고 있다(ㄷ).

06 (마)에는 적정 기술을 통해 부족한 에너지를 보충할 방안을 모색해 보자는 글쓴이의 제안이 제시되어 있다. 글쓴이의 경험과 그를 통해 얻은 교훈은 제시되지 않았으므로 ⑤는 적절한 읽기 방법이 아니다.

오답 풀이 ①, ④ 글을 읽다가 모르는 단어가 나오면 바로 사전을 찾아보거나, 앞뒤 문맥을 통해 단어의 의미를 파악하며 글을 읽을 수 있다. 이렇게 모르는 단어의 뜻을 찾아 읽으면 글의 정보를 정확하게 이해할 수 있고, 글쓴이가 무엇을 말하고자 하는지 쉽게 파악할 수 있다.
② 글을 읽다가 이해가 되지 않는 부분이 생기면 사진 등과 같은 자료를 참고하여 내용을 파악할 수 있다.
③ 글에 나타난 정보와 자신의 배경지식을 관련지으면서 글을 읽으면, 글의 내용을 더 깊이 있게 이해할 수 있다.

07 (다)에서 공기가 통하는 창문을 꼭대기에 설치한 것은 가열된 공기가 위로 올라가기 때문이다. 즉 상승한 더운 공기가 위쪽에 있는 창문을 빠져나가게 하기 위한 것이다. 〈보기〉는 물의 대류 현상에 대한 설명이므로, (다)의 내용을 이해하는 데 도움을 줄 수 있다.

08 〈보기〉에 제시된 '대형 그물'은 전기를 사용하지 않으면서 물이 부족한 사람들에게 먹을 물을 제공해 준다. 이와 마찬가지로 '항아리 냉장고'도 냉장고나 전기를 사용할 수 없는 사람들이 음식물을 오래 보관할 수 있도록 해 주는 기술이다.

고득점 서술형 문제 본문 06~07쪽

1단계 **01** 플라스틱의 개념 및 장점 **02** 잘 썩지 않는다. **03** 동물에게 피해를 준다. **04** 문제의 심각성을 부각하기 위해(또는 문제에 대한 독자의 경각심을 유발하기 위해) **05** 설의법
2단계 **06** '소탐'은 플라스틱을 편하게 쓰고 쉽게 버리는 행태를, '대실'은 환경이 오염되고 동물과 인간의 건강이 위협받게 된 상황을 의미한다. **07** 플라스틱 조각(미세 플라스틱)을 먹이로 착각하여 삼킨 앨버트로스는 영양실조에 걸려 **08** 플라스틱 사용을 줄이고, 특히 일회용 플라스틱 제품은 더더욱 선택하지 말자. 플라스틱은 잘 썩지 않아서 지구의 환경을 오염시키기 때문이다.(또는 플라스틱은 동물과 인간의 건강을 위협하고 있기 때문이다.)
3단계 **09** 공정하다. 플라스틱의 문제점뿐만 아니라 플라스틱의 장점에 대해서도 설명하고 있으며, 플라스틱을 전혀 사용하지 않는 것이 어렵다는 입장을 고려하여 플라스틱 사용을 줄이자는 주장을 제시하고 있다. **10** 타당하지 않다. 한 번 사용하고 버리는 일회용품 플라스틱은 썩지 않는 쓰레기로 남아 동물, 관광 산업, 선박, 사람 등에 다양한 피해를 입히기 때문이다.

1단계

01 (가)에서는 플라스틱이 석유에서 추출한 원료를 결합하여 만든 고분자 화합물의 한 종류라고 하며 그 개념을 밝히고 있다. 또한 매우 가볍고 모양 변형이 쉬우며 다양한 빛깔로도 만들 수 있다는 플라스틱의 장점을 설명하고 있다.

02 (나)의 첫 번째 문장에서 '플라스틱이 문제가 되는 이유는 바로 플라스틱이 잘 썩지 않는 물질이라는 데 있다.'라고 하며 그 특성을 제시하고 있다.

03 (다)에서는 플라스틱을 먹이로 착각하여 삼킨 앨버트로스가 죽어 가게 된 사례를 제시하여 플라스틱이 동물에게 피해를 준다는 문제점을 지적하고 있다.

04 (라)에서 글쓴이는 플라스틱이 인간의 건강을 위협할 수 있다고 설명하고 있다. 이는 글쓴이가 제시하는 문제점이 글을 읽는 독자와도 무관하지 않음을 알림으로써 플라스틱 사용 문제의 심각성을 부각하고 이에 대한 독자의 경각심을 유발하기 위한 것이다.

05 '그런데도 계속해서 플라스틱을 이렇게 편하게 쓰고 쉽게 버려도 될까?'라는 문장은 설의법이 사용된 것으로, 이를 통해 플라스틱 사용에 대한 독자의 생각 변화를 유도하고 글쓴이의 주장을 강조하고 있다.

2단계

06 '소탐대실'은 '작은 것을 탐하다가 큰 것을 잃음.'이라는 의미를 지닌 사자성어이다. 글쓴이는 이 사자성어를 활용하여 편하다는 이유로 무분별하게 플라스틱을 사용하다 보면 결국 그 피해가 인간에게 더 크게 돌아오게 된다는 의미를 전달하고 있다.

07 (다)에서 죽은 앨버트로스의 몸속에는 플라스틱 조각들이 가득 차 있었다고 하였다. 〈보기〉를 참고할 때, 이 플라스틱 조각은 플라스틱 제품이 부서지면서 만들어진 미세 플라스틱이며, 앨버트로스는 이것을 먹이로 착각하여 먹은 뒤 위장 장애 및 영양실조 등의 문제를 겪으면서 서서히 죽어 갔을 것임을 알 수 있다.

08 (마)에서 글쓴이는 플라스틱 사용을 전혀 하지 않고 생활하기는 어렵겠지만 줄일 수 있다면 줄이자고 주장하고 있다. 이 주장이 타당하다고 평가할 수 있는 근거는 플라스틱의 문제점, 플라스틱으로 인한 동물과 인간의 피해, 환경 오염 등의 내용을 활용할 수 있다.

3단계

09 이 글의 글쓴이는 (가)에서 플라스틱의 장점을 설명하고 있는데, 이는 글쓴이의 주장이 지나치게 어느 한쪽에 치우치지 않았음을 보여 준다. 또한 (마)에서 글쓴이는 플라스틱 사용을 하지 말자는 것이 아니라 플라스틱 사용을 줄이자는 주장을 펼치고 있는데, 이는 플라스틱을 전혀 사용하지 않는 것은 어렵다는 입장을 고려한 주장으로 볼 수 있다.

평가 목표	주장의 공정성 평가하기
채점 기준	✔ '공정하다'라고 평가하고, 글의 내용을 바탕으로 평가의 이유 두 가지를 쓴 경우 [20점] ✔ '공정하다'라고 평가하고, 글의 내용을 바탕으로 평가의 이유 중 한 가지를 쓴 경우 [10점] ✔ '공정하다'라고 평가하였으나 평가의 이유를 바르게 쓰지 못한 경우 [5점] ✔ 띄어쓰기나 맞춤법이 잘못되었을 경우 [1점씩 감점]

10 글쓴이는 플라스틱이 많은 장점을 가지고 있음에도 불구하고 인간의 건강까지 위협할 만큼 심각한 문제를 야기한다는 점을 근거로 제시하며 일회용 플라스틱 제품을 사용하지 말아야 한다는 주장을 내세우고 있다. 그에 비해 〈보기〉는 일회용품 플라스틱의 사용을 정당화하는 내용이므로 글쓴이의 주장과 상반된다. 따라서 글쓴이는 〈보기〉에 제시된 주장이 타당하지 않다고 평가할 것이다.

평가 목표	글쓴이의 주장과 관점 파악하기
채점 기준	✔ '타당하지 않다'라고 평가하고, 글의 내용을 바탕으로 평가의 이유를 정확하게 쓴 경우 [20점] ✔ '타당하지 않다'라고 평가하고, 글의 내용을 바탕으로 평가의 이유를 썼으나 글에 나타난 핵심 정보가 제시되지 않은 경우 [10점] ✔ '타당하지 않다'라고 평가하였으나 평가의 이유를 바르게 쓰지 못한 경우 [5점] ✔ 띄어쓰기나 맞춤법이 잘못되었을 경우 [1점씩 감점]

(2) 설득의 힘을 기르는 토론

간단 복습 문제

본문 09쪽

쪽지 시험 01 두 02 반론 03 정책 04 ○ 05 ○ 06 × 07 ㉢ 08 ㉡ 09 ㉠ 10 ㉣

어휘 시험 01 적정 02 규정 03 반론 04 감수 05 조치 06 한정 07 침해 08 ㉡ 09 ㉠ 10 ㉢

06 「교실에서의 에어컨 사용을 자율화해야 한다」에서 온도가 낮을 때 학생들의 시험 점수가 높아졌다는 연구 결과를 근거로 활용한 것은, 반대 측이 아니라 찬성 측이다.

04 '감수'는 '책망이나 괴로움 따위를 달갑게 받아들임.'의 의미이고 '감안'은 '여러 사정을 참고하여 생각함.'의 의미이므로, 제시된 문장에는 '감수'가 들어가야 의미상 적절하다.

07 '침해'는 '침범하여 해를 끼침.'이라는 뜻을 지닌 단어이다.

예상 적중 소단원 평가

본문 10~11쪽

01 ⑤ 02 ⑤ 03 주장이나 근거의 신뢰도를 높일 수 있다. 04 ③ 05 ① 06 ⓐ: 지구 온난화 문제, ⓑ: 환경 오염 문제를 예방할 수 있는 대안(방법)

01 (라)에서 '정은'은 '지구 생태 용량 초과의 날'이 앞당겨질 만큼 환경 문제가 심각하다고 강조하면서 지구 환경을 보호하기 위해 에어컨 사용을 자율화하면 안 된다고 주장하고 있다.

02 (가)에서 찬성 측인 '나현'은 누구나 자신이 좋아하는 환경에서 만족스럽게 생활할 수 있도록 에어컨 사용을 자율화해야 한다고 주장하였다. 그러나 〈보기〉에서는 사람마다 좋아하거나 만족하는 실내 온도의 조건이 다르다는 것이 드러나 있다. 그러므로 반대 측에서는 이를 활용하여 '나현'의 주장이 공평하지 않다고 반박할 수 있다.

03 서술형 (나)에서 '현중'은 관계자의 말을 인용하고 있으며, (다)에서 '미르'는 출처가 분명한 연구 결과를 활용하고 있다. 이를 통해 두 사람은 주장이나 근거의 신뢰성을 확보할 수 있다.

04 '나현'은 에어컨 사용 자율화로 인해 발생할 수 있는 갈등 문제를 규칙을 정하여 해결할 수 있다고 발언하고 있다(ㄱ). 또한 초·중등 교육법 제2조를 근거로 들어 폭염으로 인해 휴교를 하는 방법은 학습권을 침해하는 것임을 지적하며 상대측 주장이나 근거가 합리적이지 않다고 비판하고 있다(ㄹ).

05 〈보기〉는 에어컨 온도를 일괄적으로 26도로 제어하는 것이 타당하다는 것을 뒷받침하는 자료이므로 에어컨 사용을 자율화해서는 안 된다고 주장하는 반대 측에서 활용하는 것이 적절하다.

06 서술형 (나)에서 '정은'은 지구 온난화 문제를 근거로 들어 에어컨 사용을 자율화하는 것이 바람직하지 못하다고 반박하고 있다. (다)에서 '미르'는 친환경적인 방법으로 반대 측이 제기한 환경 오염 문제를 해결할 수 있다고 반박하고 있다.

고득점 서술형 문제

본문 12~13쪽

1단계 01 고전적 토론 02 교실에서의 에어컨 사용을 자율화해야 한다. 03 (다), (라), (마) 04 법률에 해당한다. 05 행복 추구권

2단계 06 ⓐ: 학생들의 권리를 보호하기 위해 에어컨 사용을 자율화해야 한다. / ⓑ: 학생들의 학습권을 보호하기 위해 에어컨 사용을 자율화하면 안 된다. 07 (나)에서는 학교 관계자의 말을 인용하고 있으며, (다)에서는 신뢰 있는 기관의 연구 결과를 활용하고 있다. 이를 통해 주장이나 근거의 신뢰성을 높이고 있다. 08 (다)에서는 상대측의 주장이 공평하지 않다는 점을 비판하고 있다. (라)에서는 상대측의 주장이나 근거가 합리적이지 않다(타당하지 않다)는 점을 비판하고 있다.

3단계 09 (나)에서 상대방의 의견에 동의하는 부분을 밝히는 것에서 알 수 있듯이, '현중'은 상대방의 발언을 경청하며 말을 하고 있다. (다)에서 상대방의 수업 태도를 근거로 들어 반론을 제기하는 것에서 알 수 있듯이, '현중'은 상대방의 주장이나 근거가 지닌 논리적 허점이나 오류에 대해 조리 있게 비판하지 않고 있다. 10 온도가 낮을 때 학생들의 시험 점수가 높아졌다. 따라서 학습 효과를 높이기 위해 에어컨 사용을 자율화해야 한다.

1단계

01 이 토론은 찬성 측과 반대 측이 각각 두 사람씩 한편이 되어 서로 번갈아 가면서 상대측의 주장에 대해 근거를 제시하며 반박하는 고전적 토론이다.

02 이 토론의 참여자들은 여름철 에어컨 사용과 관련하여 자율화 방식과 중앙 제어 방식을 두고 주장을 펼치고 있다.

03 (다), (라), (마)는 모두 반론 단계에 해당한다.

04 (가)에서는 헌법 제10조를, (라)에서는 초·중등 교육법 제2조를 근거로 활용하고 있다.

05 '나현'은 헌법 제10조를 근거로 들어 학생들에게 행복을 추구할 권리가 있음을 주장하고 있다. 이는 학생 대부분이 교실이 덥다고 느끼는 상황에서 에어컨 사용을 자율화하자는 주장을 강조하기 위한 것이다.

2단계

06 (가)에서 '나현'은 학생들이 행복 추구권을 실현할 수 있도록 에어컨 사용을 자율화해야 한다고 주장하고 있다. (나)에서 '현중'은 에어컨 사용을 자율화하면 학생들을 위한 교육 예산이 줄어들 것이므로 학생들의 학습권을 보호하기 위해 에어컨 사용을 자율화하면 안 된다고 주장하고 있다. 따라서 찬성과 반대의 의견이 나뉘는 지점인 쟁점은 '학생들의 권리를 보호하기 위해 에어컨 사용을 자율화해야 한다.'로 볼 수 있다.

07 (나)에서 '현중'은 관계자인 행정실장님의 말을 인용하고 있으며, (다)에서는 출처가 분명한 연구 결과를 활용하고 있다. '현중'은 이와 같은 말하기 방식을 통해 자신이 내세우는 주장과 근거의 신뢰성을 확보할 수 있다.

08 (다)에서 '현중'은 에어컨의 온도를 자율적으로 조절한다고 해도 모든 학생이 만족할 수는 없다고 말하며 상대측 주장이 공평하지 않음을 지적하고 있다. (라)에서 '나현'은 상대측 주장이 초·중등 교육법에 명시된 학생의 학습권을 침해할 수 있다고 말하며 상대측 주장이 타당하지 않음을 지적하고 있다.

3단계

09 (나)에서 '현중'은 찬성 측 토론자의 의견에서 동의하는 부분을 언급하며, 상대방의 의견을 경청하고 그 의견을 존중하고 있음을 드러내고 있다. 반면 (다)에서 '현중'은 논제와 관련 없는 토론자의 평소 학습 태도를 근거로 반론을 제기하고 있다.

평가 목표	토론자의 역할과 태도 이해하기
채점 기준	✔ 〈조건〉에서 언급한 '현중'의 태도가 나타나는 부분을 (나)와 (다)에서 모두 찾아 쓴 경우 [20점] ✔ 〈조건〉에서 언급한 '현중'의 태도가 나타나는 부분을 한 가지만 찾아 쓴 경우 [10점] ✔ 〈조건〉에 제시된 문장의 형식을 지키지 않은 경우 [5점씩 감점] ✔ 띄어쓰기나 맞춤법이 잘못되었을 경우 [1점씩 감점]

10 〈보기〉는 평균 실외 온도와 평균 시험 점수 대비 분포 차 간의 관계를 보여 주는 그래프 자료이다. 평균 실외 온도가 12~14℃일 때, 평균 시험 점수와 대비하여 양(+)의 분포 차가 가장 큼을 알 수 있다. 따라서 온도가 낮을 때 학생들의 시험 점수가 높아졌음을 알 수 있다. 이를 통해 찬성 측에서는 학습 효과를 높이기 위해 에어컨 사용을 자율화하여 쾌적한 교실 환경을 유지해야 한다고 주장할 수 있다.

평가 목표	주장과 근거 이해하기
채점 기준	✔ 〈보기〉가 의미하는 바를 정확하게 쓰고, 찬성 측의 주장이 드러나도록 ㉡의 내용을 쓴 경우 [20점] ✔ 〈보기〉가 의미하는 바와 찬성 측의 주장을 썼으나, 주장의 내용 중 학습 효과와 관련된 내용이 없는 경우 [15점] ✔ 〈보기〉가 의미하는 바를 정확하게 썼으나, 찬성 측의 주장을 틀리게 쓴 경우 [10점] ✔ 띄어쓰기나 맞춤법이 잘못되었을 경우 [1점씩 감점]

예상 적중 대단원 평가

본문 14~16쪽

01 ② **02** ④ **03** ① **04** 플라스틱 사용을 줄일 수 있다면 줄여 보자. / 짧은 시간 사용하고 버리는 일회용 플라스틱 제품은 선택하지 말자. **05** ③ **06** ④ **07** 배경지식을 활용하여 글의 내용을 정확하게 파악하며 읽었다. **08** ② **09** ④ **10** 학생들의 학습권을 보호하기 위해 에어컨 사용을 자율화하면 안 된다. **11** ③

01 이 글의 주제는 환경에 악영향을 끼치고 동물과 인간을 해치는 플라스틱의 사용을 줄이자는 것이다. 플라스틱 자체에 대한 전문적 내용을 다루는 글이 아니므로 플라스틱이 개발된 계기와 플라스틱을 만드는 기술의 발달 과정에 관한 정보는 글의 주제를 이해하는 데 도움이 되지 않는다.

02 (가)에 플라스틱은 절연성이 뛰어나다는 내용이 제시되어 있다. 여기에서 '절연성'은 '전기가 통하지 아니하는 성질'을 의미한다.

03 (다)에 따르면 붉은바다거북은 한 번에 백 개가량의 알을 일곱 번까지 낳는다. 이는 붉은바다거북의 산란율이 높음을 보여 준다. 즉 (다)에서는 붉은바다거북의 산란율에 비해 생존율은 매우 낮다고 서술하고 있다.

04 서술형 글쓴이는 플라스틱이 우리 생활 깊숙이 자리 잡았다는 점을 인정하면서도 플라스틱으로 인한 문제가 심각하다는 점을 부각하고 있다. 따라서 ㉡에 대해 플라스틱 사용을 줄이고, 일회용 플라스틱 제품을 사용하지 말자는 의견을 보일 것이다.

05 이 글에서는 새로 개발된 적정 기술의 예와 오래전부터 활용되어 왔던 적정 기술의 예에 대해 설명하고 있으나 그 차이점을 설명하고 있지는 않다.

06 이글루는 물이 차가운 눈얼음을 만나 얼면서 방출하는 응고열을 이용한다. 응고열은 액체가 고체가 될 때 내는 열량이므로, 고체가 액체로 되면서 방출하는 열에너지를 이용한다는 ④의 설명은 적절하지 않다.

07 서술형 〈보기〉에서는 과학 시간에 배운 지식을 활용하여 '항아리 냉장고'의 원리를 정확하게 이해하고 있다.

08 적정 기술이 실효성이 부족하다고 평가한 것은 우리의 삶을 위한 적정 기술을 개발하자는 글쓴이의 제안을 부정적으로 평가한 것이다. 나머지는 모두 글쓴이의 제안을 긍정적으로 평가하고 있다.

09 '우리 학교는 전체 학급의 냉방 상태를 중앙에서 제어하는데요. 최근에 중앙 냉방 방식에 불만이 있는 학생들이 많아지면서 학생들 스스로 에어컨의 온도를 조절할 수 있게 해 달라는 목소리가 높아지고 있습니다.'는 사회자가 토론을 하게 된 배경과 취지를 설명하는 발언이며(ㄴ), '오늘은 '교실에서의 에어컨 사용을 자율화해야 한다.'라는 논제로 토론을 하겠습니다.'는 사회자가 토론의 논제를 제시하고 토론의 시작을 알리는 발언이다(ㄹ).

10 서술형 '현중'은 행정실장님의 말씀을 근거로 활용하여 에어컨 사용을 자율화하면 전기 요금이 늘어나 학생들을 위한 교육 예산이 줄어들 것이라고 하고 있다. 이는 결국 학생들이 다양한 지식을 배우고 활동을 경험할 수 있는 기회, 즉 학습권을 보호하기 위해 현행 방식을 유지해야 한다고 주장하는 것이다.

11 (라)에서 '현중'은 실내 온도에 대한 만족도는 상대적이라는 점을 근거로 들어 에어컨을 자율적으로 사용한다고 해도 모든 학생이 만족할 수는 없다고 발언하고 있다. 오히려 권리를 침해당하는 학생들이 발생할 수 있다면서 상대측 주장이 공평하지 않다고 지적하고 있다.

2 문학으로 느끼는 삶

(1) 마음을 나누는 문학

간단 복습 문제

본문 18쪽

쪽지 시험 **01** 향찰 **02** 8구체 **03** 판소리계 소설 **04** 심미적 **05** ○ **06** × **07** ○ **08** ㉠ **09** ㉡ **10** ㉢ **11** 의인화 **12** 공동체 **13** 심화 **14** 언어유희 **15** 의관 **16** 매품팔이 **17** 볼기

어휘 시험 **01** 백씨장 **02** 생살지권 **03** 수라

06 「제망매가」에서 '이른 바람'은 '누이의 이른 죽음'을, '떨어질 잎'은 '죽은 누이'를 의미한다.

13 「수라」의 1연에서 말하는 이는 거미 새끼를 무심하게 문밖으로 쓸어 버렸으나, 2연에서 큰 거미를 본 뒤로는 가슴이 짜릿하고 서러움을 느끼게 되었고, 3연에서 무척 작은 새끼 거미를 본 뒤에는 슬픔을 느끼게 되었다. 이처럼 이 시에서는 1연에서 3연으로 갈수록 말하는 이의 정서가 심화된다.

---

02 '생살지권(生殺之權)'은 '사람을 죽이고 살리는 권세', '살리고 죽일 수 있는 권리'를 의미한다.

예상 적중 소단원 평가

본문 19~20쪽

01 ③ **02** ⑤ **03** ④ **04** 누이의 죽음에 대한 슬픔을 불교적 사상(종교적 신념)을 통해 극복하고 재회를 기약하는 태도에서 (숭고한) 감동을 느낄 수 있다. **05** ⑤ **06** ④ **07** ⑤ **08** ② **09** 다른 사람 대신 매를 맞고 돈을 받는 일이 성행했다.

01 ③은 (나)의 특징에 해당한다. (나)에서는 거미 가족을 의인화함으로써, 거미 가족이 처한 상황을 당대 우리 민족의 처지와 연결시키고 있다.

02 (나)에서는 1연에서 3연으로 갈수록 대상에 대한 정서를 표현하는 시어들이 늘고 있다. 그러나 이것은 시적 대상인 각 거미의 크기와는 관계가 없다.

오답 풀이 ① 말하는 이는 1연에서 거미 새끼를 문밖으로 쓸어 버리고 있고, 2연에서는 큰 거미를 새끼 있는 데로 가라고 또 문밖으로 쓸어 버리고 있다. 그리고 3연에서는 무척 작은 새끼 거미를 보드라운 종이에 받아 1, 2연에서와 마찬가지로 문밖으로 버리는 행동을 반복하고 있다.
② 1연에서 말하는 이는 아무 생각 없이 방에 들어온 거미 새끼 한 마리를 문밖으로 쓸어 버린다.
③ 2연에서 말하는 이는 자기 자식을 찾는 듯 새끼 거미 쓸려 나간 자리에 와 있는 큰 거미를 보고 서러운 감정을 느낀다.
④ 1연에서 3연으로 갈수록 말하는 이의 정서가 심화되며 감정의 변화가 점층적으로 전개되고 있다.

03 말하는 이는 무척 작은 새끼 거미가 어미 거미를 찾으며 울고 불고 할 것이라고 생각해서 손을 내밀지만, 어미 거미가 있는 곳으로 보내 주기 전에 자신을 보고 달아나는 것에서 안타까움과 연민을 느껴 서러워하는 것이다.

04 서술형 (가)에서 말하는 이는 '아아'를 기점으로 시상을 전환하며, 불교적 사상을 바탕으로 누이의 죽음으로 인한 슬픔을 극복하고 누이와 다시 만날 것을 기약하고 있다. 즉 말하는 이가 누이의 죽음을 슬퍼하는 것으로 작품을 끝맺지 않고 종교적 힘으로 이겨 내는 모습을 보이고 있는데, 이러한 말하는 이의 태도에서 숭고한 아름다움을 느낄 수 있다.

05 고전 소설의 등장인물은 전형적이고, 평면적인 성격을 지닌다. 이 글의 주인공인 '흥부' 역시 선량한 인물의 전형이며, 처음부터 끝까지 순박하고 착한 성격이 변하지 않는 평면적 인물이다.

06 이 글의 '흥부'는 양반 신분이 무색하게 궁핍한 형편에 처해 있고, 또 양식을 구하기 위해 매품을 팔아야 하는 상황에 처해 있다. 이러한 상황 속에서도 '흥부'는 자신의 처지를 방관하지 않고 웃음을 통해 비극적 상황을 극복하려는 태도를 보이고 있다.

07 (다)에서 '흥부'가 아전들을 대상으로 양반으로서의 체면을 지키고 싶어서 택한 방법은 말끝을 '고'와 '제'로 달아서 웃음으로 얼버무리는 것이다.

08 (나)에서는 '흥부'의 의관 차림새를 묘사하고 있다. 양반 신분 때문에 의관을 차려 입었지만, 그 차림이 매우 궁색한 데서 해학미를 느낄 수 있다.

09 서술형 (라)에서 '흥부'는 고을 좌수 대신 매를 맞으면 돈을 벌 수 있다는 아전들의 말을 듣고 매품을 팔겠다고 나선다. 이를 통해 당시에는 관가에서 매품을 파는 일을 관장했으며, 이와 같은 일이 일정 부분 성행했음을 짐작할 수 있다.

고득점 서술형 문제

본문 21~22쪽

1단계 **01** 10구체 향가 **02** 제사 **03** 거미 **04** 무척 작은 새끼 거미 **05** 해학

2단계 **06** ㉮에서는 누이의 죽음을 슬퍼하고 있으나, ㉯에서는 슬픔을 극복하고 누이와 재회할 것을 기약하고 있다. **07** 은유법, '이른 바람'은 누이의 때 이른 죽음을 빗대고 있다. **08** 말하는 이의 냉정한(차가운) 모습과 거미 가족이 처한 비극성을 부각하고, 일제 강점기의 시대 상황을 암시한다. **09** 옷을 넣는 '장(옷장)'과 '닭장'의 발음의 유사성을 활용한 언어유희를 통해 웃음을 주고 있다.

3단계 **10** ㉢에는 헤어져 서로를 찾고 있는 거미 가족이 빨리 다시 만나기를 기원하는 말하는 이의 바람이 담겨 있는데, 이런 마음에는 일제 강점기에 거미 가족처럼 '수라'에 빠진 우리 민족이 공동체적 삶을 회복하기를 바라는 말하는 이의 소망이 담겨 있다.

1단계

01 (가)는 신라 경덕왕 시대의 승려 월명사가 지은 10구체 향가이다.

02 (가)는 창작자인 월명사가 일찍 세상을 떠난 누이를 추모하며 지은 노래이다.

03 (나)에서는 시적 대상인 거미를 의인화하여 창작 당시의 우리 민족이 처한 현실을 드러내고 있다. 즉 (나)에서 거미 가족은 공동체가 붕괴된 당시의 우리 민족을 의미한다고 볼 수 있다.

04 (나)에서 ⓐ가 가리키는 대상은 3연의 시적 대상인 무척 작은 새끼 거미이다.

05 제시된 내용에서 설명하고 있는 표현 방법은 해학이다. (다)는 「흥부전」의 내용으로, 해학미가 두드러지게 나타나고 있다.

2단계

06 (가)에서 말하는 이의 태도는 감탄사 '아아'를 전후로 하여 슬픔과 허망함에서 슬픔의 극복과 재회에 대한 기약으로 바뀌고 있다.

07 ㉠은 '누이의 때 이른 죽음(요절)'을 빗댄 표현으로, 은유법이 사용되었다. 은유법은 사물의 상태가 움직임을 암시적으로 나타내는 표현 방법으로, 일반적으로 '내 마음은 호수요.'처럼 'A는 B이다.'의 형태로 쓰이지만, (가)에서처럼 원관념이 드러나지 않은 채 보조 관념만 나타나기도 한다.

08 (나)의 시간적 배경인 '차디찬 밤'은 아무 생각 없이 방바닥의 거미를 문밖으로 쓸어 버린 말하는 이의 차가움을 강조하고 있으며, 시가 창작된 당시의 시대 상황인 일제 강점기의 현실을 암시하고 있다.

09 [A]에서는 '흥부'가 도포를 보관해 둔 장소를 설명하는 부분을 통해 웃음을 유발하고 있다. [A]에서 '흥부'는 집 안에서 옷을 넣는 '장(옷장)'과 발음이 유사한 '닭장'도 '장'이므로 그곳에 도포를 보관해 두었다는 옹색한 논리로 웃음을 유발하고 있다.

3단계

10 (나)에서 말하는 이는 거미 가족이 재회하기를 바라는 마음을 드러내고 있다. 이것은 일제 강점기 당시 가족 공동체가 해체되는 아픔을 겪던 우리 민족이 다시 공동체적 삶을 회복하기를 바라는 시인의 소망이 투영된 것이다.

평가 목표	말하는 이의 태도를 바탕으로 주제 이해하기
채점 기준	✔ 거미 가족을 통해 드러내고자 한 말하는 이의 소망을 〈조건〉에 맞게 모두 바르게 쓴 경우 [30점] ✔ 거미 가족을 통해 드러내고자 한 말하는 이의 소망을 바르게 썼으나, 〈조건〉에 맞게 쓰지 못한 경우 [20점] ✔ 말하는 이의 소망이 정확히 드러나지 않았으며, 〈조건〉에 맞게 쓰지 못한 경우 [10점] ✔ 띄어쓰기나 맞춤법이 잘못되었을 경우 [1점씩 감점]

(2) 삶을 말하는 문학

간단 복습 문제 본문 24쪽

쪽지 시험 01 관찰자 02 허구적 03 주체적 04 ○ 05 × 06 ○ 07 × 08 × 09 ○ 10 ○ 11 ㉡ 12 ㉢ 13 ㉠ 14 인민군 15 파편 16 친근감

어휘 시험 01 ㉢ 02 ㉡ 03 ㉣ 04 ㉠

05 이 소설은 도시화·산업화가 급격히 진행되던 1970년대의 도시 변두리를 배경으로 하고 있다.

07 구동네 사람들은 '노새'를 늘 봐 왔기 때문에 아무도 '노새'에게 관심을 두지 않았고, 마주치면 흘겨보거나 못살게 굴었다. 이와 달리 새 동네 사람들은 '노새'를 볼 기회가 흔치 않았기 때문에 '노새'를 신기해하고 귀여워하며, 호의와 관심을 보인다.

08 사람들은 '노새'가 달아나는 것을 보고 웅성대면서도 남의 일이라고 여기며 '노새'를 뒤쫓고 있는 '아버지'를 도와주려 하지 않았다.

11 '나'와 '아버지'가 '노새'를 찾아다닐 때 '눈발'이 비치기 시작한다. 여기서 '눈발'은 계절적 배경을 드러내며 을씨년스럽고 쓸쓸한 분위기를 조성하면서, '나'와 '아버지'가 '노새'를 찾는 일이 순탄치 않을 것임을 암시하는 역할을 한다.

12 '대폿집'은 '아버지'가 '노새'를 잃어버린 슬픔을 술로 달래는 곳이다. 여기서 '아버지'는 앞으로 자신이 '노새'처럼 살겠다는 결심을 '나'에게 내비친다.

13 오르막길도 끄떡없이 오르고, 골목까지 쉽게 접근하는 '삼륜차'는 '아버지'가 힘겹게 끌어온 말 마차, 소달구지, '노새' 마차와 대조되는 산업화의 산물이다.

예상 적중 소단원 평가 본문 25~26쪽

01 ④ 02 ④ 03 실망, 냉패 04 ⑤ 05 ② 06 ④ 07 ④ 08 그와 우리는 한패가 되었다. 09 ③

01 (가)에서 '우리 동네는 변두리였으므로 얼마 전까지도 모두 그날그날 벌어먹고 사는 사람들이 많아 연탄 배달도 일거리가 그리 많지 않았다.'라고 한 것은 구동네 사람들이 경제적 여유가 없어 연탄을 조금씩만 사 갔다는 의미이다. 당시는 아직 가정에서 연탄을 보편적으로 사용하던 시기이다.

02 (라)에서 '칠수 어머니'가 '아버지'에게 한 말은 '아버지'를 걱정하는 말이 아니라, '아버지'가 시대에 뒤처졌음을 비꼬기 위해 한 말이다. 따라서 '칠수 어머니'의 말에서 사람들 간의 인정을 깨달았다는 내용은 적절하지 않다.

03 서술형 (다)에서 '나'는 큰길로 달아나 버린 '노새'를 놓친 '아버지'의 눈이 '더할 수 없는 실망과 깊은 낭패로 가득 차' 있다고 직접 제시하고 있다. 따라서 '아버지'의 내면 심리를 직접 드러내는 단어는 '실망'과 '낭패'이다.

04 ㉠은 도시화와 산업화를 거치며 급변하는 사회에 적응하지 못한 채 소외된 존재를 상징한다.

05 '구멍가게'는 '조그맣게 차린 가게'를 뜻하는 말로, 이 글의 시대적 배경인 1970년대에만 국한되는 소재가 아니다.

06 이 글은 성인이 된 글쓴이가 육이오 전쟁 당시 아이들과 '인민군' 병사가 순수하게 서로 어울렸던 추억을 회상하는 수필이다. 따라서 전쟁 이후의 참혹한 상황을 순수한 어린아이의 시선을 통해 구체적으로 묘사하고 있다는 진술은 적절하지 않다.

07 (라)에서 폭격으로 인해 한 아이가 파편에 맞아 쓰러지자 '길 아래 병원으로 달려가서 치료를 받게 하'였다고 서술하고 있다. 또한 이 글에서 제대로 치료받을 수 있는 전문 시설이 부족했다는 내용은 찾아볼 수 없다.

08 서술형 이 글의 글쓴이는 파편에 맞은 아이를 '인민군' 병사가 도와준 일을 계기로 '인민군' 병사와 아이들이 완전한 친구가 되었음을 '그와 우리는 한패가 되었다.'라고 표현하고 있다.

09 (나)에서 옥수수를 물고 있던 아이가 얼굴이 하얗게 질린 채 놀라서 두려움을 느낀 이유는 '인민군' 병사가 자신을 보고 있었기 때문이다.

고득점 서술형 문제

본문 27~28쪽

1단계 **01** 1인칭 관찰자 시점 **02** '노새'가 도망쳤다. / '노새'가 달아났다. **03** 그 골목 **04** 문화 주택 **05** 인민군, 폭격
2단계 **06** 사회의 변화에 적응하지 못하고 소외된 존재 / 도시화·산업화되는 시대의 변화에 뒤처지는 존재 **07** 구동네 사람들은 '노새'를 늘 봐 왔기 때문에 대수롭지 않게 생각하여 아무도 거들떠보지 않지만, 새 동네 사람들은 '노새'를 볼 기회가 흔치 않았기 때문에 '노새'를 신기해하며 관심을 보인다. **08** '나'가 '아버지'와 '노새'가 닮았음을 깨닫고, '아버지'의 삶에 대해 생각해 보게 만드는 계기가 된다. **09** 시대적 상황에 의해 어쩔 수 없이 '인민군'으로 전쟁에 참여하게 되었지만, 순수함과 인정 어린 마음을 잃지 않은 소년이다.
3단계 **10** (가)~(라)의 '노새'는 '나'에게 '아버지'를 떠올리게 해 주는 존재이며, 〈보기〉의 '낙타'는 말하는 이에게 '선생님'을 떠올리게 해 주는 존재이다. 즉 (가)~(라)의 '노새'와 〈보기〉의 '낙타'는 모두 각 작품에서 유사성을 지닌 다른 대상(인물)을 연상시키는 존재이며, 이를 통해 작품의 주제를 강조한다.

1단계

01 (가)~(라)는 어린아이인 '나', 즉 1인칭 관찰자의 눈을 통해 시대 변화에 적응하지 못하고 과거의 삶을 고수하며 살아가는 '아버지'의 고달픈 삶을 전달하고 있다.

02 (가)~(라)의 중심 사건은 연탄 배달을 하던 중 '노새'가 도망친 일이다.

03 (가)에서 '그 골목'은 구동네와 새 동네를 구분하는 경계로, '노새'와 '아버지'가 연탄 마차를 끄는 데 어려움을 겪게 만드는 원인이다.

04 (나)로 보아 당시에는 도시화의 영향에 따라 도시 변두리 동네에 슬래브로 지은 문화 주택들이 지어졌음을 알 수 있다.

05 (마)는 글쓴이가 자신의 어린 시절의 일을 회상한 내용으로, '인민군', '폭격'과 같은 단어를 통해 당시가 육이오 전쟁이 일어났던 상황임을 알 수 있다.

2단계

06 (가)~(라)에서 '노새'와 '아버지'는 도시화와 산업화를 거치며 급변하는 사회에 적응하지 못한 채 뒤처지며 점차 소외되는 존재를 상징한다.

07 구동네 사람들은 '나'의 '아버지'가 '노새' 마차를 끌며 연탄을 배달하는 모습을 늘 접하며 살았기 때문에 '노새'를 대수롭지 않게 생각하며, '노새'가 작은 불편이라도 끼칠 때에는 눈을 흘기거나 못살게 구는 것이다. 반면 새 동네 사람들은 평소 '노새'를 볼 기회가 흔치 않았기 때문에 '노새'를 신기해하고 귀여워하며 호의를 드러내는 것이다.

08 (다)에서 '노새'를 찾다가 무심코 동물원에 가게 된 '나'는 동물원의 얼룩말을 보다가 문득 '노새'와 '아버지'가 닮았음을 깨닫게 된다.

09 (마)에서 '인민군'은 열여섯 살의 소년병으로, 전쟁의 상황 속에서도 아이들과 순수하게 우정을 나눈다. 즉 시대적 상황에 의해 전쟁의 소용돌이에 말려들었지만, 소년다운 순수함과 인정 어린 마음을 잃지 않고 있다.

3단계

10 (가)~(라)의 서술자인 '나'는 '노새'를 통해 '아버지'를 떠올리고 있으며, 〈보기〉의 말하는 이는 '낙타'를 통해 어린 시절 '선생님'을 떠올리고 있다. 즉 '노새'와 '낙타'는 모두 (가)~(라)의 중심인물인 '아버지'와 〈보기〉의 시적 대상인 '선생님'을 외양적, 의미적으로 연상시키는 대상이며, 이를 통해 각 작품의 주제를 강조한다.

평가 목표	중심 소재의 기능 파악하기
채점 기준	✔ 두 대상이 지닌 공통점을 주제와의 연관성이 드러나도록 모두 바르게 쓴 경우 [25점] ✔ 두 대상이 지닌 공통점을 썼지만, 주제와의 연관성이 드러나지 못한 경우 [15점] ✔ 제시된 〈조건〉에 맞게 쓰지 못한 경우 [5점씩 감점] ✔ 띄어쓰기나 맞춤법이 잘못되었을 경우 [1점씩 감점]

예상 적중 대단원 평가 본문 29~32쪽

01 ⑤ **02** ③ **03** 이른 바람 **04** ⑤ **05** ① **06** ③ **07** ② **08** ⑤ **09** ⑤ **10** ② **11** ② **12** 길 잃은 나그네 **13** ② **14** Ⓐ: 비행기, 헬리콥터, 자동차, 자전거 / ㉠: 급격한 도시화·산업화에 적응하지 못하고 '노새'와 같이 시대 흐름에 뒤처지는 존재인 '아버지'를 의미한다. **15** ③ **16** '인민군'이 다친 아이를 들쳐 업고 병원에 가서 치료를 받게 했다.

01 (나)에서는 각 연마다 거미를 문밖으로 버리는 말하는 이의 행동이 반복되고 있다. 시적 대상인 거미의 행동이 반복되는 것은 아니다.

02 (가)는 신라의 승려 월명사가 죽은 누이를 추모하기 위해 지은 노래이다. 말하는 이는 누이를 잃은 슬픔을 종교의 힘을 통해 극복하고 누이와 다시 만날 것을 다짐하고 있다. 따라서 주어진 운명에 순응해야 한다는 것은 말하는 이의 태도와 거리가 있다.

03 서술형 (가)에서 '이른 바람'은 누이의 때 이른 죽음을 빗댄 표현이다.

04 1연에서 말하는 이는 무심히 거미 새끼를 문밖으로 버리지만, 2연에서 큰 거미를 본 뒤로는 연민의 정서가 생겨 서러워하며 큰 거미를 문밖으로 버린다. 이후 3연에서 무척 작은 새끼 거미를 보고 난 뒤에는 거미를 문밖으로 버리며 슬퍼한다.

05 ㉠은 말하는 이가 무심히 새끼 거미를 문밖으로 '쓸어 버린' 행동이다.

06 이 글은 판소리 사설의 영향을 받아 창작된 판소리계 소설 「흥부전」이다. 「흥부전」과 같은 고전 소설은 대부분 작가가 분명하지 않다.

07 이 글의 결말 부분에는 유교적 사상을 바탕으로 한 권선징악, 인과응보, 형제간의 우애 등의 주제 의식이 나타난다. 제시된 글의 밑줄 친 부분에서는 부모님의 유산을 독차지하고 '흥부'를 내쫓은 '놀부'가 스스로의 악행에 대한 벌을 받는 부분이므로, '인과응보'와 관련이 깊다.

오답 풀이 ① '일장춘몽'은 '헛된 영화나 덧없는 일'을 비유적으로 이르는 말이다.
③ '입신양명'은 '출세하여 이름을 세상에 떨침.'을 이르는 말이다.
④ '안빈낙도'는 '가난한 생활을 하면서도 편안한 마음으로 도를 즐겨 지킴.'을 이르는 말이다.
⑤ '의형의제'는 '형제간의 우애가 두터움.'을 이르는 말이다.

08 (마)에서 '흥부'의 아내가 매품을 팔려는 '흥부'를 말리자, '흥부'는 자신의 '볼기'를 가지고 농담을 하며 걱정하는 아내를 달래고 있다.

09 (가)에서 구동네와 새 동네 사람들의 생활 수준에 차이가 있음이 드러나 있기는 하지만, 이로 인해 구동네와 새 동네 사람들 간의 대립과 갈등이 일어나고 있지는 않다.

10 (다)에 현대 도시인들의 무관심하고 소통이 단절된 모습이 나타나 있기는 하지만, 물질 만능주의에 빠진 모습은 나타나지 않는다.

11 이 글에서 '아버지'와 '노새'는 눈, 코, 입, 귀와 같은 외모의 유사성이 있다. 또한 이 둘은 모두 연탄을 나르면서 힘들고 고단한 삶을 살아가는 존재이며, 급변하는 시대에 적응하지 못하고 뒤처지는 존재이다.

오답 풀이 ㄹ. '아버지'에게만 해당하는 내용이다.
ㅂ. '노새'에게만 해당하는 내용이다.

12 서술형 (다)에서는 힘들고 지쳤으며, 어디로 가야할지도 막막한 '아버지'와 '나'의 처지를 '길 잃은 나그네'에 빗대고 있다.

13 '아버지'가 스스로 '노새'가 되겠다고 한 말에는 '노새'를 잃은 것을 받아들이고, 자신이 '노새'의 몫까지 맡겠다는 가장으로서의 책임감이 담겨 있다.

14 고난도 서술형 '노새'는 '비행기, 헬리콥터, 자동차, 자전거'가 다니는 시대에 맞지 않게 여전히 가파른 골목길에서 연탄을 배달하는 존재이며, 급변하는 시대 흐름 속에서 소외된 존재이다. 그러므로 '또 한 마리의 노새'란 '노새'와 마찬가지로 급변하는 도시의 삶에 적응하지 못한 채 결국 집을 나가는 '아버지'를 의미한다.

평가 목표	소재의 상징적 의미 파악하기
채점 기준	✔ 소재를 다 찾아 쓰고, 소재에 담긴 의미가 잘 드러나도록 바르게 쓴 경우 [상] ✔ 소재를 다 찾아 썼으나, 소재에 담긴 의미가 잘 드러나지 않는 경우 [중] ✔ 소재를 다 찾아 쓰지 못하고, 소재에 담긴 의미도 잘 드러나지 않는 경우 [하]

15 (라)는 육이오 전쟁 당시 '나'와 아이들이 '인민군' 병사와 순수하게 우정을 나누었던 추억을 회상하는 수필이다. 따라서 글쓴이가 실제로 경험한 내용을 바탕으로 한다는 점에서 소설인 (가)~(다)의 글과 가장 구별된다.

오답 풀이 ① (가)~(다)와 (라) 모두 해학적이고 풍자적인 부분은 찾아볼 수 없다.
② 서술자가 어린아이인 것은 (가)~(다)의 특징이다. (라)는 글쓴이가 어린 시절을 회상하는 글이다.
④ (가)~(다)는 1970년대 급변하는 사회에 적응하지 못하는 하층민의 고통스러운 삶을 통해 당시 시대 현실에 대한 비극적 인식을 나타내고 있을 뿐이다. 또한 (라)는 육이오 전쟁 당시 만났던 '인민군' 병사와의 우정을 다루고 있을 뿐 시대 현실에 대한 비판적 시선은 나타나지 않는다.
⑤ (가)~(다)에는 이 글의 창작 당시인 1970년대의 사회·문화적 상황이 드러나 있으며, (라)에는 육이오 전쟁 당시의 사회문화적 상황이 나타나 있다. 따라서 '(가)~(다)의 글과 달리'라는 발문의 조건에 어긋난다.

16 서술형 아이들과 '인민군'은 어느 날 폭격으로 인한 파편에 맞아 쓰러진 아이를 '인민군' 병사가 도와준 일을 계기로 하여 한패, 즉 완전한 친구가 되었다.

3 정확하게 말하고, 비판적으로 듣고

(1) 음운의 세계

간단 복습 문제 본문 34쪽

쪽지 시험 01 작은 02 소리의 세기 03 이중 모음 04 밝고 가벼운 05 ○ 06 × 07 ○ 08 ○ 09 × 10 ㄴ, ㅁ, ㅇ 11 ㄹ 12 ㉣ 13 ㉤ 14 ㉡ 15 ㉢ 16 ㉠ 17 ㅣ 18 ㅟ 19 ㅏ 20 ㅗ
어휘 시험 01 평순 모음 02 파열음 03 거센소리

06 자음은 공기가 방해를 받으며 나오는 소리로, 모음을 만나야 소리 낼 수 있다. 모음은 공기가 그대로 흘러나오는 소리로, 자음 없이 홀로 소리 낼 수 있다.

09 단모음은 발음할 때의 입술 모양에 따라 '원순 모음'과 '평순 모음'으로 나눌 수 있다. 원순 모음은 입술을 둥글게 오므린 상태에서 소리 내는 모음이고, 평순 모음은 입술이 평평한 상태에서 소리 내는 모음이다.

예상 적중 소단원 평가 본문 35~36쪽

01 ③ 02 ② 03 ④ 04 ③ 05 ② 06 ⑤
07 ① 08 ③ 09 ⑤ 10 ① 11 ② 12 ③
13 ㅣ, ㅏ, ㅔ, ㅓ 14 ② 15 ① 16 ③ 17 ④
18 ④

01 'ㅅ, ㄴ, ㄱ, ㄹ'은 모두 자음으로, 공기가 방해를 받으며 나오는 소리이다. 공기가 그대로 흘러나오는 소리는 모음으로, 'ㅏ, ㅗ'가 이에 해당한다.

02 '귀가'는 4개(ㄱ, ㅟ, ㄱ, ㅏ)의 음운으로 이루어진 단어이다.

오답 풀이 ①의 음운은 5개(ㄱ, ㅏ, ㅂ, ㅏ, ㅇ), ③은 5개(ㅊ, ㅣ, ㅁ, ㄷ, ㅐ), ④는 5개(ㅅ, ㅏ, ㄹ, ㅏ, ㅇ), ⑤는 6개(ㄱ, ㅏ, ㄴ, ㅅ, ㅣ, ㄱ)이다.

03 'ㄱ, ㄲ, ㅋ, ㅇ'은 모두 혀의 뒷부분과 입천장 뒤쪽의 부드러운 부분 사이에서 소리 나는 여린입천장소리이다. 'ㄴ'은 혀끝과 윗니의 뒷부분, 윗잇몸 사이에서 소리 나는 잇몸소리이다.

04 두 입술이 닿았다가 떨어지며 나는 소리는 입술소리인 'ㅁ, ㅂ, ㅃ, ㅍ'이고, 발음할 때 입안이나 코안이 울리는 소리는 'ㄴ, ㄹ, ㅁ, ㅇ'이다. 그러므로 두 조건을 모두 만족하는 자음은 'ㅁ'이다.

05 발음할 때 입안이나 코안을 울리면서 소리가 부드럽고 이어지는 느낌이 드는 자음은 'ㄴ, ㄹ, ㅁ, ㅇ'이다. 그러므로 받침에 이 자음을 포함한 '간, 갈, 감, 강'이 이에 해당한다.

06 콧소리는 'ㄴ, ㅁ, ㅇ'이고, 흐름소리는 'ㄹ'이다. 그러므로 콧소리인 'ㄴ'과 흐름소리인 'ㄹ'을 모두 포함하고 있는 단어는 '개나리'이다.

07 제시된 자음의 분류는 소리의 세기에 따라 '예사소리/된소리/거센소리'로 나눈 것이다.

08 ㉡과 ㉢에 비해 작고 부드러운 느낌이 드는 것은 ㉠이다. ㉡은 ㉠에 비해 강하고 단단한 느낌이 든다.

09 발음할 때 크고 거친 느낌이 드는 것은 거센소리로, 'ㅋ, ㅌ, ㅍ, ㅊ'이 있다. 그러므로 거센소리 'ㅊ'이 쓰인 '찰랑찰랑'이 이에 해당한다.

10 소리를 낼 때 입술이나 혀가 움직이는 모음은 이중 모음이고, 혓바닥과 입천장 앞쪽의 단단한 부분 사이에서 나는 소리는 센입천장소리이다. '과자'의 'ㅘ'는 이중 모음이며, 'ㅈ'은 센입천장소리이다.

오답 풀이 ②와 ⑤에는 이중 모음은 쓰이지 않고 센입천장소리 'ㅊ'만 쓰였고, ③에는 이중 모음만 쓰이고 센입천장소리가 쓰이지 않았으며, ④에는 이중 모음과 센입천장소리 둘 다 쓰이지 않았다.

11 '달걀'은 단모음 'ㅏ'와 이중 모음 'ㅑ'를 포함하고 있고, '유자'는 이중 모음 'ㅠ'와 단모음 'ㅏ'를, '연근'은 이중 모음 'ㅕ'와 단모음 'ㅡ'를 포함하고 있으며, '돼지고기'는 이중 모음 'ㅙ'와 단모음 'ㅣ, ㅗ'를 포함하고 있다.

오답 풀이 '멜론'은 단모음 'ㅔ, ㅗ'를, '소고기'는 단모음 'ㅗ, ㅣ'를 포함하고 있으므로, 둘 다 단모음만을 포함하고 있는 단어이다.

12 'ㅗ, ㅚ, ㅜ, ㅟ'는 모두 입술을 둥글게 오므린 상태에서 소리 내는 원순 모음이다.

13 서술형 입술이 평평한 상태에서 소리 내는 모음인 평순 모음에는 'ㅏ, ㅐ, ㅓ, ㅔ, ㅡ, ㅣ'가 있다. 이 중 제시된 문장에 쓰인 평순 모음은 'ㅣ, ㅏ, ㅔ, ㅓ'이다. 'ㅜ'는 입술을 둥글게 오므린 상태에서 소리 내는 원순 모음이다.

14 발음할 때 혀의 최고점이 입안의 뒤쪽에 있는 후설 모음에는 'ㅏ, ㅓ, ㅗ, ㅜ, ㅡ'가 있다. 'ㅐ, ㅔ, ㅚ, ㅟ, ㅣ'는 전설 모음이다.

15 모음은 발음할 때의 혀의 높이에 따라 고모음, 중모음, 저모음으로 나눌 수 있는데, 고모음인 'ㅣ, ㅟ, ㅡ, ㅜ'는 입을 조금 열어서 발음하고, 중모음인 'ㅔ, ㅚ, ㅓ, ㅗ'는 입을 조금 더 열어서 발음하며, 저모음인 'ㅐ, ㅏ'는 입을 가장 크게 열어서 발음한다.

16 제시된 문장에는 모음 'ㅏ, ㅡ, ㅓ, ㅢ, ㅔ, ㅕ'가 포함되어 있다. 이들 중 'ㅢ, ㅕ'는 이중 모음이고 나머지는 단모음이다. 단모음 중 'ㅡ'는 고모음이고, 'ㅏ, ㅡ, ㅓ, ㅔ'는 모두 평순 모음이다. 또한 'ㅏ, ㅡ, ㅓ'는 후설 모음이다. 그러나 원순 모음은 포함되지 않았다.

17 ㉠에는 '이'로 시작하는 단어 중 된소리(ㄲ, ㄸ, ㅃ, ㅆ, ㅉ)나 원순 모음(ㅗ, ㅚ, ㅜ, ㅟ)이 포함된 말이 들어가야 한다. 그러나 '이름표'에는 된소리나 원순 모음이 포함되어 있지 않다.

18 〈보기〉를 통해 양성 모음인 'ㅏ, ㅑ, ㅗ, ㅛ, ㅐ, ㅒ, ㅘ, ㅚ'가 쓰인 단어가 밝고 가볍고 작은 느낌을 준다는 것을 알 수 있다. 그러므로 양성 모음 'ㅗ'가 쓰인 '롭-롭-롭-롭'이 가장 밝고 가벼운 느낌이 드는 말이다.

고득점 서술형 문제

본문 37~38쪽

1단계 **01** ㉠: 음운, ㉡: 자음, ㉢: 모음 **02** (1) ㅍ (2) ㄴ (3) ㅈ (4) ㅇ (5) ㅎ **03** ㄴ, ㅁ **04** 단모음: ㅏ, ㅓ, ㅔ, ㅗ, ㅚ / 이중 모음: ㅑ, ㅕ, ㅝ, ㅢ **05** 서울, 북경, 로마 **06** ㉠: ㅜ, ㉡: ㅐ

2단계 **07** 말하는 사람이 'ㅔ'를 'ㅐ'로 잘못 발음하였거나, 듣는 사람이 'ㅔ'를 'ㅐ'로 잘못 들었기 때문이다. **08** ㉠의 받침을 발음할 때는 입안이나 코안이 울리며 소리가 부드럽고 이어지는 느낌이 들지만, ㉡의 받침을 발음할 때는 입안이나 코안이 울리지 않으며 소리가 딱딱하고 막힌 느낌이 든다. **09** '둡-둡-둡-둡'은 '돕-돕-돕-돕'에 비해 어둡고 무겁고 큰 느낌이 든다.

3단계 **10** 'ㅡ'와 'ㅣ'는 모두 발음할 때 혀의 위치가 높은 고모음이며, 발음할 때 입술 모양을 평평하게 하는 평순 모음이고, 발음할 때 입술이나 혀가 움직이지 않는 단모음이다. **11** 뱅뱅-빵빵-팽팽 / 세 단어의 느낌이 달라지는 것은 예사소리인 'ㅂ', 된소리인 'ㅃ', 거센소리인 'ㅍ' 때문이다. 예사소리가 쓰인 '뱅뱅'은 작고 약하고 가볍고 부드러운 느낌이 들고, 된소리가 쓰인 '빵빵'은 예사소리보다 좀 더 강하고 단단한 느낌이 들고, 거센소리가 쓰인 '팽팽'은 예사소리나 된소리보다 더 크고 무겁고 거친 느낌이 든다. **12** • 발음하기 어려운 부분과 그 이유: '관광 활성화 추진 위원회'는 'ㅘ'라는 이중 모음이 연속으로 있어서 입을 빠르게 움직이기 어렵다. / • 정확하게 발음하기 위한 방법: 한 글자씩 끊어서 천천히 읽는다. 입을 크게 움직이면서 또박또박 읽는다. 등

1단계

01 국어에서 말의 뜻을 구별해 주는 소리의 가장 작은 단위를 '음운'이라고 한다. 자음은 공기가 방해를 받으며 나오는 소리로 모음을 만나야 소리 낼 수 있으며, 모음은 공기가 그대로 흘러나오는 소리로 자음 없이 홀로 소리 낼 수 있다.

02 입술소리인 자음은 'ㅁ, ㅂ, ㅃ, ㅍ'이며, 잇몸소리는 'ㄴ, ㄷ, ㄸ, ㅌ, ㄹ, ㅅ, ㅆ'이다. 또한 센입천장소리는 'ㅈ, ㅉ, ㅊ'이고, 여린입천장소리는 'ㄱ, ㄲ, ㅋ, ㅇ', 목청소리는 'ㅎ'이다.

03 〈보기〉는 콧소리에 대한 설명이다. 콧소리인 자음은 'ㄴ, ㅁ, ㅇ'이므로 '나무늘보'에 쓰인 콧소리는 'ㄴ'과 'ㅁ'이다.

04 단모음은 소리를 낼 때 입술이나 혀가 고정되어 움직이지 않는 모음으로 'ㅏ, ㅐ, ㅓ, ㅔ, ㅗ, ㅚ, ㅜ, ㅟ, ㅡ, ㅣ'가 있다. 이중 모음은 소리를 낼 때 입술이나 혀가 움직이는 모음으로 'ㅑ, ㅒ, ㅕ, ㅖ, ㅘ, ㅙ, ㅛ, ㅝ, ㅞ, ㅠ, ㅢ'가 있다.

05 〈보기〉는 원순 모음에 대한 설명이며, 원순 모음에는 'ㅗ, ㅚ, ㅜ, ㅟ'가 있다. 따라서 원순 모음이 쓰인 단어는 '서울, 북경, 로마'이다.

06 제시된 그림은 단모음을 발음할 때 혀의 위치와 높이에 따른 분류를 한눈에 볼 수 있도록 표로 정리한 것이다. ㉠에는 후설 모음(ㅏ, ㅓ, ㅗ, ㅜ, ㅡ)이면서 고모음(ㅣ, ㅟ, ㅡ, ㅜ)인 모음 중 'ㅡ'를 제외한 것이 들어가야 하므로 'ㅜ'가 들어가야 한다. ㉡에는 전설 모음(ㅐ, ㅔ, ㅚ, ㅟ, ㅣ)이면서 저모음(ㅐ, ㅏ)인 모음이 들어가야 하므로 'ㅐ'가 들어가야 한다.

2단계

07 제시된 상황에서는 남학생이 말한 '게'를 여학생이 '개'로 잘못 알아듣는 오해가 발생했다. 즉 말하는 사람이 음운 'ㅔ'를 'ㅐ'로 잘못 말했거나 듣는 사람이 잘못 들었기 때문에 의사소통에 문제가 발생한 것이다.

08 ㉠의 받침인 'ㄴ, ㄹ, ㅁ, ㅇ'은 발음할 때 입안이나 코안이 울리는 자음이고, ㉡이 받침인 'ㅂ, ㅌ, ㄱ'은 발음할 때 입안이나 코안이 울리지 않는 자음이다.

09 〈보기 2〉를 참고할 때, '돕-돕-돕-돕'에 쓰인 모음 'ㅗ'는 양성 모음이고, '둡-둡-둡-둡'에 쓰인 모음 'ㅜ'는 음성 모음이다. 그러므로 '둡-둡-둡-둡'은 '돕-돕-돕-돕'에 비해 어둡고 무겁고 큰 느낌을 준다고 할 수 있다.

3단계

10 모음은 발음할 때의 혀의 높이에 따라 '고모음, 중모음, 저모음'으로 나눌 수 있고, 발음할 때의 입술 모양에 따라 '원순 모음, 평순 모음'으로 나눌 수 있으며, 발음할 때 입술이나 혀가 움직이는지 아닌지에 따라 '이중 모음, 단모음'으로 나눌 수 있다. 〈보기〉의 'ㅡ'와 'ㅣ'는 모두 고모음이며, 평순 모음이고, 단모음이다.

평가 목표	모음 체계 파악하기
채점 기준	✔ 〈조건〉에 해당하는 모든 공통점을 적절하게 쓴 경우 [15점] ✔ 〈조건〉의 기준 중 쓰지 못한 내용이 있는 경우 [5점씩 감점] ✔ 띄어쓰기나 맞춤법이 잘못되었을 경우 [1점씩 감점]

11 〈보기〉에 제시된 단어들은 예사소리 'ㅈ', 된소리 'ㅉ', 거센소리 'ㅊ'에 따라 서로 느낌이 다르다. 예사소리는 된소리와 거센소리에 비해 작고 약하고 가볍고 부드러운 느낌이 들고, 그에 비해 된소리는 좀 더 강하고 단단한 느낌이 들며, 거센소리는 예사소리나 된소리보다 더 크고 거친 느낌이 든다.

평가 목표	예사소리, 된소리, 거센소리에 따른 느낌의 차이 알기
채점 기준	✔ 〈보기〉와 관계가 유사한 단어를 찾아 쓰고, 〈조건〉 세 가지에 맞추어 적절하게 서술한 경우 [15점] ✔ 〈보기〉와 관계가 유사한 단어를 적절하게 쓰지 못한 경우 [12점] ✔ 〈조건〉의 내용을 충족하지 못한 경우 [2점씩 감점] ✔ 띄어쓰기나 맞춤법이 잘못되었을 경우 [1점씩 감점]

12 제시된 문장을 읽으면서 발음하기 어려운 부분을 찾고, 음운의 체계를 바탕으로 발음하기 어려운 이유를 적는다. 그리고 이를 쉽고 정확하게 발음하기 위한 효율적인 방법을 쓴다.

평가 목표	음운의 체계에 대한 이해를 바탕으로 쉽고 정확하게 발음하는 방법 생각하기
채점 기준	✔ 발음하기 어려운 부분과 그 이유, 정확하게 발음하는 방법을 모두 적절하게 서술한 경우 [20점] ✔ 발음하기 어려운 부분과 그 이유, 정확하게 발음하는 방법을 모두 서술하였으나 미흡한 부분이 있는 경우 [5점씩 감점] ✔ 발음하기 어려운 부분과 그 이유, 정확하게 발음하는 방법 중 한 가지만을 적절하게 서술한 경우 [10점] ✔ 띄어쓰기나 맞춤법이 잘못되었을 경우 [1점씩 감점]

(2) 설득 전략이 담긴 연설

간단 복습 문제 본문 40쪽

쪽지 시험 01 청중 02 비판적 03 준언어적 04 ×
05 ○ 06 ○ 07 ㉠ 08 ㉢ 09 ㉡ 10 ㉢
어휘 시험 01 인성 02 감성 03 이성 04 녹록하지
05 겸허히 06 전략 07 군더더기 08 주춧돌 09 ㉠
10 ㉢ 11 ㉡

03 연설자는 연설을 할 때 목소리의 크기와 말의 속도, 어조 등과 같은 준언어적 표현과, 표정이나 시선, 손짓, 몸동작 등과 같은 비언어적 표현을 적절하게 활용해야 연설의 설득력을 높일 수 있다.

04 연설자는 청중의 나이 때에 가장 두려워했던 것은 실패였다고 말하고 있다.

---

04 '갸륵하다'는 '착하고 장하다. 딱하고 가련하다.'라는 의미이고 '녹록하다'는 '(흔히 뒤에 부정어와 함께 쓰여) 만만하고 상대하기 쉽다.'라는 의미이므로, 제시된 문장에는 '녹록하지'가 들어가야 적절하다.

05 '검소히'는 '사치하지 않고 꾸밈없이 수수하게'라는 의미이고 '겸허히'는 '스스로 자신을 낮추고 비우는 태도로'라는 의미이므로, 제시된 문장에는 '겸허히'가 들어가야 적절하다.

06 '전략'은 '정치, 경제 따위의 사회적 활동을 하는 데 필요한 책략'이라는 의미이고 '중략'은 '글이나 말의 중간 일부를 줄임.'이라는 의미이므로, 제시된 문장에는 '전략'이 들어가야 적절하다.

07 '군더더기'는 '쓸데없이 덧붙은 것'이라는 의미이다.

08 '주춧돌'은 '기둥 밑에 기초로 받쳐 놓은 돌'이라는 의미이다.

예상 적중 소단원 평가 본문 41쪽

01 ④ 02 ④ 03 이성적 설득 전략 04 ③

01 (라)에서 연설자는 '우리의 마음속에는 이미 세상을 바꿀 힘이 있습니다. 우리는 더 나은 세상을 상상하고 만들 수 있는 힘이 있습니다.'라고 말하고 있다. 즉 연설자는 상상력의 힘을 통해 세상을 바꾸어 나갈 수 있다고 생각하고 있다.

02 이 연설은 대학 졸업을 앞두고 앞으로 어떻게 살아갈 것인지에 대해 고민하는 청중의 관심과 요구를 고려하여 내용을 구성했다고 볼 수 있다. 그러나 이 연설에서 경제적 부를 이루는 방법에 대해 말하고 있지는 않으므로, 그러한 청중의 요구를 고려했다고 볼 수는 없다.

03 서술형 〈보기〉에서는 연설자가 자신의 감정과 경험을 근거로 하여 전하고자 하는 바를 논리적으로 제시하고 있음을 이야기하고 있다. 이처럼 연설자가 자신의 주장에 대한 타당한 근거를 들어 청중을 논리적으로 설득하는 전략을 '이성적 설득 전략'이라고 한다.

04 ㉢은 연설자가 국제 사면 위원회에서 일할 당시에 그곳에서 일하는 직원들을 보며 깨달은 바로, 타인의 어려움을 이해하고 그것을 위해 행동하는 일의 중요성에 대해 이야기하고 있다. 즉 상상력의 중요성에 대해 말하고 있는 부분이다. 연설자가 실패를 통해 얻게 된 혜택은 아니다.

고득점 서술형 문제 본문 42쪽

1단계 01 인성적 설득 전략 02 청중, 비언어
2단계 03 상상력은 우리가 직접 경험하지 않은 타인의 아픔에 공감하여 세상을 더 나은 곳으로 바꿀 수 있게 한다. 04 '졸업생 여러분은 훌륭한 교육을 받았기 때문에 짊어진 책임도 남다르다고 봅니다.'에서 청중의 자긍심을, '어려움에 처해 있는 사람들의 삶의 상상하는 힘을 가지세요.'에서 청중의 동정심을, '우리의 마음속에는 이미 세상을 바꿀 힘이 있습니다.'에서 청중의 욕망을 불러일으키는 것과 같이 청중의 감정에 호소함으로써 청중을 설득하고 있다.
3단계 05 배가 고프면 집중력이 떨어진다는 연구 결과를 들어 매점의 필요성을 강조하며 청중을 논리적으로 설득할 거야.

1단계

01 연설에서 사용하는 설득 전략에는 인성적 설득 전략, 이성적 설득 전략, 감성적 설득 전략이 있는데, 연설자의 됨됨이나 전문성을 바탕으로 청중이 연설에 신뢰를 갖게 하는 것은 '인성적 설득 전략'에 해당한다.

02 연설을 할 때는 청중의 반응을 고려하여 준언어적, 비언어적 표현을 적절히 사용해야 한다. 준언어적 표현은 목소리의 크기, 말의 속도, 어조 등을 말하며, 비언어적 표현은 표정, 시선, 손짓, 몸동작 등을 말한다.

2단계

03 (가)에서는 상상력을 통해 우리가 직접 경험하지 않은 타인의 아픔을 공감할 수 있다는 점을 말하고 있고, (나)에서는 우리에게 더 나은 세상을 상상하고 만들 수 있는 힘이 있다고 말하고 있다. 즉 상상력을 통해 타인의 아픔에 공감하여 더 나은 세상을 만들어 갈 수 있기 때문에 상상력이 중요하다는 것을 알 수 있다.

04 (나)에서는 청중의 감정에 호소하여 그들의 마음을 움직일 수 있게 하는 감성적 설득 전략이 사용되었다. 이와 같이 감성적 설득 전략은 연설자가 청중의 자긍심이나 동정심, 욕망과 같은 감정에 호소하여 청중을 설득하는 것이다.

3단계

05 '이성적 설득 전략'에 따라 매점이 필요한 이유를 뒷받침할 수 있는 근거를 구체적으로 제시하고, 그것을 통해 청중을 논리적으로 설득하는 전략을 마련하도록 한다.

평가 목표	연설의 주제에 맞는 설득 전략 마련하기
채점 기준	✔ 구체적인 근거를 들어 이성적 설득 전략을 적절하게 제시한 경우 [40점] ✔ 이성적 설득 전략을 제시하였으나 구체적인 근거를 적절하게 들지 못한 경우 [20점] ✔ 설득 전략이나 근거로 제시한 내용이 미흡한 경우 [10점씩 감점] ✔ 띄어쓰기나 맞춤법이 잘못되었을 경우 [1점씩 감점]

예상 적중 대단원 평가 본문 43~45쪽

01 ⑤ 02 ② 03 ⑤ 04 ③ 05 ① 06 ② 07 ② 08 ㅜ 09 ④ 10 ⑤ 11 ⓐ: 다른 곳에서 배울 수 없는 자기 자신을 알게 해 줌, ⓑ: 자신감 12 ④ 13 ④ 14 이성적 설득 전략, 연설자가 국제 사면 위원회에서 일했던 경험을 바탕으로 상상력이 중요한 까닭을 논리적으로 제시하고 있다. 15 ③

01 ㉠의 음운은 6개(ㄱ, ㅗ, ㅇ, ㅊ, ㅐ, ㄱ), ㉡의 음운은 5개(ㄸ, ㅏ, ㄹ, ㄱ, ㅣ), ㉢의 음운은 9개(ㅅ, ㅏ, ㄴ, ㄱ, ㅗ, ㄹ, ㅉ, ㅏ, ㄱ), ㉣의 음운은 7개(ㅈ, ㅣ, ㄱ, ㅜ, ㅂ, ㅗ, ㄴ), ㉤의 음운은 8개(ㅁ, ㅓ, ㄱ, ㅟ, ㄴ, ㅏ, ㅁ, ㅜ)이다. 따라서 음운의 개수가 적은 것부터 많은 것 순서로 배열하면, ㉡-㉠-㉣-㉤-㉢이 된다.

02 자음은 소리 나는 위치에 따라 입술소리, 잇몸소리, 센입천장소리, 여린입천장소리, 목청소리로 나눌 수 있다. 이때 목청소리는 목청 사이에서 나는 소리로 'ㅎ'이 이에 해당한다.

03 ❷번은 혀끝과 윗니의 뒷부분, 윗잇몸 사이인데, 이 위치에서 소리 나는 자음을 잇몸소리라고 하며, 'ㄴ, ㄷ, ㄸ, ㅌ, ㄹ, ㅅ, ㅆ'이 여기에 해당한다. 'ㅈ'은 그림의 ❸번 위치에서 소리 나는 센입천장소리이다.

04 자음은 소리의 세기에 따라 예사소리, 된소리, 거센소리로 나눌 수 있는데, 이 중 가장 크고 거친 느낌이 드는 것은 거센소리이다. 제시된 단어 중 거센소리가 쓰인 것은 '철썩철썩'이다.

05 '과제'의 'ㅘ'는 이중 모음이고 'ㅔ'는 단모음이다.

오답 풀이 ② '개미'의 'ㅐ, ㅣ'는 모두 단모음에 해당한다.
③ '사슴'의 'ㅏ, ㅡ'는 모두 단모음에 해당한다.
④ '여유'의 'ㅕ, ㅠ'는 모두 이중 모음에 해당한다.
⑤ '원예'의 'ㅝ, ㅖ'는 모두 이중 모음에 해당한다.

06 ㉠에 들어갈 모음은 고모음이면서 전설 모음이고, 원순 모음인 단모음이어야 하므로 'ㅟ'가 적절하다. ㉡에 들어갈 모음은 저모음이면서 후설 모음이고, 평순 모음인 단모음이어야 하므로 'ㅏ'가 적절하다.

07 'ㅐ'와 'ㅔ'는 둘 다 단모음이며, 전설 모음이자 평순 모음이지만 'ㅐ'는 저모음이고 'ㅔ'는 중모음이라는 차이가 있다. 'ㅐ'와 'ㅔ'를 정확히 구별하여 발음하려면, 'ㅔ'를 소리 낼 때보다 'ㅐ'를 소리 낼 때 턱을 더 내리고 입을 좀 더 크게 벌리면서 혀의 높이를 좀 더 낮춰 발음해야 한다.

08 서술형 〈보기〉의 내용을 모두 충족하려면 단모음이면서(①) 원순 모음이고(②) 후설 모음인(③) 음운을 찾아 써야 한다. 이 내용을 모두 충족하는 모음은 'ㅜ'와 'ㅗ'이며, 이 중 제시된 문장에 있는 모음은 'ㅜ'이다.

09 연설은 청중을 설득하는 것을 목적으로 격식을 갖추어 말하는 공적인 말하기이다. 이 연설의 연설자 또한 청중을 설득하기 위해 자신의 경험을 근거로 들어 연설의 설득력을 높이고 있다.

10 (마)의 '아무것도 실패하지 않고 사는 것은 불가능합니다. 이 사실을 겸허히 받아들이면 그 어떤 고난도 이겨 낼 수 있습니다.'에서 알 수 있듯이 연설자는 실패를 겸허히 받아들임으로써 그 어떤 고난도 이겨 내며 삶을 긍정적으로 변화시킬 수 있음을 말하고 있다.

11 서술형 (다)~(라)의 내용을 통해, 연설자가 말하는 '실패가 주는 혜택' 세 가지를 알 수 있다.

12 ㉣은 연설자가 청중에게 하고 싶은 말을 우회적으로 전하기 위해, 청중과 비슷한 나이였던 과거의 자신에게 말해 주고 싶다고 표현한 것이다. 연설자는 과거에 자신이 실패했던 경험을 통해 깨달은 '실패를 통한 혜택'을 전하고 있는 것이지, 과거 자신의 모습을 반성하고 있는 것은 아니다.

13 청중의 감정에 호소하여 청중의 마음을 움직이는 설득 전략은 감성적 설득 전략이다. 그러므로 연설자의 말을 듣고 마음이 뭉클해졌다면, 이성적 설득 전략이 아닌 감성적 설득 전략을 잘 활용한 것이라고 볼 수 있다.

14 고난도 서술형 〈보기〉에서는 '우리 학교에 매점이 필요한 이유'에 대해 두 가지 근거를 들어 논리적으로 설득하고 있다. 이와 같이 주장에 대한 타당한 근거를 들어 논리적으로 설득하는 전략은 '이성적 설득 전략'이다. (가)~(라)의 연설에서도 이성적 설득 전략을 사용하고 있는데, 이는 바로 '상상력의 중요성'을 말하기 위해 연설자가 자신의 경험을 근거로 하여 논리적으로 설득하고 있는 부분이다.

평가 목표	연설에 사용된 설득 전략 파악하기
채점 기준	✔ 〈보기〉의 설득 전략을 쓰고, 그 설득 전략이 (가)~(라)에서 어떻게 사용되었는지 〈조건〉에 맞게 서술한 경우 [상] ✔ 〈보기〉의 설득 전략을 쓰고, 그 설득 전략이 (가)~(라)에서 어떻게 사용되었는지 서술하였으나 미흡한 경우 [중] ✔ 〈보기〉와 (가)~(라)에 사용된 설득 전략이 무엇인지는 썼으나, 그것이 어떻게 사용되었는지 제대로 서술하지 못한 경우 [하]

15 (나)~(다)의 내용에서 알 수 있듯이, 연설자는 상상력을 통해 우리가 직접 경험하지 않은 타인의 아픔에 공감하고 세상을 더 나은 곳으로 바꿀 수 있다고 강조하고 있다.

4 논리로 여는 세상

(1) 논리적으로 읽기

간단 복습 문제

본문 47쪽

쪽지 시험 **01** 설득 **02** 서론 **03** 논증 방법 **04** × **05** ○ **06** ○ **07** ㉢ **08** ㉣ **09** ㉠ **10** ㉡ **11** ㉠ **12** ㉢ **13** ㉡

어휘 시험 **01** 우려 **02** 일탈 **03** 일련 **04** 체득해야 **05** 논증 **06** 우열 **07** ㉡ **08** ㉠ **09** ㉢

04 「청소년에게 놀 공간을 제공하자」에서는 청소년 놀이 공간 확대의 개별적인 효과들, 즉 장점을 근거로 들어 청소년의 놀이 공간을 확대하자고 주장하고 있다. 청소년 놀이 공간을 확대했을 때의 단점에 대한 내용은 이 글에 나타나 있지 않다.

---

04 '부여하다'는 '사람에게 권리·명예·임무 따위를 지니도록 해 주거나, 사물이나 일에 가치·의의 따위를 붙여 주다.'의 의미이고 '체득하다'는 '몸소 체험하여 알다.'라는 의미이므로, 제시된 문장에는 '체득해야'가 들어가야 적절하다.

05 '논증'은 '옳고 그름을 이유를 들어 밝힘. 또는 그 근거나 이유'라는 의미이고 '논박'은 '어떤 주장이나 의견에 대하여 그 잘못된 점을 조리 있게 공격하여 말함.'이라는 의미이므로, 제시된 문장에는 '논증'이 들어가야 적절하다.

06 '우열'은 '나음과 못함.'이라는 의미이고 '우월'은 '다른 것보다 나음.'이라는 의미이므로, 제시된 문장에는 '우열'이 들어가야 적절하다.

예상 적중 소단원 평가

본문 48~49쪽

01 ② **02** ⑤ **03** ⑤ **04** ㉠: 사회성, ㉡: 스트레스, ㉢: 범죄 **05** ① **06** ⑤ **07** ③ **08** 인간이라면 모두 존엄성을 지니고 있습니다.

01 이 글은 주장하는 글로, 제시된 근거가 주장을 뒷받침하는 데 적절하며 타당한지가 평가 기준이 된다.

02 이 글에서는 운동장이나 놀이터는 청소년의 다양한 욕구를 반영하지 못한다는 점에서 놀이 공간의 역할을 하기에 부족하고, 피시방은 일탈에 쉽게 노출될 수 있다는 점에서 우려가 된다고 보고 있다.

03 이 글에는 구체적인 근거를 바탕으로 주장을 이끌어 내는 논증 방법인 귀납이 사용되었으며, ㄷ과 ㄹ 역시 귀납의 논증 방법이 쓰였다.

오답 풀이 ㄱ, ㄴ. 일반적인 원리에서 구체적인 사실을 이끌어 내는 연역의 논증 방법이 쓰였다.

04 서술형 (나)에서는 청소년의 사회성 발달이 경험을 통해 체득된다고 말하고 있으며, (다)에서는 청소년들이 부정적인 정서를 안고 살아가므로 스트레스 해소가 필요하다고 말하고 있다. (라)에서는 청소년 범죄가 증가하는 추세를 바탕으로 놀이 공간 부족을 그 원인의 하나로 꼽고 있다.

05 (가)~(나)에서는 청소년 놀이 공간 확대를 위해 노력해야 한다고 주장하고 있다.

06 〈보기〉를 참고할 때 (가)~(나)에서 구체적인 근거를 바탕으로 주장을 이끌어 내는 귀납 논증을 사용하고 있음을 알 수 있다. 귀납 논증은 개별적이고 구체적인 사실이나 현상에서 일반적이고 보편적인 결론을 이끌어 내므로 사례가 많을수록 결론이 참일 가능성이 높아진다.

오답 풀이 ①~④는 이미 알려진 원리나 법칙에서 구체적이고 개별적인 결론을 이끌어 내는 연역의 논증 방법에 해당하는 설명이다.

07 (다)~(바)는 인간이 모두 존엄하다는 사실을 알고 자신과 타인을 존중하며 살아가자고 주장하는 글이며, 독자를 설득하는 것이 글의 목적이다.

08 서술형 〈보기〉에는 연역의 논증 방법이 사용되었으며 ⓐ는 대전제에 해당한다. (다)~(바) 역시 연역의 논증 방법이 사용되었으며 대전제는 (다)의 첫 문장이며, 소전제는 '나 자신을 비롯하여 모든 사람은 인간이다.', 결론은 '나 자신을 비롯한 모든 사람은 존엄성을 지니고 있다.'이다.

고득점 서술형 문제

본문 50~51쪽

1단계 **01** 독자를 설득하는 것 **02** (가) / (나), (다), (라) / (마) **03** 청소년 놀이 공간 확대 **04** 청소년 놀이 공간 확대의 효과 / 청소년 놀이 공간 확대의 장점 **05** 아름다움에는 우열이 없다.

2단계 **06** ⓐ: 청소년의 사회성을 기를 수 있다. / ⓑ: 청소년의 일탈이 줄어 범죄 예방에도 효과가 있다. **07** 객관적인 통계 자료로, 글쓴이가 내세우는 주장의 설득력을 높이는 효과가 있다. **08** ㉮: 음악의 아름다움 사이에는 우열이 존재하지 않는다. / ㉯: 방송 프로그램에서 음악의 아름다움을 두고 우열을 가리는 것은 적절하지 않다.

3단계 **09** '청소년 놀이 공간의 확대의 긍정적 측면'이라는 개별적이고 구체적인 내용을 근거로 '청소년 놀이 공간을 확대해야 한다.'라는 일반적이고 보편적인 내용을 주장한다. 따라서 귀납 논증을 사용하고 있다. **10** (바)는 일반적인 원리로부터 개별적이고 구체적인 주장을 이끌어 내는 연역의 논증 방법을 사용했지만, 〈보기〉는 특수한 사례를 검토한 뒤 그 결론으로 사실이나 진리를 이끌어 낸다는 점에서 귀납의 논증 방법을 사용했다. / (바)는 일반적인 원리로부터 개별적이고 구체적인 주장을 이끌어 내는 연역의 논증 방법을 사용했지만, 〈보기〉는 두 대상 간의 유사점을 근거로 들어 그것들 사이의 또 다른 점도 유사할 것이라고 추론하는 유추의 논증 방법을 사용했다.

1단계

01 (가)~(마)는 주장하는 글로, 독자를 설득하는 것이 목적이다.

02 (가)는 서론, (나)~(라)는 본론, (마)는 결론에 해당한다.

03 (나)~(라)에서 '청소년 놀이 공간을 확대하면 ~'이라는 내용이 이어지므로 ㉠에는 '청소년 놀이 공간 확대'가 적절하다.

04 (나)~(라)에서는 청소년 놀이 공간 확대의 효과 또는 장점을 병렬적으로 제시하고 있다.

05 (바)에는 '아름다움에는 우열이 없다.(대전제)', '음악은 아름답다.(소전제)', '따라서 음악에는 우열이 없다.(결론)'로 전개되는 연역의 논증 방법이 사용되었다.

2단계

06 (나)~(라)는 청소년 놀이 공간을 확대해야 한다는 (마)의 주장을 뒷받침하는 근거가 된다. ⓐ의 내용은 (나)에, ⓑ의 내용은 (라)에 나타나 있다.

07 (다)에서는 통계청 조사를 바탕으로 부정적 정서를 지니고 살아가는 청소년들이 많음을 설득력 있게 제시한다. (라)에서는 통계청에서 제시한 청소년 범죄 수치를 바탕으로 청소년 범죄가 증가하고 있다는 주장의 설득력을 높인다.

08 (바)에서 대전제는 '아름다움에는 우열이 없다.', 소전제는 '음악은 아름답다.', 결론은 '따라서 음악에는 우열이 없다.'라고 볼 수 있다. 이를 근거로 방송 프로그램에서 음악의 아름다움에 우열을 가려 순위를 매기는 것을 비판하는 것이다.

3단계

09 (나)~(라)에서 청소년 놀이 공간 확대의 긍정적 측면을 근거로 제시하였으며, 이를 바탕으로 (마)에서 일반적인 주장을 이끌어 내는 귀납 논증을 사용하였다.

평가 목표	글의 논지 전개 과정에 따른 논증 방법 파악하기
채점 기준	✔논지 전개 과정에 따른 논증 방법을 〈조건〉에 맞게 쓴 경우 [20점] ✔주장이 구체적으로 드러나지 않거나 논증 방법의 명칭이 드러나지 않은 경우 [10점] ✔주어진 형식에 따르지 않은 경우 [5점 감점] ✔띄어쓰기나 맞춤법이 잘못되었을 경우 [1점씩 감점]

10 (바)는 '아름다움에는 우열이 없다.(대전제)', '음악은 아름답다.(소전제)', '따라서 음악에는 우열이 없다.(결론)'로 전개되는 연역 논증이 사용되었고, 〈보기〉는 태국과 베트남의 공통적 특성을 바탕으로 다른 점도 유사할 것이라는 유추가 사용되었다. 유추는 귀납 논증에 속한다.

평가 목표	논증 방법의 차이점 이해하기
채점 기준	✔두 글에 나타난 논증 방법의 차이점을 〈조건〉에 맞게 쓴 경우 [20점] ✔논증 방법의 원리가 구체적이지 않거나 논증 방법의 명칭을 밝히지 않은 경우 [10점] ✔주어진 형식에 따르지 않은 경우 [5점 감점] ✔띄어쓰기나 맞춤법이 잘못되었을 경우 [1점씩 감점]

(2) 주장하는 글 쓰기

간단 복습 문제 본문 53쪽

쪽지 시험 01 설득 02 이질성 03 영상 매체 04 ○
05 × 06 ○ 07 ㉢ 08 ㉠ 09 ㉡ 10 ㉠
11 ㉢ 12 ㉡ 13 ㉤ 14 ㉢ 15 ㉠ 16 ㉣ 17 ㉡
어휘 시험 01 집대성 02 통합 03 편찬 04 순화
05 소통 06 출범

05 북한의 언어를 남한의 언어로 번역해 주는 앱이 개발되어 탈북 학생에게 도움을 준다는 사실은, '기술을 이용해 남북한의 언어 차이를 줄일 수 있는 방법을 다양하게 개발해야 한다.'라는 주장의 근거로 사용할 수 있다.

---

04 '순수'는 '전혀 다른 것의 섞임이 없음.'이라는 의미이고 '순화'는 '잡스러운 것을 걸러서 순수하게 함.'이라는 의미이므로, 제시된 문장에는 '순화'가 들어가야 적절하다.

05 '개통'은 '길, 다리, 철로, 전화, 전신 따위를 완성하거나 이어 통하게 함.'이라는 의미이고 '소통'은 '뜻이 서로 통하여 오해가 없음.'이라는 의미이므로, 제시된 문장에는 '소통'이 들어가야 적절하다.

06 '출범'은 '단체가 새로 조직되어 일을 시작함을 비유적으로 이르는 말'이라는 의미이고 '출석'은 '어떤 자리에 나아가 참석함.'이라는 의미이므로, 제시된 문장에는 '출범'이 들어가야 적절하다.

예상 적중 소단원 평가 본문 54쪽

01 ㄴ → ㅁ → ㄷ → ㄹ → ㄱ 02 ① 03 ⑤ 04 ③

01 서술형 글을 쓰는 과정에서 ㄱ은 고쳐쓰기, ㄴ은 계획하기, ㄷ은 내용 조직하기, ㄹ은 초고 쓰기, ㅁ은 내용 생성하기 단계에 해당하는 내용이다.

02 (가)는 주장과 근거가 제시된 본론 부분이다. 따라서 (가) 앞에 올 서론 부분에서는 ①과 같은 내용이 들어가는 것이 적절하다.

오답 풀이 ②, ⑤ 글의 결론 부분과 관련된 내용이다.
③, ④ 글의 본론 부분과 관련된 내용이다.

03 〈보기〉는 북한어를 남한어로 번역해 주는 앱이 탈북 청소년에게 도움을 준다는 내용으로, 기술 개발을 통해 남북한 언어의 이질성을 극복하자는 주장을 뒷받침한다.

04 ㉢은 글쓴이 자신의 개인적 선호를 주장의 근거로 삼은 것으로, 타당성과 객관성이 부족하므로 고쳐 쓰거나 삭제해야 한다.

고득점 서술형 문제

본문 55쪽

1단계 **01** 계획하기, 주제, 예상 독자
2단계 **02** 남북한 공통 국어사전의 편찬 작업을 이어 가야 한다. / 남과 북이 『겨레말 큰사전』과 같이 언어 통일을 위한 공동 작업을 해야 한다. **03** ㉠: 남북 간의 민간 교류가 활발해져야 한다. / ㉡: 언어의 통합을 비롯한 남북의 통합도 앞당겨질 수 있다. / ㉢: 실제로 북한의 언어를 남한의 언어로 번역해 주는 앱이 개발되어 탈북 학생에게 도움을 주고 있다.
3단계 **04** (가)와 같은 서론을 쓸 때에는 문제 상황을 환기하며 글에서 논의할 화제를 제시한다. (나)와 같은 결론을 쓸 때에는 글의 내용을 요약정리하며 주장을 강조하고 미래를 전망한다.

1단계

01 '미르'는 '남북한의 언어 차이를 좁히기 위해 노력해야 한다.'라는 주제를 정하고 반 친구들을 예상 독자로 정하는 글쓰기 계획을 세우고 있다.

2단계

02 이 누리집 자료에서는 『겨레말 큰사전』 편찬 사업의 당위성을 설명하고 있다.

03 주장은 '두 번째로, 세 번째로'와 같은 말과 함께 각 문단의 처음에 드러난다. 근거는 주장을 뒷받침해 주며 주장 뒤에 나온다.

3단계

04 (가)는 남북한 언어의 이질성이 나타나는 문제를 제기하며, 이를 극복하기 위한 방법에 대해 알아볼 것이라는 화제를 제시하므로 서론에 해당한다. (나)는 글의 내용을 요약하고 주장을 강조하며 미래를 전망하므로 결론에 해당한다.

평가 목표	주장하는 글 쓰는 방법 알기
채점 기준	✔ (가)와 (나)에 해당하는 단계에서의 글쓰기 방법을 〈조건〉에 맞게 바르게 쓴 경우 [각 20점씩 총 40점] ✔ 각 단계에서의 글쓰기 방법을 2가지 이상씩 밝히지 않은 경우 [10점씩 감점] ✔ 글의 구성 단계를 밝히지 않은 경우 [5점씩 감점] ✔ 띄어쓰기나 맞춤법이 잘못되었을 경우 [1점씩 감점]

예상 적중 대단원 평가

본문 56~58쪽

01 ⑤ **02** ④ **03** ⑤ **04** ⓐ: 청소년의 사회성이 길러진다. / ⓑ: 청소년의 스트레스 해소에 도움이 된다. / ⓒ: 청소년의 범죄 예방에 효과가 있다. **05** ② **06** ④ **07** ① **08** '인간은 모두 존엄성을 지니고 있다.'를 대전제, '나 자신을 비롯하여 모든 사람은 인간이다.'를 소전제로 하여 '나 자신을 비롯하여 모든 사람은 존엄성을 지니고 있다.'라는 결론을 이끌어 내는 연역의 논증 방법이 쓰였다. **09** ④ **10** ⑤ **11** (나)는 (다), (라)와 마찬가지로 남북한 간의 언어 차이를 좁히는 방법에 해당하기 때문에 본론에 배치해야 한다. **12** ④

01 이 글에서는 청소년 놀이 공간 확대의 필요성을 주장하며 청소년 놀이 공간 확대의 긍정적인 측면을 근거로 제시하고 있을 뿐, 그 구체적인 방법을 제시하지는 않았다.

02 이 글은 청소년 놀이 공간을 확대하기 위해 노력해야 한다는 주장을 내세워 독자를 설득하는 논설문이다.

03 이 글은 개별적이고 구체적인 근거를 바탕으로 주장을 이끌어 내는 논증 방법인 귀납이 사용되었다. ⑤에도 '3분 카레'와 '컵라면'이라는 개별적이고 구체적인 사례로부터 '즉석식품'에 대한 일반 법칙을 이끌어 내는 논증 방법인 귀납이 사용되었다.

04 서술형 청소년 놀이 공간 확대의 효과로 (나)에는 청소년의 사회성이 길러진다는 효과가, (다)에는 청소년이 스트레스에서 벗어나게 해 준다는 효과가, (라)에는 청소년 범죄를 예방한다는 효과가 제시되어 있다.

05 논증 방법을 파악하면 글의 논지 전개 방식과 글의 구조를 체계적으로 이해할 수 있다.

오답 풀이 ① 설명문을 읽을 때의 효과에 해당한다.
③ 글을 읽는 이의 관점에 따라 논증 방법이 달라지는 것은 아니다.
④ 정서 표현을 목적으로 한 글을 읽을 때의 효과에 해당한다.
⑤ 논증 방법이 다양하다고 해서 설득력이 높아지는 것은 아니다.

06 이 글의 서론에서는 일반적이고 보편적인 원리를 제시하면서 글을 시작하고, 인간 존엄성의 의미를 명확히 규정하여 인간은 모두 존엄한 존재임을 밝히고 있다. 하지만 다양한 비유를 활용하여 문제 상황을 드러내고 있지는 않다.

07 이 글은 일반적인 사실을 바탕으로 결론을 이끌어 내는 연역의 논증 방법이 사용되었다. ㄱ과 ㄴ 역시 연역의 논증 방법과 관련된 내용이다.

오답 풀이 ㄷ. 귀납의 논증 방법에 대한 설명이다.
ㄹ. 일반화에 해당하는 내용으로, 일반화는 귀납 논증에 포함된다.

08 고난도 서술형 이 글은 일반적 진리에서 개별적 결론을 이끌어 내는 논증 방법인 연역이 사용되었다.

평가 목표	이 글에 사용된 논증 방법 파악하기
채점 기준	✔ 논증 방법을 〈조건〉에 맞게 바르게 쓴 경우 [상] ✔ 논증 방법은 밝혔으나 〈조건〉에 맞게 쓰지 못한 경우 [중] ✔ 논증 방법에 대해 제대로 쓰지 못한 경우 [하]

09 수집한 자료를 빠짐없이 활용하는 것이 아니라, 그중 주제와의 관련성, 내용 전개 과정에서의 필요성 등에 따라 필요한 자료만 선별한다.

10 남북한 언어 간에 차이가 점점 더 커지고 있지만, 아직은 하나의 민족어로서 동질성이 더 크므로 대화가 가능하다. 따라서 서로의 차이를 인정하되, 언어의 뿌리가 같음을 이해하고 이질성을 극복하기 위해 함께 노력해야 한다.

11 서술형 (가)는 문제를 제기하는 서론, (나), (다), (라)는 남북한 간의 언어 차이를 좁히는 방안에 대해 근거를 들어 주장하는 본론, (마)는 내용을 요약하고 주장을 강조하는 결론이다.

12 〈보기〉의 문장은 글쓴이 자신의 개인적 선호를 주장의 근거로 삼은 것으로, 타당성과 객관성이 부족하다.

실전에 강한 중간 고사 대비 모의고사 1회 본문 60~65쪽

01 ④ **02** ⑤ **03** 플라스틱의 사용을 줄이자. **04** ④ **05** ④ **06** ② **07** ④ **08** 학생들의 권리를 보호하기 위해 에어컨 사용을 자율화해야 한다. **09** ② **10** ④ **11** ⑤ **12** ③ **13** '현중'은 공정성을 기준으로 찬성 측의 주장이 공평하지 않다는 점을 비판하고 있다. **14** ④ **15** ⓐ: 아아, ⓑ: 누이와의 재회 **16** ② **17** 일제의 수탈로 가족이 해체된 우리 민족의 비극적 상황 **18** ③ **19** ④ **20** 구동네 사람들은 '노새'가 골목에 오줌을 싼다고 싫어하지만, 새 동네 사람들은 입가에 미소를 머금고 '노새'를 바라보는 등 호의적으로 대한다. **21** ② **22** ③ **23** ⑤ **24** ② **25** ⑤ **26** '아버지'는 연탄을 배달하던 '노새'를 대신해 가장으로서의 책임을 다할 것이라고 다짐한다.

01 이 글에서는 플라스틱이 동물과 인간에게 해를 끼칠 수 있음을 문제 삼고 있을 뿐 상반된 관점을 제시하고 있지는 않다.

02 (라)에 의하면 미세 플라스틱은 동물에게만 위협이 되는 것이 아니라 우리의 식탁에 올라 결국 사람들의 건강까지 해친다.

03 서술형 글쓴이는 (가)~(라)에서 플라스틱의 사용으로 인한 다양한 문제점과 피해 사례를 제시하고, (마)에서 플라스틱 사용을 줄일 것을 당부하고 있다.

04 ④는 플라스틱의 사용을 줄이자는 글쓴이의 주장이 타당하다고 생각하는 입장이나, 나머지는 주장에 대해 반론을 제기하는 입장이다.

05 ㉠에서 '대실'은 플라스틱으로 인해 환경이 오염되고 사람들이 피해를 입는 상황을 의미한다.

06 토론자는 상대방의 주장과 근거를 논리적 허점이나 오류가 없는지 비판적으로 듣고 타당한 근거를 들어 상대방의 주장을 논박해야 한다.

07 사회자는 (가)에서 토론의 동기 및 취지, 토론의 논제를 설명하면서 토론의 시작을 알리고 있다. (라)에서는 토론의 쟁점을 확인하고 토론 순서를 제시하며 토론을 진행하고 있다.

08 서술형 찬성 측은 학생들의 행복 추구권을 근거로 에어컨 사용의 자율화를 주장하고 있으며, 반대 측은 학생들의 학습권 보호를 위해 에어컨 사용의 자율화를 반대하고 있다.

09 (나)에서 '나현'은 설문 조사 결과와 헌법에서 규정하는 행복 추구권을 근거로 들어 에어컨 사용을 자율화할 것을 주장하나, ②는 '나현'의 입론 내용에 해당하지 않는다.

10 ㉮는 찬성 측의 두 번째 반론으로 (라)에 해당한다. (라)에서 찬성 측은 친환경적인 방법으로 전기 에너지를 생산하면 반대 측이 제기한 문제를 해결할 수 있다며 반론을 제기한다.

11 (가)의 토론자는 논제와는 관련이 없는 찬성 측 토론자의 평소 학습 태도를 언급하며 찬성 측의 주장이 잘못되었다고 비난하는데, 이는 상대에 대한 예의를 지키지 않은 태도이다.

12 찬성 측 토론자 '나현'은 성숙한 태도로 반대 측 의견을 수용하면서도 문제를 해결해 나갈 수 있다고 반박한다.

13 서술형 '현중'은 실내 온도에 대한 만족도는 상대적이라는 네덜란드의 한 의과 대학 연구팀의 연구 결과를 근거로 들어 찬성 측의 주장이 공평하지 않음을 비판하고 있다.

14 (나)는 각 연의 길이가 '2행 → 4행 → 6행'으로 늘어나고 있으나 첫 행과 마지막 행을 반복하고 있지는 않다.

15 서술형 (가)의 말하는 이의 태도는 '아아'라는 감탄사를 전후로 바뀌는데, 앞부분에서는 누이의 죽음을 슬퍼하지만 뒷부분에서는 슬픔을 극복하며 누이와의 재회를 기약한다.

16 1연에서 3연으로 갈수록 거미 가족에 대한 말하는 이의 연민과 슬픔의 정서가 심화되어 나타나는데, 3연의 '나를 무서우이 달어나 버리며 나를 서럽게 한다'에서 거미가 자신에게 무서움을 느껴 달아나는 것에 서러움을 느낀다고 말하고 있다.

17 서술형 〈보기〉는 (나)가 창작될 당시의 시대적 현실로, 뿔뿔이 흩어진 거미 가족의 모습을 통해 일제의 수탈로 가족이 해체된 우리 민족의 모습을 표현한 것이라고 해석할 수 있다.

18 (가)는 한 가지에서 난 잎들이 여기저기 떨어지는 모습으로 누이의 죽음을 형상화하는데, ㉢의 '한 가지'는 '같은 부모'를 빗대어 표현한 것이다.

19 이 글은 어린아이인 '나'가 연탄 배달을 하며 힘겹게 살아가는 '아버지'의 삶을 과거형의 서술로 전달하고 있다.

20 고난도 서술형 (가)에서 구동네 사람들은 노새가 골목에 오줌을 싼다고 싫어하며 '노새'에게 불만을 표현하지만, 새 동네 사람들은 평소에 잘 볼 수 없는 '노새'를 바라보며 미소를 짓는 등 관심과 호감을 가지고 대한다.

평가 목표	인물들 간 상반된 태도 이해하기
채점 기준	✔ 인물들 간 태도의 차이점을 〈조건〉에 맞게 적절하게 서술한 경우 [상] ✔ 인물들 간 태도의 차이점을 썼으나 〈조건〉에 맞게 쓰지 못한 경우 [중] ✔ 인물들 간 태도의 차이점을 제대로 쓰지 못한 경우 [하]

21 (다)에서 사람들은 '노새'를 잃어버린 '나'와 '아버지'의 모습을 보고 웅성거리면서 도와주지는 않는데, 이를 통해 타인의 일에 무관심하고 인정이 메마른 현대인들의 모습을 엿볼 수 있다.

22 ㉡, ㉢은 '노새'를 억압하고 힘들게 하는 대상으로, '노새'는 이들에서 벗어나 자유롭게 거리를 뛰어다니고 있다.

23 (마)의 글쓴이는 전쟁의 참혹한 상황 속에서도 '인민군'과 어린아이들이 순수하게 어울렸던 추억을 회상하고 있다.

24 (나)에서 '나'는 자신의 가족을 '노새' 가족에 비유하며 즐거워하는데, 이를 통해 세상을 긍정적으로 바라보는 어린아이다운 순수함이 잘 드러난다.

25 ⑤는 현대 사회에서 기존의 것이 지닌 가치를 중시해야 한다는 내용으로, 오늘날 우리의 관점에서 지난날의 가치를 새롭게 평가한 것이다.

26 서술형 ㉠에는 '노새'가 없어진 힘든 상황에서도 가장으로서의 책임을 다하려는 '아버지'의 의지가 잘 나타나 있다.

실전에 강한 기말 고사 대비 모의고사 1회

본문 66~71쪽

01 ④ 02 ③ 03 ⑤ 04 ② 05 ④ 06 ②
07 ③ 08 'ㅘ, ㅕ, ㅛ, ㅠ'의 이중 모음이 연이어 나와서 발음하기 어렵다. 09 ⑤ 10 ④ 11 ② 12 ⑤ 13 ②
14 ④ 15 ③ 16 내면이 충만한 삶 17 ② 18 ④
19 ③ 20 청소년들이 놀 수 있는 시간과 공간이 부족한 문제점을 해결하기 위해 우리 사회는 청소년 놀이 공간을 확대하기 위한 노력을 기울여야 한다. 21 ⑤ 22 ⑤ 23 연역
24 ③ 25 주제: 남북한의 언어 차이를 좁히기 위해 노력해야 한다. / 예상 독자: 우리 반 친구들 26 ② 27 ③

01 음운에는 자음과 모음이 있는데, 자음은 모음을 만나야 소리 낼 수 있지만 모음은 자음 없이 홀로 소리 낼 수 있다.

02 단어 '돌'에서 받침인 자음 'ㄹ'을 'ㄴ'으로 바꾸어 쓰면 '돈'이라는 전혀 다른 뜻을 지닌 단어가 된다.

03 'ㅎ'은 목청 사이에서 소리가 나는 목청소리이다. ①은 입술소리, ②는 잇몸소리, ③은 센입천장소리, ④는 여린입천장소리이다.

04 모음 체계표에서 전설 모음이자, 원순 모음이며, 중모음에 해당하는 모음은 'ㅚ'이다. ⓐ에는 'ㅣ', ⓒ에는 'ㅐ', ⓓ에는 'ㅡ', ⓔ에는 'ㅜ'가 위치해야 한다.

05 'ㅁ, ㅂ, ㅃ, ㅍ'은 두 입술이 닿았다가 떨어지면서 소리 나는 입술소리이고, 'ㅂ, ㅃ, ㅍ'은 입안이나 코안이 울리지 않고 소리 난다. 이 중에서 거센소리는 'ㅍ'이다.

06 ㉡은 울림소리 'ㄹ'이 쓰여 밝고 명랑한 느낌이 들지만, ㉢은 거센소리 'ㅌ'이 쓰여 거칠고 강한 느낌이 든다.

07 〈보기〉에서 엄마가 '금촌'의 'ㅗ'를 'ㅓ'로 발음했거나 딸이 'ㅗ'를 'ㅓ'로 들어서 오해가 생긴 것이므로, 원순 모음 'ㅗ'를 발음할 때 입술을 동그랗게 오므려서 정확하게 발음해야 한다.

08 서술형 모음은 단모음과 이중 모음으로 나눌 수 있는데, '관련 교육'은 이중 모음이 연달아 나와 발음하기 어렵다.

09 (가)에서 연설자는 '실패가 주는 혜택'과 '상상력의 중요성'에 대해 이야기할 것임을 간략하게 소개하고 있다.

10 연설자는 실패를 겪으며 얻은 깨달음을 바탕으로, 청중에게 실패를 두려워하지 말자는 교훈을 전달하고 있다.

11 연설자는 실패를 경험하면서 삶의 군더더기를 없애고(ㄱ), 자신이 진짜 하고 싶었던 일에 열정을 쏟게 되었으며(ㄹ), 어떤 일이 있어도 헤쳐 나갈 수 있다는 자신감이 생겼다고(ㅁ) 하였다.

12 〈보기〉는 이성적 설득 전략에 대한 설명으로, 연설자는 실패를 얻은 깨달음을 바탕으로 얻은 '실패가 주는 혜택' 세 가지를 논리적으로 제시했다.

13 (나)에서 연설자는 자문자답의 방법을 활용하여 앞으로 전개될 이야기에 흥미와 호기심을 불러일으키고 있다.

14 연설자는 (라)의 '훌륭한 교육을 ~ 남다르다고 봅니다.'에서 청중의 자긍심을, '어려움에 처해 있는 상상하는 힘을 가지세요.'에서 청중의 동정심을, '우리의 마음속에는 ~ 힘이 있습니다.'에서 청중의 욕망을 불러일으키는 감성적 설득 전략을 사용했다.

15 이 연설은 실패를 긍정적으로 받아들이는 삶의 자세와 타인의 삶을 헤아리는 태도에 대해 말하고 있는 대학교 졸업 축사이므로, ③의 내용은 적절하지 않다.

16 서술형 (마)에서 연설자는 격언을 인용해 물질적으로 성공하고 자신만 생각하는 삶보다 내면이 충만하며 타인을 생각하는 삶이 가치 있음을 강조한다.

17 (나)에서는 청소년 놀이 공간이 청소년에게 다양한 경험과 만남의 기회를 제공해 주어 청소년의 사회성을 기를 수 있다고 제시하고 있다.

18 이 글은 청소년 놀이 공간을 확대했을 때 발생할 개별적이고 구체적인 효과들을 근거로 제시하고, '청소년 놀이 공간을 확대해야 한다.'라는 일반적이고 보편적인 결론을 이끌어 낸 귀납 논증이 사용되었다.

19 〈보기〉는 스트레스로 인해 청소년들이 겪는 증상과 관련한 조사 결과로, (다)의 내용을 뒷받침하기에 가장 적절하다.

20 고난도 서술형 글쓴이는 청소년들이 놀 수 있는 시간과 공간이 부족한 현실을 문제를 제기하고, 이를 해결하기 위해 청소년 놀이 공간을 확대하기 위해 노력할 것을 주장하고 있다.

평가 목표	글쓴이가 제기하는 문제와 해결 방법 파악하기
채점 기준	✔ 글쓴이가 제기하는 문제와 해결 방법을 〈조건〉에 맞게 쓴 경우 [상] ✔ 문제와 해결 방법은 썼으나 〈조건〉에 맞게 쓰지 못한 경우 [중] ✔ 글쓴이가 제기하는 문제와 해결 방법을 제대로 쓰지 못한 경우 [하]

21 이 글에서는 다양한 사례와 헌법 조항 등을 제시하고 있으나, 관련 분야의 전문가의 말을 인용한 부분은 찾아볼 수 없다.

22 이 글은 연역의 논증 방법을 통해 대전제와 소전제로부터 ⑤와 같은 결론을 이끌어 내고 있다.

23 서술형 이 글과 〈보기〉는 모두 일반적인 원리나 법칙에서 구체적이고 개별적인 결론을 이끌어 내는 연역 논증을 활용했다.

24 논증 방법을 중심으로 글을 읽으면 글의 논지 전개 방식이나 구조 등을 파악하며 글을 체계적으로 이해할 수 있고, 주장과 근거가 합리적이고 논리적인지 판단할 수 있다.

25 서술형 〈보기〉에서 '미르'는 '남북한의 언어 차이를 좁히기 위해 노력해야 한다.'라는 주장이 담긴 글을 써서 반 친구들을 설득할 것을 계획하고 있다.

26 이 글은 설득을 목적으로 하는 주장하는 글이므로, '서론－본론－결론'의 단계에 맞게 개요를 작성해야 한다.

27 〈보기〉의 자료는 민간 차원의 교류가 폭넓게 허용되면 언어의 통합을 비롯해 남북한의 통합을 이룰 수 있다는 내용이다. 따라서 (다)를 쓸 때 활용하기에 가장 적절하다.

visang
대표전화 1544-0554
주소 경기도 과천시 과천대로2길 54

한끝

시험 대비 문제집

비상교육 교과서편

중등 국어 3-2

만점 마무리 (1) 능동적으로 해결하며 읽기

◆ 제재 선정 의도

「플라스틱은 전혀 분해되지 않았다」는 일상생활에서 쉽게 접하는 플라스틱에 대한 정보와 글쓴이의 주장을 담고 있는 글이다. 글에 나타난 정보와 독자의 배경지식을 바탕으로 글을 읽는 과정에서 마주하는 문제를 해결하며 의미를 구성할 수 있기에 제재로 선정하였다. 또한 「'항아리 냉장고'를 아시나요?」는 적정 기술의 개념과 사례를 설명하는 글로, 이 글 역시 읽기 과정에서 발생하는 문제를 해결해 보기에 적절하여 제재로 선정하였다.

본문 제재 「플라스틱은 전혀 분해되지 않았다」

◆ 제재 이해

갈래	주장하는 글(논설문)
성격	설득적, 논리적, 비판적
제재	플라스틱 사용으로 인한 문제
주제	플라스틱 사용을 줄이자.
특징	• 구체적인 사례를 들어 문제의 심각성을 드러냄. • 자문자답의 방법을 통해 독자의 행동 변화를 촉구함.

◆ 제재 요약

서론 플라스틱 사용에 대한 문제 제기

본론 플라스틱이 해를 끼친 사례

결론 플라스틱 사용을 줄이자는 주장

적용 제재 「'항아리 냉장고'를 아시나요?」

◆ 제재 이해

갈래	설명하는 글(설명문)
성격	체계적, 예시적, 실용적
제재	적정 기술
주제	다양한 적정 기술에 대한 소개
특징	• 적정 기술이 적용된 발명품을 나열함. • 적정 기술이 적용된 건축물의 형태와 원리를 구체적으로 설명함.

◆ 제재 요약

처음 적정 기술의 개념

가운데 적정 기술의 적용 사례

끝 적정 기술을 이용하여 에너지 보충 방안을 모색하자는 제안

본문 제재 「플라스틱은 전혀 분해되지 않았다」

◇ 플라스틱의 문제점

• 잘 썩지 않는 물질로, 분해되는 데 500년 혹은 그 이상의 기간이 걸림.
• 재질별로 선별하기가 쉽지 않고, 이물질이 묻어 있는 것들이 많아 재활용이 어려움.

→ 수거된 플라스틱 쓰레기는 태우거나 매립장에 묻지만, 수거되지 않은 것들은 산과 들에 묻히거나 바다로 흘러들어가 인간과 동물에게 해를 끼침.

◇ 플라스틱이 동물과 인간의 삶에 해를 끼친 사례

동물	앨버트로스	플라스틱 조각을 먹이로 착각해서 삼키고, 영양실조에 걸려 죽음.
	붉은바다거북	• 플라스틱 조각, 비닐 등의 쓰레기를 삼켜 영양분을 흡수하지 못함. • 화학 물질이 몸속에 쌓여 이상 행동을 보이거나, 껍질이 약한 알을 낳거나, 죽음.
	뱀머리돌고래	비닐과 끈 뭉치를 먹고, 다른 먹이를 먹지 못해 영양 부족으로 죽음.
인간	관광 산업 및 선박 운행	자연 경관을 해쳐 관광 산업에 피해를 주고, 선박의 안전을 위협함.
	인간의 건강	미세 플라스틱을 섭취한 물고기의 내장이나 굴 등이 식탁에 올라 인간의 건강을 위협함.

◇ 글쓴이의 주장

주장	플라스틱 사용을 줄이고, 일회용 플라스틱 제품은 더더욱 선택하지 않아야 함.

적용 제재 「'항아리 냉장고'를 아시나요?」

◇ 적정 기술을 사용한 발명품 및 건축물

발명품 / 건축물	특징
항아리 냉장고	냉장고가 없는 지역이나 냉장고가 있더라도 전기가 제대로 공급되지 않는 지역에서 음식물을 신선하게 보관할 수 있도록 만든 냉장고임.
라이프 스트로	오염된 물을 정화해 주는, 빨대처럼 생긴 간이 정화 장치임.
큐 드럼	멀리 가서 식수를 길어 와야 할 때 쓰는 자동차 바퀴처럼 생긴 물통임.
흙벽돌 집	흙으로 만든 벽돌로 벽을 두껍게 쌓고, 천장을 높이고, 창문을 꼭대기에 설치한 후, 벽에 호리병 모양의 물병을 걸어 둠으로써 사막의 덥고 건조한 기후에서도 시원하게 생활할 수 있게 함.
이글루	눈을 벽돌 모양으로 다져서 지은 둥근 반원 모양의 집으로, 집 내부 벽에 물을 뿌림으로써 실내 기온을 높임.

◇ 문제를 능동적으로 해결하며 글을 읽는 방법과 효과

방법	• 모르는 단어가 나오면 사전을 찾거나 앞뒤 문맥을 고려하여 의미를 파악함. • 글에 나타난 정보나 배경지식을 활용하여 의미가 애매한 문장의 뜻을 파악함. • 글쓴이의 생각이 합리적이고 타당한지 판단함. • 글의 구성 단계별로 중심 내용을 정리하고 글 전체의 주제를 파악함.

↓

효과	글에 담긴 정보, 글쓴이의 생각과 글의 주제 등을 깊이 있게 이해할 수 있음.

간단 복습 문제

(1) 능동적으로 해결하며 읽기

● 정답과 해설 24쪽

쪽지 시험

[01~03] 다음 문장에 들어갈 알맞은 낱말을 (   )에서 골라 ○표 하시오.

01 주장하는 글은 적절한 근거를 들어 자신의 (주장 / 정서)을/를 드러내는 글이다.

02 「플라스틱은 전혀 분해되지 않았다」는 우리가 일상에서 편하게 쓰고 버리는 플라스틱 사용으로 인해 발생하는 (효과 / 문제)를 다루고 있는 글이다.

03 「플라스틱은 전혀 분해되지 않았다」에서 글쓴이는 일회용 플라스틱의 사용에 (찬성 / 반대)하고 있다.

[04~06] 다음 내용이 맞으면 ○표, 틀리면 ×표 하시오.

04 「플라스틱은 전혀 분해되지 않았다」에 따르면 재활용되는 플라스틱의 양은 그리 많지 않다. (   )

05 「플라스틱은 전혀 분해되지 않았다」에서는 플라스틱의 모양이 쉽게 변형되는 것이 단점임을 제시하고 있다. (   )

06 「'항아리 냉장고'를 아시나요?」는 적정 기술이 적용된 발명품과 건축물을 설명하고 있다. (   )

[07~10] 다음 문장의 빈칸에 들어갈 알맞은 낱말을 〈보기〉에서 골라 그 기호를 쓰시오.

보기
㉠ 사전 ㉡ 주제 ㉢ 관점 ㉣ 배경지식

07 글을 읽을 때 모르는 단어가 나오면 (   )을/를 찾아 의미를 파악하며 읽어야 한다.

08 글을 읽을 때 의미가 애매한 문장은 글에 나타난 정보나 (   )을/를 활용하여 뜻을 파악해야 한다.

09 글을 깊이 있게 이해하기 위해서는 글의 구성 단계별로 중심 생각을 정리하고 글 전체의 (   )을/를 파악해야 한다.

10 글쓴이의 생각을 비판적으로 수용하기 위해서는 주체적인 (   )을/를 가지고 글쓴이의 생각이 합리적이고 타당한지 판단해 보아야 한다.

어휘 시험

[01~03] 다음 설명에 해당하는 낱말을 〈보기〉에서 골라 쓰시오.

보기
유입, 간이, 매립

01 간단하고 편리함. (   )

02 액체나 기체, 열 따위가 어떤 곳으로 흘러듦. (   )

03 우묵한 땅이나 하천, 바다 등을 돌이나 흙 따위로 채움. (   )

[04~05] 다음 문장에 들어갈 알맞은 낱말을 (   )에서 골라 ○표 하시오.

04 플라스틱이 만들어진 지 100년 정도밖에 되지 않았다는 점을 (감안 / 회고)하면, 인간이 생산한 플라스틱은 아직 어딘가에 아직 그대로 남아 있는 것이다.

05 우리의 삶을 위한 적정 기술을 개발하여, 현대 사회의 부족한 에너지를 보충할 수 있는 방법을 함께 (모색 / 물색)해 보자.

[06~07] 다음 문장의 빈칸에 들어갈 알맞은 낱말을 〈보기〉에서 골라 쓰시오.

보기
차단, 위협, 분해, 국한

06 재활용되지 않은 플라스틱 쓰레기는 태우거나 매립장에 묻는데, 이는 그나마 수거된 플라스틱 쓰레기에 (   )된 이야기이다.

07 플라스틱은 또 다른 멸종 위기종인 붉은바다거북의 생존도 (   )하고 있다.

[08~10] 다음 낱말과 그 뜻풀이를 바르게 연결하시오.

08 절연성 • • ㉠ 불순하거나 더러운 것을 깨끗하게 함.

09 흉물스럽다 • • ㉡ 전기가 통하지 아니하는 성질

10 정화 • • ㉢ 모양이 흉하고 괴상한 데가 있다.

예상 적중 소단원 평가 (1) 능동적으로 해결하며 읽기

01~04 다음 글을 읽고, 물음에 답하시오.

가 플라스틱이 분해되려면 500년 혹은 그 이상의 기간이 걸린다고 한다. 어떤 전문가들은 플라스틱이 분해되는 기간을 정확히 알 수 없다고도 말한다. 즉, 플라스틱이 만들어진 지 100년 정도밖에 되지 않았다는 점을 감안하면, 인간이 생산한 플라스틱은 아직 어딘가에 아직 그대로 남아 있는 것이다. 하지만 사람들은 플라스틱을 재활용할 수 있다는 생각에 플라스틱 제품을 편하게 쓰고 쉽게 버린다. 그것이 ⓐ소탐대실하는 것인지도 모른 채 말이다.

나 ㉠사람들의 생각과 달리 재활용되는 플라스틱의 양은 그리 많지 않다. 페트병, 요구르트병, 블록, 비닐봉지, 스티로폼 등도 각기 재질이 다르고, 이것 외에도 플라스틱의 종류가 다양하다 보니 재질별로 선별하는 것이 쉽지 않기 때문이다. 더구나 이물질이 많이 묻어 있거나 세척되지 않은 채 버려지는 용기류가 많아, 재활용을 하더라도 플라스틱 함지나 정화조처럼 ㉡품질이 떨어지는 제품을 만들 수밖에 없다.

다 사진 속에는 멸종 위기종인 앨버트로스가 죽어 있었는데, 그 몸속에는 플라스틱 뚜껑과 작게 부서진 플라스틱 조각들이 가득 차 있었다. 미드웨이섬은 아시아와 아메리카 대륙의 중간 지점에 있어서 미드웨이라는 이름이 붙었다. 이름처럼 태평양 한가운데에 있는 이 섬에는 세계 곳곳에서 버려진 쓰레기들이 바람과 해류를 따라 휩쓸려 온다. ㉢바다를 떠다니는 동안 단단했던 플라스틱 쓰레기는 깨지고 닳아 작은 크기로 부서진 채 물속을 떠다닌다. 앨버트로스는 이 플라스틱의 알록달록한 빛깔에 이끌려 그것이 얼마나 위험한 것인지도 모른 채 ㉣꿀꺽 삼키고 말았던 것이다.

라 해양 쓰레기의 60에서 80 퍼센트는 플라스틱이 차지하고 있다. 플라스틱 쓰레기는 바다를 떠다니다가 잘게 부서져 새와 바다거북, 돌고래와 같은 동물들에게 해를 끼치고 있다. 또한 흉물스럽게 버려진 플라스틱 쓰레기는 자연 경관을 해쳐 관광 산업에도 피해를 주며, 선박의 안전도 위협한다. 그뿐만 아니라, 사람의 눈에 잘 보이지 않는 미세 플라스틱은 물고기의 내장이나 싱싱한 굴 속에도 유입되어 우리의 식탁에 오른다. 결국은 ㉤우리의 건강까지 위협하는 것이다.

01 이 글에 대한 설명으로 가장 적절한 것은?

① 플라스틱에 대한 부정적 인식을 바로잡고 있다.
② 플라스틱 분해 기술의 필요성을 주장하고 있다.
③ 플라스틱을 재활용하지 않는 실태를 비판하고 있다.
④ 플라스틱 쓰레기로 인한 다양한 부작용을 지적하고 있다.
⑤ 플라스틱으로 인해 죽어 가는 동물들의 보호를 호소하고 있다.

02 〈보기〉는 이 글을 읽은 학생의 반응이다. 학생이 사용한 읽기 방법으로 가장 적절한 것은?

> 보기
> 나는 누리집에서 「플라스틱 쓰레기! 이제 안녕」이라는 동영상과 「플라스틱의 역습」이라는 동영상을 본 적이 있어. 그 내용을 떠올리며 이 글을 읽으니 글쓴이의 주장을 더욱 명확하게 알 수 있었어.

① 글의 구성 단계에 따라 중심 내용을 요약하였다.
② 모르는 단어나 어려운 문장의 의미를 추론하였다.
③ 글쓴이의 주장이 합리적이고 타당한지 평가하였다.
④ 매체를 통해 글쓴이에 대한 정보를 파악하였다.
⑤ 자신의 배경지식을 활용하여 글의 내용을 이해하였다.

03 ㉠~㉤을 이해한 내용으로 적절하지 않은 것은?

① ㉠: 플라스틱을 쉽게 재활용할 수 있다는 생각을 의미하겠군.
② ㉡: 이물질이 많이 묻어 있거나 세척되지 않은 플라스틱이 많기 때문이겠군.
③ ㉢: 플라스틱 제품은 미세 플라스틱으로 제조된 것들이 대부분이라는 것을 보여 주는군.
④ ㉣: 앨버트로스는 플라스틱 조각을 먹이로 착각하였기 때문에 입으로 삼킨 것이겠군.
⑤ ㉤: 어류를 섭취하는 과정에서 미세 플라스틱이 우리의 몸속으로 들어올 수 있기 때문이겠군.

서술형

04 ⓐ와 같이 표현한 글쓴이의 의도를 쓰시오.

05~08 다음 글을 읽고, 물음에 답하시오.

가 적정 기술의 예로는 나이지리아의 교사인 모하메드 바 압바가 개발한 ㉠'항아리 냉장고'가 유명하다. '항아리 냉장고'는 냉장고가 없는 지역이나 냉장고가 있더라도 전기가 제대로 공급되지 않아 음식물 보관에 어려움을 겪는 사람들에게 매우 유용한 발명품이다. 보관 기간이 3일 정도밖에 되지 않는 토마토나 후추와 같은 식품을 이 냉장고에 보관하면 무려 21일 정도까지나 신선하게 보관할 수 있다고 하니, 그야말로 획기적인 기술이라고 할 수 있다.

나 또 다른 예로는 오염된 물을 정화할 수 있는 휴대용 물 정화 장치인 '라이프 스트로'가 있다. 빨대처럼 생긴 '라이프 스트로'로 물을 빨아들이면, 물이 간이 정화 장치를 통과하면서 깨끗해져 오염된 물도 안전하게 마실 수 있다. 그리고 멀리까지 가서 식수를 길어 와야 하는 사람들을 위해 만든 '큐 드럼'이라는 물통도 있다. '큐 드럼'은 자동차 바퀴처럼 둥글게 생긴 통으로 가운데에 구멍이 뚫렸다. 이 구멍에 줄을 엮어서 끌면 물통을 굴리면서 운반할 수 있다.

다 예를 들면 덥고 건조한 서남아시아 지역에서는 주변의 흙을 이용하여 만든 흙벽돌로 집을 지었다. 흙으로 만든 벽돌로 벽을 두껍게 쌓고 천장을 높인 다음, 창문을 꼭대기에 설치하였다. 그리고 집 안의 벽에는 호리병 모양의 물병을 적당한 높이에 걸어 두었다. 이렇게 하여 바깥 기온이 40도가 넘는 더위에도 실내 온도는 25도 정도로 시원한 상태를 유지할 수 있었다.

라 지구상에서 가장 추운 지역에서 살고 있는 이누이트들은 이글루라고 부르는 집을 짓는다. 이글루의 재료는 주변에서 쉽게 구할 수 있는 눈이다. 이들은 눈을 다듬어 벽돌 모양으로 다져서 둥근 반원 모양의 집을 짓는다. 그런 다음에 이글루의 내부 벽에 물을 뿌려 주면, 그 물이 차가운 눈얼음을 만나 얼면서 응고열을 방출한다. 그 결과 내부 기온이 올라가면서 실내가 따뜻해진다.

마 세계 구석구석에서 활용되고 있는 적정 기술의 밑바탕에도 과학이 숨어 있다. 우리도 과학적인 사고를 바탕으로 우리의 삶을 위한 적정 기술을 개발하여, 현대 사회의 부족한 에너지를 보충할 수 있는 방법을 함께 모색해 보자.

05 다음 중 이 글의 서술 방식에 해당하는 것만을 골라 바르게 묶은 것은?

> ㄱ. 적정 기술의 발달 과정을 설명하고 있다.
> ㄴ. 적정 기술이 적용된 사례를 소개하고 있다.
> ㄷ. 적정 기술의 원리와 기능을 분석하고 있다.
> ㄹ. 적정 기술이 현대 사회에 미친 영향을 요약하고 있다.

① ㄱ, ㄴ ② ㄱ, ㄷ ③ ㄴ, ㄷ
④ ㄴ, ㄹ ⑤ ㄷ, ㄹ

06 (가)~(마)를 읽은 방법으로 적절하지 않은 것은?

① (가): '획기적'이라는 단어를 몰라서 앞뒤 문맥을 고려하여 의미를 파악하였다.
② (나): '큐 드럼'이 무엇인지 이해가 되지 않아서 '큐 드럼'의 사진 자료를 참고하였다.
③ (다): 배경지식을 활용하여 '호리병 모양의 물병'이 실내 온도를 낮추는 원리를 추론하였다.
④ (라): '이누이트'에 대한 정보가 궁금하여 사전을 찾아 관련 정보를 수집하였다.
⑤ (마): 글쓴이가 세계 구석구석에서 경험한 일을 통해 얻은 교훈을 나 자신의 경험과 비교하며 이해하였다.

07 (가)~(마) 중, 글의 내용을 이해하기 위해 〈보기〉를 활용할 수 있는 것은?

> 보기
> 액체와 기체를 가열하면, 가열된 물질은 위로 올라가고 차가운 물질은 아래로 내려오면서 전체 온도가 올라가게 된다. 이와 같이 물질이 직접 이동하면서 열이 이동하는 것을 대류라고 한다.

① (가) ② (나) ③ (다) ④ (라) ⑤ (마)

서술형

08 〈보기〉는 이 글을 읽으면서 추가적으로 수집한 자료이다. 〈보기〉의 '대형 그물'과 ㉠의 공통점을 쓰시오.

> 보기
> 아프리카 서남부 나미비아 사막 마을에는 허공을 향해 대형 그물이 쳐져 있다. 이 그물은 새벽마다 안개에 젖고, 젖어서 맺힌 물방울은 파이프를 타고 흘러내려 주민들이 날마다 먹을 물이 된다.

01~10 다음 글을 읽고, 물음에 답하시오.

가 플라스틱은 석유에서 추출한 원료를 결합하여 만든 고분자 화합물의 한 종류이다. 이 고분자 물질은 대부분 합성수지인데, 합성수지를 열 가공하거나 경화제, 촉매, 중합체 등을 사용하여 일정한 형상으로 성형한 것 또는 그 원료인 고분자 재료를 플라스틱이라고 한다. 플라스틱은 매우 가벼운 데다 모양을 변형하기도 쉽고 다양한 빛깔로도 만들 수 있다.

나 이렇듯 일상생활에서 흔히 사용하는 플라스틱이 문제가 되는 이유는 바로 플라스틱이 잘 썩지 않는 물질이라는 데 있다. 플라스틱이 분해되려면 500년 혹은 그 이상의 기간이 걸린다고 한다. 어떤 전문가들은 플라스틱이 분해되는 기간을 정확히 알 수 없다고도 말한다. 즉, 플라스틱이 만들어진 지 100년 정도밖에 되지 않았다는 점을 감안하면, 인간이 생산한 플라스틱은 아직 어딘가에 아직 그대로 남아 있는 것이다. 하지만 사람들은 플라스틱을 재활용할 수 있다는 생각에 플라스틱 제품을 편하게 쓰고 쉽게 버린다. 그것이 ㉠소탐대실하는 것인지도 모른 채 말이다.

다 사진 속에는 멸종 위기종인 앨버트로스가 죽어 있었는데, 그 몸속에는 플라스틱 뚜껑과 작게 부서진 플라스틱 조각들이 가득 차 있었다. 미드웨이섬은 아시아와 아메리카 대륙의 중간 지점에 있어서 미드웨이라는 이름이 붙었다. 이름처럼 태평양 한가운데에 있는 이 섬에는 세계 곳곳에서 버려진 쓰레기들이 바람과 해류를 따라 휩쓸려 온다. 바다를 떠다니는 동안 단단했던 플라스틱 쓰레기는 깨지고 닳아 작은 크기로 부서진 채 물속을 떠다닌다. 앨버트로스는 이 플라스틱의 알록달록한 빛깔에 이끌려 그것이 얼마나 위험한 것인지도 모른 채 꿀꺽 삼키고 말았던 것이다. [㉡] 서서히 죽어 갔을 것이다.

라 해양 쓰레기의 60에서 80 퍼센트는 플라스틱이 차지하고 있다. 플라스틱 쓰레기는 바다를 떠다니다가 잘게 부서져 새와 바다거북, 돌고래와 같은 동물들에게 해를 끼치고 있다. 또한 흉물스럽게 버려진 플라스틱 쓰레기는 자연 경관을 해쳐 관광 산업에도 피해를 주며, 선박의 안전도 위협한다. 그뿐만 아니라, 사람의 눈에 잘 보이지 않는 미세 플라스틱은 물고기의 내장이나 싱싱한 굴 속에도 유입되어 우리의 식탁에 오른다. 결국은 우리의 건강까지 위협하는 것이다.

마 지질 시대에 만들어진 석유는 지구가 매우 오랜 기간에 걸쳐 만들어 낸 소중한 자원이다. 하지만 우리는 이 소중한 석유를 겨우 10분가량 사용할 플라스틱으로 만들었다가, 다시 수백 년 동안 분해되지 않는 쓰레기로 만들고 있다. 길바닥에 나뒹구는 쓰레기로, 바다를 떠다니는 해양 쓰레기로, 매립장에 가득 쌓인 쓰레기로 말이다. 지금까지 사람들이 만들어 낸 모든 플라스틱 쓰레기는 썩지 않고 이 지구 어딘가에 존재하고 있다. ㉢그런데도 계속해서 플라스틱을 이렇게 편하게 쓰고 쉽게 버려도 될까? 손이 닿는 곳이면 어디에나 있는 플라스틱을 전혀 사용하지 않고 생활하기는 어렵겠지만, 줄일 수 있다면 줄여 보자. 특히 짧은 시간 사용하고 버리는 일회용 플라스틱 제품은 더더욱 선택하지 말자.

1단계 단답식 서술형 문제

01 (가)의 중심 내용을 쓰시오. [5점]

02 (나)에서 설명하고 있는 플라스틱의 특성을 쓰시오. [5점]

03 (다)에서 알 수 있는 플라스틱의 문제점을 쓰시오. [5점]

04 (라)에서 플라스틱이 인간에게 미치는 영향을 언급한 글쓴이의 의도를 쓰시오. [5점]

05 ㉢에서 글쓴이가 주장을 강조하기 위해 사용한 표현 방법을 쓰시오. [5점]

• 정답과 해설 25쪽

2단계 기본형 서술형 문제

06 이 글의 내용을 바탕으로 ㉠의 의미를 쓰시오. [10점]

> 조건 ① '소탐'과 '대실'에 해당하는 내용을 각각 쓸 것

07 〈보기〉를 바탕으로 ㉡에 들어갈 내용을 쓰시오. [10점]

> 보기
>
> [인터넷 백과사전]
>
> 미세 플라스틱이란 5 밀리미터 미만의 작은 플라스틱으로, 처음부터 미세 플라스틱으로 제조되거나, 플라스틱 제품이 부서지면서 만들어진다. 미세 플라스틱은 환경을 파괴할 뿐만 아니라, 인간의 건강을 위협한다는 점에서도 문제가 된다. 강과 바다의 생물들은 미세 플라스틱을 먹이로 착각하여 먹고 위장 장애 및 영양실조 등의 문제를 겪으면서 서서히 죽어 간다.

> 조건 ① 인과 관계가 잘 드러나도록 쓸 것

08 이 글에 제시된 글쓴이의 주장과 그 주장이 타당하다고 평가할 수 있는 근거를 쓰시오. [15점]

> 조건 ① 글쓴이의 주장은 청유형 문장으로 쓸 것
> ② 글의 내용을 바탕으로 근거를 쓸 것

3단계 고난도 서술형 문제

09 〈보기〉에 제시된 기준을 바탕으로 이 글에 나타난 글쓴이의 주장을 평가하고, 그렇게 평가한 이유를 서술하시오. [20점]

> 보기
>
> 글쓴이의 주장을 판단할 때에는 주장이 공정한지를 따져 보아야 한다. 즉 주장의 내용이 지나치게 어느 한쪽에 치우치지는 않았는지, 다른 입장을 고려하고 있는지 등을 판단해야 한다.

> 조건 ① 주장에 대한 평가는 '공정하다' 또는 '공정하지 않다' 중 하나를 선택하여 쓸 것
> ② 글의 내용을 바탕으로 평가의 이유를 두 가지 쓸 것

10 이 글에 드러난 글쓴이의 관점에서 〈보기〉의 주장이 타당한지 평가하고, 그렇게 평가한 이유를 서술하시오. [20점]

> 보기
>
> 일회용품 플라스틱을 대체할 수 있는 물질들이 개발되고 있으나 가격이 비싸고 대량 생산이 어렵다는 한계가 있다. 또한 일회용품을 대신하여 다른 용기를 세척하여 쓰는 방법은 불편하고, 위생상의 문제를 일으킬 수 있다. 그리고 물 자원을 불필요하게 소비하게 하고 화학 세제 사용으로 인한 환경 오염을 유발할 수 있다.

> 조건 ① 주장에 대한 평가는 '타당하다' 또는 '타당하지 않다' 중 하나를 선택하여 쓸 것
> ② 글의 내용을 바탕으로 평가의 이유를 쓸 것

만점 마무리 (2) 설득의 힘을 기르는 토론

◆ 제재 선정 의도

「교실에서의 에어컨 사용을 자율화해야 한다」는 학생들의 학교생활과 밀접한 관련이 있는 문제를 정책 논제로 다룬 토론 담화 글이다. 학생들의 토론 진행 과정을 살펴보며 타당한 근거를 들어 자신의 주장을 펼치는 능력을 기를 수 있고, 또 상대방의 주장을 논박하는 방법도 익힐 수 있어 제재로 선정하였다.

본문 제재 「교실에서의 에어컨 사용을 자율화해야 한다」

◆ 제재 이해

갈래	고전적 토론
성격	설득적, 논리적
제재	교실에서의 에어컨 사용 자율화
논제	교실에서의 에어컨 사용을 자율화해야 한다.
특징	• 찬성 측과 반대 측이 각각 두 번씩 입론과 반론을 실시하는 방식임. • 논제의 주요 쟁점을 중심으로 찬성 측과 반대 측이 근거를 들어 주장을 펼침. • 상대측 주장이나 근거에 대해 신뢰성, 타당성, 공정성 등을 판단하여 논박함.

◆ 토론의 흐름

찬성 측 입론 1 → 반대 측 입론 1 → 찬성 측 입론 2 → 반대 측 입론 2 → 반대 측 반론 1 → 찬성 측 반론 1 → 반대 측 반론 2 → 찬성 측 반론 2

◇ 토론 개최의 배경 및 토론의 논제

개최 배경	학교의 중앙 냉방 방식에 불만이 있는 학생들이 많아지면서 학생들 스스로 에어컨 온도를 조절할 수 있게 해 달라는 요청이 늘어남.
논제	교실에서의 에어컨 사용을 자율화해야 한다.

◇ 논제의 쟁점에 따른 찬성 측과 반대 측의 입론

쟁점 ① 학생들의 권리를 보호하기 위해 에어컨 사용을 자율화해야 한다.

	찬성 측	반대 측
주장	학생들의 행복 추구권을 실현할 수 있도록 에어컨 사용을 자율화해야 함.	학생들의 학습권을 보호하기 위해 에어컨 사용을 자율화하면 안 됨.
근거	우리나라 헌법 제10조에서는 모든 국민에게 행복 추구권이 있음을 규정하고 있음.	한정된 학교의 운영 예산에서 전기 요금의 비율이 커지면, 학생들을 위한 교육 예산이 줄어듦.

쟁점 ② 학습 효과를 높이기 위해 에어컨 사용을 자율화해야 한다.

	찬성 측	반대 측
주장	학습 효과를 높이기 위해 에어컨 사용을 자율화해야 함.	지구 환경을 보호하기 위해 에어컨 사용을 자율화하면 안 됨.
근거	미국의 한 경제 연구소의 분석 결과에 따르면 온도가 낮을 때 학생들의 시험 점수가 높아졌음.	전 세계적으로 환경 문제가 심각하므로 학교도 환경을 지키는 일에 동참해야 함.

◇ 상대측의 주장에 대한 양측의 반론

	반대 측	찬성 측
첫 번째 반론	• 찬성 측 토론자의 평상시 수업 태도가 성실하지 못한 점을 근거로 들어 찬성 측의 주장을 반박함. • 네덜란드 의과 대학 연구팀의 연구 결과를 근거로 들어 찬성 측의 주장이 공평하지 않다고 반론을 제기함.	• 성숙한 태도로 반대 측이 예상하는 문제를 해결해 나갈 수 있음을 강조하면서 반대 측의 반론을 반박함. • 학교의 설립 목적을 근거로 들어 반대 측의 주장이나 근거가 합리적이지 않다고 반론을 제기함.
두 번째 반론	• 환경 오염과 지구 온난화 문제를 근거로 들어 에어컨 사용을 자율화하는 것이 바람직하지 못하다고 반박함. • 적정 온도일 때 뇌 활성도가 가장 높아진다는 실험 결과를 근거로 들어 찬성 측의 주장과 근거를 신뢰할 수 없다고 반론을 제기함.	• 태양광 발전기 같은 친환경적 방법으로 반대 측이 제기한 문제를 해결할 수 있다고 반박함. • 반대 측에서 근거로 제시한 연구 결과를 인정하면서도 이에 대한 의문을 제기하여 에어컨 사용을 자율화해야 하는 까닭을 다시 한번 강조함.

◇ 토론에서 주장과 근거를 비판적으로 분석하기 위한 판단 기준

신뢰성	인정이나 권위에 호소하지 않고, 믿을 만한 자료를 바탕으로 주장하고 있는가?
타당성	주장과 근거가 연관되어 있으며, 근거가 주장을 논리적으로 뒷받침하고 있는가?
공정성	어느 한쪽의 이념, 가치관에 치우치지 않고, 정의롭고 공평한 주장을 펼치고 있는가?

간단 복습 문제 (2) 설득의 힘을 기르는 토론

• 정답과 해설 26쪽

쪽지 시험

[01~03] 다음 문장에 들어갈 알맞은 낱말을 ( )에서 골라 ○표 하시오.

01 고전적 토론은 찬성 측과 반대 측이 각각 (한 / 두) 번의 입론과 반론을 펼친다.

02 토론에서 (입론 / 반론)은 상대측의 주장을 조리 있게 비판하면서 자기 측 주장을 변호하는 단계이다.

03 「교실에서의 에어컨 사용을 자율화해야 한다」는 (정책 / 가치) 논제를 중심으로 진행된 토론이다.

[04~06] 다음 내용이 맞으면 ○표, 틀리면 ×표 하시오.

04 토론에서 사회자는 토론자의 발언 순서를 짚어 주며 발언권을 부여한다. ( )

05 「교실에서의 에어컨 사용을 자율화해야 한다」에서 찬성 측은 행복 추구권을 규정한 헌법을 근거로 활용하고 있다. ( )

06 「교실에서의 에어컨 사용을 자율화해야 한다」에서 반대 측은 온도가 낮을 때 학생들의 시험 점수가 높아졌다는 연구 결과를 근거로 활용하고 있다. ( )

[07~10] 다음 문장의 빈칸에 들어갈 알맞은 낱말을 〈보기〉에서 골라 그 기호를 쓰시오.

보기
㉠ 쟁점 ㉡ 논박하기 ㉢ 신뢰성 ㉣ 공정성

07 인정이나 권위에 호소하지 않고, 믿을 만한 자료를 바탕으로 주장하고 있는지를 판단하는 기준을 ( )(이)라고 한다.

08 토론에서 상대방의 주장과 근거가 지닌 논리적 허점에 대해 타당한 근거를 들어 비판하고 자신의 주장이 옳음을 입증하는 것을 ( )(이)라고 한다.

09 찬성 측과 반대 측의 입장이 나뉘는 지점이자 치열하게 맞대결하는 세부 주장을 ( )(이)라고 한다.

10 어느 한쪽의 이념이나 가치관에 치우치지 않으며, 정의롭고 공평한 주장을 펼치고 있는지를 판단하는 기준을 ( )(이)라고 한다.

어휘 시험

[01~03] 다음 설명에 해당하는 낱말을 〈보기〉에서 골라 쓰시오.

보기
규정, 적정, 반론

01 알맞고 바른 정도 ( )

02 규칙으로 정함. 또는 그 정하여 놓은 것 ( )

03 남의 논설이나 비난, 논평 따위에 대하여 반박함. ( )

[04~05] 다음 문장에 들어갈 알맞은 낱말을 ( )에서 골라 ○표 하시오.

04 이런 악순환을 끊기 위해서라도 우리는 어느 정도의 불편함은 (감수 / 감안)해야 합니다.

05 폭염 때문에 어쩔 수 없이 취한 (처치 / 조치)라고 해도, 학교가 교육 활동을 할 수 없는 환경을 제공한다면 문제가 있는 것이 아닐까요?

[06~07] 다음 문장의 빈칸에 들어갈 알맞은 낱말을 〈보기〉에서 골라 쓰시오.

보기
판정, 대안, 한정, 제어, 침해

06 학교를 운영하는 예산은 ( )되어 있는데 에어컨을 자율적으로 사용하면 전기 요금이 더 올라갈 것이고, 그만큼 학생들을 위한 교육 예산은 줄어들 수밖에 없습니다.

07 학생들이 에어컨의 온도를 자율적으로 조절한다고 해도 모두가 만족할 수는 없습니다. 오히려 일부 학생들은 자신의 권리를 ( )당할 수도 있지요.

[08~10] 다음 낱말과 그 뜻풀이를 바르게 연결하시오.

08 제기 • • ㉠ 아끼어 줄임.

09 절감 • • ㉡ 의견이나 문제를 내어놓음.

10 설립 • • ㉢ 기관이나 조직체 따위를 만들어 일으킴.

예상 적중 소단원 평가 (2) 설득의 힘을 기르는 토론

01~03 다음을 읽고, 물음에 답하시오.

가 나현: 우리나라 헌법 제10조는 "모든 국민은 인간으로서의 존엄과 가치를 가지며, 행복을 추구할 권리를 가진다."라고 하여 행복 추구권을 규정하고 있습니다. 국민은 누구나 자신이 좋아하는 환경에서 만족스럽게 생활할 권리가 있다는 것입니다. 하지만 우리는 에어컨을 자유롭게 사용하지 못한 채 더위에 고통받고 있습니다. 따라서 저는 학생들이 행복 추구권을 실현할 수 있도록 에어컨 사용을 자율화해야 한다고 생각합니다.

나 현중: 물론 쾌적한 환경에서 공부하는 것은 중요합니다. 〈중략〉 하지만 에어컨을 자율적으로 사용하여 전기 요금이 늘어난다면 어떻게 될까요? ㉠행정실장님 말씀에 따르면 학교 운영 예산에서 전기 요금이 차지하는 비율은 약 10 퍼센트인데, 여름철에는 에어컨 사용으로 그 비율이 많이 올라간다고 합니다. 학교를 운영하는 예산은 한정되어 있는데 에어컨을 자율적으로 사용하면 전기 요금이 더 올라갈 것이고, 그만큼 학생들을 위한 교육 예산은 줄어들 수밖에 없습니다. 결국 우리는 다양한 지식을 배우고 활동을 경험할 수 있는 기회, 즉 학습권을 잃게 됩니다. 그래서 저는 중앙에서 에어컨을 관리하는 방식을 유지해야 한다고 생각합니다.

다 미르: 반대 측에서도 말씀하셨다시피 쾌적한 환경일 때 우리는 공부에 더욱 집중할 수 있습니다. 이를 뒷받침하는 ㉡연구 결과도 있는데요. 미국의 한 경제 연구소에서 2005년부터 2011년까지 시행된 중국의 입학시험 점수를 분석한 결과, 온도가 낮을 때 학생들의 시험 점수가 높아졌다고 합니다.

라 정은: 여러분은 혹시 '지구 생태 용량 초과의 날'이라는 말을 들어 보셨나요? 인간이 사용하는 자원의 양이 지구가 1년 동안 회복할 수 있는 양을 초과하는 날입니다. 2016년에는 8월 8일이었던 이날이, 2018년에는 8월 1일로 앞당겨졌다고 합니다. 그만큼 자원 소모가 빨라지고 있다는 의미입니다. 이에 전 세계는 환경 문제의 심각성을 인식하고 자원을 아끼기 위해 노력하고 있습니다. 학교도 환경을 지키는 일에 동참해야 합니다.

01 이 토론에서 〈보기〉에 제시된 쟁점에 대한 토론자의 생각으로 적절하지 않은 것은?

〈보기〉
ⓐ 에어컨 사용 자율화는 학생의 권리를 보장하는가?
ⓑ 에어컨 사용 자율화에 따른 효과는 있는가?

① ⓐ에 대해 '나현'은 행복 추구권을 실현할 수 있다고 생각한다.
② ⓐ에 대해 '현중'은 학생들의 학습권을 침해할 수 있다고 생각한다.
③ ⓐ에 대해 '나현'과 '현중' 모두 학생들이 쾌적한 환경에서 공부하는 것이 중요하다고 생각한다.
④ ⓑ에 대해 '미르'는 쾌적한 환경을 통해 학습 효과를 높일 수 있다고 생각한다.
⑤ ⓑ에 대해 '정은'은 공부에 대한 무관심으로 교과 성적이 떨어질 수 있다고 생각한다.

02 이 토론에서 〈보기〉의 자료를 활용할 수 있는 방안으로 가장 적절한 것은?

〈보기〉
네덜란드의 한 의과 대학 연구팀의 연구 결과, 같은 옷차림을 했을 때 남성은 22도를, 여성은 24.5도를 적당한 실내 온도로 여겼다.

① 찬성 측에서 실내 온도가 인간의 행복에 영향을 끼친다는 주장을 펼치는 데 활용한다.
② 찬성 측에서 에어컨 사용이 환경 문제를 심각하게 만든다는 주장을 반박하는 데 활용한다.
③ 반대 측에서 온도가 높을 때 시험 점수가 낮아진다는 주장을 반박하는 데 활용한다.
④ 반대 측에서 공부보다 지구 환경을 지키는 일이 더 중요하다는 주장을 펼치는 데 활용한다.
⑤ 반대 측에서 에어컨 사용을 자율화하면 모두가 만족스럽게 생활할 수 있다는 주장을 반박하는 데 활용한다.

서술형

03 ㉠과 ㉡을 근거로 활용했을 때의 효과를 쓰시오.

04~06 다음을 읽고, 물음에 답하시오.

(가) 나현: 반대 측에서 걱정하는 것처럼 에어컨 사용을 자율화한다고 하여 모두가 만족할 수도 없고, 학생들 간에 갈등이 발생할 수도 있습니다. 하지만 우리는 그동안 서로의 의견 차이를 조정하는 방법을 배우고, 서로를 배려하며 함께 살아가는 태도를 길러 왔습니다. 지금까지 배우고 익혔던 것들을 토대로 모두가 만족할 수 있는 규칙을 정한다면 그러한 문제는 쉽게 해결할 수 있습니다. 〈중략〉 초·중등 교육법 제2조에 따르면 학교는 학생들을 교육하는 것을 목적으로 설립된 기관을 가리킵니다. 그런데 최근 폭염이 지속되자 일부 학교가 휴교를 하거나 단축 수업을 했다고 합니다. 폭염 때문에 어쩔 수 없이 취한 조치라고 해도, 학교가 교육 활동을 할 수 없는 환경을 제공한다면 문제가 있는 것이 아닐까요? 그야말로 우리의 학습권이 침해당한다는 생각이 드는군요.

(나) 정은: 해가 지날수록 폭염이 극심해지는 근본적인 원인은 환경 오염과 지구 온난화 때문입니다. 이 문제가 해결되지 않는다면, 학교 입장에서는 학생들의 건강을 위해 휴교나 단축 수업을 할 수밖에 없습니다. 〈중략〉 즉, 당장 조금 더 시원하게 지내려고 에어컨을 마구 사용하다 보면 지구 온난화가 더욱 심해지게 되고, 결국 올여름과 같은 더위가 반복될 것입니다. 이런 악순환을 끊기 위해서라도 우리는 어느 정도의 불편함은 감수해야 합니다.

(다) 미르: 에어컨 사용을 자율화한다고 해서 무조건 낮은 온도로 설정하겠다는 것이 아닙니다. 다만 우리가 원하는 시간에 필요한 만큼 에어컨을 사용하고 싶다는 것입니다. 또 에어컨 청소를 자주 하면 에너지를 절감하는 효과를 낸다고 해요. 이처럼 자유롭게 에어컨을 쓰면서도 전기 에너지 소비량을 줄일 수 있도록 학생들이 실천 가능한 방법을 고민해 보겠습니다. 또한 최근에 정부와 기업이 협력하여 학교에 친환경적으로 전기 에너지를 생산할 수 있는 태양광 발전기를 설치해 주고 있습니다. 우리 학교에 태양광 발전기를 설치한다면 전기 요금을 아낄 수 있을 뿐만 아니라 걱정스러웠던 환경 오염 문제도 해소할 수 있습니다.

04 〈보기〉에서 '나현'의 말하기에 대한 설명에 해당하는 것만을 골라 바르게 묶은 것은?

보기
ㄱ. 상대측이 제기한 문제점을 해결할 수 있는 방안을 제시하고 있다.
ㄴ. 법률의 내용을 활용하여 상대측의 주장이 공평하지 않다는 점을 지적하고 있다.
ㄷ. 학생들 간의 갈등을 쉽게 해결했던 사례를 언급하여 상대측 주장에 대해 반박하고 있다.
ㄹ. 객관적 자료를 근거로 들어 상대측 주장이나 근거가 합리적이지 않다는 점을 비판하고 있다.

① ㄱ, ㄴ ② ㄱ, ㄷ ③ ㄱ, ㄹ
④ ㄴ, ㄷ ⑤ ㄷ, ㄹ

05 이 토론에서 〈보기〉를 근거로 활용할 수 있는 방안으로 가장 적절한 것은?

보기
한 실험에 따르면 실내 온도가 적정 온도인 26도일 때 뇌 활성도가 가장 높아진다고 한다. 뇌 활성도가 높아지면 학습과 집중력에 영향을 미치는 '베타파'가 나와 학습 효과를 높일 수 있다.

① 중앙에서 적정 온도로 관리를 할 때 학습 효과를 높일 수 있다는 주장을 뒷받침한다.
② 에어컨 사용을 자율화해도 무조건 낮은 온도로만 설정하는 것은 아니라는 주장을 뒷받침한다.
③ 에어컨 사용을 자율화하면 교육 활동을 위한 최적의 환경을 만들 수 있다는 주장을 뒷받침한다.
④ 전기 에너지 소비를 줄이면서 학습 효과를 높이는 환경 조성이 가능하다는 주장을 뒷받침한다.
⑤ 학생의 건강보다는 학교 재정을 위해 에어컨 사용을 자율화하면 안 된다는 주장을 뒷받침한다.

서술형

06 〈보기〉는 (나)와 (다)에 이어 사회자가 발언한 내용이다. ⓐ와 ⓑ에 들어갈 내용을 각각 쓰시오.

보기
사회자: 네. 반대 측에서는 [ⓐ]을/를 근거로 반론을 제기하였습니다. 찬성 측에서는 에어컨을 충분히 쓰면서도 [ⓑ]을/를 제시하면서, 에어컨 사용을 자율화해야 하는 까닭을 다시 한번 말씀해 주었습니다.

01~10 다음을 읽고, 물음에 답하시오.

(가) **나현:** 우리나라 헌법 제10조는 "모든 국민은 인간으로서의 존엄과 가치를 가지며, 행복을 추구할 권리를 가진다."라고 하여 행복 추구권을 규정하고 있습니다. 국민은 누구나 자신이 좋아하는 환경에서 만족스럽게 생활할 권리가 있다는 것입니다. 하지만 우리는 에어컨을 자유롭게 사용하지 못한 채 더위에 고통받고 있습니다. 따라서 저는 학생들이 [㉠]을 실현할 수 있도록 에어컨 사용을 자율화해야 한다고 생각합니다.

(나) **현중:** 찬성 측에서는 우리에게 행복 추구권이 있다는 것을 근거로 에어컨 사용을 자율화해야 한다고 말씀하셨습니다. 물론 쾌적한 환경에서 공부하는 것은 중요합니다. 그래야 학습에 더욱 집중할 수 있을 테니까요. 하지만 에어컨을 자율적으로 사용하여 전기 요금이 늘어난다면 어떻게 될까요? 행정실장님 말씀에 따르면 학교 운영 예산에서 전기 요금이 차지하는 비율은 약 10 퍼센트인데, 여름철에는 에어컨 사용으로 그 비율이 많이 올라간다고 합니다. 학교를 운영하는 예산은 한정되어 있는데 에어컨을 자율적으로 사용하면 전기 요금이 더 올라갈 것이고, 그만큼 학생들을 위한 교육 예산은 줄어들 수밖에 없습니다. 결국 우리는 다양한 지식을 배우고 활동을 경험할 수 있는 기회, 즉 학습권을 잃게 됩니다.

(다) **현중:** 찬성 측 토론자는 평소 수업 시간에 딴짓을 많이 하는데, 실내 온도가 낮아진다고 공부에 집중할까요? 저는 그 점이 매우 의문스럽습니다.

또한 찬성 측 토론자께서는 학생들의 행복 추구권을 근거로 들었지만, 에어컨을 자율적으로 사용한다고 모든 학생이 만족할 수 있을까요? 네덜란드의 한 의과 대학 연구팀의 연구 결과에 따르면, 같은 옷차림을 했을 때 남성은 22도를, 여성은 24.5도를 적당한 실내 온도로 여겼다고 합니다. 이는 사람마다 추위나 더위를 느끼는 온도가 다르다는 것을 뜻합니다. 그러므로 학생들이 에어컨의 온도를 자율적으로 조절한다고 해도 모두가 만족할 수는 없습니다.

(라) **나현:** 그럼 반대 측에게 묻겠습니다. 학교의 설립 목적이 무엇이라고 생각하나요? 초·중등 교육법 제2조에 따르면 학교는 학생들을 교육하는 것을 목적으로 설립된 기관을 가리킵니다. 그런데 최근 폭염이 지속되자 일부 학교가 휴교를 하거나 단축 수업을 했다고 합니다. 폭염 때문에 어쩔 수 없이 취한 조치라고 해도, 학교가 교육 활동을 할 수 없는 환경을 제공한다면 문제가 있는 것이 아닐까요? 그야말로 우리의 학습권이 침해당한다는 생각이 드는군요.

(마) **정은:** 또한 ㉡찬성 측에서 언급했던 것과 달리, 여름철 실내 온도가 무조건 낮다고 해서 학습 효과가 높아지는 것은 아닙니다. 한 실험에 따르면 실내 온도가 적정 온도인 26도일 때 뇌 활성도가 가장 높아진다고 하는데요. 뇌 활성도가 높아지면 학습과 집중력에 영향을 미치는 '베타파'가 나와 학습 효과를 높일 수 있습니다. 따라서 학습 효과를 높이기 위해서라도 중앙 제어 방식을 유지해야 한다고 생각합니다.

1단계 단답식 서술형 문제

01 이와 같은 토론의 형식을 쓰시오. [5점]

02 이 토론의 논제를 쓰시오. [5점]

03 토론의 흐름을 고려할 때, (가)~(마) 중 반론의 단계에 해당하는 것을 모두 골라 그 기호를 쓰시오. [5점]

04 (가)와 (라)에서 '나현'이 주장을 뒷받침하기 위해 사용하고 있는 근거의 공통점을 쓰시오. [5점]

05 ㉠에 들어갈 단어를 2어절로 쓰시오. [5점]

2단계 기본형 서술형 문제

06 (가)와 (나)의 내용을 〈보기〉와 같이 정리하였을 때, ⓐ와 ⓑ에 들어갈 내용을 각각 쓰시오. [10점]

보기

쟁점	ⓐ	

⬇

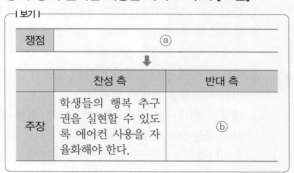

	찬성 측	반대 측
주장	학생들의 행복 추구권을 실현할 수 있도록 에어컨 사용을 자율화해야 한다.	ⓑ

조건 ① 완성된 문장 형식으로 쓸 것

07 (나)와 (다)에서 '현중'이 제시하고 있는 근거의 특성과 그 효과를 쓰시오. [15점]

조건 ① 근거의 출처 측면에서 특성을 각각 쓸 것
② 주장이나 근거에 미치는 효과를 쓸 것

08 (다)와 (라)에서 토론자가 상대측 주장이나 근거를 비판하고 있는 기준을 각각 쓰시오. [10점]

조건 ① 각각 '~는 점을 비판하고 있다.'의 형식으로 쓸 것

3단계 고난도 서술형 문제

09 〈보기〉에 제시된 토론자의 역할과 태도를 바탕으로 '현중'의 토론 태도를 평가하여 서술하시오. [20점]

보기

토론자는 상대방의 발언을 경청하고 예의를 갖추어 말해야 하며, 상대방의 주장이나 근거가 지닌 논리적 허점, 오류에 대해 조리 있게 비판해야 한다.

조건 ① (나)에서는 '현중'의 바른 태도가 나타나는 부분을 찾아 쓰고, (다)에서는 '현중'의 잘못된 태도가 나타나는 부분을 찾아 쓸 것
② '~ 것에서 알 수 있듯이, '현중'은 ~ 있다.'의 형식으로 쓸 것

10 〈보기〉는 ㉡의 과정에서 찬성 측이 활용한 근거이다. 〈보기〉를 바탕으로 ㉡의 내용을 서술하시오. [20점]

보기

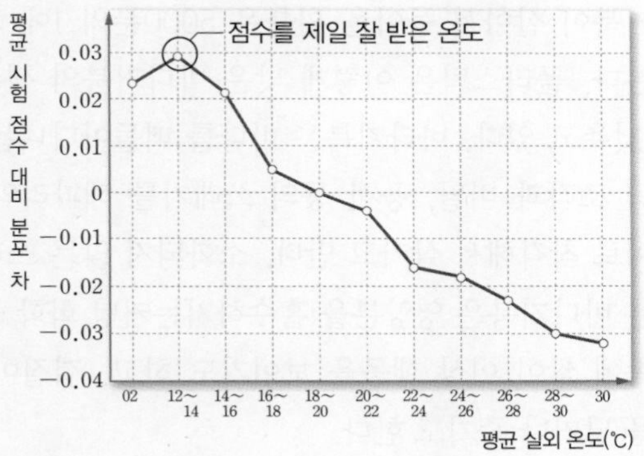

조건 ① 〈보기〉가 의미하는 바를 밝힐 것
② 찬성 측의 주장이 드러나도록 쓸 것

01~04 다음 글을 읽고, 물음에 답하시오.

가 플라스틱은 석유에서 추출한 원료를 결합하여 만든 고분자 화합물의 한 종류이다. 〈중략〉 플라스틱은 매우 가벼운 데다 모양을 변형하기도 쉽고 다양한 빛깔로도 만들 수 있다. 게다가 절연성도 뛰어나니 플라스틱이 우리 생활 깊숙이 자리 잡은 것은 어쩌면 당연한 일처럼 보인다.

나 플라스틱이 분해되려면 500년 혹은 그 이상의 기간이 걸린다고 한다. 어떤 전문가들은 플라스틱이 분해되는 기간을 정확히 알 수 없다고도 말한다. 즉, 플라스틱이 만들어진 지 100년 정도밖에 되지 않았다는 점을 감안하면, 인간이 생산한 플라스틱은 아직 어딘가에 아직 그대로 남아 있는 것이다.

다 플라스틱은 또 다른 멸종 위기종인 ㉠붉은바다거북의 생존도 위협하고 있다. 산란기를 맞은 바다거북은 많으면 한 번에 백 개가량의 알을 일곱 번까지 낳는다. 알에서 깨어난 새끼 거북은 모래 구덩이에서 나와 6 센티미터가량 자랐을 때 바다로 떠났다가, 30년이 지나서야 자신이 태어났던 바닷가를 다시 찾아온다. 이때 바다거북이 살아서 돌아올 확률은 5000분의 1에 지나지 않는다. 플라스틱은 이렇게 낮은 바다거북의 생존율을 더 낮추고 있다. 바다거북은 바다를 떠돌아다니는 플라스틱 조각과 비닐, 풍선 등의 쓰레기를 해파리와 같은 먹이로 착각해서 삼키고 만다. 소화되지 않는 쓰레기를 먹은 바다거북은 영양분을 흡수하기는커녕 화학 물질만 몸속에 쌓여 이상 행동을 보이기도 하고, 껍질이 약한 알을 낳거나 죽기도 한다.

라 지질 시대에 만들어진 석유는 지구가 매우 오랜 기간에 걸쳐 만들어 낸 소중한 자원이다. 하지만 우리는 이 소중한 석유를 겨우 10분가량 사용할 플라스틱으로 만들었다가, 다시 수백 년 동안 분해되지 않는 쓰레기로 만들고 있다. 길바닥에 나뒹구는 쓰레기로, 바다를 떠다니는 해양 쓰레기로, 매립장에 가득 쌓인 쓰레기로 말이다. 지금까지 사람들이 만들어 낸 모든 플라스틱 쓰레기는 썩지 않고 이 지구 어딘가에 존재하고 있다. ㉡그런데도 계속해서 플라스틱을 이렇게 편하게 쓰고 쉽게 버려도 될까?

01 이 글의 주제를 이해하는 데 도움이 되는 자료로 적절하지 않은 것은?

① 플라스틱 쓰레기의 실태를 고발한 뉴스 동영상
② 플라스틱이 개발된 계기와 플라스틱을 만드는 기술의 발달 과정을 설명한 책
③ 바닷속 미세 플라스틱이 인간과 동물의 삶에 미치는 악영향을 설명한 백과사전
④ 해양에 떠다니는 플라스틱 쓰레기로 인해 죽어 가는 동물들을 취재한 다큐멘터리
⑤ 우리나라의 1인당 플라스틱 연간 사용량이 세계 최고 수준이라는 점을 지적한 신문 기사

02 이 글을 읽고 정리한 내용으로 적절하지 않은 것은?

플라스틱

- 재료: 석유에서 추출한 원료를 결합해 만듦. …… ①
- 특징
  - 매우 가볍고 모양을 변형하기 쉬움. …… ②
  - 다양한 빛깔로 만들 수 있음. …… ③
  - 전기가 통하는 성질이 뛰어남. …… ④
- 문제점: 분해가 잘 되지 않음. …… ⑤

03 ㉠에 대한 설명으로 적절하지 않은 것은?

① 산란율이 낮아 멸종 위기종으로 지정되어 있다.
② 바다에 있는 플라스틱 조각을 먹이로 착각하여 먹는다.
③ 생태 환경의 특성과 플라스틱의 섭취로 인해 생존율이 낮은 편이다.
④ 일정 크기가 되면 바다로 떠났다가 자신이 태어났던 곳으로 회귀한다.
⑤ 플라스틱에 있는 화학 물질의 영향으로 이상 행동을 보이는 경우가 있다.

서술형

04 ㉡에 대한 글쓴이의 생각을 청유형의 한 문장으로 쓰시오.

05~08 다음 글을 읽고, 물음에 답하시오.

가 적정 기술은 한 공동체의 문화·정치·환경적인 면들을 종합적으로 고려하여 개발된 기술을 일컫는다. 현지에서 구할 수 있는 재료를 사용하고 자본을 적게 투자하면서도, 누구나 쉽게 배우고 쓸 수 있다는 장점이 있다.

나 '항아리 냉장고'의 원리는 간단하다. 먼저 큰 항아리 속에 작은 항아리를 집어넣는다. 그리고 두 항아리 사이의 공간을 젖은 모래로 채운 다음, 젖은 헝겊으로 작은 항아리를 덮는다. 진흙으로 빚은 항아리는 단열 작용을 하여 외부 열을 차단하는 역할을 하고, 모래 속의 물은 증발하면서 열을 빼앗아 가는 역할을 한다.

다 예를 들면 덥고 건조한 서남아시아 지역에서는 주변의 흙을 이용하여 만든 ㉠흙벽돌로 집을 지었다. 흙으로 만든 벽돌로 벽을 두껍게 쌓고 천장을 높인 다음, 창문을 꼭대기에 설치하였다. 그리고 집 안의 벽에는 호리병 모양의 물병을 적당한 높이에 걸어 두었다. 이렇게 하여 바깥 기온이 40도가 넘는 더위에도 실내 온도는 25도 정도로 시원한 상태를 유지할 수 있었다. 그 원리는 간단하다. 우선 단열 효과가 큰 흙벽돌을 사용하여 더운 바깥 공기가 실내로 들어오는 것을 차단한다. 그리고 공기의 대류 현상을 이용하여 상승한 더운 공기가 위쪽에 있는 창문으로 빠져나가게 한 것이다.

라 지구상에서 가장 추운 지역에서 살고 있는 이누이트들은 ㉡이글루라고 부르는 집을 짓는다. 이글루의 재료는 주변에서 쉽게 구할 수 있는 눈이다. 이들은 눈을 다듬어 벽돌 모양으로 다져서 둥근 반원 모양의 집을 짓는다. 그런 다음에 이글루의 내부 벽에 물을 뿌려 주면, 그 물이 차가운 눈얼음을 만나 얼면서 응고열을 방출한다. 그 결과 내부 기온이 올라가면서 실내가 따뜻해진다.

마 이처럼 과학은 다양한 모습으로 우리의 삶 깊숙한 곳에서 함께하고 있다. 세계 구석구석에서 활용되고 있는 적정 기술의 밑바탕에도 과학이 숨어 있다. 우리도 과학적인 사고를 바탕으로 우리의 삶을 위한 적정 기술을 개발하여, 현대 사회의 부족한 에너지를 보충할 수 있는 방법을 함께 모색해 보자.

05 이 글에서 답을 구할 수 있는 질문이 아닌 것은?

① 적정 기술이 지니고 있는 장점은 무엇일까?
② 항아리 냉장고의 식품 보관 원리는 무엇일까?
③ 과거와 오늘날의 적정 기술의 차이는 무엇일까?
④ 서남아시아에서 흙벽돌로 집을 지은 이유는 무엇일까?
⑤ 이누이트들이 추운 지역에서도 따뜻하게 지낼 수 있는 방법은 무엇일까?

06 ㉠과 ㉡에 대한 이해로 적절하지 않은 것은?

① ㉠과 ㉡ 모두 과학적 원리를 이용하여 만든 건축물이다.
② ㉠과 ㉡ 모두 현지에서 쉽게 구할 수 있는 재료를 이용한다.
③ ㉠은 ㉡과 달리 물질이 직접 이동하면서 열이 이동하는 현상을 이용한다.
④ ㉡은 ㉠과 달리 고체가 액체로 되면서 방출하는 열에너지를 이용한다.
⑤ ㉠은 바깥 온도보다 실내 온도가 낮으며, ㉡은 바깥 온도보다 실내 온도가 높다.

서술형

07 〈보기〉는 이 글을 읽으며 학생이 떠올린 생각이다. 〈보기〉에 사용된 읽기 방법을 쓰시오.

보기
과학 시간에 배웠듯이 '항아리 냉장고'는 액체 상태의 물을 기체로 만들 때 들어간 에너지만큼 주변에서 열을 빼앗는 원리로 인해 냉각 효과가 발생하는 거야.

08 이 글에 대한 독자의 반응 중, 성격이 다른 하나는?

① 적정 기술은 자원을 재활용하는 기술들이 많아.
② 적정 기술 중에는 실효성이 부족한 경우가 많아.
③ 적정 기술은 지속 가능한 발전을 실현할 수 있는 친환경적인 기술이야.
④ 적정 기술은 낙후된 지역이나 소외된 계층을 배려하고 있다는 점에서 가치가 있어.
⑤ 적정 기술은 기존의 것에 아이디어를 더해 인간이 향상된 삶을 살도록 돕는 기술이야.

09~11 다음을 읽고, 물음에 답하시오.

(가) 사회자: 안녕하세요. 이번 토론의 사회를 맡은 양세민입니다. 우리 학교는 전체 학급의 냉방 상태를 중앙에서 제어하는데요. 최근에 중앙 냉방 방식에 불만이 있는 학생들이 많아지면서 학생들 스스로 에어컨의 온도를 조절할 수 있게 해 달라는 목소리가 높아지고 있습니다. 그래서 오늘은 '교실에서의 에어컨 사용을 자율화해야 한다.'라는 논제로 토론을 하겠습니다.

(나) 나현: 우리나라 헌법 제10조는 "모든 국민은 인간으로서의 존엄과 가치를 가지며, 행복을 추구할 권리를 가진다."라고 하여 행복 추구권을 규정하고 있습니다. 〈중략〉 하지만 우리는 에어컨을 자유롭게 사용하지 못한 채 더위에 고통받고 있습니다.

(다) 현중: 행정실장님 말씀에 따르면 학교 운영 예산에서 전기 요금이 차지하는 비율은 약 10 퍼센트인데, 여름철에는 에어컨 사용으로 그 비율이 많이 올라간다고 합니다. 학교를 운영하는 예산은 한정되어 있는데 에어컨을 자율적으로 사용하면 전기 요금이 더 올라갈 것이고, 그만큼 학생들을 위한 교육 예산은 줄어들 수밖에 없습니다. 결국 우리는 다양한 지식을 배우고 활동을 경험할 수 있는 기회, 즉 학습권을 잃게 됩니다.

(라) 현중: 네덜란드의 한 의과 대학 연구팀의 연구 결과에 따르면, 같은 옷차림을 했을 때 남성은 22도를, 여성은 24.5도를 적당한 실내 온도로 여겼다고 합니다. 〈중략〉 그러므로 학생들이 에어컨의 온도를 자율적으로 조절한다고 해도 모두가 만족할 수는 없습니다. 오히려 일부 학생들은 자신의 권리를 침해당할 수도 있지요.

(마) 나현: 초·중등 교육법 제2조에 따르면 학교는 학생들을 교육하는 것을 목적으로 설립된 기관을 가리킵니다. 그런데 최근 폭염이 지속되자 일부 학교가 휴교를 하거나 단축 수업을 했다고 합니다. 폭염 때문에 어쩔 수 없이 취한 조치라고 해도, 학교가 교육 활동을 할 수 없는 환경을 제공한다면 문제가 있는 것이 아닐까요?

09 (가)에서 '사회자'가 수행한 역할을 〈보기〉에서 골라 바르게 묶은 것은?

보기
ㄱ. 자신과 토론자들을 청중에게 소개하였다.
ㄴ. 토론을 하게 된 배경과 취지를 설명하였다.
ㄷ. 토론의 종류에 따른 발언의 순서를 안내하였다.
ㄹ. 토론의 논제 제시와 함께 토론의 시작을 알렸다.

① ㄱ, ㄴ ② ㄱ, ㄷ ③ ㄱ, ㄹ
④ ㄴ, ㄹ ⑤ ㄷ, ㄹ

서술형

10 〈보기〉는 (나)와 (다)에서 다루고 있는 쟁점이다. 이를 참고하여 (다)에서 '현중'이 내세우고 있는 주장을 쓰시오.

보기
학생들의 권리를 보호하기 위해 에어컨 사용을 자율화해야 한다.

11 〈보기〉는 상대방의 주장과 근거를 비판적으로 분석할 때의 판단 기준이다. 〈보기〉를 바탕으로 이 토론을 이해한 내용으로 가장 적절한 것은?

보기
ⓐ 인정이나 권위에 호소하지 않고, 믿을 만한 자료를 바탕으로 주장하고 있는가?
ⓑ 주장과 근거가 연관되어 있으며, 근거가 주장을 논리적으로 뒷받침하고 있는가?
ⓒ 어느 한쪽의 이념이나 가치관에 치우치지 않으며, 정의롭고 공평한 주장을 펼치고 있는가?

① (나)에서 '나현'은 반대 측의 주장이 ⓑ를 충족하지 못한다고 비판하고 있다.
② (다)에서 '현중'은 찬성 측의 주장이 ⓐ를 충족하지 못한다고 비판하고 있다.
③ (라)에서 '현중'은 찬성 측의 주장이 ⓒ를 충족하지 못한다고 비판하고 있다.
④ (마)에서 '나현'은 반대 측의 주장이 ⓐ를 충족하지 못한다고 비판하고 있다.
⑤ (마)에서 '나현'은 반대 측의 주장이 ⓒ를 충족하지 못한다고 비판하고 있다.

만점 마무리 (1) 마음을 나누는 문학

◆ 제재 선정 의도

「제망매가」는 누이의 죽음으로 인한 슬픔을 종교의 힘으로 극복하는 모습에서 숭고한 아름다움을 느낄 수 있고, 「수라」는 1930년대 우리 민족이 겪은 비극적 상황을 거미 가족에게 일어난 사건에 빗대어 표현한 것에서 가족과의 이별로 인한 슬픔에 공감하고 비극에서 오는 아름다움을 느낄 수 있기에 제재로 선정하였다. 「흥부전」은 비참한 '흥부'의 상황을 우스꽝스럽게 표현하여 해학미를 잘 느낄 수 있기에 제재로 선정하였다.

본문 제재 ❶ 「제망매가」

◆ 제재 이해

갈래	향가(10구체)
성격	추모적, 애상적, 불교적
제재	누이의 죽음
주제	죽은 누이를 추모함. 누이의 죽음을 종교적으로 극복함.
특징	• 비유적 표현을 활용하여 서정성을 높임. • 윤회 사상을 바탕으로 재회에 대한 소망을 드러냄.

본문 제재 ❷ 「수라」

◆ 제재 이해

갈래	자유시, 서정시
성격	서사적, 상징적
제재	거미 가족의 헤어짐
주제	가족의 붕괴에 대한 안타까움과 가족에 대한 그리움
특징	• 거미를 의인화하여 표현함. • 시상의 전개에 따라 시적 정서가 심화됨.

적용 제재 「흥부전」

◆ 제재 이해

갈래	판소리계 소설, 국문 소설
성격	풍자적, 해학적, 교훈적
배경	조선 후기, 충청·경상·전라의 경계 지역
제재	'흥부'의 매품팔이
주제	권선징악, 형제간의 우애, 인과응보, 유교적 생활관
특징	• 해학미가 잘 나타남. • 판소리의 특징이 남아 있음.

본문 제재 ❶ 「제망매가」

◇ 제목 '제망매가'의 의미와 말하는 이가 처한 상황

제망매가(祭亡妹歌)	'죽은 누이를 위해 제사를 지내며 부르는 노래'라는 뜻임.

⬇

말하는 이의 처지	누이의 죽음을 겪고 누이를 추모하고자 하는 말하는 이의 상황이 나타남.

◇ 누이의 죽음을 대하는 말하는 이의 태도와 정서

누이의 죽음	1~8구	• 누이의 죽음에 대한 안타까움과 슬픔을 느낌. • 삶에 대한 무상함과 허망함을 느낌.
	9~10구	• 종교적 신념(불교적 사상)으로 슬픔을 극복하고 재회를 기약함.

본문 제재 ❷ 「수라」

◇ 거미 가족에 대한 말하는 이의 행동과 정서

	1연	2연	3연
대상	거미 새끼	큰 거미	무척 작은 새끼 거미
말하는 이의 행동	문밖으로 쓸어 버림.	새끼 있는 데로 가라고 문밖으로 버림.	보드라운 종이에 받아 문밖으로 버림.
말하는 이의 정서	무심함.	가슴이 짜릿함, 서러워함.	가슴이 메이는 듯함, 서러워함, 슬픔.

◇ 시대적 상황을 바탕으로 한 제목 '수라'의 의미

수라(修羅)	아수라. 싸움 따위로 혼잡하고 어지러운 상태에 빠진 곳이나 그러한 상태를 말함.

⬇

창작 당시인 1930년대, 우리 민족 역시 거미 가족처럼 가족 공동체가 해체되는 비극을 겪고 있었음. 이 시의 제목 '수라'는 거미 가족이나 당시 우리 민족이나 모두 '수라'와 같이 큰 혼란에 빠진 상황임을 표현함.

◇ 시적 상황과 말하는 이의 바람을 통해 드러나는 시인의 소망

헤어져 서로를 찾고 있는 거미 가족	=	가족과 헤어지게 된 우리 민족
거미 가족의 재회를 바람.	=	우리 민족의 공동체적 삶의 회복을 바람.

적용 제재 「흥부전」

◇ 이 소설에서 해학이 잘 나타난 부분

해학이 잘 나타난 부분	• 읍내에 가는 '흥부'의 옷차림 • '흥부'가 도포를 보관해 둔 장소 • 아전을 대하는 '흥부'의 태도 변화	• '장'과 '닭장'을 활용한 언어유희 • '흥부'가 갓을 굴뚝 속에 보관한 이유 • '흥부'가 말하는 볼기의 쓰임

→ '흥부'가 처한 비참한 상황을 우스꽝스럽게 표현하고 있는 것과 이런 비극적 상황을 웃음으로 극복하고 있는 '흥부'의 대응 방식에서 해학을 느낄 수 있음.

간단 복습 문제

(1) 마음을 나누는 문학

• 정답과 해설 28쪽

쪽지 시험

[01~04] 다음 문장에 들어갈 알맞은 낱말을 (   )에서 골라 ○표 하시오.

01 향가는 신라 시대에 생겨나 고려 시대까지 이어진 노래로, 주로 (한자 / 한글 / 향찰)로 기록되었다.

02 향가의 형식은 4구체 향가에서 (5구체 / 7구체 / 8구체) 향가, 10구체 향가로 발전하였다.

03 판소리 사설을 바탕으로 형성되었거나 판소리적 성격이 강한 고전 소설을 (신소설 / 판소리계 소설)이라고 한다.

04 문학 작품에는 어떤 대상에 대해 아름답다거나, 추하다거나, 숭고하다거나, 비장하다거나, 조화롭다거나, 우스꽝스럽다거나 하는 등의 (심미적 / 정서적) 인식이 담겨 있다.

[05~07] 「제망매가」에 대한 다음 설명이 맞으면 ○표, 틀리면 ×표 하시오.

05 '제망매가'라는 제목은 '죽은 누이를 위해 제사를 지내며 부르는 노래'라는 의미이다. (   )

06 이 시가에서 '이른 바람'은 '누이의 이른 죽음'을, '떨어질 잎'은 '돌아가신 부모님'을 의미한다. (   )

07 말하는 이는 불교적 윤회 사상을 바탕으로 누이를 잃은 슬픔을 극복하고 누이와의 재회를 기약하고 있다. (   )

[08~10] 「수라」에서 말하는 이의 행동과 관련된 정서를 〈보기〉에서 골라 그 기호를 쓰시오.

보기

㉠ 무심함. ㉡ 가슴이 짜릿함. ㉢ 가슴이 메이는 듯함.

08 (   ): 거미 새끼 하나를 문밖으로 쓸어 버림.

09 (   ): 새끼 거미 쓸려 나간 곳에 큰 거미가 옴.

10 (   ): 무척 작은 새끼 거미를 보드라운 종이에 받아 문밖으로 버림.

[11~13] 「수라」와 관련하여 다음 빈칸에 들어갈 알맞은 말을 쓰시오.

11 이 시는 시적 대상인 거미를 (   )함으로써, 시가 창작될 당시 우리 민족이 처한 현실을 드러내고 있다.

12 거미 가족이 다시 만나기를 기원하는 말하는 이의 마음에는 우리 민족의 가족 (   )이/가 회복되기를 바라는 소망이 담겨 있다.

13 이 시는 1연에서 3연으로 갈수록 말하는 이의 정서가 점층적으로 (   )된다.

[14~17] 「흥부전」과 관련하여 다음 빈칸에 들어갈 알맞은 말을 쓰시오.

14 '흥부'는 '장'과 '닭장'을 활용한 (   )을/를 통해 웃음을 유발하고 있다.

15 아내와 자식들이 배고픔에 시달리자 '흥부'는 우스꽝스러운 (   ) 차림을 하고 환자를 꾸러 나간다.

16 '흥부'는 고을 좌수 대신 매를 맞으면 돈을 준다는 이야기를 듣고 (   )을/를 하기로 마음먹는다.

17 '흥부'는 아내가 곤장을 맞는 것을 말리자, '(   )'을/를 가지고 농담을 하며 걱정하는 아내를 달랜다.

어휘 시험

[01~03] 다음 설명에 해당하는 낱말을 〈보기〉에서 골라 쓰시오.

보기

수라, 백씨장, 생살지권

01 남의 형을 일컫는 말 (   )

02 사람을 죽이고 살리는 권세 (   )

03 싸움 따위로 혼잡하고 어지러운 상태에 빠진 곳이나 그러한 상태를 말함. (   )

예상 적중 소단원 평가 (1) 마음을 나누는 문학

• 정답과 해설 28쪽

01~04 다음 시를 읽고, 물음에 답하시오.

(가) 생사(生死) 길은
예 있으매 머뭇거리고,
나는 간다는 말도
몯다 이르고 어찌 갑니까.
어느 가을 이른 바람에
이에 저에 ⓐ떨어질 잎처럼,
ⓑ한 가지에 나고
가는 곳 모르온저.
㉠아아, 미타찰(彌陀刹)에서 만날 나
도(道) 닦아 기다리겠노라.

(나) 거미 새끼 하나 방바닥에 나린 것을 나는 아무 생각 없이 문밖으로 쓸어 버린다
ⓒ차디찬 밤이다

언제인가 새끼 거미 쓸려 나간 곳에 큰 거미가 왔다
나는 가슴이 짜릿한다
나는 또 큰 거미를 쓸어 문밖으로 버리며
찬 밖이라도 새끼 있는 데로 가라고 하며 서러워한다

이렇게 해서 아린 가슴이 싹기도 전이다
어데서 좁쌀알만 한 알에서 가제 깨인 듯한 발이 채 서지도 못한 무척 작은 새끼 거미가 이번엔 큰 거미 없어진 곳으로 와서 아물거린다
나는 가슴이 메이는 듯하다
내 손에 오르기라도 하라고 나는 손을 내어미나 분명히 울고불고 할 ⓓ이 작은 것은 나를 무서우이 달어나 버리며 나를 서럽게 한다
나는 이 작은 것을 고이 보드러운 종이에 받어 또 문밖으로 버리며
이것의 엄마와 누나나 형이 가까이 이것의 걱정을 하며 있다가 ⓔ쉬이 만나기나 했으면 좋으련만 하고 슬퍼한다

01 (가)에 대한 설명으로 알맞지 않은 것은?

① 신라 시대의 승려였던 월명사의 작품이다.
② 죽은 누이를 추모하기 위해 지은 노래이다.
③ 시적 대상을 의인화하여 주제를 강조하고 있다.
④ 10구체 향가로, 내용상 세 부분으로 나눌 수 있다.
⑤ 한자의 음과 뜻을 빌려 국어의 문장을 적은 향찰로 기록되었다.

02 (나)의 시적 대상을 〈보기〉와 같이 정리할 때, 말하는 이의 행동과 정서 변화로 알맞지 않은 것은?

보기

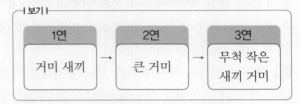

1연		2연		3연
거미 새끼	→	큰 거미	→	무척 작은 새끼 거미

① 각 연마다 대상에 대한 동일한 행동이 반복된다.
② 1연에는 대상을 무심코 대하는 태도가 나타난다.
③ 2연에서 큰 거미를 본 뒤 대상에 대한 정서 변화가 일어난다.
④ 1연에서 3연으로 갈수록 대상에 대한 연민의 정서가 심화된다.
⑤ 시적 대상의 크기가 작아질수록 대상에 대한 정서 표현이 늘어난다.

03 ⓐ~ⓔ에 대한 설명으로 알맞지 않은 것은?

① ⓐ: 말하는 이의 요절한 누이를 비유한 표현이다.
② ⓑ: 말하는 이와 시적 대상이 같은 부모에게서 태어난 혈육임을 나타낸다.
③ ⓒ: 말하는 이의 차가운 모습을 부각함과 동시에 일제 강점기의 현실을 암시한다.
④ ⓓ: 무척 작은 새끼 거미가 말하는 이를 거부하며 도망치는 데서 느끼는 서운함이 드러난다.
⑤ ⓔ: 거미 가족의 재회와 가족 공동체의 회복에 대한 말하는 이의 소망이 나타난다.

서술형

04 ㉠에서 이 시가가 주는 감동을 느낄 수 있다고 할 때, 이를 주제와 연결하여 한 문장으로 쓰시오.

• 정답과 해설 28쪽

05~09 다음 글을 읽고, 물음에 답하시오.

(가) "여보 영감, 그 모양에 곡식 먹고 도망한다고 안 줄 테니 가 보아야 소용없는 일입니다."
"가장이 나서는데 그게 무슨 소리! 어찌 될지는 가 봐야 아는 일이니 장 안에서 도포나 꺼내 와요."
"아이고, 우리 집에 무슨 장이 있단 말이오?"
"어허, 닭장은 장이 아닌가? 가서 내 갓도 챙겨 내와요."

(나) 다 떨어진 고의적삼 살점이 울긋불긋, 발바닥은 뻥 뚫리고 목만 남은 헌 버선에 짚 대님이 희한하다. 헐고 헌 베 도포에 구멍이 숭숭, 열두 도막 이은 띠 가슴에 둘러 질끈 매고, 한 손에다가 곱돌 담뱃대 들고, 또 한 손에다 떨어진 부채 들고 곧 죽어도 양반이라고 여덟 팔 자 걸음으로 어식비식이 내려간다.

(다) 흥부가 관가를 향해 한참을 가다가 별안간 걱정이 하나 생겨났다. / '내가 아무리 빈털터리가 되었을망정 나는 반남 박씨 양반이 아닌가. 아전들한테 존대를 할 수 없고 그렇다고 반말을 하면 저 사람들이 싫어해서 곡식을 안 줄 테니 이 일을 어찌하나?'
곰곰 생각하다가 무릎을 탁 쳤다.
'옳다구나! 아전들을 보고 인사를 할 때 말끝을 '고'와 '제'로 달아서 웃음으로 닦는 것밖에 수가 없다.'

(라) "아니 환자 대신 매를 맞다니? 내가 밥을 굶었다니까 매를 굶은 사람인 줄 아나?"
"그런 게 아니라 우리 고을 좌수가 병영에서 그만 죄를 얻었는데 좌수 대신으로 곤장 열 대만 맞고 오면 한 대에 석 냥씩 서른 냥은 굳은 돈이오. 누가 가든 말 타고 가라고 마삯 닷 냥까지 얹어서 서른닷 냥을 주기로 했으니 한번 다녀오시려오?"
흥부가 돈 말을 듣더니 대번에 말투가 존대가 되어 '하시오'로 올라갔다. / "여보시오, 가고 말고요. 그건 그러려니와 내 아니꼽게 말 타고 갈 것이 아니라 정강이말로 다녀올 테니 그 돈 닷 냥을 나를 주시오."

(마) "여보, 영감, 병영 곤장을 한 개만 맞아도 평생 골병이 든답니다." 〈중략〉 흥부가 듣고 하는 말이
"돈은 벌써 축났으니 도로 줄 수도 없는 일이고, 대관절 이 볼기를 두었다가 어디다 쓰겠소? 쓸데없는 이내 볼기, 이렇게 궁한 판에 매품이나 팔아먹지 그냥 두어 무엇 할까. 괜찮으니 걱정 말아요."

05 이 글의 갈래적 특징으로 알맞지 않은 것은?
① 해학미가 잘 표현되어 있는 작품이다.
② 권선징악을 주제로 한 대표적인 이야기이다.
③ 조선 후기 백성들의 생활 모습이 잘 나타난다.
④ 판소리의 특징이 남아 있는 판소리계 소설이다.
⑤ 재치와 언변이 뛰어난 입체적 인물이 주인공이다.

06 이 글에 나타난 '흥부'의 상황과 태도에 해당하지 않는 것은?
① 몰락한 양반 신분으로 곤궁한 처지이다.
② 고을 좌수 대신 매를 맞고 돈을 벌 결심을 한다.
③ 어설프게나마 양반으로서의 체면을 차리려고 한다.
④ 힘들고 비참한 처지를 방관한 채 웃음으로 넘긴다.
⑤ 가난을 벗어나지 못해 가족이 밥을 굶는 형편이다.

07 〈보기〉의 상황에 대한 '흥부'의 대응 방식으로 가장 알맞은 것은?

보기
환자를 얻기 위해 신분이 낮은 아전들에게 잘 보여야 하는 상황

① 아전들에게 존대하는 말투를 씀.
② 우스꽝스러운 의관을 갖추고 관가로 감.
③ 볼기를 가지고 농담을 하며 아내를 달램.
④ 닭장에 보관해 둔 도포를 꺼내 차려 입음.
⑤ 체면을 차리기 위해 말끝을 '고'와 '제'로 닮.

08 (나)에 두드러진 서술 방법으로 가장 알맞은 것은?
① 비유 ② 묘사 ③ 서사
④ 예시 ⑤ 인용

서술형

09 (라)~(마)에서 '흥부'가 돈을 벌게 된 방법과 관련하여 짐작할 수 있는 당시의 사회상을 쓰시오.

• 정답과 해설 28쪽

01~10 다음 글을 읽고, 물음에 답하시오.

(가) 생사(生死) 길은
예 있으매 머뭇거리고,
나는 간다는 말도
몯다 이르고 어찌 갑니까.
어느 가을 ㉠이른 바람에
이에 저에 떨어질 잎처럼,
한 가지에 나고 / 가는 곳 모르온저.
아아, 미타찰(彌陀刹)에서 만날 나
도(道) 닦아 기다리겠노라.

(나) 거미 새끼 하나 방바닥에 나린 것을 나는 아무 생각 없이 문밖으로 쓸어 버린다 / ㉡차디찬 밤이다

언제인가 새끼 거미 쓸려 나간 곳에 큰 거미가 왔다
나는 가슴이 짜릿한다
나는 또 큰 거미를 쓸어 문밖으로 버리며
찬 밖이라도 새끼 있는 데로 가라고 하며 서러워한다

이렇게 해서 아린 가슴이 싹기도 전이다
어데서 좁쌀알만 한 알에서 가제 깨인 듯한 발이 채 서지도 못한 무척 작은 새끼 거미가 이번엔 큰 거미 없어진 곳으로 와서 아물거린다
나는 가슴이 메이는 듯하다
내 손에 오르기라도 하라고 나는 손을 내어미나 분명히 울고불고 할 이 작은 것은 나를 무서우이 달어나 버리며 나를 서럽게 한다
나는 이 작은 것을 고이 보드러운 종이에 받어 또 문밖으로 버리며
ⓐ이것의 엄마와 누나나 형이 가까이 이것의 걱정을 하며 있다가 ㉢쉬이 만나기나 했으면 좋으련만 하고 슬퍼한다

(다) [A] "여보 영감, 그 모양에 곡식 먹고 도망한다고 안 줄 테니 가 보아야 소용없는 일입니다." / "가장이 나서는데 그게 무슨 소리! 어찌 될지는 가 봐야 아는 일이니 장 안에서 도포나 꺼내 와요."
"아이고, 우리 집에 무슨 장이 있단 말이오?"
"어허, 닭장은 장이 아닌가? 가서 내 갓도 챙겨 내와요."
"갓은 또 어디에 있답니까?" / "뒤뜰 굴뚝 속에 가 봐요."
"세상에, 갓을 어찌 굴뚝 속에 두었단 말입니까?"
"그런 게 아니라 지난번 국상 뒤에 어느 친구한테 흰 갓 하나를 얻었는데 우리 형편에 칠해 쓸 수도 없고 연기에 그을려 쓰려고 굴뚝 속에 넣어 둔 지 벌써 오래요."

1단계 단답식 서술형 문제

01 (가)의 갈래를 2어절의 구체적 명칭으로 쓰시오. [5점]

02 (가)의 제목을 다음과 같이 정리할 때, 빈칸에 들어갈 알맞은 단어를 쓰시오. [5점]

> 제망매가(祭亡妹歌)
> 죽은 누이를 위해 (　　　) 을/를 지내며 부르는 노래

03 (나)는 시적 대상을 의인화하여 주제를 부각하고 있다. 이 시의 시적 대상을 쓰시오. [5점]

04 (나)에서 ⓐ가 가리키는 대상을 찾아 4어절로 쓰시오. [5점]

05 다음은 (다)에 두드러진 표현 방법에 대한 설명이다. 이 표현 방법의 명칭을 한 단어로 쓰시오. [5점]

> 우스꽝스러운 상황에서 생기는 즐거움이자, 대상을 긍정적으로 바라보는 웃음으로, 인물의 약점이나 실수를 부드럽게 감싼다.

고득점 서술형 문제

2단계 기본형 서술형 문제

06 (가)를 〈보기〉와 같이 나타낼 때, ㉮와 ㉯에 해당하는 말하는 이의 태도에 대해 쓰시오. [10점]

보기

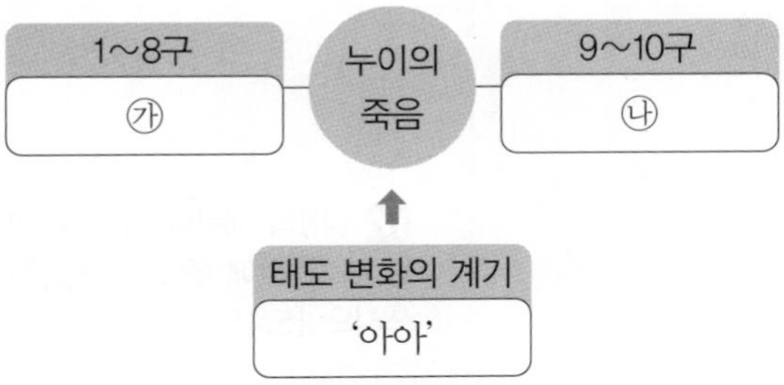

조건 ① '㉮에서는 ~하고 있으나, ㉯에서는 ~하고 있다.'의 형식으로 쓸 것

07 ㉠에 쓰인 표현 방법과 ㉠이 빗대고 있는 것이 무엇인지 쓰시오. [10점]

조건 ① ㉠에 쓰인 표현 방법을 쓸 것
② ㉠이 의미하는 바를 '~을 빗대고 있다.'의 형식으로 쓸 것

08 (나)에서 ㉡이 어떤 역할을 하는지 쓰시오. [10점]

조건 ① ㉡의 역할 두 가지를 쓸 것
② 두 가지를 묶어 한 문장으로 쓸 것

09 [A]에서 웃음을 유발하는 요소가 무엇인지 한 문장으로 쓰시오. [15점]

조건 ① 웃음을 유발하는 데에 사용된 낱말 두 가지를 포함하여 쓸 것
② '~ 웃음을 주고 있다.'의 형식으로 쓸 것

3단계 고난도 서술형 문제

10 〈보기〉는 (나)의 제목인 '수라'의 의미와 시 창작 당시의 시대 상황에 대한 설명이다. 이를 바탕으로 ㉢에 담긴 말하는 이의 소망을 서술하시오. [30점]

보기

이 시의 제목인 '수라(修羅)'는 싸움이나 그 밖의 다른 일로 큰 혼란에 빠진 곳, 또는 그런 세계나 그 곳에 사는 존재를 의미한다. 이 시가 창작된 1930년대는 20여 년이 넘는 식민 통치하에서 일제의 수탈이 절정에 이른 시기로, 생계를 유지하기 어려워진 가족이 해체되는 비극적 상황이 빈번하게 일어났다.

조건 ① 거미 가족을 우리 민족과 연결하여 쓸 것
② 구체적 시대 배경과 '수라'를 언급하여 쓸 것

만점 마무리 (2) 삶을 말하는 문학

◆ 제재 선정 의도

「노새 두 마리」는 시대 변화에 적응하지 못하고 과거의 삶의 방식을 고수하며 살아가는 '아버지'의 고달픈 삶을 어린 소년의 눈을 통해 그리고 있다. 1970년대, 급격한 도시화·산업화가 이루어지던 과거 우리나라의 삶의 모습을 엿볼 수 있고, 이를 통해 오늘날의 삶을 성찰할 수 있기에 제재로 선정하였다. 또한 「전쟁의 잔혹함과 인정의 아름다움」은 육이오 전쟁 당시 유년 시절을 보냈던 글쓴이의 추억이 담긴 수필로, 당시의 삶과 오늘날의 삶을 비교해 볼 수 있고, 변화한 시대의 가치를 생각해 보면서 성찰할 수 있기에 제재로 선정하였다.

본문 제재 「노새 두 마리」

◆ 제재 이해

갈래	현대 소설, 중편 소설
성격	사실적, 비극적
시점	1인칭 관찰자 시점
배경	1970년대 겨울, 도시 변두리 동네
제재	노새로 연탄 배달을 하는 도시 하층민의 삶
주제	급변하는 사회에 적응하지 못하는 하층민의 고통스러운 삶
특징	• '노새'의 모습을 통해 '아버지'의 삶을 상징적으로 드러냄. • 어린아이인 '나'의 시선을 통해 '아버지'의 고된 삶을 객관화하여 보여 줌.

적용 제재 「전쟁의 잔혹함과 인정의 아름다움」

◆ 제재 이해

갈래	현대 수필, 경수필
성격	체험적, 회상적
제재	전쟁 상황
주제	육이오 전쟁 당시 만났던 '인민군' 병사와의 우정
특징	• 글쓴이의 어린 시절 경험을 회상함. • '인민군'과 아이들이 서로 친해지는 과정이 나타남.

본문 제재 「노새 두 마리」

◇ 구동네 사람들과 새 동네 사람들의 비교

	구동네 사람들	새 동네 사람들
동네의 생활상	• 판잣집에 살며 연탄을 조금씩 삼. • 연탄 배달, 뻥튀기나 번데기 장수, 경비원, 포장마차 장사 등을 하며 살아감. • 아이들이 새 동네까지 가서 짓궂게 놂. → 도시 하층민들로 경제 사정이 안 좋음.	• 새로 생긴 슬래브 집(문화 주택)에 살며 몇 달씩 땔 만큼 연탄을 많이 삼. • 구동네 사람들과 교류하지 않고, 아이들도 자기들끼리만 어울려 놂. → 경제 사정이 좋고, 개인적인 성향임.
'노새'에 대한 태도	• '노새'를 늘 봐 왔기 때문에 아무도 거들떠보지 않음. • 어른들은 '노새'에 대해 불평을 했고, 아이들은 '노새'를 못살게 굶.	• '노새'를 볼 기회가 흔치 않았기 때문에 '노새'를 신기해하고 귀여워함. • 어른, 아이 모두 '노새'에 호의와 관심을 보임.

⬇

생활 수준과 성향 등의 차이 때문에 삶의 모습이 다르게 나타남.

◇ 이 글에 나타난 사회·문화적 상황

1970년대의 사회·문화적 상황	• 가정에서 연탄을 보편적인 연료로 사용하였음. • 사람들의 야간 통행을 국가가 통제하는 통행금지 제도가 있었음. • 도시가 확장되고 산업화·기계화가 급속하게 진행되고 있었음.
급격한 도시화·산업화로 인해 변화된 모습	• 판잣집만 있던 서울 변두리에 문화 주택이 들어섬. • '노새' 마차 대신 삼륜차가 짐을 실어 나르고, 비행기, 헬리콥터, 자동차, 자전거와 같은 다양한 교통수단이 널리 쓰임.

◇ 제목 '노새 두 마리'의 의미

'노새'	'아버지'
• 연탄 때가 묻어 털이 검은빛을 띰. • 무거운 짐을 이고 가파른 언덕을 올라가며 연탄을 나름. • 비행기, 헬리콥터, 자동차, 자전거가 다니는 시대에 맞지 않는 존재임.	• 연탄 때가 묻어 노상 시커먼 몰골임. • 힘겹게 연탄 배달을 하면서 가족의 생계를 책임지며 고달픈 삶을 살아감. • '최소한도 자동차'는 굴려야 하는 시대에 여전히 '노새'를 부리는 존재임.

⬇

'노새 두 마리'의 상징적 의미	• 현실에서 힘들고 고단한 삶을 살아가는 존재 • 도시화·산업화되는 시대의 변화에 정착하지 못하고 뒤처지는 존재

적용 제재 「전쟁의 잔혹함과 인정의 아름다움」

◇ 이 글에 나타난 당시 사회의 모습

• 폭격이 시작되면 온 동네가 하늘이 까맣게 되고 파편이 비 오듯 쏟아졌으며, 폭격에 아이들이 다치기도 함.
• 동네 성당 수위실에 '인민군'이 들어와서 보초를 섬.

➡ 전쟁 중이어서 폭격이 자주 있었고, 민간인들이 사는 동네에 인민군들이 돌아다님.

◇ '인민군'의 행동과 아이들의 심리 변화

'인민군'의 행동	아이들의 심리
성당 수위실에서 보초를 섬.	낯설고 두려움, 어색함.
한 아이가 내민 옥수수를 받아들고 먹음.	두려움이 사라지고 친근감이 생김.
다친 아이를 업고 병원에 가 치료를 받게 함.	친구이자 한패가 되었다고 생각함.

간단 복습 문제 (2) 삶을 말하는 문학

● 정답과 해설 29쪽

쪽지 시험

[01~03] 다음 문장에 들어갈 알맞은 낱말을 (　　)에서 골라 ○표 하시오.

01 소설 작품 속에 등장하는 주변 인물인 '나'가 주인공과 사건을 관찰하여 전달하는 관점을 1인칭 (작가 / 주인공 / 관찰자) 시점이라고 한다.

02 소설에서의 '나'는 작가가 창조한 (허구적 / 역사적) 인물이며, 수필에서의 '나'는 글쓴이 자신이다.

03 과거의 삶이 반영된 문학 작품을 감상할 때에는 과거의 삶과 오늘날의 삶을 비교해 보고, 작품 속의 상황을 자신의 상황에 비추어 보며 (주체적 / 객관적) (으)로 수용해야 한다.

[04~10] 「노새 두 마리」에 대한 다음 설명이 맞으면 ○표, 틀리면 ×표 하시오.

04 제목에 제시된 두 마리의 노새는 연탄 마차를 끄는 '노새'와 '노새'를 부리며 고달프게 살아온 '아버지'를 가리킨다. (　　)

05 이 소설의 배경은 도시화·산업화가 급격히 진행되던 1980년대의 서울 중심가이다. (　　)

06 사람들은 그전부터 살던 동네를 구동네, 새로 생긴 문화 주택 단지를 새 동네라 불렀다. (　　)

07 새 동네 사람들은 '노새'에 관심을 두지 않지만, '노새'를 오래 본 구동네 사람들은 '노새'에 호의와 관심을 보이며 친근하게 여긴다. (　　)

08 '노새'가 도망치자 사람들은 '아버지'를 안타까워하며 '노새'를 찾을 수 있도록 도와준다. (　　)

09 동물원에 들어간 '나'는 '아버지'의 얼굴이 '노새'와 닮았다는 것을 깨닫는다. (　　)

10 집에 돌아온 '아버지'는 '노새'가 난동을 부려 많은 피해를 입혔기 때문에 경찰서에서 '아버지'를 찾았다는 소식을 듣고 집을 나간다. (　　)

[11~13] 「노새 두 마리」에서 다음의 기능을 하는 소재 및 장소를 〈보기〉에서 골라 그 기호를 쓰시오.

보기

㉠ 삼륜차　　㉡ 눈발　　㉢ 대폿집

11 (　　　): '나'와 '아버지'가 '노새'를 찾는 일이 순탄치 않을 것임을 암시하며, 외롭고 쓸쓸한 분위기를 조성한다.

12 (　　　): '아버지'가 앞으로 자신이 '노새'처럼 살겠다는 결심을 '나'에게 내비치는 장소이다.

13 (　　　): '아버지'가 부리는 말 마차, '노새' 마차와 대비되며 산업화의 산물이기도 한 운송 수단이다.

[14~16] 「전쟁의 잔혹함과 인정의 아름다움」과 관련하여 다음 빈칸에 들어갈 알맞은 말을 쓰시오.

14 이 글은 육이오 전쟁 당시 아이들이 '(　　　)' 병사와 어울리며 나누었던 우정에 대해 이야기하고 있다.

15 글쓴이가 유년 시절을 보냈던 육이오 전쟁 당시에는 폭격이 시작되면 온 동네가 까맣게 되고 (　　　) 이/가 비 오듯 쏟아졌다.

16 글쓴이와 아이들은 처음에는 '인민군'을 두렵고 무섭게 생각했지만, '인민군'이 먼저 다가와 말을 걸자 (　　　)을/를 느끼게 된다.

어휘 시험

[01~04] 다음 낱말과 그 뜻풀이를 바르게 연결하시오.

01 설치다 •	• ㉠ 몹시 놀라 넋을 잃다.
02 시망스럽다 •	• ㉡ 몹시 짓궂은 데가 있다.
03 데면데면하다 •	• ㉢ 필요한 정도에 미치지 못한 채로 그만두다.
04 혼비백산하다 •	• ㉣ 사람을 대하는 태도가 친밀감이 없이 예사롭다.

예상 적중 소단원 평가 (2) 삶을 말하는 문학

• 정답과 해설 29쪽

01~05 다음 글을 읽고, 물음에 답하시오.

가 우리 동네는 변두리였으므로 얼마 전까지도 모두 그날그날 벌어먹고 사는 사람들이 많아 ⓐ연탄 배달도 일거리가 그리 많지 않았다. 기껏해야 ⓑ구멍가게에서 두서너 장을 사서는 새끼줄에 대롱대롱 매달고 가는 게 고작이었다. 그랬는데 이삼 년 전부터 아직도 많은 빈터에 집터가 다져지고, 하나둘 ⓒ문화 주택이 들어서더니 이제는 제법 그럴듯한 동네꼴이 잡혀 갔다. 원래부터 있던 허름한 집들과 새로 생긴 집들과는 골목 하나를 경계로 하여 금을 긋듯 나누어져 있었는데, 먼 데서 보면 제법 그럴싸한 동네로 보였다. 일단 들어와 보면 지저분한 헌 동네가 이웃에 널려 있지만, 그냥 먼발치로만 보면 ⓓ2층 슬래브 집들에 가려 닥지닥지 붙은 ⓔ판잣집 등속이 보이지 않았으므로 서울의 변두리에 흔한 여느 신흥 부락으로만 보였다.

나 그러나 동네의 모습이 이처럼 달라지기는 했어도 구동네와 새 동네 사람들이 서로 어울리는 법이 없었다. 너는 너, 나는 나 하는 식으로 새 동네 사람들은 문을 꼭꼭 걸어 잠그고 누가 다가오는 것을 거절하고 있었다.

다 노새는 이미 큰길로 나가고 있었다. 드디어 아버지는 큰길로 나오자 덜컥 그 자리에 주저앉고 말았다. 노새는 이제 보이지 않았지만 나는 노새보다도 아버지의 일이 더 큰일일 것 같아서, 뛰던 것을 멈추고 아버지의 손을 잡고 끌어 일으키려고 했다. 한데 아버지는 쉽게 일어나지를 못했다. 아버지의 눈은 더할 수 없는 실망과 깊은 낭패로 가득 차, 나는 제대로 쳐다보지도 못하고 슬며시 고개를 돌리다가 이내 축 처지고 말았다.

라 아, ㉠우리 같은 노새는 어차피 이렇게 비행기가 붕붕거리고, 헬리콥터가 앵앵거리고, 자동차가 빵빵거리고, 자전거가 쌩쌩거리는 대처에서는 발붙이기 어려운 것인가 하는 생각이 들었다. 언젠가 남편이 택시 운전사인 칠수 어머니가 하던 말, '최소한도 자동차는 굴려야지 지금이 어느 땐데 노새를 부려.' 했다는 말이 생각났다. 그러나 그것은 잠깐 동안이고 나는 금방 아버지를 쫓았다. 또 한 마리의 노새를 찾아 캄캄한 골목길을 마구 뛰었다.

01 (가)에 나타난 동네의 변화된 모습이 아닌 것은?

① 슬래브 집들이 새로 지어졌다.
② 빈터가 다져지고 문화 주택이 들어섰다.
③ 멀리서 보면 판잣집들이 보이지 않게 됐다.
④ 도시화의 영향으로 연탄 사용이 줄어들었다.
⑤ 변두리 동네의 신흥 부락의 모양새를 갖추었다.

02 (나), (라)에 나타난 삶의 모습이나 가치를 오늘날과 비교할 때, 대화의 내용으로 알맞지 않은 것은?

① 한동네 안에서도 형편이 다르다는 이유로 이웃끼리 어울리려 하지 않는 모습이 안타까웠어.
② 오늘날에도 이해관계나 가치관에 따라 소통을 거부하는 경우가 있는데 이와 비슷하다고 생각해.
③ 오늘날에도 '아버지'와 같이 급변하는 사회에 적응하지 못해 곤란을 겪는 이들이 많은 것 같아.
④ '칠수 어머니'가 '노새'를 부리는 '아버지'를 걱정하는 모습에서 시대가 달라져도 사람들 간의 인정은 사라지지 않는 소중한 가치임을 깨닫게 돼.
⑤ 요즘은 물질적 가치뿐 아니라 정신적 가치도 중시하니 '최소한도 자동차는 굴려야' 한다는 '칠수 어머니'의 말에 공감하지 않는 현대인도 많을 거야.

서술형

03 (다)에서 다음 설명에 해당하는 표현을 모두 찾아 각각 한 단어로 쓰시오.

> 이 글의 서술자인 '나'의 입을 통해 주인공인 '아버지'의 내면 심리를 직접 드러내고 있다.

04 ㉠이 의미하는 바로 가장 알맞은 것은?

① 가난한 구동네 사람들
② 도시 변두리에 사는 사람들
③ 자동차가 없던 당시 도시 서민들
④ '노새'와 같은 운송 수단이 없는 노동자들
⑤ 급변하는 사회에 정착할 수 없는 도시 하층민들

05 ⓐ~ⓔ 중, 이 글의 시대 배경과 거리가 먼 것은?

① ⓐ ② ⓑ ③ ⓒ ④ ⓓ ⑤ ⓔ

• 정답과 해설 29쪽

06~09 다음 글을 읽고, 물음에 답하시오.

가 1950년 6월 나는 원효로 3가 전차 종점에 살고 있었다. 초등학교 6학년이었던 나는 아버지 혼자 국군을 따라 남쪽으로 내려가 버린 후 어머니와 어린 두 동생과 함께 인민군 치하에 남아 있었다. 우리 동네를 둘러싸고 개울 건너에는 용산 철도청이 있었고 조금 남쪽으로 한강 철교가, 그리고 뒤쪽으로 조폐 공사가 있어서 ⓐ폭격이 시작되면 온 동네가 하늘이 까맣게 되고 파편이 비 오듯 쏟아지곤 했다. 〈중략〉 전쟁이 나기 전에는 성당 입구 수위실에 수녀들이 간단한 치료 약을 준비해 놓아서 동네 아이들이 다치거나 하면 쫓아가서 붉은 약을 무릎에 발라 주거나 버짐 같은 병이 나면 하얀 고약을 칠하고 거즈로 붙여 주곤 했다. 그런데 ⓑ이 수위실에 난데없이 인민군이 보초를 서기 시작한 것이었다.

나 한 아이가 삶은 고구마와 옥수수 두 개를 들고 왔다. 우리는 그 아이를 둘러싸고 한 입씩 베어 먹고 있었다. 그런데 ⓒ갑자기 한 아이가 옥수수를 입에 문 채 얼굴이 하얗게 질리는 것이었다. 놀라서 아이의 눈이 가 있는 곳을 보니 어느 사이에 인민군 병사가 우리 뒤에 다가와서 옥수수를 들고 있는 아이를 보고 있었던 것이었다.

다 우리는 한순간 숨이 탁 막혔다. 붉은 별을 군모 한가운데 달고 서 있는 인민군이 우리에게 다가와 있다는 것만으로도 온몸이 얼어붙는 일이었다. 그때였다. 뜻밖에도 인민군은 앳된 목소리로 "강냉이 맛있니?" 하고 물었다. ⓓ북쪽 억양이 섞인 이 한마디는 마치 우리 중에 누가 장난으로 웃기기 위해서 고양이 소리를 내는 것처럼 그런 다정함이 있었다. 한 아이가 "한 입 먹을래요?" 하고 물었다. 그는 얼른 손을 내밀어 옥수수를 받아 들고 한 입을 크게 먹는 것이었다.

라 폭격이 와서 우리 동네가 깜깜해진 어느 날 아침이었다. 한 아이가 파편에 맞아 성당 앞 광장에 쓰러졌다. 그때 보초를 서고 있던 그가 다리에 피가 흐르는 아이를 들쳐 업고 길 아래 병원으로 달려가서 치료를 받게 하고 다시 아이의 집까지 업어서 데려다주었다. 그와 우리는 한패가 되었다.

마 아무렇지도 않게 친구로 손을 잡아 본 인민군 소년병의 추억은 지금도 아름다운 추억으로 살아 있다. 〈중략〉 ⓔ인정의 아름다운 보자기로 싸안고 살 수 있었던 어린아이 시절의 이야기일 뿐이다.

06 이 글에 대한 설명으로 적절하지 않은 것은?

① 글쓴이의 실제 체험을 바탕으로 하고 있다.
② 당시 유년기 아이들의 생활 모습이 잘 담겨 있다.
③ 아이들과 '인민군' 병사가 서로 친해지는 과정이 담겨 있다.
④ 순수한 어린아이의 시선으로 전쟁 이후의 참혹한 상황을 구체적으로 묘사하고 있다.
⑤ '전차, 인민군, 폭격, 전쟁' 등의 소재를 통해 1950년대의 시대적 상황을 알 수 있다.

07 이 글에 나타난 당시의 사회·문화적 상황으로 알맞지 않은 것은?

① 전차를 교통수단으로 사용하였다.
② 전쟁으로 인해 폭격이 자주 일어났다.
③ 파편에 맞아 다치는 아이들이 생겨났다.
④ 아파도 제대로 치료받을 수 있는 전문 시설이 부족했다.
⑤ 민간인들이 사는 동네에 인민군이 돌아다니기도 하였다.

서술형

08 (라)에서 아이들과 '인민군'이 완전한 친구가 되었음을 표현한 문장을 찾아 쓰시오.

09 ⓐ~ⓔ에 대한 설명으로 적절하지 않은 것은?

① ⓐ: 참혹했던 전쟁의 상황을 짐작하게 한다.
② ⓑ: 아이들이 뛰어놀던 공간까지 인민군의 영향이 미치고 있음이 나타난다.
③ ⓒ: 옥수수를 먹으려고 기다리던 아이들이 화가 나 있음을 눈치챘기 때문이다.
④ ⓓ: 아이들이 먼저 말을 건넨 '인민군' 병사로부터 친근감을 느끼게 되는 계기이다.
⑤ ⓔ: 전쟁의 상황 속이었지만 순수한 아이들이었기에 인정을 주고받을 수 있었다는 의미이다.

고득점 서술형 문제

(2) 삶을 말하는 문학

01~10 다음 글을 읽고, 물음에 답하시오.

가 그 골목은 몹시도 가팔랐다. 아버지는 그 골목에 들어서기만 하면 미리 저만치 앞에서부터 마차를 세게 몰아 가지고는 그 힘으로 하여 단숨에 올라가곤 했다. 그러나 이 작전이 매번 성공하는 것은 아니고, 더러는 마차가 언덕의 중간쯤에서 더 올라가지를 못하고 주춤거릴 때도 있었다. 그러면 아버지는 이마에 심줄을 잔뜩 돋우며, / "이랴 이랴!" / 하면서 ㉠노새의 잔등을 손에 휘감고 있는 긴 고삐 줄로 세 번 네 번 후려쳤다.

나 우리 동네는 변두리였으므로 얼마 전까지도 모두 그날그날 벌어먹고 사는 사람들이 많아 연탄 배달도 일거리가 그리 많지 않았다. 〈중략〉 그랬는데 이삼 년 전부터 아직도 많은 빈터에 집터가 다져지고, 하나둘 문화 주택이 들어서더니 이제는 제법 그럴듯한 동네꼴이 잡혀 갔다. 원래부터 있던 허름한 집들과 새로 생긴 집들과는 골목 하나를 경계로 하여 금을 긋듯 나누어져 있었는데, 먼 데서 보면 제법 그럴싸한 동네로 보였다. 일단 들어와 보면 지저분한 헌 동네가 이웃에 널려 있지만, 그냥 먼발치로만 보면 2층 슬래브 집들에 가려 닥지닥지 붙은 판잣집 등속이 보이지 않았으므로 서울의 변두리에 흔한 여느 신흥 부락으로만 보였다.

다 아버지와 내가 ㉡동물원에 들어간 것은 거의 해가 질 무렵이었다. 어떻게 해서 동물원에 들어오게 되었는지 나는 잘 기억해 낼 수가 없다. 〈중략〉 그러다가 아버지의 얼굴이 어쩌면 그렇게 말이나 노새와 닮았는지 모르겠다고 생각하였다. 그렇게 생각하고 보니 꼭 그랬다. 길게 째진, 감정이 없는 눈이며 노상 벌름벌름한 코, 하마 같은 입, 그리고 덜렁하니 큰 귀가 그랬다. 아버지가 너무 오래 말이나 노새를 다뤄 와서 그런 건지, 애당초 말이나 노새 같은 사람이어서 그런 짐승과 평생을 같이해 온 것인지는 알 수 없으나, 막상 얼룩말 앞에 세워 놓은 아버지는 영락없는 말의 형상이었다.

라 아, 우리 같은 노새는 어차피 이렇게 비행기가 붕붕거리고, 헬리콥터가 앵앵거리고, 자동차가 빵빵거리고, 자전거가 쌩쌩거리는 대처에서는 발붙이기 어려운 것인가 하는 생각이 들었다. 언젠가 남편이 택시 운전사인 칠수 어머니가 하던 말, '최소한도 자동차는 굴려야지 지금이 어느 땐데 노새를 부려.' 했다는 말이 생각났다. 그러나 그것은 잠깐 동안이고 나는 금방 아버지를 쫓았다. 또 한 마리의 노새를 찾아 캄캄한 골목길을 마구 뛰었다.

마 [A] 그 인민군의 나이는 열여섯 살이었고 고향은 원산 위의 어느 바닷가 마을이었다. 그와 친해진 후 그는 우리 곁에 앉으면 엄마가 보고 싶다는 소리를 했고 '옥수수가 익어 가는 고향' 이야기를 들려주었다. 〈중략〉

폭격이 와서 우리 동네가 깜깜해진 어느 날 아침이었다. 한 아이가 파편에 맞아 성당 앞 광장에 쓰러졌다. 그때 보초를 서고 있던 그가 다리에 피가 흐르는 아이를 들쳐 업고 길 아래 병원으로 달려가서 치료를 받게 하고 다시 아이의 집까지 업어서 데려다주었다. 그와 우리는 한패가 되었다.

1단계 단답식 서술형 문제

01 (가)~(라)의 서술 시점을 쓰시오. [5점]

02 (가)~(라)의 중심 사건을 2어절의 과거형 문장으로 쓰시오. [5점]

03 다음 설명에 해당하는 소재를 (가)에서 찾아 2어절로 쓰시오. [5점]

> '노새' 마차를 끄는 '아버지'의 고단한 삶을 나타내는 소재이자, 구 동네와 새 동네의 경계를 나누는 공간이다.

04 (나)에서 당시 도시화의 영향에 따라 새롭게 생겨난 주거 공간을 무엇이라고 불렀는지 찾아 쓰시오. [5점]

05 (마)에서 당시의 시대적 상황을 알 수 있게 해 주는 단어를 모두 찾아 쓰시오. [5점]

고득점 서술형 문제

• 정답과 해설 30쪽

2단계 기본형 서술형 문제

06 (가)~(라)의 제목 '노새 두 마리'의 의미를 다음과 같이 정리할 때, Ⓐ에 들어갈 내용을 쓰시오. [10점]

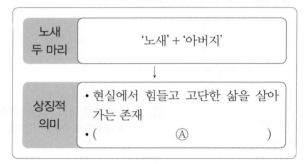

노새 두 마리	'노새' + '아버지'
상징적 의미	• 현실에서 힘들고 고단한 삶을 살아가는 존재 • (Ⓐ)

07 ㉠에 대한 구동네 사람들과 새 동네 사람들의 반응이 〈보기〉와 같이 서로 다르게 나타나는 이유를 쓰시오. [15점]

보기

우리 노새는 온 동네 사람들의 눈길을 모으고 짤랑짤랑 이 골목 저 골목을 헤집고 다녔다. 아니 그것은 새 동네 쪽에서 더욱 그랬다. 원래의 우리 동네에서야 아무도 거들떠보지 않았다. 〈중략〉

말과 노새의 구별도 잘 못하는 주제에, 아무 데서나 가래침을 퉤퉤 뱉는 주제에 우리 노새를 보고 눈을 찢어지게 흘겼다. 그러나 새 동네에서는 단연 달랐다. 여간해서 말을 잘 않는 아주머니들도 우리 노새를 보면 입가에 미소를 머금었다. 개중에는

"아이, 귀여워. 오랜만에 보는 노샌데."

하기도 하고, / "어머, 지금도 노새가 있었네."

하기도 하고, / "아니, 이게 노새 아니에요? 아주 이쁘게 생겼네." / 하기도 하고,

"오머 오머, 이게 망아지는 아니고……. 네? 노새라고요? 아, 노새가 이렇게 생겼구나아."

하면서 모가지에 매달린 방울을 한번 만져 보려다가 노새가 고개를 젓는 바람에 찔끔 놀라기도 했다.

조건 ① 두 동네 사람들의 반응을 비교하여 쓸 것
② 반응이 달라지는 원인을 포함하여 쓸 것

08 (다)에서 ㉡의 역할이 무엇인지 쓰시오. [10점]

조건 ① '~ 계기가 된다.'의 형식으로 쓸 것

09 (마)의 [A]를 통해 파악할 수 있는 '인민군' 병사의 모습을 한 문장으로 쓰시오. [15점]

조건 ① '인민군'과 '소년' 두 단어를 포함하여 쓸 것
② 인물의 처지가 드러나도록 쓸 것

3단계 고난도 서술형 문제

10 (가)~(라)의 '노새'와 〈보기〉의 '낙타'가 지닌 공통점을 서술하시오. [25점]

보기

낙타는 어린 시절 선생님처럼 늙었다.
나도 따뜻한 봄볕을 등에 지고
금잔디 위에서 낙타를 본다.

내가 여읜 동심의 옛이야기가
여기저기
떨어져 있음직한 동물원의 오후.

– 이한직, 「낙타」 중에서

조건 ① 공통점을 구체적으로 밝혀 쓸 것
② 주제와의 연관성을 언급하여 150자 내외로 서술할 것

● 정답과 해설 31쪽

01~05 다음 시를 읽고, 물음에 답하시오.

가 생사(生死) 길은
예 있으매 머뭇거리고,
나는 간다는 말도
몯다 이르고 어찌 갑니까.
어느 가을 이른 바람에
이에 저에 떨어질 잎처럼,
한 가지에 나고
가는 곳 모르온저.
아아, 미타찰(彌陀刹)에서 만날 나
도(道) 닦아 기다리겠노라.

나 거미 새끼 하나 방바닥에 내린 것을 나는 아무 생각 없이 문밖으로 ㉠쓸어 버린다
차디찬 밤이다

언제인가 새끼 거미 쓸려 나간 곳에 큰 거미가 왔다
나는 가슴이 짜릿한다
나는 또 큰 거미를 쓸어 ㉡문밖으로 버리며
찬 밖이라도 새끼 있는 데로 가라고 하며 서러워한다

이렇게 해서 아린 가슴이 싹기도 전이다
어데서 좁쌀알만 한 알에서 가제 깨인 듯한 발이 채 서지도 못한 무척 작은 새끼 거미가 이번엔 큰 거미 없어진 곳으로 와서 아물거린다
나는 가슴이 메이는 듯하다
내 손에 오르기라도 하라고 나는 ㉢손을 내어미나 분명히 울고불고 할 이 작은 것은 나를 무서우이 달어나 버리며 나를 서럽게 한다
나는 이 작은 것을 ㉣고이 보드러운 종이에 받어 ㉤또 문밖으로 버리며
이것의 엄마와 누나나 형이 가까이 이것의 걱정을 하며 있다가 쉬이 만나기나 했으면 좋으련만 하고 슬퍼한다

01 (가)와 (나)의 특징이 바르게 연결되지 않은 것은?

① (가): 비유적 표현을 통해 작품의 서정성을 높인다.
② (가): 9구의 감탄사 '아아'는 10구체 향가의 특징이다.
③ (가): 계절적 배경을 드러내어 쓸쓸한 분위기를 조성한다.
④ (나): 시상의 전개에 따라 시적 정서가 심화된다.
⑤ (나): 각 연마다 시적 대상의 동일한 행동이 반복되며 시상이 전개된다.

02 (가)에 대한 대화의 내용 중, 말하는 이를 고려하여 감상한 반응으로 알맞지 않은 것은?

① 영국: 가족을 잃은 슬픔은 시대를 떠나 누구나 공감할 수 있는 정서야.
② 환희: 말하는 이는 예상치 못한 누이의 죽음을 접하고 삶의 무상함과 허망함을 느꼈을 거야.
③ 은정: 맞아. 말하는 이처럼 운명은 누구도 바꿀 수 없다는 것을 깨닫고 주어진 운명에 순응해야 해.
④ 나래: 말 한마디조차 남기지 못하고 떠난 누이를 안타까워하는 말하는 이의 슬픔이 느껴졌어.
⑤ 영훈: 하지만 말하는 이는 종교적인 노력을 통해서 훗날 미타찰에서 누이와 재회할 것을 믿고 있어.

서술형

03 (가)에서 누이의 갑작스러운 죽음을 형상화한 시어를 찾아 2어절로 쓰시오.

04 (나)에 나타난 말하는 이의 정서 변화로 알맞은 것은?

	1연	2연	3연
①	무심함	불편함	안심함
②	난처함	무심함	미안함
③	냉정함	서러워함	원망함
④	못마땅함	슬퍼함	서러워함
⑤	아무 생각 없음	서러워함	슬퍼함

05 ㉠~㉤ 중, 말하는 이의 행동에 담긴 의도가 나머지와 다른 것은?

① ㉠ ② ㉡ ③ ㉢ ④ ㉣ ⑤ ㉤

06~08 다음 글을 읽고, 물음에 답하시오.

가 "여보 영감, 그 모양에 곡식 먹고 도망한다고 안 줄 테니 가 보아야 소용없는 일입니다."
"가장이 나서는데 그게 무슨 소리! 어찌 될지는 가 봐야 아는 일이니 장 안에서 도포나 꺼내 와요."
"아이고, 우리 집에 무슨 장이 있단 말이오?"
"어허, 닭장은 장이 아닌가? 가서 내 갓도 챙겨 내와요."

나 흥부가 그렇게 저렇게 의관을 갖추는데 모양이 볼 만했다. 〈중략〉 헐고 헌 베 도포에 구멍이 숭숭, 열두 도막 이은 띠 가슴에 둘러 질끈 매고, 한 손에다가 곱돌 담뱃대 들고, 또 한 손에다 떨어진 부채 들고 곧 죽어도 양반이라고 여덟 팔 자 걸음으로 어식비식이 내려간다.

다 흥부가 관가를 향해 한참을 가다가 별안간 걱정이 하나 생겨났다. / '내가 아무리 빈털터리가 되었을망정 나는 반남 박씨 양반이 아닌가. 아전들한테 존대를 할 수 없고 그렇다고 반말을 하면 저 사람들이 싫어해서 곡식을 안 줄 테니 이 일을 어찌하나?'
곰곰 생각하다가 무릎을 탁 쳤다.
'옳다구나! 아전들을 보고 인사를 할 때 말끝을 '고'와 '제'로 달아서 웃음으로 닦는 것밖에 수가 없다.'

라 "아니 환자 대신 매를 맞다니? 내가 밥을 굶었다니까 매를 굶은 사람인 줄 아나?"
"그런 게 아니라 우리 고을 좌수가 병영에서 그만 죄를 얻었는데 좌수 대신으로 곤장 열 대만 맞고 오면 한 대에 석 냥씩 서른 냥은 굳은 돈이오. 누가 가든 말 타고 가라고 마삯 닷 냥까지 얹어서 서른닷 냥을 주기로 했으니 한번 다녀오시려오?"
흥부가 돈 말을 듣더니 대번에 말투가 존대가 되어 '하시오'로 올라갔다. / "여보시오, 가고 말고요. 그건 그러려니와 내 아니꼽게 말 타고 갈 것이 아니라 정강이말로 다녀올 테니 그 돈 닷 냥을 나를 주시오."

마 "여보, 영감, 병영 곤장을 한 개만 맞아도 평생 골병이 든답니다. 〈중략〉 흥부가 듣고 하는 말이 "돈은 벌써 축났으니 도로 줄 수도 없는 일이고, 대관절 이 볼기를 두었다가 어디다 쓰겠소? 쓸데없는 이 내 볼기, 이렇게 궁한 판에 매품이나 팔아먹지 그냥 두어 무엇 할까. 괜찮으니 걱정 말아요."

06 이와 같은 갈래에 대한 설명으로 알맞지 않은 것은?

① 전형성을 지닌 인물이 주인공이다.
② 우연적, 비현실적인 사건이 나타난다.
③ 대부분의 경우 작품의 창작자가 알려져 있다.
④ 판소리 사설의 영향을 받은 판소리계 소설이다.
⑤ 당시 서민들의 생활 모습과 사회 구조의 모순 등이 드러난다.

07 다음은 이 글의 결말 부분의 줄거리이다. 밑줄 친 부분에서 나타나는 글의 주제로 알맞은 것은?

> 이 사연을 들은 놀부가 일부러 제비 다리를 부러뜨린 후 고쳐 주자, 역시 제비가 박씨를 물어다 준다. <u>하지만 이 박씨를 심어 자란 박에서는 노승, 왈패 등이 나와 놀부의 재산을 모두 빼앗아 간다.</u> 흥부는 놀부에게 자신의 재산을 나누어 주고, 놀부도 마음을 고쳐먹고 흥부와 우애 깊게 지낸다.

① 일장춘몽(一場春夢) ② 인과응보(因果應報)
③ 입신양명(立身揚名) ④ 안빈낙도(安貧樂道)
⑤ 의형의제(宜兄宜弟)

08 〈보기〉는 '흥부'가 자신이 처한 상황에 대응한 방식이다. ⓐ~ⓔ 중, 적절하지 않은 것은?

보기		
'흥부'가 처한 상황		'흥부'의 대응 방식
아내와 자식들이 배고픔에 시달림.	→	ⓐ<u>우스꽝스러운 의관을 갖추고 관가로 곡식을 꾸러 감.</u>
ⓑ<u>환자를 얻기 위해 아전들에게 잘 보여야 함.</u>	→	체면을 차리려고 말끝을 '고'와 '제'로 닮.
아전들에게 좌수 대신 매를 맞으면 돈을 받을 수 있다는 말을 들음.	→	ⓒ<u>아전들에게 존대 말투를 씀.</u>
ⓓ<u>아내가 매품을 팔겠다는 '흥부'를 말림.</u>	→	ⓔ<u>볼기를 맞을 걱정을 하며 잠들지 못함.</u>

① ⓐ ② ⓑ ③ ⓒ ④ ⓓ ⑤ ⓔ

09~12 다음 글을 읽고, 물음에 답하시오.

가 새 동네(우리는 우리가 그전부터 살던 동네를 구동네, 문화 주택들이 차지하고 들어선 동네를 새 동네라 불렀다.)가 생기면서 좋아한 것은 비단 아버지만은 아니었다. 구동네에 두 곳 있던 구멍가게 주인들도 은근히 무언가를 기대하는 눈치였다. 그전까지는 가게의 물건들이 뽀얗게 먼지를 쓰고 있었고, 두 홉짜리 소주병만 육실하게 많았는데 그 병들 사이에 차츰 환타니 미린다니 하는 음료수 병들이며 퍼머스트 아이스크림도 섞이고, 할머니의 주름살처럼 주름이 좍좍 가 말라비틀어진 사과 사이에 귤 상자도 끼이게 되었다.

나 노새나 말이나 요즘은 그놈의 삼륜차 때문에 아버지의 일감이 자칫 줄어드는 듯하기도 했다. 웬만한 오르막길도 끄떡없이 오르고, 웬만한 골목 안 집까지도 드르륵 들이닥치니 아버지의 말 마차가 위협을 느낌 직도 했고, 사실 일감을 빼앗기기도 했다. 그런데도 그때마다 아버지는 큰소리였다.

"휘발유 한 방울 안 나오는 나라에서 자동차만 많으면 뭘 해."

마치 애국자처럼 말하는 것이었으나 나는 아버지의 그 말 뒤에 숨은 오기 같은 것을 느낄 수 있었다.

다 아버지와 나는 한도 끝도 없이 걸었다. 어느새 거리는 점심때쯤 되었고, 눈발이 비치기 시작했다. 어느 곳을 가나 거리는 사람으로 붐벼 있었고, 그 많은 사람들은 우리 부자더러 어디를 그리 바삐 가느냐고, 노새를 찾아다니느냐고 묻지 않았고, 아버지와 나는 아무에게도 노새를 보지 못했느냐고 묻지 않았다. 다리는 쇠사슬을 단 것처럼 무겁고, 배가 고프고 쓰렸다. 나는 그런 우리가 옛날얘기에 나오는 길 잃은 나그네 같다고 생각했다.

라 그러다가 아버지의 얼굴이 어쩌면 그렇게 말이나 노새와 닮았는지 모르겠다고 생각하였다. 그렇게 생각하고 보니 꼭 그랬다. 길게 째진, 감정이 없는 눈이며 노상 벌름벌름한 코, 하마 같은 입, 그리고 덜렁하니 큰 귀가 그랬다. 아버지가 너무 오래 말이나 노새를 다뤄 와서 그런 건지, 애당초 말이나 노새 같은 사람이어서 그런 짐승과 평생을 같이해 온 것인지는 알 수 없으나, 막상 얼룩말 앞에 세워 놓은 아버지는 영락없는 말의 형상이었다.

09 이 글에 대한 설명으로 알맞지 않은 것은?

① 1인칭 관찰자 시점으로 사건을 전달한다.
② 1970년대의 서울 변두리를 배경으로 한다.
③ 도시화·산업화가 빠르게 진행되던 당시의 생활상이 나타난다.
④ 급변하는 사회에 적응하지 못하는 도시 하층민의 애환을 담아낸다.
⑤ 구동네와 새 동네 사람들의 생활 수준 차이에서 비롯된 대립과 갈등을 보여 준다.

10 이 글에 나타난 당시의 사회상으로 알맞지 않은 것은?

① 도시 사람들은 대체로 타인에 무관심했다.
② 많은 사람들이 물질 만능주의에 빠져 있었다.
③ 노새나 말을 부리며 살아가는 사람들이 존재했다.
④ 도시화의 영향으로 도시 변두리 지역에 문화 주택들이 지어졌다.
⑤ 골목까지 쉽게 접근하는 삼륜차의 등장으로 말 마차는 점차 설 자리를 잃었다.

11 이 글을 통해 파악할 수 있는 '아버지'와 '노새'의 공통점을 〈보기〉에서 모두 골라 바르게 묶은 것은?

보기
ㄱ. 외양이 유사함.
ㄴ. 연탄을 나르며 살아감.
ㄷ. 시대 변화로부터 소외됨.
ㄹ. 자신의 일에 자부심을 느낌.
ㅁ. 힘들고 고단한 삶을 살아감.
ㅂ. 짐을 내려놓고 현실에서 멀리 도망침.

① ㄱ, ㄴ, ㄷ, ㄹ
② ㄱ, ㄴ, ㄷ, ㅁ
③ ㄱ, ㄴ, ㄹ, ㅂ
④ ㄱ, ㄷ, ㄹ, ㅂ
⑤ ㄱ, ㄴ, ㄷ, ㄹ, ㅁ, ㅂ

서술형

12 다음 설명에 해당하는 표현을 (다)에서 찾아 3어절로 쓰시오.

온종일 노새를 찾아 헤매고 다녀서 힘들고 고되지만, 그럼에도 아무런 해결책이 없는 '아버지'와 '나'의 처지를 비유한 표현이다.

13~16 다음 글을 읽고, 물음에 답하시오.

가 사람들이 그러거나 말거나 노새는 뛰고 또 뛰었다. 연탄 짐을 매지 않은 몸은 훨훨 날 것 같았다. 가파른 길도 없었고 채찍질도 없었고 앞길을 막는 사람도 없었다. 신호등에 파란불이 켜진 때도 있었고 노란불이 켜진 때도 있었으며 빨간불이 켜진 때도 있었으나, 막무가내로 그냥 뛰기만 했다.

나 "이제부터 내가 노새다. 이제부터 내가 노새가 되어야지 별수 있니? 그놈이 도망쳤으니까 이제 내가 노새가 되는 거지." / 기분 좋게 취한 듯한 아버지는 놀라는 나를 보고 히힝 한 번 웃었다. 나는 어쩐지 그런 아버지가 무섭지만은 않았다.

다 오늘 낮에 지서에서 나온 사람이 우리 노새가 뛰는 바람에 많은 피해를 입었으니 도로 무슨 법이라나 하는 법으로 아버지를 잡아넣어야겠다고 이르고 갔다는 것이었다. 아버지는 술이 확 깨는 듯 그 자리에 선 채 한동안 눈만 데룩데룩 굴리고 서 있더니 힝 하고 코를 풀었다. 그러고는 아무 말 없이 스적스적 문밖으로 걸어 나갔다. 나는 '아버지' 하고 따랐으나 아버지는 돌아보지도 않고 어두운 골목길을 나가고 있었다. 나는 그 순간 <u>㉠또 한 마리의 노새</u>가 집을 나가는 것 같은 착각을 일으켰다. 그러고는 무엇인가가 뒤통수를 때리는 것을 느꼈다. 아, 우리 같은 노새는 어차피 이렇게 비행기가 붕붕거리고, 헬리콥터가 앵앵거리고, 자동차가 빵빵거리고, 자전거가 쌩쌩거리는 대처에서는 발붙이기 어려운 것인가 하는 생각이 들었다.

라 그 인민군의 나이는 열여섯 살이었고 고향은 원산 위의 어느 바닷가 마을이었다. 그와 친해진 후 그는 우리 곁에 앉으면 엄마가 보고 싶다는 소리를 했고 '옥수수가 익어 가는 고향' 이야기를 들려주었다. 〈중략〉

폭격이 와서 우리 동네가 깜깜해진 어느 날 아침이었다. 한 아이가 파편에 맞아 성당 앞 광장에 쓰러졌다. 그때 보초를 서고 있던 그가 다리에 피가 흐르는 아이를 들쳐 업고 길 아래 병원으로 달려가서 치료를 받게 하고 다시 아이의 집까지 업어서 데려다주었다. 그와 우리는 한패가 되었다.

13 (가)~(다)의 내용과 일치하지 <u>않는</u> 것은?

① '나'의 꿈속에서 '노새'는 훨훨 날 것처럼 자유롭게 거리를 질주한다.
② '노새'를 찾고 싶은 간절한 마음에 '아버지'는 스스로 '노새'가 되겠다고 말한다.
③ '나'는 힘없이 집을 나가는 '아버지'를 보면서 또 한 마리의 고달픈 '노새'를 떠올린다.
④ '나'는 사회의 변화를 따라가지 못하면 도시에서 살아가기가 힘들다는 것을 깨닫는다.
⑤ '노새'가 도망치며 입힌 피해 때문에 더 큰 불행이 닥치자, '아버지'는 가까스로 되찾은 의지를 잃는다.

고난도 서술형

14 〈보기〉의 Ⓐ에 들어갈 알맞은 소재를 (다)에서 모두 찾아 쓰고, 이를 바탕으로 ㉠의 의미를 쓰시오.

보기

구시대적 삶의 수단	↔ 대조	도시적 삶의 수단
'노새'		[Ⓐ]

15 (가)~(다)의 글과 달리, (라)의 글에서 나타나는 특징으로 알맞은 것은?

① 해학적이며 풍자적인 특성을 지니고 있다.
② 어린아이의 시선으로 내용을 전달하고 있다.
③ 글쓴이가 실제로 경험한 내용을 다루고 있다.
④ 시대 현실에 대한 비판적 시선이 드러나 있다.
⑤ 창작 당시의 사회·문화적 상황이 드러나 있다.

서술형

16 (라)를 바탕으로 아이들과 '인민군'이 한패가 된 계기를 쓰시오.

만점 마무리 (1) 음운의 세계

♦ 활동 의도

여러 활동을 통해 의사소통의 기반이 되는 음운의 개념과 종류에 대해 학습하고, 자음과 모음의 체계 및 그 특성을 이해할 수 있도록 하였다. 나아가 이를 실제 언어생활에 적용해 봄으로써 올바른 발음으로 정확하게 의사소통할 수 있는 능력을 기르도록 하였다.

♦ 활동 목표

- 음운의 개념과 종류 이해하기
- 음운의 체계와 특성 이해하기
- 음운의 차이에 따른 단어의 느낌 파악하기
- 일상생활에서 단어를 정확하게 발음하는 태도 기르기

♦ 활동 요약

음운의 개념과 종류 이해하기
음운의 개념을 이해하고 음운의 종류에 대해 학습함.

↓

음운의 체계와 특성 이해하기
자음과 모음의 분류 기준을 바탕으로 음운의 체계와 특성을 이해함.

↓

음운의 차이에 따른 단어의 느낌 파악하기
시를 낭송해 보고, 음운에 따른 느낌의 차이를 파악함.

↓

일상생활에서 단어를 정확하게 발음하는 태도 기르기
다양한 상황에서 정확하게 발음하는 것이 중요한 이유와 그 방법을 이해함.

◇ 음운의 개념 및 종류

개념	말의 뜻을 구별해 주는 소리의 가장 작은 단위	
종류	자음	공기가 방해를 받으며 나오는 소리로, 모음을 만나야 소리 낼 수 있음. 예 ㄱ, ㄲ, ㄴ, ㄷ, ㄸ, ㄹ, ㅁ, ㅂ, ㅃ, ㅅ, ㅆ, ㅇ, ㅈ, ㅉ, ㅊ, ㅋ, ㅌ, ㅍ, ㅎ
	모음	공기가 그대로 흘러나오는 소리로, 자음 없이 홀로 소리 낼 수 있음. 예 단모음: ㅏ, ㅐ, ㅓ, ㅔ, ㅗ, ㅚ, ㅜ, ㅟ, ㅡ, ㅣ 이중 모음: ㅑ, ㅒ, ㅕ, ㅖ, ㅘ, ㅙ, ㅛ, ㅝ, ㅞ, ㅠ, ㅢ

◇ 자음 체계표

발음하는 방식 \ 소리 나는 위치		입술소리	잇몸소리	센입천장소리	여린입천장소리	목청소리
파열음	예사소리	ㅂ	ㄷ		ㄱ	
	된소리	ㅃ	ㄸ		ㄲ	
	거센소리	ㅍ	ㅌ		ㅋ	
파찰음	예사소리			ㅈ		
	된소리			ㅉ		
	거센소리			ㅊ		
마찰음	예사소리		ㅅ			ㅎ
	된소리		ㅆ			
	거센소리					
콧소리		ㅁ	ㄴ		ㅇ	
흐름소리			ㄹ			

◇ 모음 체계표

혀의 높이 \ 혀의 최고점의 위치 / 입술의 모양	전설 모음		후설 모음	
	평순 모음	원순 모음	평순 모음	원순 모음
고모음	ㅣ	ㅟ	ㅡ	ㅜ
중모음	ㅔ	ㅚ	ㅓ	ㅗ
저모음	ㅐ		ㅏ	

◇ 음운의 느낌 차이

① 자음의 소리의 세기에 따른 느낌 차이

예사소리	된소리와 거센소리에 비해 작고, 약하고, 가볍고, 부드러운 느낌 예 ㄱ, ㄷ, ㅂ, ㅅ, ㅈ
된소리	예사소리에 비해 더 강하고 단단한 느낌 예 ㄲ, ㄸ, ㅃ, ㅆ, ㅉ
거센소리	예사소리와 된소리에 비해 더 크고 거친 느낌 예 ㅋ, ㅌ, ㅍ, ㅊ

② 모음의 소리의 밝기에 따른 느낌 차이

양성 모음	밝고 가볍고 작은 느낌을 주는 모음 예 ㅏ, ㅑ, ㅗ, ㅛ, ㅐ, ㅒ, ㅘ, ㅚ 등
음성 모음	어둡고 무겁고 큰 느낌을 주는 모음 예 ㅓ, ㅕ, ㅜ, ㅠ, ㅔ, ㅖ, ㅝ, ㅟ 등

간단 복습 문제

(1) 음운의 세계

• 정답과 해설 32쪽

쪽지 시험

[01~04] 다음 문장에 들어갈 알맞은 말을 (　　)에서 골라 ○표 하시오.

01 음운이란 말의 뜻을 구별해 주는 소리의 가장 (큰 / 작은) 단위이다.

02 자음은 (소리의 세기 / 소리 나는 위치)에 따라 '예사소리, 된소리, 거센소리'로 나눌 수 있다.

03 'ㅑ'는 소리를 낼 때 입술이나 혀가 움직이는 (단모음 / 이중 모음)이다.

04 양성 모음은 음성 모음에 비해 (밝고 가벼운 / 어둡고 무거운) 느낌이 든다.

[05~09] 다음 설명이 맞으면 ○표, 틀리면 ×표 하시오.

05 모음은 공기가 방해를 받지 않고 그대로 흘러나오는 소리이다. (　　)

06 자음은 모음 없이 홀로 소리 낼 수 있다. (　　)

07 '산'의 음운은 'ㅅ', 'ㅏ', 'ㄴ'이다. (　　)

08 '곰'과 '솜'은 'ㄱ'과 'ㅅ'의 차이 때문에 단어의 뜻이 달라진다. (　　)

09 단모음은 발음할 때의 입술 모양에 따라 '전설 모음'과 '후설 모음'으로 나눌 수 있다. (　　)

[10~11] 다음 설명에 해당하는 자음을 〈보기〉에서 있는 대로 골라 쓰시오.

보기
ㄴ, ㄹ, ㅁ, ㅇ

10 입안의 통로를 막고 코로 공기를 내보내면서 내는 소리 (　　)

11 혀끝을 잇몸에 대었다 떼거나, 잇몸에 댄 채 공기를 그 양옆으로 흘려보내면서 내는 소리 (　　)

[12~16] 소리 나는 위치에 따른 분류와 해당 자음을 바르게 연결하시오.

12 입술소리 •	• ㉠ ㅎ
13 잇몸소리 •	• ㉡ ㅈ, ㅉ, ㅊ
14 센입천장소리 •	• ㉢ ㄱ, ㄲ, ㅋ, ㅇ
15 여린입천장소리 •	• ㉣ ㅁ, ㅂ, ㅃ, ㅍ
16 목청소리 •	• ㉤ ㄴ, ㄷ, ㄸ, ㅌ, ㄹ, ㅅ, ㅆ

[17~20] 다음 분류 기준을 모두 만족하는 모음을 〈보기〉에서 찾아 쓰시오.

보기
ㅏ, ㅗ, ㅟ, ㅣ

17 전설 모음, 평순 모음, 고모음 (　　)

18 전설 모음, 원순 모음, 고모음 (　　)

19 후설 모음, 평순 모음, 저모음 (　　)

20 후설 모음, 원순 모음, 중모음 (　　)

어휘 시험

[01~03] 다음 설명에 해당하는 낱말을 〈보기〉에서 골라 쓰시오.

보기
파열음, 평순 모음, 거센소리

01 입술이 평평한 상태에서 소리 내는 모음 (　　)

02 공기의 흐름을 잠시 막았다가 그 막은 자리를 터트리면서 내는 소리 (　　)

03 성대 주위의 근육을 긴장시켜 내는 소리 중, 숨이 거세게 터져 나오는 소리 (　　)

예상 적중 소단원 평가 (1) 음운의 세계

• 정답과 해설 32쪽

01 다음 단어에 대한 설명으로 적절하지 않은 것은?

> 산골

① 6개의 음운으로 이루어져 있다.
② 자음 4개와 모음 2개로 이루어져 있다.
③ 'ㅅ, ㄴ'은 공기가 그대로 흘러나오는 소리이다.
④ 'ㄱ, ㄹ'은 공기가 방해를 받으며 나오는 소리이다.
⑤ 'ㅏ, ㅗ'는 자음 없이도 홀로 소리 낼 수 있는 음운이다.

02 다음 중 음운의 개수가 가장 적은 단어는?

① 가방 ② 귀가 ③ 침대
④ 사랑 ⑤ 간식

03 다음 중 소리 나는 위치가 다른 자음은?

① ㄱ ② ㄲ ③ ㅋ ④ ㄴ ⑤ ㅇ

04 다음 설명에 해당하는 자음은?

> 두 입술이 닿았다가 떨어지며 나는 소리로, 발음할 때 입안이나 코안이 울린다.

① ㄱ ② ㄹ ③ ㅁ ④ ㅂ ⑤ ㅎ

05 〈보기〉 중, 받침을 발음할 때 소리가 부드럽고 이어지는 느낌이 드는 단어끼리 모두 골라 묶은 것은?

> 보기
> 각, 간, 갈, 감, 갑, 갓, 강

① 각, 간, 갈, 강 ② 간, 갈, 감, 강
③ 간, 갈, 갑, 갓 ④ 간, 감, 갓, 강
⑤ 갈, 감, 갑, 강

06 다음 중 콧소리와 흐름소리인 자음을 모두 포함하고 있는 단어는?

① 장미 ② 백합 ③ 벚꽃
④ 수국 ⑤ 개나리

07 자음을 다음과 같이 분류한다고 할 때, 분류 기준으로 가장 적절한 것은?

> ㄱ, ㄷ, ㅂ, ㅅ, ㅈ / ㄲ, ㄸ, ㅃ, ㅆ, ㅉ /
> ㅋ, ㅌ, ㅍ, ㅊ

① 소리의 세기
② 소리 나는 위치
③ 소리 낼 때의 입술 모양
④ 소리 낼 때의 혀의 최고점 위치
⑤ 소리 낼 때 입술이나 혀가 움직이는지 여부

08 〈보기〉의 단어에 대해 설명한 내용으로 적절하지 않은 것은?

> 보기
> ㉠ 뱅뱅 – ㉡ 빵빵 – ㉢ 팽팽

① ㉠, ㉡, ㉢은 소리의 세기에 따라 느낌의 차이가 있다.
② ㉠을 발음할 때는 ㉡, ㉢에 비해 약하고 가벼운 느낌이 든다.
③ ㉡을 발음할 때는 ㉠, ㉢에 비해 작고 부드러운 느낌이 든다.
④ ㉢을 발음할 때는 ㉠, ㉡에 비해 강하고 무거운 느낌이 든다.
⑤ ㉠에는 예사소리가, ㉡에는 된소리가, ㉢에는 거센소리가 포함되어 있다.

09 다음 중 발음할 때 크고 거친 느낌이 드는 자음이 쓰인 단어는?

① 졸랑졸랑 ② 동글동글 ③ 빙글빙글
④ 두근두근 ⑤ 찰랑찰랑

● 정답과 해설 32쪽

10 〈보기〉에서 설명하는 두 음운이 모두 포함된 단어는?

보기
- 소리를 낼 때 입술이나 혀가 움직이는 모음
- 혓바닥과 입천장 앞쪽의 단단한 부분 사이에서 나는 소리

① 과자 ② 치마 ③ 예의
④ 강아지 ⑤ 시금치

11 〈보기〉 중, 단모음과 이중 모음을 모두 포함한 단어끼리 골라 묶은 것은?

보기
달걀, 유자, 연근, 멜론, 쇠고기, 돼지고기

① 달걀, 유자, 연근, 멜론
② 달걀, 유자, 연근, 돼지고기
③ 달걀, 연근, 멜론, 돼지고기
④ 유자, 연근, 쇠고기, 돼지고기
⑤ 연근, 멜론, 쇠고기, 돼지고기

12 다음 모음의 공통점으로 가장 적절한 것은?

ㅗ, ㅚ, ㅜ, ㅟ

① 소리를 낼 때 입술이나 혀가 움직인다.
② 소리의 밝기가 가볍고 작은 느낌을 준다.
③ 입술을 둥글게 오므린 상태에서 소리 낸다.
④ 발음할 때 혀의 최고점이 입안의 뒤쪽에 있다.
⑤ 발음할 때 혀가 높이 올라가서 입천장 가까이에 있다.

서술형

13 다음 문장에 쓰인 평순 모음을 모두 찾아 쓰시오.

빗방울이 잔디밭에 떨어진다.

14 다음 중 후설 모음끼리 골라 묶은 것은?

① ㅐ, ㅓ, ㅗ ② ㅏ, ㅗ, ㅜ ③ ㅐ, ㅚ, ㅡ
④ ㅏ, ㅡ, ㅣ ⑤ ㅗ, ㅔ, ㅟ

15 다음 중 입을 가장 크게 열어서 발음하는 모음은?

① ㅏ ② ㅓ ③ ㅗ ④ ㅡ ⑤ ㅣ

16 다음 문장에 포함되지 않은 모음은?

나는 선희랑 함께 저녁을 먹었다.

① 고모음 ② 이중 모음 ③ 원순 모음
④ 평순 모음 ⑤ 후설 모음

17 〈보기〉에 해당하는 단어를 찾아 끝말잇기를 하려고 할 때, ㉠에 들어갈 단어로 적절하지 않은 것은?

우산 ➡ 산모퉁이 ➡ ㉠

보기
된소리나 원순 모음을 포함한 단어

① 이빨 ② 이불 ③ 이발소
④ 이름표 ⑤ 이쑤시개

18 다음 중 〈보기〉의 밑줄 친 부분에 해당하는 말은?

보기
모음은 소리의 밝기에 따라 분류할 수도 있다. 양성 모음은 <u>밝고 가볍고 작은 느낌을 주는 모음</u>으로, 'ㅏ, ㅑ, ㅗ, ㅛ, ㅐ, ㅒ, ㅘ, ㅚ' 따위가 있다.
음성 모음은 양성 모음과 비교하여 어둡고 무겁고 큰 느낌을 주는 모음으로, 'ㅓ, ㅕ, ㅜ, ㅠ, ㅔ, ㅖ, ㅝ, ㅟ' 따위가 있다.

① 숩 – 숩 – 숩 – 숩 ② 홉 – 홉 – 홉 – 홉
③ 듭 – 듭 – 듭 – 듭 ④ 롭 – 롭 – 롭 – 롭
⑤ 툽 – 툽 – 툽 – 툽

• 정답과 해설 33쪽

1단계 단답식 서술형 문제

01 ㉠~㉢에 들어갈 알맞은 말을 쓰시오. [3점]

> (㉠)(이)란 말의 뜻을 구별해 주는 소리의 가장 작은 단위인데, 국어에는 자음과 모음이 있다. (㉡)은/는 공기가 방해를 받으며 나오는 소리로 (㉢)을/를 만나야 소리 낼 수 있으며, (㉢)은/는 공기가 그대로 흘러나오는 소리로 (㉡) 없이 홀로 소리 낼 수 있다.

02 다음 소리 나는 위치에 해당하는 자음을 〈보기〉에서 각각 찾아 쓰시오. [5점]

> 보기
> ㄴ, ㅇ, ㅈ, ㅍ, ㅎ

(1) 입술소리: (2) 잇몸소리:
(3) 센입천장소리: (4) 여린입천장소리:
(5) 목청소리:

03 다음 단어에 쓰인 음운 중, 〈보기〉의 설명에 해당하는 자음을 모두 찾아 쓰시오. [3점]

> 나무늘보

> 보기
> 입안의 통로를 막고 코로 공기를 내보내면서 내는 소리

04 〈보기〉의 모음을 단모음과 이중 모음으로 분류하여 쓰시오. [5점]

> 보기
> ㅏ, ㅑ, ㅓ, ㅔ, ㅕ, ㅗ, ㅚ, ㅟ, ㅢ

05 다음 중 〈보기〉의 설명에 해당하는 모음이 쓰인 단어를 모두 골라 쓰시오. [5점]

> 서울, 북경, 파리, 로마, 아테네, 마드리드

> 보기
> 입술을 둥글게 오므린 상태에서 소리 내는 모음

06 모음의 체계를 다음과 같이 정리할 때, ㉠, ㉡에 들어갈 알맞은 모음을 쓰시오. [5점]

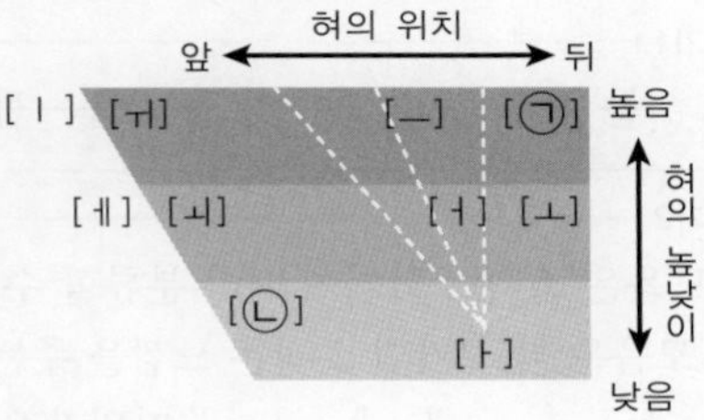

2단계 기본형 서술형 문제

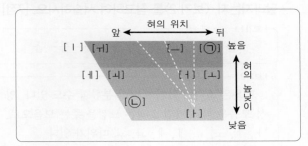

07 다음과 같은 상황에서 오해가 발생한 원인이 무엇인지 서술하시오. [7점]

> 조건 ① 말하는 사람과 듣는 사람의 입장을 모두 고려하여 쓸 것

● 정답과 해설 33쪽

고득점

서술형 문제

08 ㉠과 ㉡의 단어의 받침을 발음할 때 어떻게 다른지를 서술하시오. [10점]

㉠: 반, 발, 밤, 방　　　㉡: 밥, 밭, 박

조건 ① 입안이나 코안이 울리는지 여부를 쓸 것
② 발음할 때의 느낌이 어떻게 다른지 쓸 것

09 〈보기 1〉과 같이 모음을 바꾸었을 때 느낌이 어떻게 달라지는지, 〈보기 2〉를 참고하여 서술하시오. [7점]

보기1

돕 – 돕 – 돕 – 돕 ➡ 둡 – 둡 – 둡 – 둡

보기2

모음은 소리의 밝기에 따라 분류할 수도 있다. 양성 모음은 밝고 가볍고 작은 느낌을 주는 모음으로, ‘ㅏ, ㅑ, ㅗ, ㅛ, ㅐ, ㅒ, ㅘ, ㅚ’ 따위가 있다.

음성 모음은 양성 모음과 비교하여 어둡고 무겁고 큰 느낌을 주는 모음으로, ‘ㅓ, ㅕ, ㅜ, ㅠ, ㅔ, ㅖ, ㅝ, ㅟ’ 따위가 있다.

3단계 고난도 서술형 문제

10 〈보기〉의 모음이 어떤 공통점을 가지는지를 서술하시오. [15점]

보기

ㅡ, ㅣ

조건 ① 발음할 때의 혀의 높이에 대해 쓸 것
② 발음할 때의 입술의 모양에 대해 쓸 것
③ 발음할 때 입술이나 혀가 움직이는지 여부에 대해 쓸 것

11 〈보기〉의 단어들은 발음할 때의 느낌이 서로 다르다. 이와 비슷한 관계의 단어를 찾아 예를 들고, 그 단어의 느낌이 다른 이유를 서술하시오. [15점]

보기

졸랑졸랑 – 쫄랑쫄랑 – 촐랑촐랑

조건 ① 단어의 느낌이 달라지게 하는 자음을 밝힐 것
② 각 자음에 따라 느낌이 어떻게 달라지는지 비교하여 쓸 것
③ 각 자음을 소리의 세기에 따라 분류할 때의 명칭을 밝힐 것

12 다음 문장에서 발음하기 어려운 부분을 찾아 그 이유를 적고, 정확하게 발음하기 위한 방법을 한 가지 이상 서술하시오. [20점]

한류 진흥 및 관광 활성화 추진 위원회는 문화 소외 지역을 중심으로 다양한 문화 공간을 신설하겠다고 밝혔다.

만점 마무리 (2) 설득 전략이 담긴 연설

◆ 제재 선정 의도

「세상을 바꾸는 실패와 상상력」은 『해리포터』 시리즈로 세계적인 명성을 얻은 작가 '조앤 K. 롤링'이 하버드 대학의 졸업식 축사로 한 연설문이다. 이 연설문은 실패를 겸허히 받아들임으로써 자신의 삶을 긍정적으로 변화시키는 태도와, 상상력을 통해 자신뿐 아니라 타인의 삶을 생각하는 태도의 중요성을 말하고 있어 교육적으로 가치 있는 내용을 담고 있다. 또한 이 단원에서 학습해야 하는 설득 전략을 다양하게 사용하고 있어 제재로 선정하였다.

본문 제재 「세상을 바꾸는 실패와 상상력」

◆ 제재 이해

갈래	연설(문)
성격	설득적, 주관적, 교훈적
제재	실패의 경험과 상상력의 힘
주제	실패를 통해 배우는 긍정적인 삶의 자세와, 상상력을 통해 타인을 헤아리는 마음의 중요성
특징	• 자신의 경험담을 통해 청중의 호기심을 유발함. • 자문자답의 방식으로 내용을 전개함.

◆ 제재 요약

서론 인사 및 연설할 내용 소개

본론 실패의 경험이 주는 이점과 상상력의 중요성

결론 청중에게 당부하는 바

◇「세상을 바꾸는 실패와 상상력」의 연설자와 청중, 연설의 목적

연설자	조앤 K. 롤링
청중	대학을 졸업하는 학생들
연설의 목적	연설자가 지금까지 살아오면서 얻은 교훈을 졸업생들에게 전달하기 위해서

◇「세상을 바꾸는 실패와 상상력」의 연설자가 청중에게 전하려는 주요 내용

① 실패가 주는 혜택

- 삶의 군더더기를 없애 줌. → 자신이 진짜 하고 싶었던 일에 열정을 쏟게 됨.
- 다른 곳에서 배울 수 없는 자기 자신을 알게 해 줌. → 자신의 장점을 발견하고 주변에 소중한 사람들이 있다는 것을 알게 됨.
- 앞으로 어떤 일이 있어도 헤쳐 나갈 수 있다는 자신감을 갖게 해 줌. → 실패를 극복하면서 인생의 다양한 어려움에 대처할 수 있는 용기와 힘을 얻게 됨.

⇩

실패를 겸허히 받아들이면 그 어떤 고난도 이겨 낼 수 있음.

② 상상력의 중요성

연설자의 경험		상상력이 중요한 이유
대학을 졸업하고 국제 사면 위원회에서 일을 했는데 이곳의 직원들은 직접적인 이해관계가 없는 사람들의 상황에 공감하고 이들이 처한 어려움을 해결하기 위해 애를 씀.	⇨	상상력은 우리가 직접 경험하지 않은 다른 사람들의 상황과 아픔에 공감하고 행동하게 함. → 상상력의 힘으로 세상을 더 나은 곳으로 바꿀 수 있음.

◇「세상을 바꾸는 실패와 상상력」에 드러나는 설득 전략

인성적 설득 전략	세계적인 명성을 지닌 작가이자 국제 사면 위원회에서 일했던 경험이 있는 '조앤 K. 롤링'이라는 연설자의 전문성과 됨됨이를 바탕으로 연설에 신뢰를 갖게 함.
이성적 설득 전략	• 연설자가 실패했던 경험 속에서 얻은 깨달음을 바탕으로 '실패가 주는 혜택' 세 가지를 논리적으로 제시함. • 연설자가 국제 사면 위원회에서 일했던 경험을 바탕으로 상상력이 중요한 까닭을 논리적으로 제시함.
감성적 설득 전략	• 자신이 실패했던 경험을 진솔하게 드러냄으로써 청중의 공감을 불러일으킴. • '훌륭한 교육을 받았기 때문에 짊어진 책임도 남다르다고 봅니다.'에서 청중의 자긍심을, '어려움에 처해 있는 사람들의 삶을 상상하는 힘을 가지세요.'에서 청중의 동정심을, '우리의 마음속에는 이미 세상을 바꿀 힘이 있습니다.'에서 청중의 욕망을 불러일으켜 청중의 마음을 움직이려 함.

◇ 청중을 고려한 연설의 평가 기준

연설 내용	• 연설자는 청중의 나이와 지식수준을 고려하였는가? • 연설자는 청중의 관심과 요구를 고려하였는가?
설득 전략	• 연설자는 청중의 신념이나 행동을 변화시킬 수 있는 설득 전략을 사용하였는가?
준언어적·비언어적 표현	• 연설자의 목소리의 크기와 말의 속도, 어조는 적절하였는가? • 연설자의 표정이나 시선, 몸동작은 적절하였는가?

간단 복습 문제

(2) 설득 전략이 담긴 연설

● 정답과 해설 34쪽

쪽지 시험

[01~03] 다음 문장에 들어갈 알맞은 낱말을 (　　)에서 골라 ○표 하시오.

01 연설을 할 때 (연설자 / 청중)의 관심, 요구, 규모, 성향, 수준 등을 고려해야 설득력이 높아진다.

02 청중은 연설에서 사용된 설득 전략이 타당한지 판단하며 (수용적 / 비판적)으로 들을 수 있어야 한다.

03 연설자는 연설을 할 때 목소리의 크기와 말의 속도, 어조 등과 같은 (준언어적 / 비언어적) 표현을 적절히 조절해야 한다.

[04~06] 「세상을 바꾸는 실패와 상상력」에 대한 다음 설명이 맞으면 ○표, 틀리면 ×표 하시오.

04 연설자는 대학교 졸업 후에 실패를 두려워한 적이 없었다. (　　)

05 연설자는 실패를 딛고 일어나는 과정에서, 자신의 주변에 소중한 사람들이 있다는 것을 깨달았다. (　　)

06 연설자는 우리가 직접 경험하지 않은 다른 사람들의 상황과 아픔에 공감하고 행동하기 위해서 상상력이 필요하다고 말한다. (　　)

[07~10] 「세상을 바꾸는 실패와 상상력」에 대한 다음 설명에 사용된 전략을 〈보기〉에서 골라 그 기호를 쓰시오.

보기
- ㉠ 인성적 설득 전략
- ㉡ 이성적 설득 전략
- ㉢ 감성적 설득 전략

07 연설자가 자신의 전문성과 됨됨이를 바탕으로 청중이 연설에 신뢰를 갖게 함. (　　)

08 연설자가 자신이 실패했던 경험을 진솔하게 드러냄으로써 청중이 공감하게 함. (　　)

09 연설자가 자신의 경험을 근거로 삼아, 실패가 주는 혜택과 상상력의 중요성을 논리적으로 제시함. (　　)

10 '우리의 마음속에는 이미 세상을 바꿀 힘이 있습니다.'와 같은 구절을 통해 청중의 감정에 호소함. (　　)

어휘 시험

[01~03] 다음 설명에 해당하는 낱말을 〈보기〉에서 골라 쓰시오.

보기
이성, 인성, 감성

01 사람의 성품이나 됨됨이 (　　)

02 자극에 대해 마음이나 감각이 느끼고 반응하는 성질 (　　)

03 올바른 가치와 지식을 가지고 논리에 맞게 생각하고 판단하는 능력 (　　)

[04~06] 다음 문장에 들어갈 알맞은 낱말을 (　　)에서 골라 ○표 하시오.

04 가진 것 없는 그에게 세상은 (갸륵하지 / 녹록하지) 않았다.

05 그 정치인은 국민들의 비판을 (겸소히 / 겸허히) 수용하겠다고 말했다.

06 이 문제를 어떻게 헤쳐 나가야 할지 (전략 / 중략)을 세워야겠다.

[07~08] 다음 빈칸에 들어갈 알맞은 낱말을 〈보기〉에서 골라 쓰시오.

보기
주춧돌, 군더더기

07 좋은 글에는 (　　　)이/가 없다.

08 쓰라린 실패의 경험은 그가 삶을 다시 튼튼하게 지을 수 있게 하는 (　　　)이/가 되었다.

[09~11] 다음 낱말과 그 뜻풀이를 바르게 연결하시오.

09 청중 • 　　• ㉠ 강연이나 연설 등을 듣기 위해 모인 사람들

10 상상력 • 　　• ㉡ 어떤 사물의 효과나 작용이 다른 것에 미치는 힘

11 영향력 • 　　• ㉢ 실제로 경험하지 않은 현상이나 사물에 대하여 마음속으로 그려 보는 힘

예상 적중 소단원 평가 (2) 설득 전략이 담긴 연설

• 정답과 해설 34쪽

01~04 다음 글을 읽고, 물음에 답하시오.

가 ㉠저는 왜 '실패가 주는 혜택'을 말하려고 할까요? 그것은 이러한 실패를 경험하면서 삶의 군더더기를 없앨 수 있었기 때문입니다. 연이은 실패로 제게 남은 것은 많지 않았지만 사랑하는 딸과 낡은 타자기, 그리고 어떤 아이디어가 있었습니다. 저는 실패한 제 자신을 있는 그대로 받아들이고, 저에게 가장 중요한 단 한 가지 일에 에너지를 모두 쏟기 시작했습니다. 그렇게 ㉡저는 실패를 주춧돌 삼아, 그 위에 제 삶을 다시 튼튼하게 지을 수 있었습니다.

나 또한 실패를 극복하며 강인하고 현명해지면, 어떤 일이 있어도 헤쳐 나갈 수 있다는 자신감이 생깁니다. 시련을 겪지 않으면 스스로가 얼마나 강한지, 가까이에 있는 사람이 얼마나 소중한지 알 수 없습니다. 저는 이 깨달음을 얻기까지 혹독한 대가를 치렀지만, 이것은 매우 가치 있는 일이었습니다.

다 대학을 졸업하고 얼마 안 되어 저는 런던에 있는 국제 사면 위원회 본부의 연구 부서에서 일하면서 생활비를 벌고, 점심시간에는 짬을 내어 소설을 썼습니다. 이곳에서 일하는 수천 명의 직원들은 위기에 처한 생명을 구하고 속박당한 사람들에게 자유를 되찾아 주는 일을 하고 있었습니다. 그들은 편안하고 안정된 삶이 보장되어 있는데도, 자신들이 알지도 못하고 평생 만날 일도 없을 사람들을 구하려고 애를 썼습니다. ㉢저는 여기에서 일하는 동안 우리가 직접 경험하지 않은 타인의 아픔에 공감하게 하는 상상력의 힘을 느낄 수 있었습니다.

라 우리는 누구나 자신뿐만이 아니라 타인의 삶에 영향을 줄 수 있습니다. 졸업생 여러분은 훌륭한 교육을 받았기 때문에 짊어진 책임도 남다르다고 봅니다. ㉣여러분은 힘없는 사람들을 자신과 같이 여기고, 어려움에 처해 있는 사람들의 삶을 상상하는 힘을 가지세요. 그리고 여러분의 힘과 영향력을 그들을 위해 사용해 주십시오. 세상을 바꾸는 데 마법은 필요 없습니다. ㉤우리의 마음속에는 이미 세상을 바꿀 힘이 있습니다. 우리는 더 나은 세상을 상상하고 만들 수 있는 힘이 있습니다.

01 다음 중 연설자의 생각과 일치하지 않는 것은?

① 실패를 통해 나 자신의 모습을 있는 그대로 받아들일 수 있게 되었어.
② 상상력은 우리가 직접 경험하지 않은 타인의 상황과 아픔에 공감할 수 있게 해.
③ 실패로 인해 남은 것은 많지 않았지만 진짜 원하는 일에 열정을 쏟을 수 있었어.
④ 우리는 상상력을 통해 세상을 바꿀 수는 없지만 스스로를 바꾸어 나갈 수는 있어.
⑤ 실패를 극복하면서 인생의 다양한 어려움에 대처할 수 있다는 자신감과 힘을 얻게 되었어.

02 이 연설을 비판적으로 평가한 내용으로 적절하지 않은 것은?

① 훌륭한 교육을 받고 대학 졸업을 앞둔 청중의 지식수준을 고려한 내용이었어.
② 연설자가 지금까지 살아오면서 얻은 교훈을 전달하고자 하는 목적이 잘 드러난 연설이었어.
③ 연설자가 자신의 전문성과 됨됨이를 바탕으로 청중을 설득하는 인성적 설득 전략을 사용했어.
④ 졸업을 앞두고 경제적 부를 이루는 방법에 대해 고민하고 있는 청중의 관심을 고려한 연설이었어.
⑤ 연설자가 자신의 진솔한 경험을 말하며 청중의 공감을 불러일으키는 전략을 효과적으로 사용했어.

서술형

03 〈보기〉의 빈칸에 들어갈 설득 전략을 쓰시오.

보기
연설자는 자신의 경험을 근거로 제시하여, 실패가 주는 혜택과 상상력이 중요한 까닭을 논리적으로 제시하고 있다. 따라서 이 연설은 (　　　　　)을 효과적으로 활용하고 있다.

04 ㉠~㉤에 대한 설명으로 적절하지 않은 것은?

① ㉠: 자문자답의 방식으로 내용을 전개하고 있다.
② ㉡: 경험을 통해 깨달은 삶의 자세를 의미한다.
③ ㉢: 연설자가 실패를 통해 얻게 된 혜택이다.
④ ㉣: 연설자가 청중에게 당부하고 싶은 내용이다.
⑤ ㉤: 청중의 감정에 호소하고 있다.

고득점 서술형 문제

[2] 설득 전략이 담긴 연설

1단계 단답식 서술형 문제

01 다음 설명과 관련된 설득 전략을 쓰시오. [5점]

> 이 연설은 세계적인 명성을 지닌 작가이자 국제 사면 위원회에서 일했던 경험이 있는 '조앤 K. 롤링'이라는 연설자의 전문성과 됨됨이를 바탕으로 연설에 신뢰를 갖게 하고 있다.

02 다음 빈칸에 알맞은 말을 차례대로 쓰시오. [10점]

> 선생님: 연설을 할 때는 □□의 반응을 고려하여 목소리의 크기와 말의 속도, 어조와 같은 준언어적 표현을 조절해야 합니다. 또한 표정이나 시선, 손짓, 몸동작과 같은 □□□적 표현을 적절하게 사용하는 것도 중요합니다.

2단계 기본형 서술형 문제

03~04 다음 글을 읽고, 물음에 답하시오.

(가) 대학을 졸업하고 얼마 안 되어 저는 런던에 있는 국제 사면 위원회 본부의 연구 부서에서 일하면서 생활비를 벌고, 점심시간에는 짬을 내어 소설을 썼습니다. 이곳에서 일하는 수천 명의 직원들은 위기에 처한 생명을 구하고 속박당한 사람들에게 자유를 되찾아 주는 일을 하고 있었습니다. 그들은 편안하고 안정된 삶이 보장되어 있는데도, 자신들이 알지도 못하고 평생 만날 일도 없을 사람들을 구하려고 애를 썼습니다. 저는 여기에서 일하는 동안 우리가 직접 경험하지 않은 타인의 아픔에 공감하게 하는 상상력의 힘을 느낄 수 있었습니다.

(나) 졸업생 여러분은 훌륭한 교육을 받았기 때문에 짊어진 책임도 남다르다고 봅니다. 여러분은 힘없는 사람들을 자신과 같이 여기고, 어려움에 처해 있는 사람들의 삶을 상상하는 힘을 가지세요. 그리고 여러분의 힘과 영향력을 그들을 위해 사용해 주십시오. 세상을 바꾸는 데 마법은 필요 없습니다. 우리의 마음속에는 이미 세상을 바꿀 힘이 있습니다. 우리는 더 나은 세상을 상상하고 만들 수 있는 힘이 있습니다.

03 이 글의 내용을 참고할 때, 연설자가 말하는 '상상력의 중요성'이 무엇인지를 서술하시오. [20점]

> 조건 ① '상상력은 ~게 한다.' 형식의 한 문장으로 쓸 것

04 (나)에서 '감성적 설득 전략'을 통해 어떻게 청중을 설득하고 있는지 서술하시오. [25점]

> 조건 ① 설득 전략이 사용된 부분을 두 곳 이상 언급하며 서술할 것

3단계 고난도 서술형 문제

05 '우리 학교에 매점이 필요한 이유'라는 주제로 연설하기 위해 〈보기〉와 같이 설득 전략을 마련하려고 한다. 〈보기〉의 빈칸에 이어질 설득 전략을 어떻게 제시할지 자신의 생각을 서술하시오. [40점]

> 보기
> 나는 우리 학교에 매점을 설치해 달라고 학교 관계자 분들에게 연설할 계획이야. 먼저 감성적 설득 전략을 사용하여 배고픈 우리의 심정을 내세워 청중의 동정심에 호소할 거야. 그리고 이성적 설득 전략을 사용하여 (   )

> 조건 ① 주장에 대한 근거를 구체적으로 제시하여 쓸 것

• 정답과 해설 35쪽

01 ㉠~㉤을 음운의 개수가 적은 것부터 많은 것 순서대로 차례대로 바르게 배열한 것은?

> ㉠ 공책 ㉡ 딸기 ㉢ 산골짝
> ㉣ 지구본 ㉤ 머귀나무

① ㉠ - ㉡ - ㉣ - ㉢ - ㉤
② ㉠ - ㉡ - ㉣ - ㉤ - ㉢
③ ㉡ - ㉠ - ㉢ - ㉣ - ㉤
④ ㉡ - ㉠ - ㉢ - ㉤ - ㉣
⑤ ㉡ - ㉠ - ㉣ - ㉤ - ㉢

02 다음 중 자음에 대한 설명으로 적절하지 않은 것은?

① 모음을 만나야 소리 낼 수 있다.
② 목청 사이에서는 소리가 나지 않는다.
③ 공기가 방해를 받으며 나오는 소리이다.
④ 소리의 세기에 따라 느낌이 달라지기도 한다.
⑤ 소리 낼 때 입안이나 코안이 울리는지의 여부에 따라 나눌 수 있다.

03 다음 그림의 ❷번 위치에서 소리 나는 자음이 아닌 것은?

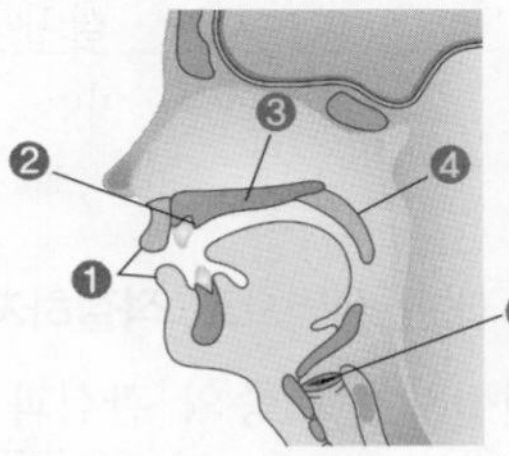

① ㄴ ② ㄷ ③ ㄹ ④ ㅅ ⑤ ㅈ

04 다음 중 소리 낼 때 가장 거친 느낌이 드는 단어는?

① 빙글빙글 ② 짤랑짤랑 ③ 철썩철썩
④ 부글부글 ⑤ 쭈글쭈글

05 다음 중 단모음과 이중 모음이 모두 쓰인 단어는?

① 과제 ② 개미 ③ 사슴
④ 여유 ⑤ 원예

06 다음 모음 체계표의 ㉠, ㉡에 들어갈 모음을 바르게 묶은 것은?

혀의 최고점의 위치 / 입술의 모양 / 혀의 높이	전설 모음		후설 모음	
	평순 모음	원순 모음	평순 모음	원순 모음
고모음	ㅣ	㉠	ㅡ	ㅜ
중모음	ㅔ	ㅚ	ㅓ	ㅗ
저모음	ㅐ		㉡	

	㉠	㉡
①	ㅏ	ㅒ
②	ㅟ	ㅏ
③	ㅏ	ㅛ
④	ㅟ	ㅒ
⑤	ㅟ	ㅠ

07 다음 빈칸에 들어갈 말로 가장 적절한 것은?

> '개'와 '게'를 구별하여 발음하려면 ( )

① 'ㅐ'는 'ㅔ'보다 턱이 조금 내려가야 해.
② 'ㅐ'는 'ㅔ'보다 혀의 높이를 더 낮춰야 해.
③ 'ㅐ'는 'ㅔ'보다 입을 조금 더 작게 벌려야 해.
④ 'ㅐ'는 'ㅔ'와 달리 입술을 둥글게 오므려야 해.
⑤ 'ㅐ'는 'ㅔ'와 달리 입술이나 혀를 움직여야 해.

서술형

08 다음 문장에서 〈보기〉의 내용을 모두 충족하는 음운을 찾아 쓰시오.

> 이야기는 길이가 아니라 내용이 얼마나 훌륭한 것인지가 중요하다.

| 보기 |
① 소리 낼 때 입술이나 혀가 움직이지 않는 모음
② 입술을 둥글게 오므린 상태에서 소리 내는 모음
③ 소리 낼 때 혀의 최고점이 입안의 뒤쪽에 있는 모음

09~12 다음 글을 읽고, 물음에 답하시오.

(가) 우선 제게 이런 특별한 시간을 주신 대학교 측에 감사하다는 말씀을 드리고 싶습니다. 오늘 졸업생 여러분 앞에서 무슨 이야기를 해야 할지 고민을 많이 했습니다. ㉠그래서 대학교를 졸업하던 당시에 제가 느꼈던 감정은 무엇인지, 졸업 이후 지금에 이르기까지 제가 얻은 교훈은 무엇인지 곰곰이 생각해 보았습니다.

(나) 제가 여러분 나이 때 가장 두려워했던 것은 실패였습니다. 그런데 대학을 졸업한 후 7년 동안, 저는 계속 실패만 했습니다. 결혼 생활이 짧게 끝났고, 번듯한 직장을 다닌 것도 아니어서 경제적으로 매우 어려웠습니다. 어떤 기준으로 보더라도 실패한 사람이었지요. ㉡당시에는 이러한 암흑과도 같은 터널을 얼마나 오랫동안 가야 끝이 날지 전혀 알 수 없었습니다.

(다) 저는 왜 '실패가 주는 혜택'을 말하려고 할까요? ㉢그것은 이러한 실패를 경험하면서 삶의 군더더기를 없앨 수 있었기 때문입니다. 연이은 실패로 제게 남은 것은 많지 않았지만 사랑하는 딸과 낡은 타자기, 그리고 어떤 아이디어가 있었습니다. 저는 실패한 제 자신을 있는 그대로 받아들이고, 저에게 가장 중요한 단 한 가지 일에 에너지를 모두 쏟기 시작했습니다. 그렇게 저는 실패를 주춧돌 삼아, 그 위에 제 삶을 다시 튼튼하게 지을 수 있었습니다.

(라) 실패는 또한 다른 곳에서 배울 수 없었던 제 자신을 알게 해 주었습니다. 실패를 딛고 일어나는 과정에서 제가 생각보다 성실하고 의지가 강하며, 제 주변에 보석보다 훨씬 더 값진 사람들이 있다는 것을 알게 되었습니다. / 또한 실패를 극복하며 강인하고 현명해지면, 어떤 일이 있어도 헤쳐 나갈 수 있다는 자신감이 생깁니다.

(마) ㉣만약 타임머신을 타고 스물한 살이던 때로 돌아간다면 제 자신에게 이렇게 말해 주고 싶습니다. 뭔가를 얻고 성취하는 것이 삶의 전부가 아님을 깨달아야 비로소 행복할 수 있다고 말입니다. 삶은 때로는 우리 뜻대로 되지 않습니다. ㉤그리고 아무것도 실패하지 않고 사는 것은 불가능합니다. 이 사실을 겸허히 받아들이면 그 어떤 고난도 이겨 낼 수 있습니다.

09 이 연설의 특징으로 적절한 것은?

① 매체 자료를 활용해 청중의 이해를 돕는다.
② 비격식체 말투를 사용해 친근감을 유도한다.
③ 청중과의 대화를 통해 연설 동기를 나열한다.
④ 자신의 경험을 근거로 들어 청중을 설득한다.
⑤ 통계 자료를 인용해 내용의 신뢰도를 높인다.

10 (가)~(마)를 통해 연설자가 청중에게 말하고자 하는 바로 가장 적절한 것은?

① 삶에서 실패하지 않게 하는 자신만의 비법
② 결국은 실패를 겪을 수밖에 없는 인간의 숙명
③ 실패를 통해 자신뿐 아니라 타인의 삶을 생각하는 태도의 중요성
④ 어려움에 처해 있는 힘없는 사람들을 위해 노력하는 삶의 아름다움
⑤ 실패를 겸허히 받아들임으로써 자신의 삶을 긍정적으로 변화시키는 태도

서술형

11 (다)~(라)의 내용을 다음과 같이 정리할 때, ⓐ, ⓑ에 들어갈 적절한 말을 쓰시오.

실패가 주는 혜택
• 삶의 군더더기를 없애 줌. • (ⓐ). • 어떤 일이 있어도 헤쳐 나갈 수 있다는 (ⓑ)이 생김.

12 ㉠~㉤에 대한 설명으로 적절하지 않은 것은?

① ㉠: 연설자가 청중의 관심과 요구를 고려하여 연설의 주제를 선정하였음을 알 수 있다.
② ㉡: 연설자가 실패를 경험했던 당시의 상황이 매우 절망스러웠음을 비유적으로 이야기하고 있다.
③ ㉢: 연설자가 말하고자 하는 '실패가 주는 혜택' 중의 하나이다.
④ ㉣: 연설자가 실패를 반복했던 과거 자신의 모습을 돌아보며 반성하고 있다.
⑤ ㉤: 누구나 인생에서 실패를 겪을 수밖에 없다는 점을 이야기하고 있다.

13~15 **다음 글을 읽고, 물음에 답하시오.**

가 오늘 제가 하려는 두 번째 이야기로 ㉠'상상력의 중요성'을 꼽은 이유는 무엇일까요? 제가 삶을 다시 추스르는 데 상상력이 큰 역할을 했기 때문일 거라고 여러분은 생각하실 겁니다. 그러나 그것이 다는 아닙니다. 제가 경험한 상상력의 가치는 더욱 넓은 의미의 가치입니다.

나 대학을 졸업하고 얼마 안 되어 저는 런던에 있는 국제 사면 위원회 본부의 연구 부서에서 일하면서 생활비를 벌고, 점심시간에는 짬을 내어 소설을 썼습니다. 이곳에서 일하는 수천 명의 직원들은 위기에 처한 생명을 구하고 속박당한 사람들에게 자유를 되찾아 주는 일을 하고 있었습니다. 그들은 편안하고 안정된 삶이 보장되어 있는데도, 자신들이 알지도 못하고 평생 만날 일도 없을 사람들을 구하려고 애를 썼습니다. 저는 여기에서 일하는 동안 우리가 직접 경험하지 않은 타인의 아픔에 공감하게 하는 상상력의 힘을 느낄 수 있었습니다.

다 우리는 누구나 자신뿐만이 아니라 타인의 삶에 영향을 줄 수 있습니다. 졸업생 여러분은 훌륭한 교육을 받았기 때문에 짊어진 책임도 남다르다고 봅니다. 여러분은 힘없는 사람들을 자신과 같이 여기고, 어려움에 처해 있는 사람들의 삶을 상상하는 힘을 가지세요. 그리고 여러분의 힘과 영향력을 그들을 위해 사용해 주십시오. 세상을 바꾸는 데 마법은 필요 없습니다. 우리의 마음속에는 이미 세상을 바꿀 힘이 있습니다. 우리는 더 나은 세상을 상상하고 만들 수 있는 힘이 있습니다.

라 내일이 오고, 여러분이 오늘 저의 말을 단 한 마디도 기억하지 못하더라도 고대 로마의 현인이였던 세네카의 말만큼은 꼭 기억하길 바랍니다.

"이야기에서는 이야기의 길이가 긴 것이 중요한 게 아니라 내용이 얼마나 훌륭한 것인지가 중요하다. 우리의 인생도 마찬가지다."

여러분은 내면이 충만한 삶을 살기를 기원합니다. 감사합니다.

13 **이 연설을 이해한 내용으로 적절하지 않은 것은?**

① 격언을 인용해서 연설 내용에 더욱 신뢰가 갔어.
② 대학 졸업을 앞둔 청중의 상황과 관심사를 고려하여 주제를 선정한 것 같아.
③ 연설자가 자신의 경험담을 진솔하게 말하고 있어서 연설 내용에 공감할 수 있었어.
④ 연설자의 말을 듣고 마음이 뭉클해지는 것을 보니 이성적 설득 전략을 잘 활용한 것 같아.
⑤ 연설자가 자문자답의 방식을 통해 예상되는 청중의 생각을 이야기하고 뒤이어 그것을 반박하고 있어 앞으로 전개될 내용에 호기심이 생겼어.

고난도 서술형

14 **〈보기〉에서 사용한 설득 전략이 무엇인지 쓰고, (가)~(라)에서 이와 같은 설득 전략을 어떻게 사용하고 있는지 서술하시오.**

보기

저는 우리 학교에 매점이 꼭 필요하다고 생각합니다. 매점이 있으면 아침을 거르고 오는 학생들은 간단한 식사를 할 수 있고, 성장기에 필요한 영양분을 보충할 수 있습니다. 또한 배가 고플 때에는 집중력이 떨어진다는 연구 결과도 있습니다. 매점을 이용하여 허기를 채우면 우리의 집중력도 높아질 것입니다.

부디 우리 학교에 매점을 설치하여 우리가 즐거운 학교생활을 할 수 있도록 해 주시면 감사하겠습니다.

조건

① 〈보기〉에서 사용한 설득 전략을 통해 연설자가 어떤 내용을 어떻게 전달하고 있는지 서술할 것

15 **연설자가 말하는 ㉠의 의미로 가장 적절한 것은?**

① 창의적인 내용으로 소설을 쓸 수 있게 함.
② 삶에서 겪는 그 어떤 고난도 이겨 낼 수 있게 함.
③ 우리가 경험하지 않은 타인의 아픔에 공감하게 함.
④ 삶의 고통 속에서 자신의 삶을 추스를 수 있게 함.
⑤ 훌륭한 교육을 바탕으로 지도자의 역량을 갖게 함.

만점 마무리 (1) 논리적으로 읽기

◆ 제재 선정 의도

「청소년에게 놀 공간을 제공하자」는 청소년 놀이 공간 확대의 필요성을 주장한 글로, 글 전체적으로 귀납 논증이 사용되고 있어 논증 방법과 그 효과를 학습하기에 적절하다. 또한 청소년 놀이 공간의 필요성을 주제로 삼고 있어 학습자들이 쉽게 공감하고 흥미를 느낄 수 있다는 점에서 제재로 선정하였다.

본문 제재 「청소년에게 놀 공간을 제공하자」

◆ 제재 이해

갈래	주장하는 글(논설문)
성격	주관적, 논리적, 귀납적
제재	청소년 놀이 공간
주제	청소년의 놀이 공간을 확대하자.
특징	• 귀납 논증을 사용하여 근거를 제시함. • 객관적인 통계 자료를 제시하여 설득력을 높임.

◆ 제재 요약

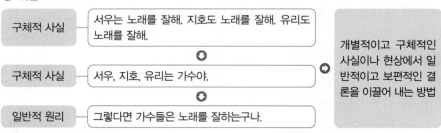

서론 청소년을 위한 놀이 공간이 부족한 현실의 문제 제기

본론 청소년 놀이 공간 확대의 긍정적인 측면 제시

결론 청소년 놀이 공간이 확대될 수 있도록 우리 사회의 노력 제안

◇「청소년에게 놀 공간을 제공하자」의 구조와 논증 방법

서론		청소년에게는 휴식과 놀이가 필요하지만, 이들이 마음 놓고 놀 수 있는 공간은 부족하다.	
본론	근거 1	청소년 놀이 공간을 확대하면 청소년의 사회성을 기를 수 있다.	구체적인 사실
	근거 2	청소년 놀이 공간을 확대하면 청소년의 스트레스 해소에 도움이 된다.	
	근거 3	청소년 놀이 공간을 확대하면 청소년의 일탈이 줄어 범죄 예방에도 효과가 있다.	
결론	주장	청소년 놀이 공간을 더욱 확대해야 한다.	일반적인 주장
논증 방법		청소년 놀이 공간을 확대했을 때의 개별적인 효과를 바탕으로 주장을 이끌어 냄.	귀납

◇「청소년에게 놀 공간을 제공하자」의 특징과 글의 목적

• 귀납 논증을 사용하여 근거를 제시함.
• 객관적인 통계 자료를 제시하여 설득력을 높임.

→ 청소년 놀이 공간을 확대해야 한다는 주장을 내세워 독자를 설득하고자 함.

◇ 연역과 귀납의 논증 방법

① 연역

대전제	아름다움에는 우열이 없다.	가수들은 노래를 잘해.
소전제	음악은 아름답다.	여름이는 가수야.
결론	따라서 음악에는 우열이 없다.	그럼 여름이도 노래를 잘하겠네.

→ 이미 알려진 일반적인 원리나 법칙에서 구체적이고 개별적인 결론을 이끌어 내는 방법

② 귀납

구체적 사실	서우는 노래를 잘해. 지호도 노래를 잘해. 유리도 노래를 잘해.
구체적 사실	서우, 지호, 유리는 가수야.
일반적 원리	그렇다면 가수들은 노래를 잘하는구나.

→ 개별적이고 구체적인 사실이나 현상에서 일반적이고 보편적인 결론을 이끌어 내는 방법

◇ 논증 방법을 파악하며 글 읽기의 효과

• 글쓴이의 주장을 명확하게 파악할 수 있다.
• 글의 논지 전개 방식이나 구조 등을 파악하며 글을 체계적으로 이해할 수 있다.
• 주장에 대한 근거의 타당성을 판단할 수 있다.

간단 복습 문제

(1) 논리적으로 읽기

● 정답과 해설 36쪽

쪽지 시험

[01~03] 다음 문장에 들어갈 알맞은 낱말을 (　　)에서 골라 ○표 하시오.

01 주장하는 글의 목적은 (설득 / 정보 전달 / 정서 표현)이다.

02 주장하는 글의 (서론 / 본론 / 결론)에서는 독자의 흥미 유발, 화제 제시, 문제 제기를 한다.

03 주장하는 글을 읽을 때에는 글의 (논증 방법 / 표현 방법)을 중심으로 글의 논지 전개 방식과 구조를 파악해야 한다.

[04~06] 「청소년에게 놀 공간을 제공하자」에 대한 다음 설명이 맞으면 ○표, 틀리면 ×표 하시오.

04 이 글에서는 청소년 놀이 공간 확대의 장단점을 균형 있게 다루고 있다. (　　)

05 이 글은 청소년 놀이 공간 확대의 긍정적인 측면들을 병렬적으로 제시하여 주장을 뒷받침하고 있다. (　　)

06 글쓴이는 청소년 놀이 공간을 확대하면 사회성 함양, 스트레스 해소, 범죄 예방에 도움이 된다고 제시하고 있다. (　　)

[07~10] 「청소년에게 놀 공간을 제공하자」를 읽고, 다음 빈칸에 들어갈 알맞은 내용을 〈보기〉에서 골라 그 기호를 쓰시오.

보기
㉠ 주장　㉡ 근거　㉢ 귀납　㉣ 통계 자료

07 이 글에서는 청소년 놀이 공간 확대의 효과를 근거로 주장을 이끌어 내는 (　　　) 논증을 사용한다.

08 글쓴이는 객관적인 (　　　)을/를 인용하여 주장의 설득력을 높인다.

09 이 글에서는 '우리 사회는 청소년 놀이 공간을 확대하기 위해 노력해야 한다.'는 (　　　)을/를 제시한다.

10 이 글에서는 청소년 놀이 공간을 확대했을 때 발생할 구체적인 효과들을 (　　　)(으)로 제시한다.

[11~13] 다음에 사용된 논증 방법을 〈보기〉에서 골라 그 기호를 쓰시오.

보기
㉠ 연역　㉡ 유추　㉢ 일반화

11 아름다움에는 우열이 없다. 음악은 아름답다. 따라서 음악에는 우열이 없다. (　　)

12 내 친구 미리는 활발하다. 내 친구 지호도 활발하다. 내 친구 재민이도 활발하다. 따라서 내 친구들은 모두 활발하다. (　　)

13 태국은 강수량과 일조량이 많아 벼농사가 잘된다. 베트남도 강수량과 일조량이 많다. 따라서 베트남도 벼농사가 잘될 것이다. (　　)

어휘 시험

[01~03] 다음 설명에 해당하는 낱말을 〈보기〉에서 골라 쓰시오.

보기
일탈, 우려, 일련

01 근심하거나 걱정함. 또는 그 근심과 걱정 (　　)

02 사회적인 규범으로부터 벗어나는 일 (　　)

03 하나로 이어지는 것 (　　)

[04~06] 다음 문장에 들어갈 알맞은 낱말을 (　　)에서 골라 ○표 하시오.

04 사회성은 지식이 아닌 경험을 통해 (부여해야 / 체득해야) 한다.

05 어떤 주장을 펼치기 전에 먼저 스스로 구체적인 (논증 / 논박)을 거치는 것이 중요하다.

06 둘의 언어 실력은 (우열 / 우월)을 가리기 힘들다.

[07~09] 다음 낱말과 그 뜻풀이를 바르게 연결하시오.

07 존엄성 •　　• ㉠ 변하지 아니하는 존재의 본질을 깨닫는 성질 또는 그 성질을 가진 독립적 존재

08 정체성 •　　• ㉡ 감히 범할 수 없는 높고 엄숙한 성질

09 반사회적 •　　• ㉢ 사회의 규범이나 질서 또는 이익에 반대되는 또는 그런 것

예상 적중 소단원 평가 (1) 논리적으로 읽기

01~04 다음 글을 읽고, 물음에 답하시오.

(가) 학생의 본분은 공부라지만 그와 함께 적당한 휴식과 놀이도 필요하다. 하지만 청소년들이 놀 수 있는 시간은 부족하고, 마음 놓고 놀 만한 공간은 많지 않다. 운동장이나 놀이터는 청소년의 다양한 욕구를 반영하지 못한다는 점에서 놀이 공간의 역할을 하기에 부족하고, 피시방이나 노래방 등은 쉽게 일탈에 노출될 수 있다는 점에서 우려의 목소리가 높은 공간이다. 그나마 어쩌다 발견할 수 있는 청소년 놀이 문화 시설은 턱없이 부족하거나 접근이 쉽지 않은 것이 현실이다.

(나) 먼저 청소년 놀이 공간을 확대하면 청소년의 (　㉠　)을 기를 수 있다. 우리는 태어나서 생을 마감할 때까지 평생 공동체 안에 머무르며 다른 구성원과 더불어 살아간다. 이때 필요한 능력이 바로 사회성이다. 사람들은 사회 속에서 자신의 소질과 재능을 발견하고, 타인과 어울리고 위기를 극복하는 방법을 익히는 등 삶에 필요한 많은 것을 배운다. 그런데 이러한 배움은 책상에 앉아 공부를 통해 습득하기에는 한계가 있다. 사회성은 지식이 아닌 경험을 통해 체득해야 한다.

(다) 두 번째로 청소년 놀이 공간을 확대하면 휴식과 재충전의 기회가 늘어 청소년의 (　㉡　) 해소에 도움이 된다. 2015년 통계청 조사에 의하면 우리나라 13~24세 청소년 중 61.4 퍼센트가 생활 속에서 우울, 압박, 분노와 같은 부정적인 정서를 안고 살아간다고 한다. 이로 인해 가슴 통증, 울렁증과 같은 증상을 호소하거나 급기야 학업까지 포기하는 학생들이 점차 늘어나고 있다. 이처럼 많은 청소년들은 생활 속에서 느끼는 여러 가지 스트레스를 해소하지 못해 다양한 문제를 겪고 있다.

(라) 마지막으로 청소년 놀이 공간을 확대하면 청소년의 일탈이 줄게 되므로 (　㉢　) 예방에도 효과가 있다. 학교 폭력을 비롯한 청소년 범죄가 날로 심각해져 사회 문제가 된 지 오래다. 통계청에 따르면 2016년 기준 청소년 범죄자 수는 76,000명에 달한다고 한다. 이는 전체 범죄자 중 3.8 퍼센트에 이르는 높은 수치이다. 또한 청소년의 강력 범죄도 지속적으로 증가하는 추세이다. 물론 그 원인은 매우 복잡하겠으나 놀이 공간이 부족한 것도 하나의 이유라고 할 수 있다.

01 이와 같은 글을 읽는 방법으로 적절하지 않은 것은?

① 논지 전개 방식을 파악하며 내용을 이해한다.
② 제시된 근거가 참신하고 독창적인지 판단한다.
③ 글의 구조도를 그려 보며 글의 체계를 파악한다.
④ 글쓴이의 주장이 논리적이고 타당한지 판단한다.
⑤ 글에 쓰인 논증 방법을 파악하고 그 타당성을 판단한다.

02 이 글을 읽은 후의 반응으로 적절하지 않은 것은?

① 청소년의 놀이 공간이 부족한 현실 문제에 관심을 가져야겠네.
② 청소년의 일탈과 범죄 증가는 청소년 놀이 공간 부족과도 관련이 있군.
③ 청소년들은 놀이 공간에서 타인과 함께 살아가는 방법을 배울 수 있겠어.
④ 청소년들이 느끼는 부정적인 정서는 휴식과 재충전의 기회 부족과도 관련이 있구나.
⑤ 청소년 놀이 공간을 확대하기 위해 운동장이나 놀이터, 피시방과 같은 시설에 투자해야 해.

03 (나)~(라)를 근거로 하여 글쓴이의 주장이 도출된다고 할 때, 〈보기〉에서 이와 같은 논증 방법이 쓰인 것을 모두 골라 묶은 것은?

보기
ㄱ. 가수들은 노래를 잘한다. 여름이는 가수다. 따라서 여름이도 노래를 잘한다. ㄴ. 약속은 지켜야 한다. 학교 등교 시간은 약속이다. 따라서 학교 등교 시간은 지켜야 한다. ㄷ. 원숭이는 새끼를 낳는다. 사자도 새끼를 낳는다. 사람도 새끼를 낳는다. 따라서 포유류는 새끼를 낳는다. ㄹ. 사자는 당근을 먹지 않는다. 늑대도 당근을 먹지 않는다. 사자와 늑대는 육식동물이다. 따라서 육식동물은 당근을 먹지 않는다.

① ㄱ, ㄴ　② ㄱ, ㄹ　③ ㄴ, ㄷ
④ ㄴ, ㄹ　⑤ ㄷ, ㄹ

서술형

04 ㉠~㉢에 들어갈 단어를 이 글에서 찾아 쓰시오.

05~08 다음 글을 읽고, 물음에 답하시오.

가 우리나라의 청소년들은 과도한 경쟁과 학업 스트레스로 위기에 내몰리고 있다. 이 때문에 다양한 신체 활동과 예술 활동을 하며 휴식과 여가를 즐길 기회를 제공해 줄 놀이 공간의 확대가 절실하다. 이는 청소년의 삶의 질 향상과 문화적 욕구 해소, 그리고 사회 복지를 위해 꼭 필요하다.

나 청소년이 나라의 미래라고 하지만 정작 그들에게 필요한 여가 시간과 놀 공간은 부족한 것이 현실이다. 우리 사회는 청소년 놀이 공간을 확대하기 위해 노력해야 한다. 이를 통해 청소년들은 건전한 놀이를 하면서 또래와 유익한 관계를 형성하고 행복한 성장을 이어갈 수 있을 것이다.

다 인간이라면 모두 존엄성을 지니고 있습니다. 능력이 뛰어나다고 해서, 외모가 훌륭하다고 해서, 혹은 인성이 좋다고 해서 인간으로서 더 가치 있는 것도 아니며 그렇지 못하다고 해서 가치가 없는 것도 아닙니다. 인간에게 존엄성이 있다는 것은 모든 인간이 가치 있는 존재라는 뜻입니다. 더불어 우리 모두가 이 지구상에 하나뿐인 존재로서 저마다 고유한 정체성을 가지고 있다는 뜻이기도 합니다.

라 이쯤에서 의문이 생길 것입니다. 인간의 존엄성은 도대체 누가 부여한 것일까요? 답은, 우리는 모두 태어나면서부터 자연적으로 존엄성을 부여받았습니다. 인간으로 태어난 이상 당연히 존엄성을 가지게 된다는 뜻이지요.

마 내가 교실에서 잠시 남과 다른 행동을 할 때 옆에 있던 친구들이 그 모습을 보고 우리 반에 이상한 아이가 있다고 학교에 소문을 냈다고 해 봅시다. 나의 고유한 정체성은 '이상한 것'으로 평가받았고, 인간으로서 내 가치는 훼손되었습니다. 인간으로서 존엄성을 존중받지 못한 것입니다. / 하지만 그렇다고 해서 자연적으로 부여받은 나의 존엄성이 사라진 것은 아닙니다.

바 우리는 모두 존엄한 인간입니다. 고유의 정체성을 가진 세상에 하나뿐인 존재입니다. 하루하루 자신을 존엄하게 여기며 살아가야 합니다. 다른 사람도 그러하다는 것을 인정하면서 말입니다.

05 (가)~(나)를 통해 글쓴이가 궁극적으로 주장하는 바로 알맞은 것은?

① 청소년 놀이 공간을 확대해야 한다.
② 청소년의 삶의 질을 향상해야 한다.
③ 청소년의 행복한 성장을 도와야 한다.
④ 청소년들은 건전한 놀이를 해야 한다.
⑤ 청소년의 놀이 문화를 존중해야 한다.

06 〈보기〉를 참고할 때, (가)~(나)에 쓰인 논증 방법에 대한 설명으로 알맞은 것은?

보기
(가)~(나)는 청소년 놀이 시설을 확대했을 때 발생할 효과들을 근거로 하여 주장을 이끌어 내고 있다.

① 전제가 참이면 결론도 참이 된다.
② 삼단 논법을 통해 결론을 도출한다.
③ 결론의 내용이 이미 전제 속에 포함되어 있다.
④ 일반적인 사실에서 특수한 사례를 이끌어 낸다.
⑤ 뒷받침하는 사례가 많을수록 결론이 참일 가능성이 높아진다.

07 (다)~(바)의 목적으로 알맞은 것은?

① 인간의 존엄성에 대한 정보를 전달하는 것
② 인간의 존엄성이 훼손당한 경험을 표현하는 것
③ 자신과 타인을 존중하며 살아가자고 설득하는 것
④ 나보다 타인의 존엄성을 중시하자고 주장하는 것
⑤ 인간의 존엄성에 대한 자신의 정서를 표현하는 것

서술형

08 논증 방법을 고려할 때 〈보기〉의 ⓐ에 해당하는 부분을 (다)~(바)에서 찾아 한 문장으로 쓰시오.

보기
ⓐ아름다움에는 우열이 없다. 개나리의 노랑과 진달래의 분홍을 두고 무엇이 아름다운지 증명할 수 없듯이, 아름다움이란 그 자체로 가치를 지닐 뿐 우열을 가릴 수 있는 대상이 아니다. 음악도 이와 마찬가지이다. 우리가 음악을 듣고 감동을 받는 것은 음악이 아름답기 때문이다. 따라서 음악의 아름다움 사이에는 우열이 존재하지 않는다.

01~10 다음 글을 읽고, 물음에 답하시오.

가 만약 청소년들에게 그들만의 문화를 형성하고 자유롭게 즐길 수 있는 놀이 공간이 주어진다면 어떠할까? 앞에서 살펴본 문제가 해결되지 않을까? 여기서는 (㉠)의 긍정적인 측면에 대해 생각해 보도록 하자.

나 먼저 청소년 놀이 공간을 확대하면 청소년의 사회성을 기를 수 있다. 우리는 태어나서 생을 마감할 때까지 평생 공동체 안에 머무르며 다른 구성원과 더불어 살아간다. 이때 필요한 능력이 바로 사회성이다. 사람들은 사회 속에서 자신의 소질과 재능을 발견하고, 타인과 어울리고 위기를 극복하는 방법을 익히는 등 삶에 필요한 많은 것을 배운다. 그런데 이러한 배움은 책상에 앉아 공부를 통해 습득하기에는 한계가 있다. 사회성은 지식이 아닌 경험을 통해 체득해야 한다.

다 두 번째로 청소년 놀이 공간을 확대하면 휴식과 재충전의 기회가 늘어 청소년의 스트레스 해소에 도움이 된다. 2015년 통계청 조사에 의하면 우리나라 13~24세 청소년 중 61.4 퍼센트가 생활 속에서 우울, 압박, 분노와 같은 부정적인 정서를 안고 살아간다고 한다. 이로 인해 가슴 통증, 울렁증과 같은 증상을 호소하거나 급기야 학업까지 포기하는 학생들이 점차 늘어나고 있다. 이처럼 많은 청소년들은 생활 속에서 느끼는 여러 가지 스트레스를 해소하지 못해 다양한 문제를 겪고 있다. / 그러므로 반드시 청소년 놀이 공간을 확대해야 한다. 놀이를 통한 휴식과 재충전은 삶에 활력을 준다.

라 마지막으로 청소년 놀이 공간을 확대하면 청소년의 일탈이 줄게 되므로 범죄 예방에도 효과가 있다. 학교 폭력을 비롯한 청소년 범죄가 날로 심각해져 사회 문제가 된 지 오래다. 통계청에 따르면 2016년 기준 청소년 범죄자 수는 76,000명에 달한다고 한다. 이는 전체 범죄자 중 3.8 퍼센트에 이르는 높은 수치이다. 또한 청소년의 강력 범죄도 지속적으로 증가하는 추세이다. 물론 그 원인은 매우 복잡하겠으나 놀이 공간이 부족한 것도 하나의 이유라고 할 수 있다.

마 청소년이 나라의 미래라고 하지만 정작 그들에게 필요한 여가 시간과 놀 공간은 부족한 것이 현실이다. 우리 사회는 청소년 놀이 공간을 확대하기 위해 노력해야 한다. 이를 통해 청소년들은 건전한 놀이를 하면서 또래와 유익한 관계를 형성하고 행복한 성장을 이어갈 수 있을 것이다.

바 아름다움에는 우열이 없다. 개나리의 노랑과 진달래의 분홍을 두고 무엇이 아름다운지 증명할 수 없듯이, 아름다움이란 그 자체로 가치를 지닐 뿐 우열을 가릴 수 있는 대상이 아니다. 음악도 이와 마찬가지이다. 우리가 음악을 듣고 감동을 받는 것은 음악이 아름답기 때문이다. 따라서 음악의 아름다움 사이에는 우열이 존재하지 않는다. 그런데 방송 프로그램 중에는 음악의 아름다움을 두고 우열을 가리려는 것이 많다. 가요의 순위를 정하고, 오디션을 통해 1등을 뽑고, 유명 가수들이 경연을 펼치기도 한다. 이런 프로그램들은 음악이 전하는 아름다움에 점수를 매기고, 순위를 결정하려 한다.

1단계 단답식 서술형 문제

01 (가)~(마)와 같은 갈래의 글이 지닌 목적을 쓰시오. [5점]

02 (가)~(마)를 글의 구성 단계에 따라 셋으로 구분하시오. [5점]

03 (가)~(마)의 내용을 바탕으로 ㉠에 들어갈 말을 4어절로 쓰시오. [5점]

04 (나)~(라)에서 공통적으로 담고 있는 내용을 쓰시오. [5점]

05 (바)를 삼단 논법으로 정리할 때, 대전제에 해당하는 내용을 찾아 쓰시오. [5점]

2단계 기본형 서술형 문제

06 (가)~(마)에서 주장을 뒷받침하는 근거를 다음과 같이 정리할 때, ⓐ와 ⓑ에 들어갈 말을 쓰시오. [10점]

- 청소년 놀이 공간을 확대하면 (ⓐ)
- 청소년 놀이 공간을 확대하면 청소년의 스트레스 해소에 도움이 된다.
- 청소년 놀이 공간을 확대하면 (ⓑ)

조건 ① 각각 한 문장으로 쓸 것

07 (다)와 (라)에서 인용한 자료의 공통점을 찾고, 그 효과를 쓰시오. [15점]

조건 ① '~로, ~ 효과가 있다.' 형식의 한 문장으로 쓸 것

08 (바)에서 근거와, 이를 통해 이끌어 낼 수 있는 주장을 다음과 같이 도식화할 때, ㉮와 ㉯에 들어갈 내용을 쓰시오. [10점]

근거	㉮
⬇	
주장	㉯

조건 ① ㉮는 (바)의 논증 과정에 나타난 결론을 한 문장으로 쓸 것
② ㉯는 (바)를 통해 글쓴이가 궁극적으로 주장하려는 바를 한 문장으로 쓸 것

3단계 고난도 서술형 문제

09 (가)~(마)의 논지 전개 과정을 구체적으로 밝히고, 이를 바탕으로 글에 사용된 논증 방법을 서술하시오. [20점]

조건 ① 이 글의 주장을 구체적으로 밝힐 것
② '~을/를 ~(으)로 ~을/를 주장한다. 따라서 ~다.'의 형식으로 쓸 것

10 (바)에 나타난 논증 방법과 〈보기〉에 쓰인 논증 방법의 차이점을 서술하시오. [20점]

보기

태국은 강수량과 일조량이 많아 벼농사가 잘된다. 베트남도 강수량과 일조량이 많다. 따라서 베트남도 벼농사가 잘될 것이다.

조건 ① 각각에 쓰인 논증 방법의 원리와 명칭을 구체적으로 밝힐 것
② '(바)는 ~만, 〈보기〉는 ~다.' 형식의 한 문장으로 쓸 것

만점 마무리 (2) 주장하는 글 쓰기

◆ 활동 의도

'남북한 언어에 관심을 가지고 남북 간의 언어 차이를 좁히기 위해 노력해야 한다.'라는 주제로 글을 쓰는 과정을 살펴보면서, 주장하는 글을 쓰는 과정과 방법을 이해하도록 하였다. 이때 주장이 설득력을 얻기 위해서는 타당한 근거를 들어야 함을 알고 주장하는 글을 쓸 수 있도록 하였다. 한편 '미르'가 글을 쓰는 과정에서 남북한 언어에 관해 수집한 자료를 바탕으로, 남북한 언어의 동질성과 이질성을 비교하고 나아가 통일 시대를 대비해 이질성을 극복할 방안을 찾도록 하였다.

◆ 활동 목표

- 주장하는 글 쓰기의 과정을 알고 각 단계에서 할 일 이해하기
- 주장하는 내용에 맞게 타당한 근거를 들어 글 쓰기
- 통일 시대의 국어에 관심을 가지는 태도 지니기

◆ 활동 요약

주장하는 글 쓰기의 과정을 알고 각 단계에서 할 일 이해하기

'계획하기', '내용 생성하기', '내용 조직하기', '초고 쓰기 및 고쳐쓰기'의 쓰기 과정에 따라 각 단계에서 해야 할 일에 대해 이해함.

↓

주장하는 내용에 맞게 타당한 근거를 들어 글 쓰기

자신의 흥미와 적성을 고려한 주제를 선정하여 타당한 근거를 들어 주장하는 글을 씀.

↓

통일 시대의 국어에 관심을 가지는 태도 지니기

남북한 언어에 관심을 가지고 남북한 언어의 차이를 극복하기 위해 노력하는 태도를 지녀야 함.

◇ '미르'의 주장하는 글 쓰기 과정

계획하기

글의 주제와 예상 독자 등을 설정함.

주제	남북한 언어 차이를 좁히기 위해 노력해야 한다.
예상 독자	우리 반 친구들

↓

내용 생성하기

다양한 자료를 조사하여 주장을 뒷받침할 만한 타당한 근거를 마련함.

자료 수집 매체	자료의 내용
신문 (인쇄 매체)	남북 간 언어 차이로 적응에 어려움을 겪고 있는 탈북 학생들의 정착을 돕기 위해 북한어 번역 앱이 나왔음을 소개함.
텔레비전 뉴스 (영상 매체)	스포츠 단일팀을 예로 들어 남북 간의 민간 교류가 남북을 통합하는 힘으로 작용할 수 있음을 전달함.
누리집 (디지털 매체)	『겨레말 큰사전』 편찬 사업에 관련된 내용으로 『겨레말 큰사전』 편찬의 당위성을 설명함.

↓

내용 조직하기

글의 각 구성 단계의 특징과 글의 흐름을 고려하여 개요를 작성함.

↓

초고 쓰기

- 개요를 바탕으로 글의 목적과 주제를 떠올리며 글 쓰기
- 객관적이고 타당한 근거를 들어 주장을 뒷받침하기
- '서론 – 본론 – 결론'의 구성 단계에 맞게 통일성과 체계성을 갖추어 쓰기

서론	문제 제기	분단 이후 남한과 북한의 언어에는 많은 차이가 생겨 소통이 어려워졌다.
본론	주장과 근거 제시	• 주장 1: 남북한 공통 국어사전의 편찬 작업을 이어 가야 한다. • 주장 2: 남북 간의 민간 교류가 활발해져야 한다. • 주장 3: 기술을 이용해 남북한의 언어 차이를 줄일 수 있는 방법을 다양하게 개발해야 한다.
결론	요약정리, 주장 강조	통일 시대의 국어에 관심을 가지고 남북 간의 언어 차이를 좁히기 위해 노력해야 한다.

↓

평가하고 고쳐 쓰기

평가 기준에 따라 자신이 쓴 글을 평가해 보고, 평가 결과를 바탕으로 적절하지 않은 부분을 고쳐 씀.

'특히 내가 제일 좋아하는 스포츠 종목이 축구이므로 남북 축구 단일팀을 만들어야 한다.' → 글쓴이 자신의 개인적 선호를 주장의 근거로 삼아 타당성과 객관성이 부족한 문장임. → 삭제하거나 고쳐 써야 함.

◇ 통일 시대의 국어를 대비하는 태도

통일 시대의 국어에 관심을 가져야 하는 필요성

- 남북의 언어가 점차 달라지며 통일 이후 남북 사람들의 원활한 의사소통이 어려울 수 있음.
- 언어의 통일이 이루어지지 않으면 진정한 남북 통일은 어려워짐.

↓

남북 언어의 차이를 극복하는 방안

- 남북의 언어의 뿌리가 같다는 인식을 갖고 남북한 언어에서 달라진 부분에 관심을 가져야 함.
- 남북한 공통 국어 교과서를 만들어 통일된 언어를 가르침.
- 남북한 언어에서 차이가 나타나는 사례 등을 영상으로 제작하고 배포해 사람들의 이해를 도움.

간단 복습 문제 (2) 주장하는 글 쓰기

● 정답과 해설 37쪽

쪽지 시험

[01~03] 다음 문장에 들어갈 알맞은 낱말을 ( )에서 골라 ○표 하시오.

01 '남북한 언어에 관심을 가지고 남북 간의 언어 차이를 좁히기 위해 노력해야 한다.'라는 글의 목적은 (설득 / 정보 전달 / 정서 표현)이다.

02 통일 시대를 대비하여 남북한 언어의 (동질성 / 이질성)을 극복하는 일은 꼭 필요하다.

03 민간 차원의 교류를 폭넓게 허용하면 언어의 통합을 비롯한 남북의 통합도 앞당길 수 있다는 텔레비전 뉴스처럼 (인쇄 매체 / 영상 매체 / 디지털 매체)에서 자료를 수집할 수도 있다.

[04~06] '미르'가 주장하는 글을 쓰는 과정에 대한 다음 설명이 맞으면 ○표, 틀리면 ×표 하시오.

04 『겨레말 큰사전』 편찬 사업에 관련된 누리집 자료는 남북한 공통 국어사전의 편찬 작업을 이어 가야 한다는 주장을 뒷받침한다. ( )

05 북한의 언어를 남한의 언어로 번역해 주는 앱이 개발되어 탈북 학생에게 도움을 준다는 사실을 근거로 '남북 간의 민간 교류가 활발해져야 한다.'라는 주장을 내세운다. ( )

06 글을 고쳐 쓰는 과정에서 주장을 뒷받침하는 근거로서 타당성과 객관성이 부족한 문장이 있다면 이를 삭제해야 한다. ( )

[07~09] 다음 빈칸에 들어갈 알맞은 낱말의 기호를 〈보기〉에서 골라 쓰시오.

보기
㉠ 관심 ㉡ 화제 ㉢ 개요

07 수집한 자료를 바탕으로 ( )을/를 작성할 때에는 글의 전체적인 흐름을 일관성 있게 유지하도록 한다.

08 자신의 ( )와/과 흥미에 따라 주장하는 글의 주제를 정한다.

09 서론에서는 글의 ( )와/과 글을 쓰게 된 동기 등을 제시한다.

[10~12] 다음 주장하는 글을 쓰는 방법에 해당하는 부분을 〈보기〉에서 골라 그 기호를 쓰시오.

보기
㉠ 서론 ㉡ 본론 ㉢ 결론

10 용어 정의하기, 문제 제기하기 ( )

11 문제에 답하기, 요약·정리하기 ( )

12 해결 방안 제시하기, 타당한 근거 들기 ( )

[13~17] 다음 활동에 해당하는 글쓰기 단계를 〈보기〉에서 골라 그 기호를 쓰시오.

보기
㉠ 계획하기 ㉡ 내용 생성하기 ㉢ 내용 조직하기 ㉣ 초고 쓰기 ㉤ 고쳐쓰기

13 평가 기준에 따라 글을 보완한다. ( )

14 글의 구조에 맞게 개요를 작성한다. ( )

15 글의 주제와 예상 독자 등을 설정한다. ( )

16 타당한 근거를 들어 주장을 뒷받침하는 글을 통일성 있게 쓴다. ( )

17 자료를 조사해서 주장을 뒷받침할 만한 타당한 근거를 마련한다. ( )

어휘 시험

[01~03] 다음 설명에 해당하는 낱말을 〈보기〉에서 골라 쓰시오.

보기
편찬, 집대성, 통합

01 여러 가지를 모아 하나의 체계를 이루어 완성함. ( )

02 여러 요소들이 조직되어 하나의 전체를 이룸. 또는 그런 일 ( )

03 여러 가지 자료를 모아 체계적으로 정리하여 책을 만듦. ( )

[04~06] 다음 문장에 들어갈 알맞은 낱말을 ( )에서 골라 ○표 하시오.

04 우리는 국어 (순수 / 순화) 운동을 펼쳐나가야 한다.

05 남한과 북한 사람들 사이의 (개통 / 소통)이 잘 이루어지는 것이 중요하다.

06 새 정부는 올해로 (출범 / 출석) 첫 해를 맞았다.

예상 적중 소단원 평가 (2) 주장하는 글 쓰기

● 정답과 해설 37쪽

01~04 다음 글을 읽고, 물음에 답하시오.

가 먼저 남북한 공통 국어사전의 편찬 작업을 이어 가야 한다. ㉠현재 남한과 북한에는 각각 다른 국어사전이 존재한다. 국어사전은 그 나라 언어의 표준이다. 통일 후에도 국어사전이 두 개라면 불편한 점이 많을 것이다. 현재 남북 학자들이 모여 『겨레말 큰사전』을 편찬하고 있다. 이러한 편찬 작업은 남북의 어휘를 통합하고 집대성하여, 민족 문화를 지키고 민족 문화 공동체의 폭을 넓힐 수 있을 것이다.

나 두 번째로 남북 간의 민간 교류가 활발하게 이루어져야 한다. 언어는 문화의 일부이다. 서로의 문화를 이해하기 위해서는 끊임없는 교류가 필요하다. 민간 차원의 문화 교류를 이어 간다면 더 쉽게 서로의 언어를 이해할 수 있고, 남북한 통합도 앞당길 수 있을 것이다. ㉡예를 들어 남북 단일팀과 같이 스포츠 분야에서 민간 교류가 이루어진다면 서로의 문화를 이해하며 그 분야에서 쓰는 언어를 교류할 수 있을 것이다. ㉢특히 내가 제일 좋아하는 스포츠 종목이 축구이므로 남북 축구 단일팀을 만들어야 한다.

다 『겨레말 큰사전』 편찬을 이어 가고, 민간 교류를 확대하며, 소통에 도움이 되는 다양한 기술을 개발한다면 남북 간의 언어 차이를 줄여 갈 수 있을 것이다. ㉣우리는 같은 언어를 쓰는 한 민족이다. ㉤그러므로 서로의 언어에 관심을 기울이고, 언어 차이를 좁히기 위해 노력함으로써 다가오는 통일 시대에 진정한 통합을 이룰 수 있도록 대비해야 한다.

서술형

01 이와 같은 글을 쓰는 과정을 순서대로 배열하여 그 기호를 쓰시오.

> ㄱ. 평가 결과에 따라 보완할 점 찾기
> ㄴ. 자신의 관심과 흥미에 따라 주제 정하기
> ㄷ. 글에 들어갈 내용을 짜임새 있게 정리하기
> ㄹ. '서론 – 본론 – 결론'에 맞게 근거 들어 글 쓰기
> ㅁ. 인쇄 매체, 영상 매체, 디지털 매체 등을 활용해 자료 수집하기

02 글의 구조를 고려할 때, (가)의 앞에 올 내용에 해당하는 부분과 관련된 것은?

① 글을 쓰게 된 동기와 글의 화제 제시
② 주제와 관련해 전체 내용의 요약 및 정리
③ 객관적이고 타당한 근거를 들어 주장 제시
④ 문제 상황에 대한 구체적인 해결 방안 제시
⑤ 주제와 관련해 앞으로의 전망이나 과제 제시

03 〈보기〉를 바탕으로 (나)의 뒤에 세 번째 주장을 추가한다고 할 때, 그 내용으로 알맞은 것은?

보기

밥곽은 도시락, 꽝포는 거짓말 ……
북한어 번역 앱 나와

탈북 학생들의 언어생활을 돕기 위해 북한어를 남한에서 사용하는 단어로 번역해 주는 애플리케이션(앱)이 나왔다. / 이 앱은 일종의 전자사전으로, 고교 국어 교과서 3종에서 추출한 단어와 생활어 등 약 3,600개 단어의 변환 서비스를 제공한다. 앱에다 바코드를 찍듯이 단어를 비추면 해당 단어에 맞는 북한 단어와 뜻풀이가 나온다. / 지난해 탈북 후 고등학교에 진학한 김은철(18·가명) 군은 "교과서, 뉴스, 표지판 등에 모르는 단어가 너무 많아 답답했는데 이 앱이 이를 해소해 주길 바란다."라고 말했다.

① 정부가 탈북 학생들의 언어생활을 도와야 한다.
② 남북한의 어휘를 종합해 표준어를 제정해야 한다.
③ 남북한 언어의 차이가 나타난 원인을 과학적으로 증명해야 한다.
④ 남북한 청소년들의 교류를 통해 남북한의 언어 차이를 좁혀야 한다.
⑤ 기술 개발을 통해 남북한의 언어 차이를 줄일 수 있는 방법을 모색해야 한다.

04 ㉠~㉤ 중, 삭제하거나 고쳐 써야 할 문장에 해당하는 것은?

① ㉠ ② ㉡ ③ ㉢ ④ ㉣ ⑤ ㉤

1단계 단답식 서술형 문제

01 다음 빈칸에 들어갈 말을 차례대로 쓰시오. [10점]

미르: 남과 북이 같은 말을 쓴다고 생각했었는데, 같은 언어를 사용하는 민족임에도 언어 차이 때문에 어려움을 겪을 수 있다는 것을 알게 되었어. 남북한의 언어 차이를 좁히기 위해 노력해야 한다는 주장을 담은 글을 써서 우리 반 친구들에게 내 생각을 전달해야겠어.

→ 글쓰기 과정 중 □□□□ 단계에서 □□와/과 □□ □□을/를 정했음을 알 수 있다.

2단계 기본형 서술형 문제

02 다음 자료를 활용하여 '남북한 언어 차이를 좁히는 방안'으로 주장할 내용을 한 문장으로 쓰시오. [20점]

겨레의 말 하나하나는 우리의 과거와 현재, 그리고 미래의 뼈와 살입니다. 따라서 우리말을 회복하고 또 발전시켜야 우리 민족의 문화를 지킬 수 있습니다. 결국 남과 북이 함께 『겨레말 큰사전』을 만드는 일은, 단순한 어휘의 통합과 집대성을 넘어 민족 문화 공동체의 폭과 깊이를 확장하고 진정한 통일을 준비하는 일입니다.

03 〈보기〉를 읽고 개요를 작성한다고 할 때, ㉠~㉢에 들어갈 내용을 각각 쓰시오. [30점]

보기

두 번째로 남북 간의 민간 교류가 활발하게 이루어져야 한다. 언어는 문화의 일부이다. 서로의 문화를 이해하기 위해서는 끊임없는 교류가 필요하다. 민간 차원의 문화 교류를 이어 간다면 더 쉽게 서로의 언어를 이해할 수 있고, 남북한 통합도 앞당길 수 있을 것이다. 예를 들어 남북 단일팀과 같이 스포츠 분야에서 민간 교류가 이루어진다면 서로의 문화를 이해하며 그 분야에서 쓰는 언어를 교류할 수 있을 것이다.

세 번째로 기술을 이용해 남북한의 언어 차이를 줄일 수 있는 방법을 다양하게 개발해야 한다. 실제로 우리나라의 한 회사는 남한의 어휘를 북한의 어휘로 바꾸어 주는 앱을 개발하여 탈북 청소년에게 도움을 주고 있다고 한다. 이와 같은 기술을 개발해 나간다면 남북한의 언어 차이를 줄일 수 있을 것이다.

- 주장 – (㉠)
- 근거 – 민간 차원에서 폭넓게 교류하면 (㉡)

- 주장 – 기술을 이용해 남북한의 언어 차이를 줄일 수 있는 방법을 다양하게 개발해야 한다.
- 근거 – (㉢)

조건 ① 각각 한 문장씩 쓸 것

3단계 고난도 서술형 문제

04 주장하는 글의 구조를 고려할 때 (가)와 (나)에 해당하는 글의 구성 단계를 밝히고, 각 단계에 해당하는 글쓰기 방법에 대해 서술하시오. [40점]

(가) 국립 국어원이 2012년 펴낸 「탈북 주민 한국어 사용 실태 보고서」에 따르면, 탈북 주민은 남한에서 쓰는 단어의 절반 정도밖에 이해하지 못하는 것으로 나타났다. 이러한 언어의 이질성을 극복하기 위해서는 어떻게 해야 할까?

(나) 분단이라는 역사적 상황으로 남북한의 언어생활에는 많은 차이가 생겼다. 하지만 남북한에서 쓰는 언어는 하나의 민족어로서 동질성이 더 크다. 『겨레말 큰사전』 편찬을 이어 가고, 민간 교류를 확대하며, 소통에 도움이 되는 다양한 기술을 개발한다면 남북 간의 언어 차이를 줄여 갈 수 있을 것이다. 우리는 같은 언어를 쓰는 한 민족이다. 그러므로 서로의 언어에 관심을 기울이고, 언어 차이를 좁히기 위해 노력함으로써 다가오는 통일 시대에 진정한 통합을 이룰 수 있도록 대비해야 한다.

조건 ① (가)와 (나)에 해당하는 단계에서의 글쓰기 방법을 2가지 이상씩 포함해 쓸 것
② '(가)와 같은 ~ 쓸 때에는 ~다. (나)와 같은 ~ 쓸 때에는 ~다.'의 형식으로 쓸 것

01~04 다음 글을 읽고, 물음에 답하시오.

(가) 만약 청소년들에게 그들만의 문화를 형성하고 자유롭게 즐길 수 있는 놀이 공간이 주어진다면 어떠할까? 앞에서 살펴본 문제가 해결되지 않을까? 여기서는 청소년 놀이 공간 확대의 긍정적인 측면에 대해 생각해 보도록 하자.

(나) 나와 타인을 이해하고 나아가 타인과 타협하는 것이 곧 사회성을 익히는 과정이다. 청소년 놀이 공간에서는 다양한 경험과 만남의 기회가 제공되며, 이는 청소년의 공감 능력, 관계 형성 능력, 협동 능력, 사회 규율에 대한 이해력 등 일련의 사회성을 기르는 데에 기여할 것이다.

(다) 그러므로 반드시 청소년 놀이 공간을 확대해야 한다. 놀이를 통한 휴식과 재충전은 삶에 활력을 준다. 놀이는 재미있다. 놀이 그 자체가 수단이 아닌 목적이기 때문이다. 무엇보다 놀이는 누가 시켜서 하는 행동이 아니라 자신이 좋아서 하는 행동이다. 그래서 놀이를 하는 동안은 누구나 즐겁고 행복하다. 문화, 여가, 오락, 휴식 등을 즐길 수 있는 놀이 공간이 확대되어 다양한 놀이를 할 수 있다면, 청소년들은 각종 스트레스에서 벗어나 삶의 활력을 되찾을 수 있을 것이다.

(라) 마지막으로 청소년 놀이 공간을 확대하면 청소년의 일탈이 줄게 되므로 범죄 예방에도 효과가 있다. 학교 폭력을 비롯한 청소년 범죄가 날로 심각해져 사회 문제가 된 지 오래다. 통계청에 따르면 2016년 기준 청소년 범죄자 수는 76,000명에 달한다고 한다. 이는 전체 범죄자 중 3.8 퍼센트에 이르는 높은 수치이다. 또한 청소년의 강력 범죄도 지속적으로 증가하는 추세이다. 물론 그 원인은 매우 복잡하겠으나 놀이 공간이 부족한 것도 하나의 이유라고 할 수 있다.

(마) 청소년이 나라의 미래라고 하지만 정작 그들에게 필요한 여가 시간과 놀 공간은 부족한 것이 현실이다. 우리 사회는 청소년 놀이 공간을 확대하기 위해 노력해야 한다. 이를 통해 청소년들은 건전한 놀이를 하면서 또래와 유익한 관계를 형성하고 행복한 성장을 이어갈 수 있을 것이다.

01 이 글에 대한 설명으로 알맞지 않은 것은?

① 근거를 병렬식으로 제시해 주장을 뒷받침한다.
② 객관적인 통계 자료를 제시하여 설득력을 높인다.
③ 서론에서는 글에서 논의할 화제를 제시하고 있다.
④ 본론에서는 청소년 놀이 공간 확대의 긍정적인 측면을 제시한다.
⑤ 청소년 놀이 공간을 확대하는 구체적인 방법을 순차적으로 제시한다.

02 이 글의 목적으로 가장 알맞은 것은?

① 청소년 놀이 공간 부족의 문제를 알리는 것
② 청소년 놀이 공간 마련의 어려움을 표현하는 것
③ 청소년 놀이 공간에서 해야 할 일을 건의하는 것
④ 청소년 놀이 공간 확대를 위한 노력을 설득하는 것
⑤ 청소년 놀이 공간이 주는 효과를 깨달았음을 전하는 것

03 이 글에 나타난 논증 방법에 대한 설명으로 알맞은 것은?

① 대전제와 소전제, 결론으로 이루어진 삼단 논법으로 전개된다.
② 전제가 참이면 결론도 참이고, 전제가 거짓이면 결론도 거짓이다.
③ 일반적인 원리나 법칙으로부터 개별적이고 구체적인 결론을 도출한다.
④ '모든 생물은 죽는다. 사람은 생물이다. 그러므로 모든 사람은 죽는다.'와 같은 논증 방식을 따른다.
⑤ '3분 카레는 조리가 간편하다. 컵라면은 조리가 간편하다. 3분 카레와 컵라면은 즉석식품이다. 따라서 즉석식품은 조리가 간편하다.'와 같은 논증 방식을 따른다.

서술형

04 (나)~(라)에 나타난 청소년 놀이 공간 확대의 효과를 다음과 같이 정리할 때, ⓐ~ⓒ에 들어갈 내용을 쓰시오.

청소년 놀이 공간을 확대하면	ⓐ
	ⓑ
	ⓒ

05~08 다음 글을 읽고, 물음에 답하시오.

가 인간이라면 모두 존엄성을 지니고 있습니다. 능력이 뛰어나다고 해서, 외모가 훌륭하다고 해서, 혹은 인성이 좋다고 해서 인간으로서 더 가치 있는 것도 아니며 그렇지 못하다고 해서 가치가 없는 것도 아닙니다. 인간에게 존엄성이 있다는 것은 모든 인간이 가치 있는 존재라는 뜻입니다. 더불어 우리 모두가 이 지구상에 하나뿐인 존재로서 저마다 고유한 정체성을 가지고 있다는 뜻이기도 합니다.

나 인간의 존엄성은 도대체 누가 부여한 것일까요? 답은, 우리는 모두 태어나면서부터 자연적으로 존엄성을 부여받았습니다. 인간으로 태어난 이상 당연히 존엄성을 가지게 된다는 뜻이지요. 그런데 현실에서는 누구나 인간으로서 존엄성을 존중받는 것은 아닙니다. 서로가 서로의 존엄성을 인정해야 하는데, 그렇지 못한 경우가 많기 때문입니다.

다 그런데 현실에서는 누구나 인간으로서 존엄성을 존중받는 것은 아닙니다. 서로가 서로의 존엄성을 인정해야 하는데, 그렇지 못한 경우가 많기 때문입니다.

예를 들어 볼까요? 내가 교실에서 잠시 남과 다른 행동을 할 때 옆에 있던 친구들이 그 모습을 보고 우리 반에 이상한 아이가 있다고 학교에 소문을 냈다고 해 봅시다. 나의 고유한 정체성은 '이상한 것'으로 평가받았고, 인간으로서 내 가치는 훼손되었습니다. 인간으로서 존엄성을 존중받지 못한 것입니다. / 하지만 그렇다고 해서 자연적으로 부여받은 나의 존엄성이 사라진 것은 아닙니다. 나는 여전히 존엄한 존재입니다. 다만 타인에 의해 존중받지 못한 것입니다. 이런 점에서 인간의 존엄성은 우리가 서로 존엄성을 지켜 줄 때 구현됩니다.

대한민국 헌법 제10조는 '모든 국민은 인간으로서 존엄과 가치를 가지며'라고 인간의 존엄성을 선언하고 있습니다. 그런데도 우리 주변에서는 인간의 존엄성을 위협하는 일들이 많이 벌어집니다.

라 우리는 모두 존엄한 인간입니다. 고유의 정체성을 가진 세상에 하나뿐인 존재입니다. 하루하루 자신을 존엄하게 여기며 살아가야 합니다. 다른 사람도 그러하다는 것을 인정하면서 말입니다.

05 이와 같은 글에서 논증 방법을 파악하며 읽었을 때의 효과로 가장 적절한 것은?

① 내용의 객관성과 사실성을 판단할 수 있다.
② 글의 논지 전개 방식과 구조를 파악할 수 있다.
③ 논증 방법은 관점에 따라 달라짐을 알 수 있다.
④ 글쓴이의 심리에 공감하며 감동을 느낄 수 있다.
⑤ 논증 방법의 다양성을 기준으로 글의 설득력을 평가할 수 있게 된다.

06 이 글에 대한 설명으로 알맞지 않은 것은?

① 문답법을 통해 독자의 호기심을 유발한다.
② 헌법의 한 조항을 인용하며 주장을 강화한다.
③ 서론에서 다루어야 할 주요 용어의 범위를 명확히 한다.
④ 다양한 비유를 활용하여 문제 상황을 생생하게 드러낸다.
⑤ 구체적인 사례를 근거로 제시하여 주장의 타당성을 높인다.

07 이 글에 쓰인 논증 방법의 특징끼리 모두 묶은 것은?

ㄱ. 결론 속의 정보는 이미 전제 속에 포함되어 있다.
ㄴ. 전제가 모두 옳다면 결론은 참이 될 수밖에 없다.
ㄷ. 특수한 사례들을 검토해 그 결론으로 일반적인 사실을 이끌어 낸다.
ㄹ. 경험적 사례들로부터 추상화를 통해 일반적인 결론을 이끌어 내는 논증 방법이다.

① ㄱ, ㄴ ② ㄱ, ㄷ ③ ㄴ, ㄹ
④ ㄱ, ㄴ, ㄷ ⑤ ㄴ, ㄷ, ㄹ

고난도 서술형

08 이 글에 쓰인 논증 방법을 논지 전개 과정에 따라 서술하시오.

조건
① 결론을 이끌어 내는 과정을 이 글의 내용을 인용해 쓸 것

● 정답과 해설 38쪽

09~12 다음 글을 읽고, 물음에 답하시오.

가 얼마 전 평창 동계 올림픽 여자 아이스하키 남북 단일팀에 관한 뉴스를 보았다. 선수들은 같은 말을 쓰는 같은 민족이지만 서로의 언어를 이해하지 못해 의사소통에 어려움이 있었다고 한다. 남한과 북한의 언어는 분단 이후 다른 길을 걸어왔고, 그 결과 남한과 북한의 언어에는 큰 차이가 생겼다.

나 먼저 남북한 공통 국어사전의 편찬 작업을 이어 가야 한다. 현재 남한과 북한에는 각각 다른 국어사전이 존재한다. 국어사전은 그 나라 언어의 표준이다. 통일 후에도 국어사전이 두 개라면 불편한 점이 많을 것이다. 현재 남북 학자들이 모여『겨레말 큰사전』을 편찬하고 있다. 이러한 편찬 작업은 남북의 어휘를 통합하고 집대성하여, 민족 문화를 지키고 민족 문화 공동체의 폭을 넓힐 수 있을 것이다.

다 두 번째로 남북 간의 민간 교류가 활발하게 이루어져야 한다. 언어는 문화의 일부이다. 서로의 문화를 이해하기 위해서는 끊임없는 교류가 필요하다. 민간 차원의 문화 교류를 이어 간다면 더 쉽게 서로의 언어를 이해할 수 있고, 남북한 통합도 앞당길 수 있을 것이다.

라 세 번째로 기술을 이용해 남북한의 언어 차이를 줄일 수 있는 방법을 다양하게 개발해야 한다. 실제로 우리나라의 한 회사는 남한의 어휘를 북한의 어휘로 바꾸어 주는 앱을 개발하여 탈북 청소년에게 도움을 주고 있다고 한다. 이와 같은 기술을 개발해 나간다면 남북한의 언어 차이를 줄일 수 있을 것이다.

마 분단이라는 역사적 상황으로 남북한의 언어생활에는 많은 차이가 생겼다. 하지만 남북한에서 쓰는 언어는 하나의 민족어로서 동질성이 더 크다.『겨레말 큰사전』편찬을 이어 가고, 민간 교류를 확대하며, 소통에 도움이 되는 다양한 기술을 개발한다면 남북 간의 언어 차이를 줄여 갈 수 있을 것이다. 우리는 같은 언어를 쓰는 한 민족이다. 그러므로 서로의 언어에 관심을 기울이고, 언어 차이를 좁히기 위해 노력함으로써 다가오는 통일 시대에 진정한 통합을 이룰 수 있도록 대비해야 한다.

09 이 글을 쓰기 위해 떠올렸을 생각으로 알맞지 <u>않은</u> 것은?

① 독자가 이해하기 쉽게 내용을 배열하고 조직해 보자.
② 주제와 예상 독자를 미리 계획하면 글의 전개 방향이 명확해 질 거야.
③ '남북한의 언어 차이를 좁히기 위해 노력해야 한다.'를 주제로 정하자.
④ 문단별로 활용할 자료를 배열할 때 수집한 자료는 빠짐없이 활용해야 해.
⑤ 매체를 활용해 자료를 찾아 주장을 뒷받침할 타당한 근거를 마련해야겠어.

10 이 글을 참고할 때, 남북한 언어의 이질성을 극복하기 위해 필요한 태도로 알맞지 <u>않은</u> 것은?

① 서로의 언어 및 문화에 관심을 갖고 교류한다.
② 남북한의 언어의 동질성 회복에 관심을 갖는다.
③ 남북이 서로 대화를 하려는 열린 마음을 갖는다.
④ 남북한 학자들이 함께 공통 언어 작업에 나선다.
⑤ 언어의 차이가 커서 대화가 불가능함을 인정한다.

서술형

11 (가)~(마)를 다음과 같은 짜임으로 배열했다고 할 때, 배열이 잘못된 것을 찾아 바르게 배열하고 그 이유를 밝혀 쓰시오.

서론	본론	결론
(가), (나)	(다), (라)	(마)

12 (다)에서 〈보기〉의 문장을 삭제했다고 할 때, 그 평가 기준으로 적절한 것은?

보기
특히 내가 제일 좋아하는 스포츠 종목이 축구이므로 남북 축구 단일팀을 만들어야 한다.

① 주장이 실현 가능성이 있는가?
② 접속어의 사용이 자연스러운가?
③ 독자의 수준과 흥미를 고려했는가?
④ 주장을 뒷받침하는 근거가 보편타당한가?
⑤ '서론 – 본론 – 결론'으로 적절하게 구성되었는가?

실전에 강한 중간 · 기말고사 대비 모의고사

01~05 다음 글을 읽고, 물음에 답하시오.

1(1) 단원

가 플라스틱이 분해되려면 500년 혹은 그 이상의 기간이 걸린다고 한다. 어떤 전문가들은 플라스틱이 분해되는 기간을 정확히 알 수 없다고도 말한다. 즉, 플라스틱이 만들어진 지 100년 정도밖에 되지 않았다는 점을 감안하면, 인간이 생산한 플라스틱은 아직 어딘가에 아직 그대로 남아 있는 것이다. 하지만 사람들은 플라스틱을 재활용할 수 있다는 생각에 플라스틱 제품을 편하게 쓰고 쉽게 버린다. ㉠그것이 소탐대실하는 것인지도 모른 채 말이다.

나 사람들의 생각과 달리 재활용되는 플라스틱의 양은 그리 많지 않다. 페트병, 요구르트병, 블록, 비닐봉지, 스티로폼 등도 각기 재질이 다르고, 이것 외에도 플라스틱의 종류가 다양하다 보니 재질별로 선별하는 것이 쉽지 않기 때문이다. 더구나 이물질이 많이 묻어 있거나 세척되지 않은 채 버려지는 용기류가 많아, 재활용을 하더라도 플라스틱 함지나 정화조처럼 품질이 떨어지는 제품을 만들 수밖에 없다.

다 2012년 8월 제주 김녕 앞바다에 어린 암컷 뱀머리돌고래가 바닷가로 떠밀려 왔다. 해양 경찰과 지역 주민들은 마르고 기운이 없어 보이는 뱀머리돌고래를 치료했지만, 이 돌고래는 구조된 지 얼마 지나지 않아 그만 죽고 말았다. 사람들은 돌고래가 죽은 원인을 밝히기 위해 이 돌고래를 부검했는데, 이 돌고래는 근육량과 지방층이 부족했고, 팽창한 위 속에는 비닐과 엉킨 끈 뭉치가 들어 있었다.

라 또한 흉물스럽게 버려진 플라스틱 쓰레기는 자연 경관을 해쳐 관광 산업에도 피해를 주며, 선박의 안전도 위협한다. 그뿐만 아니라, 사람의 눈에 잘 보이지 않는 미세 플라스틱은 물고기의 내장이나 싱싱한 굴 속에도 유입되어 우리의 식탁에 오른다.

마 그런데도 계속해서 플라스틱을 이렇게 편하게 쓰고 쉽게 버려도 될까? 손이 닿는 곳이면 어디에나 있는 플라스틱을 전혀 사용하지 않고 생활하기는 어렵겠지만, 줄일 수 있다면 줄여 보자. 특히 짧은 시간 사용하고 버리는 일회용 플라스틱 제품은 더더욱 선택하지 말자.

01 이 글에 대한 설명으로 알맞지 않은 것은?

① 플라스틱이 쓰인 제품의 예를 들어 독자의 이해를 돕는다.
② 전문가의 말을 제시해 플라스틱 사용에 대한 경각심을 불러일으킨다.
③ 플라스틱으로 인한 구체적인 피해 사례를 제시해 주장을 뒷받침한다.
④ 플라스틱에 대한 상반된 관점을 번갈아 제시해 대상을 깊이 있게 이해하도록 한다.
⑤ 일상생활에서 쉽게 쓰이고 버려지는 플라스틱을 소재로 삼아 독자의 관심을 유발한다.

02 이 글에 제시된 '플라스틱'의 특징이 아닌 것은?

① 분해되려면 오랜 시간이 걸린다.
② 만들어진 지 100년 정도밖에 되지 않았다.
③ 종류가 다양해 재질별로 분류하기 어렵다.
④ 다 쓰고 난 후 재활용되는 양은 많지 않다.
⑤ 잘 보이지 않아 인간보다 동물에게 위협이 된다.

서술형

03 이 글의 글쓴이가 주장하는 바를 3어절로 쓰시오.

04 이 글을 읽은 독자의 반응 중, 입장이 다른 하나는?

① 플라스틱을 대체할 물질을 찾기 어려워.
② 이미 버려진 플라스틱 문제를 해결할 순 없어.
③ 플라스틱 물건의 사용량을 줄이기가 쉽지 않아.
④ 플라스틱은 잘 썩지 않아 지구 환경을 오염시켜.
⑤ 일회용 플라스틱 제품은 사용의 편리성이 크지.

05 ㉠의 의미를 파악한 내용으로 알맞지 않은 것은?

① 영서: '그것'은 앞 문장을 가리키는 말이야.
② 준희: '소탐대실'의 의미를 사전에서 찾아보니 '작은 것을 탐하다가 큰 것을 잃음.'이라는 뜻이었어.
③ 영서: 앞 문장을 토대로 하면 '소탐'은 플라스틱을 편하게 쓰고 쉽게 버리는 행태를 의미해.
④ 준희: '대실'은 플라스틱의 재활용을 의미하겠네.
⑤ 영서: 결국 우리가 편히 쓰는 플라스틱이 심각한 문제를 야기한다는 사실을 강조해.

06~09 다음을 읽고, 물음에 답하시오.

| 1(2) 단원 |

가 사회자: 우리 학교는 전체 학급의 냉방 상태를 중앙에서 제어하는데요. 최근에 중앙 냉방 방식에 불만이 있는 학생들이 많아지면서 학생들 스스로 에어컨의 온도를 조절할 수 있게 해 달라는 목소리가 높아지고 있습니다. 그래서 오늘은 '교실에서의 에어컨 사용을 자율화해야 한다.'라는 논제로 토론을 하겠습니다. 토론자들은 토론 규칙과 예절을 잘 지켜 주십시오.

나 나현: 얼마 전 우리 학교 학생들을 대상으로 실시한 설문 조사에서 약 72 퍼센트의 학생들이 교실이 너무 덥다고 응답했습니다. 학생 대부분이 교실 온도에 만족하지 못하는 것이죠. 우리나라 헌법 제10조는 "모든 국민은 인간으로서의 존엄과 가치를 가지며, 행복을 추구할 권리를 가진다."라고 하여 행복 추구권을 규정하고 있습니다. 국민은 누구나 자신이 좋아하는 환경에서 만족스럽게 생활할 권리가 있다는 것입니다. 하지만 우리는 에어컨을 자유롭게 사용하지 못한 채 더위에 고통받고 있습니다.

다 현중: 물론 쾌적한 환경에서 공부하는 것은 중요합니다. 그래야 학습에 더욱 집중할 수 있을 테니까요. 하지만 에어컨을 자율적으로 사용하여 전기 요금이 늘어난다면 어떻게 될까요? 행정실장님 말씀에 따르면 학교 운영 예산에서 전기 요금이 차지하는 비율은 약 10 퍼센트인데, 여름철에는 에어컨 사용으로 그 비율이 많이 올라간다고 합니다. 학교를 운영하는 예산은 한정되어 있는데 에어컨을 자율적으로 사용하면 전기 요금이 더 올라갈 것이고, 그만큼 학생들을 위한 교육 예산은 줄어들 수밖에 없습니다. 결국 우리는 다양한 지식을 배우고 활동을 경험할 수 있는 기회, 즉 학습권을 잃게 됩니다.

라 사회자: 지금까지 '(　　　　ⓐ　　　　)'라는 쟁점으로 찬성 측과 반대 측이 각각 입론을 펼쳤습니다. 그럼 찬성 측 두 번째 입론을 발표해 주세요.

06 이와 같은 말하기의 특징으로 알맞지 않은 것은?

① 토론자는 논제에 대해 대립되는 입장으로 나뉜다.
② 토론자는 상대방의 주장에 공감하며 들어야 한다.
③ 찬성 측과 반대 측이 각각 두 번씩 입론을 제기한다.
④ 양측 토론자는 주장과 이를 뒷받침하는 근거를 제시한다.
⑤ 자신의 주장이 옳음을 내세우며 상대방을 설득하는 것이 목적이다.

07 (가), (라)에 나타난 사회자의 역할이 아닌 것은?

① 토론의 시작을 알림.
② 토론의 논제를 소개함.
③ 토론의 쟁점을 확인함.
④ 토론자들의 의견 대립을 조정함.
⑤ 토론의 규칙 및 발언 순서를 제시함.

서술형

08 〈보기〉는 양측 토론자의 입론 내용을 정리한 것이다. 이를 토대로 ⓐ에 들어갈 내용을 쓰시오.

| 보기 |

찬성 측		반대 측
학생들이 행복 추구권을 실현할 수 있도록 에어컨 사용을 자율화하자.	↔	학생들의 학습권을 보호하기 위해 에어컨 사용을 자율화하면 안 된다.

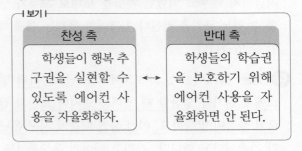

09 '나현'이 입론에서 근거로 제시한 내용에 해당하지 않는 것은?

① 우리나라 헌법은 행복 추구권을 규정하고 있다.
② 쾌적한 환경이어야 학습에 더욱 집중할 수 있다.
③ 학생들이 에어컨을 자유롭게 사용하지 못해 더위로 고통받는다.
④ 학생들은 자신이 좋아하는 환경에서 만족스럽게 생활할 권리가 있다.
⑤ 설문 조사 결과 대부분의 학생들이 교실 온도에 만족하지 못하고 있다.

10~13 다음을 읽고, 물음에 답하시오.

1(2) 단원

(가) 현중: ㉠학습 효과를 높이기 위해 온도를 낮추어야 한다니 어이가 없습니다. 찬성 측 토론자는 평소 수업 시간에 딴짓을 많이 하는데, 실내 온도가 낮아진다고 공부에 집중할까요? 저는 그 점이 매우 의문스럽습니다.

㉡또한 찬성 측 토론자께서는 학생들의 행복 추구권을 근거로 들었지만, 에어컨을 자율적으로 사용한다고 모든 학생이 만족할 수 있을까요? ⓐ네덜란드의 한 의과 대학 연구팀의 연구 결과에 따르면, 같은 옷차림을 했을 때 남성은 22도를, 여성은 24.5도를 적당한 실내 온도로 여겼다고 합니다. 이는 사람마다 추위나 더위를 느끼는 온도가 다르다는 것을 뜻합니다. 그러므로 학생들이 에어컨의 온도를 자율적으로 조절한다고 해도 모두가 만족할 수는 없습니다.

(나) 나현: ㉢반대 측에서 걱정하는 것처럼 에어컨 사용을 자율화한다고 하여 모두가 만족할 수도 없고, 학생들 간에 갈등이 발생할 수도 있습니다. 하지만 우리는 그동안 서로의 의견 차이를 조정하는 방법을 배우고, 서로를 배려하며 함께 살아가는 태도를 길러 왔습니다. 지금까지 배우고 익혔던 것들을 토대로 모두가 만족할 수 있는 규칙을 정한다면 그러한 문제는 쉽게 해결할 수 있습니다.

(다) 정은: 텔레비전 뉴스 보도에 따르면, ㉣화력 발전소에서 전기를 생산할 때 초미세 먼지나 오존과 같은 오염 물질이 발생하고, 이런 물질 때문에 지구 온난화가 가속된다고 합니다. 그리고 에어컨 온도를 1도 낮출 때마다 전력이 7 퍼센트나 더 소비된다고 합니다. 즉, 당장 조금 더 시원하게 지내려고 에어컨을 마구 사용하다 보면 지구 온난화가 더욱 심해지게 되고, 결국 올여름과 같은 더위가 반복될 것입니다.

(라) 미르: ㉤또한 최근에 정부와 기업이 협력하여 학교에 친환경적으로 전기 에너지를 생산할 수 있는 태양광 발전기를 설치해 주고 있습니다. 우리 학교에 태양광 발전기를 설치한다면 전기 요금을 아낄 수 있을 뿐만 아니라 걱정스러웠던 환경 오염 문제도 해소할 수 있습니다.

10 다음과 같은 토론 순서를 고려할 때, ㉮에 해당하는 토론자의 발언 내용으로 알맞은 것은?

첫 번째 입론 (찬성 측 → 반대 측) ➡ 두 번째 입론 (찬성 측 → 반대 측) ➡ 첫 번째 반론 (반대 측 → 찬성 측) ➡ 두 번째 반론 (반대 측 → ㉮찬성 측)

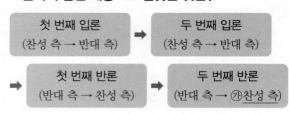

① 에어컨 온도를 낮추면 전력 소비량이 늘어난다.
② 에어컨 사용을 자율화하면 지구 온난화가 심해진다.
③ 에어컨 사용을 자율화한다 해도 모두가 만족할 수 없다.
④ 친환경적인 방법으로 환경 오염 문제를 해결할 수 있다.
⑤ 학생들의 학습권을 침해하는 것은 학교 설립 목적에 어긋난다.

11 (가)의 토론자의 문제점을 가장 잘 파악한 것은?

① 사회자가 안내한 발언 순서를 따르지 않았어.
② 상대방을 설득하기 위해 감정에 호소하고 있어.
③ 근거 자료로 제시한 연구 결과를 신뢰할 수 없어.
④ 불가능한 상황을 가정하여 해결 방법으로 제시했어.
⑤ 논점을 흐리는 내용을 근거로 들어 상대측 토론자를 비난하고 있어.

12 ㉠~㉤ 중, 〈보기〉와 같은 평가를 내릴 수 있는 발언으로 알맞은 것은?

보기
성숙한 태도로 상대측에서 제기한 문제를 인정하면서 그 문제를 해결할 수 있는 근거를 제시해 상대측의 주장을 반박하고 있어.

① ㉠ ② ㉡ ③ ㉢ ④ ㉣ ⑤ ㉤

서술형

13 '현중'이 ⓐ를 근거로 들어 찬성 측의 주장을 어떤 기준으로 비판하고 있는지 쓰시오.

14~18 다음 글을 읽고, 물음에 답하시오.

| 2(1) 단원 |

가 생사(生死) 길은 / 예 있으매 머뭇거리고,
나는 간다는 말도 / 몯다 이르고 어찌 갑니까.
어느 가을 ㉠이른 바람에
이에 저에 ㉡떨어질 잎처럼,
㉢한 가지에 나고 / 가는 곳 모르온저.
아아, 미타찰(彌陀刹)에서 만날 나
도(道) 닦아 기다리겠노라.

나 거미 새끼 하나 방바닥에 나린 것을 나는 아무 생각 없이 문밖으로 쓸어 버린다 / ㉣차디찬 밤이다

언제인가 새끼 거미 쓸려 나간 곳에 큰 거미가 왔다
나는 가슴이 짜릿한다
나는 또 큰 거미를 쓸어 문밖으로 버리며 / 찬 밖이라도 새끼 있는 데로 가라고 하며 서러워한다

이렇게 해서 아린 가슴이 싹기도 전이다
어데서 좁쌀알만 한 알에서 가제 깨인 듯한 발이 채 서지도 못한 무척 작은 새끼 거미가 이번엔 큰 거미 없어진 곳으로 와서 아물거린다
나는 가슴이 메이는 듯하다
내 손에 오르기라도 하라고 나는 손을 내어미나 분명히 울고불고 할 이 작은 것은 나를 무서우이 달어나 버리며 나를 서럽게 한다
나는 이 작은 것을 고이 보드러운 종이에 받어 또 문밖으로 버리며 / 이것의 엄마와 누나나 형이 가까이 이것의 걱정을 하며 있다가 쉬이 만나기나 했으면 좋으련만 하고 슬퍼한다.

다 '옳다구나! 아전들을 보고 인사를 할 때 말끝을 '고'와 '제'로 달아서 웃음으로 닦는 것밖에 수가 없다.' 흥부가 관가에 들어가자 아전들이 일어나며 맞이한다.
"아니 박 생원 아니시오?"
"거 참 여러분네들 본 지가 경세우경년이로고 하하하. 그래 각 댁은 다 태평하신지 모르제 하하하."
"아 우리야 편합니다만 ㉤백씨장 기후 안녕하시오?"
"우리 백씨장이사 여전하시제 하하하하." 〈중략〉 "아니 백씨장이 만석 거부인데 박 생원이 환자 얻는단 말이 어쩐 말이오?"

14 (가)~(다)에 대한 설명으로 알맞지 않은 것은?

① (가): 비유적 표현을 활용하여 서정성을 높인다.
② (가): 말하는 이의 태도에서 숭고함을 느낄 수 있다.
③ (나): 거미를 의인화해 민족의 현실을 드러낸다.
④ (나): 연마다 첫 행과 마지막 행을 반복하며 주제를 강조한다.
⑤ (다): 양반의 체면을 지키려는 '흥부'의 모습에서 해학미를 느낄 수 있다.

서술형

15 (가)를 읽고 ⓐ, ⓑ에 들어갈 알맞은 내용을 쓰시오.

> 이 시가에서는 감탄사 (ⓐ)을/를 전후로 말하는 이의 태도가 달라지는데, 앞부분에서는 누이를 잃은 말하는 이의 슬픔과 안타까움이 드러나지만 뒷부분에서는 슬픔을 극복하고 (ⓑ)을/를 기약하고 있다.

16 다음은 (나)의 말하는 이의 정서 변화를 정리한 것이다. 빈칸에 들어갈 정서로 알맞지 않은 것은?

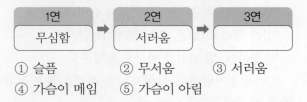

1연		2연		3연
무심함	→	서러움	→	

① 슬픔 ② 무서움 ③ 서러움
④ 가슴이 메임 ⑤ 가슴이 아림

서술형

17 〈보기〉를 토대로 (나)의 제목인 '수라(修羅)'가 의미하는 상황을 쓰시오.

> 보기
> 이 시가 창작된 1930년대는 20여 년이 넘는 식민 통치하에서 일제의 수탈이 절정에 이른 시기로, 생계를 유지하기 어려워진 가족이 해체되는 비극적 상황이 빈번하게 일어난다.

18 ㉠~㉤이 의미하는 바로 알맞지 않은 것은?

① ㉠: 누이의 요절 ② ㉡: 죽은 누이
③ ㉢: 남매의 추억 ④ ㉣: 일제 강점기 상황
⑤ ㉤: 흥부의 형인 놀부

19~22 다음 글을 읽고, 물음에 답하시오.

| 2(2) 단원 |

가 "왜 하필이면 여기서 싸. 어이구, 저 지린내, 말을 부리려면 ㉠오줌통이라도 갖고 다닐 일이지 이게 뭐야. 동네가 뭐 공동변손가."

어쩌고 하면서 아낙네들은 코를 찡 풀어 노새 앞에다 팽개쳤다. 말과 노새의 구별도 잘 못하는 주제에, 아무 데서나 가래침을 퉤퉤 뱉는 주제에 우리 노새를 보고 눈을 찢어지게 흘겼다. 그러나 새 동네에서는 단연 달랐다. 여간해서 말을 잘 않는 아주머니들도 우리 노새를 보면 입가에 미소를 머금었다.

나 아버지는 밀려 내려가는 마차를 따라 몇 발짝 뒷걸음질을 치다가 훌랑 물구나무 서는 꼴로 나자빠졌다. 나는 얼른 한옆으로 비켜섰기 때문에 아무 일도 없었다. 그러나 정작 일은 그다음에 벌어지고 말았다. 허우적거리며 ㉡마차에 질질 끌려가던 노새가 마차가 내박쳐진 자리에서 벌떡 일어서더니 뒤도 안 돌아보고 냅다 뛰기 시작한 것이다.

다 "무슨 일이야, 무슨 일이야."

"말이 도망갔나 봐, 말이 도망갔나 봐."

"무슨 말이, 무슨 말이." / "저기 뛰어가지 않아."

"얼라 얼라, 그렇군. 말이 뛰어가는군."

"별꼴이야, 말 마차가 지금도 있었군."

이런 웅성거림 속을 아버지는 두 주먹을 불끈 쥐고 뜀박질 쳐 갔다. / "내 노새, 내 노새."

라 영길이네 아버지는 조그마한 기계와 연탄불을 피워 가지고 다니면서, 뻥 소리와 함께 생쌀을 납작하게 눌러 튀겨 내는 장사를 하고 있었고, 종달이네 형님은 번데기 장수였다. 순철이네 아버지는 시장 경비원이었고, 귀달네 아버지는 포장마차에서 장사를 하고 있었다.

마 ㉢연탄 짐을 매지 않은 몸은 훨훨 날 것 같았다. 가파른 길도 없었고 채찍질도 없었고 앞길을 막는 사람도 없었다. ㉣신호등에 파란불이 켜진 때도 있었고 노란불이 켜진 때도 있었으며 빨간불이 켜진 때도 있었으나, 막무가내로 그냥 뛰기만 했다. 노새는 이윽고 ㉤횡단보도에 이르렀다. 마침 파란불이 켜져서 우우 하고 길을 건너던 사람들이, 앗, 엇, 외마디 소리를 지르며 풍비박산이 되었다.

19 이 글에 대한 설명으로 알맞지 않은 것은?

① 대조적인 공간을 통해 주제 의식을 강조한다.
② 1970년대 사회·문화적 상황이 잘 드러나 있다.
③ 어린아이인 '나'의 눈을 통해 사건이 전개된다.
④ 현재형의 서술로 사건을 생동감 있게 전달한다.
⑤ 상징적 소재를 통해 도시 하층민의 고달픈 삶을 보여 준다.

고난도 서술형

20 (가)를 토대로 '노새'를 대하는 구동네 사람들과 새 동네 사람들의 태도를 한 문장으로 쓰시오.

조건
① 이 글의 내용을 근거로 제시할 것
② 구동네 사람들과 새 동네 사람들의 태도의 차이점을 중심으로 쓸 것

21 (다)에 나타난 사람들의 모습을 통해 알 수 있는 당시의 세태로 가장 알맞은 것은?

① 내면이 아닌 겉모습을 우선시하는 모습
② 타인의 일에 무관심하고 자기중심적인 모습
③ 시대의 변화에 적응하지 못하고 뒤처진 모습
④ 빈부의 격차로 인해 대립하고 갈등하는 모습
⑤ 정신적 가치보다 물질적 가치를 중시하는 모습

22 ㉠~㉤ 중, 〈보기〉의 설명에 해당하는 것끼리 묶은 것은?

보기
• '노새'의 자유를 억압했던 대상
• '노새'를 구속하고 힘들게 하는 대상

① ㉠, ㉡ ② ㉠, ㉤ ③ ㉡, ㉢
④ ㉢, ㉣ ⑤ ㉣, ㉤

23~26 다음 글을 읽고, 물음에 답하시오.

2(2) 단원

가 꿈대로라면 우리 노새는 고속 도로를 따라 멀리멀리 달아나서 우리가 도저히 찾을 수 없는 곳, 상상도 할 수 없는 곳에 가서 있는 것이 아닐까. 우리를 버리고 간 노새, 그는 매일매일 그 무거운, 그 시커먼 연탄을 끄는 일이 지겹고 지겨워서 다시는 돌아오지 못할 자기의 보금자리를 찾아 영 떠나가 버렸는가.

나 ㉠"이제부터 내가 노새다. 이제부터 내가 노새가 되어야지 별수 있니? 그놈이 도망쳤으니까 이제 내가 노새가 되는 거지."

기분 좋게 취한 듯한 아버지는 놀라는 나를 보고 히힝 한 번 웃었다. 나는 어쩐지 그런 아버지가 무섭지만은 않았다. 그러면 형들이나 나는 노새 새끼고, 어머니는 암노새고, 할머니는 어미 노새가 되는 것일까? 나도 아버지를 따라 히히힝 웃었다.

다 아, 우리 같은 노새는 어차피 이렇게 비행기가 붕붕거리고, 헬리콥터가 앵앵거리고, 자동차가 빵빵거리고, 자전거가 쌩쌩거리는 대처에서는 발붙이기 어려운 것인가 하는 생각이 들었다. 언젠가 남편이 택시 운전사인 칠수 어머니가 하던 말, '최소한도 자동차는 굴려야지 지금이 어느 땐데 노새를 부려.' 했다는 말이 생각났다. 그러나 그것은 잠깐 동안이고 나는 금방 아버지를 쫓았다.

라 붉은 별을 군모 한가운데 달고 서 있는 인민군이 우리에게 다가와 있다는 것만으로도 온몸이 얼어붙는 일이었다. 그때였다. 뜻밖에도 인민군은 앳된 목소리로 "강냉이 맛있니?" 하고 물었다. 북쪽 억양이 섞인 이 한 마디는 마치 우리 중에 누가 장난으로 웃기기 위해서 고양이 소리를 내는 것처럼 그런 다정함이 있었다. 한 아이가 "한 입 먹을래요?" 하고 물었다. 그는 얼른 손을 내밀어 옥수수를 받아 들고 한 입을 크게 먹는 것이었다.

마 폭격이 와서 우리 동네가 깜깜해진 어느 날 아침이었다. 한 아이가 파편에 맞아 성당 앞 광장에 쓰러졌다. 그때 보초를 서고 있던 그가 다리에 피가 흐르는 아이를 들쳐 업고 길 아래 병원으로 달려가서 치료를 받게 하고 다시 아이의 집까지 업어서 데려다주었다. 그와 우리는 한패가 되었다.

23 (가)~(마)에 대한 설명으로 알맞지 않은 것은?

① (가): '나'는 '노새'가 연탄 배달이 지겨워서 도망갔다고 추측한다.
② (나): '나'는 어린아이다운 순수함을 지니고 있다.
③ (다): '노새'와 대비되는 교통수단이 나타난다.
④ (라): '인민군' 병사가 소년임을 짐작할 수 있다.
⑤ (마): 현재 시점에서 전쟁의 참혹함을 보여 준다.

24 (가)~(마)에 나타난 '나'의 심리로 알맞은 것은?

① (가): 가족에게서 달아난 '노새'가 원망스러움.
② (나): 가족을 '노새' 가족에 비유하며 즐거워함.
③ (다): 택시를 갖고 있는 '칠수 어머니'가 부러움.
④ (라): '인민군'의 목소리를 듣고 두려움을 느낌.
⑤ (마): '인민군'과 친해진 사실을 들킬까 봐 걱정함.

25 〈보기〉의 밑줄 친 관점에서 (가)~(다)를 해석한 내용으로 가장 알맞은 것은?

보기
과거의 삶이 반영된 문학 작품을 감상할 때에는 시대에 따른 인식의 변화 속에서도 오늘날까지 변하지 않는 가치나, <u>오늘날 우리의 관점에서 새롭게 평가할 수 있는 가치를 발견하고 통찰함</u>으로써 삶의 보편성과 특수성을 이해할 수 있다.

① '노새'는 운송 수단이 발달한 현대 사회에 어울리지 않아.
② '나'가 '노새'를 아끼듯 요즘에도 동물을 소중하게 보살피는 사람이 많아.
③ '아버지'를 걱정하고 따르는 '나'의 마음은 오늘날에도 변하지 않는 가치야.
④ '칠수 어머니'의 말처럼 시대의 흐름에 잘 적응해야 치열한 경쟁 사회에서 살아남을 수 있어.
⑤ '우리 같은 노새'가 사라져 가는 현대 사회에서 오히려 지난날의 가치를 되새겨 볼 필요가 있어.

서술형

26 '아버지'가 ㉠과 같이 말한 의도를 쓰시오.

조건
① '노새'가 해 왔던 역할을 포함해 쓸 것 ② '아버지'의 다짐을 포함해 쓸 것

01 음운에 대한 설명으로 알맞지 <u>않은</u> 것은?

① 자음은 공기가 방해를 받으며 나오는 소리이다.
② 모음은 단모음과 이중 모음으로 분류할 수 있다.
③ 말의 뜻을 구별해 주는 소리의 가장 작은 단위이다.
④ 자음과 모음은 모두 홀로 소리 낼 수 없어 함께 어울려야 한다.
⑤ 자음은 소리 나는 위치와 발음하는 방식에 따라 분류할 수 있다.

02 다음 단어의 뜻을 구별해 주는 요소로 알맞지 <u>않은</u> 것은?

① 곰, 솜 – 자음　② 종, 공 – 자음
③ 돌, 돈 – 모음　④ 산, 선 – 모음
⑤ 밥, 법 – 모음

03 다음 중 자음과 소리 나는 위치가 바르게 연결되지 <u>않은</u> 것은?

	자음	소리 나는 위치
①	ㅁ	두 입술 사이
②	ㄴ	혀끝과 윗니의 뒷부분, 윗잇몸 사이
③	ㅈ	혓바닥과 입천장 앞쪽 사이
④	ㅇ	혀의 뒷부분과 입천장 뒤쪽 사이
⑤	ㅎ	입천장과 목청 사이

04 모음 체계표의 ⓐ~ⓔ에 들어갈 모음으로 알맞은 것은?

혀의 최고점의 위치 / 입술의 모양 / 혀의 높이	전설 모음		후설 모음	
	평순 모음	원순 모음	평순 모음	원순 모음
고모음	ⓐ		ⓓ	ⓔ
중모음		ⓑ		
저모음	ⓒ			

① ⓐ: ㅡ　② ⓑ: ㅚ　③ ⓒ: ㅔ
④ ⓓ: ㅣ　⑤ ⓔ: ㅗ

05 〈보기〉에서 제시하는 특성을 모두 지닌 자음은?

보기
- 두 입술이 닿았다가 떨어지며 나는 소리
- 입안이나 코안이 울리지 않는 소리
- 크고 강하며 무겁고 거친 느낌을 주는 소리

① ㅁ　② ㅂ　③ ㅃ　④ ㅍ　⑤ ㅎ

06 ㉠~㉢에 대한 설명으로 알맞지 <u>않은</u> 것은?

> 빗방울이 개나리 울타리에 ㉠<u>솝 – 솝 – 솝 – 솝</u> 떨어진다 // 빗방울이 어린 모과나무 가지에 ㉡<u>롭 – 롭 – 롭 – 롭</u> 떨어진다 // 빗방울이 무성한 수국 잎에 ㉢<u>톱 – 톱 – 톱 – 톱</u> 떨어진다

① ㉠: '숩'보다 작고 가볍게 떨어지는 느낌이 든다.
② ㉡: ㉢에 비해 거칠고 강한 느낌이 든다.
③ ㉡: 빗방울이 스며들듯 떨어지는 느낌이 든다.
④ ㉢: 빗방울이 세게 떨어지는 느낌이 든다.
⑤ ㉢: 빗방울이 무언가에 맞아 튕겨지는 느낌이 든다.

07 〈보기〉에 나타난 의사소통의 문제점을 해결하기 위해 '엄마'에게 할 수 있는 조언으로 적절한 것은?

보기
엄마: 버스 타고 <u>금촌</u> 이모댁에 다녀올래?
딸: <u>금천</u>에 가는 것 아니었어요?

① 된소리와 거센소리를 정확히 구분해야죠.
② 단모음과 이중 모음을 구분해서 발음해야 해요.
③ 'ㅗ'는 입술을 동그랗게 오므려서 발음해 주세요.
④ 발음할 때 입술이나 혀가 움직이지 않도록 해야죠.
⑤ 발음할 때 입을 더 열고 혀의 위치를 낮춰 보세요.

서술형

08 〈보기〉의 밑줄 친 부분을 발음하기 어려운 이유를 쓰시오.

보기
<u>관련 교육</u> 시설 또한 최대 규모로 늘리는 방안

조건
① 밑줄 친 부분의 모음의 특징을 토대로 쓸 것

09~12 다음 글을 읽고, 물음에 답하시오.

3(2) 단원

가 우선 제게 이런 특별한 시간을 주신 대학교 측에 감사하다는 말씀을 드리고 싶습니다. 오늘 졸업생 여러분 앞에서 무슨 이야기를 해야 할지 고민을 많이 했습니다. 그래서 대학교를 졸업하던 당시에 제가 느꼈던 감정은 무엇인지, 졸업 이후 지금에 이르기까지 제가 얻은 교훈은 무엇인지 곰곰이 생각해 보았습니다. 그리고 두 가지 답을 얻었습니다. 저는 더 큰 세상으로 나아가는 출발점에 서 있는 여러분에게 '실패가 주는 혜택'과 '상상력의 중요성'을 말씀드리고 싶습니다.

나 제가 여러분 나이 때 가장 두려워했던 것은 실패였습니다. 그런데 대학을 졸업한 후 7년 동안, 저는 계속 실패만 했습니다. 결혼 생활이 짧게 끝났고, 번듯한 직장을 다닌 것도 아니어서 경제적으로 매우 어려웠습니다. 어떤 기준으로 보더라도 실패한 사람이었지요. 당시에는 이러한 암흑과도 같은 터널을 얼마나 오랫동안 가야 끝이 날지 전혀 알 수 없었습니다.

다 그런데도 저는 왜 ㉠'실패가 주는 혜택'을 말하려고 할까요? 그것은 이러한 실패를 경험하면서 삶의 군더더기를 없앨 수 있었기 때문입니다. 연이은 실패로 제게 남은 것은 많지 않았지만 사랑하는 딸과 낡은 타자기, 그리고 어떤 아이디어가 있었습니다. 저는 실패한 제 자신을 있는 그대로 받아들이고, 저에게 가장 중요한 단 한 가지 일에 에너지를 모두 쏟기 시작했습니다. 그렇게 저는 실패를 주춧돌 삼아, 그 위에 제 삶을 다시 튼튼하게 지을 수 있었습니다.

라 실패는 또한 다른 곳에서 배울 수 없었던 제 자신을 알게 해 주었습니다. 실패를 딛고 일어나는 과정에서 제가 생각보다 성실하고 의지가 강하며, 제 주변에 보석보다 훨씬 더 값진 사람들이 있다는 것을 알게 되었습니다.

마 또한 실패를 극복하며 강인하고 현명해지면, 어떤 일이 있어도 헤쳐 나갈 수 있다는 자신감이 생깁니다. 시련을 겪지 않으면 스스로가 얼마나 강한지, 가까이에 있는 사람이 얼마나 소중한지 알 수 없습니다. 저는 이 깨달음을 얻기까지 혹독한 대가를 치렀지만, 이것은 매우 가치 있는 일이었습니다.

09 (가)~(마)의 말하기를 듣고 메모한 내용으로 알맞지 않은 것은?

①	갈래	연설
②	성격	설득적, 주관적
③	목적	연설자가 깨달은 교훈을 전달하기 위해
④	청중	대학을 졸업하는 학생들
⑤	주제	거듭된 실패를 줄일 수 있는 방법

10 (나)~(마)의 경험을 통해 연설자가 청중에게 전달하려는 바로 가장 알맞은 것은?

① 사람들마다 실패의 기준이 다름을 기억하자.
② 여러 가지 일을 하지 말고 한 가지에 집중하자.
③ 자신보다 뛰어난 주변 사람들에게 도움을 받자.
④ 앞으로 살아가면서 겪을 실패를 두려워하지 말자.
⑤ 새로운 일을 시작할 때 실패를 예상하고 도전하자.

11 다음 중 ㉠에 해당하는 내용끼리 모두 묶은 것은?

ㄱ. 삶의 군더더기를 없앨 수 있다.
ㄴ. 남들의 부정적인 평가로부터 자유로워진다.
ㄷ. 자신의 장단점을 객관적으로 분석하게 된다.
ㄹ. 자신이 진짜 하고 싶었던 일에 열정을 쏟게 된다.
ㅁ. 어떤 일이 있어도 헤쳐 나갈 수 있다는 자신감이 생긴다.

① ㄱ, ㄴ, ㄷ ② ㄱ, ㄹ, ㅁ ③ ㄴ, ㄷ, ㄹ
④ ㄴ, ㄹ, ㅁ ⑤ ㄷ, ㄹ, ㅁ

12 〈보기〉의 설득 전략이 사용된 부분을 들은 청중의 반응으로 알맞은 것은?

보기
연설자가 자신의 주장에 대한 타당한 근거를 들어 청중을 논리적으로 설득하는 방법

① 세계적으로 유명한 작가의 연설이라 믿음이 가.
② 힘들었던 과거를 말하며 동정심을 불러일으켰어.
③ 재미있는 일화를 소개하며 청중의 웃음을 유발해.
④ 실패 경험을 솔직히 고백해 청중의 공감을 얻었어.
⑤ 실패를 통해 얻은 깨달음을 토대로 '실패가 주는 혜택'을 논리적으로 제시했어.

13~16 다음 글을 읽고, 물음에 답하시오.

3(2) 단원

가 만약 타임머신을 타고 스물한 살이던 때로 돌아간다면 제 자신에게 이렇게 말해 주고 싶습니다. 뭔가를 얻고 성취하는 것이 삶의 전부가 아님을 깨달아야 비로소 행복할 수 있다고 말입니다. 삶은 때로는 우리 뜻대로 되지 않습니다. 그리고 아무것도 실패하지 않고 사는 것은 불가능합니다.

나 오늘 제가 하려는 두 번째 이야기로 '상상력의 중요성'을 꼽은 이유는 무엇일까요? 제가 삶을 다시 추스르는 데 상상력이 큰 역할을 했기 때문일 거라고 여러분은 생각하실 겁니다. 그러나 그것이 다는 아닙니다. 제가 경험한 상상력의 가치는 더욱 넓은 의미의 가치입니다.

다 대학을 졸업하고 얼마 안 되어 저는 런던에 있는 국제 사면 위원회 본부의 연구 부서에서 일하면서 생활비를 벌고, 점심시간에는 짬을 내어 소설을 썼습니다. 이곳에서 일하는 수천 명의 직원들은 위기에 처한 생명을 구하고 속박당한 사람들에게 자유를 되찾아 주는 일을 하고 있었습니다. 그들은 편안하고 안정된 삶이 보장되어 있는데도, 자신들이 알지도 못하고 평생 만날 일도 없을 사람들을 구하려고 애를 썼습니다. 저는 여기에서 일하는 동안 우리가 직접 경험하지 않은 타인의 아픔에 공감하게 하는 상상력의 힘을 느낄 수 있었습니다.

라 우리는 누구나 자신뿐만이 아니라 타인의 삶에 영향을 줄 수 있습니다. 졸업생 여러분은 훌륭한 교육을 받았기 때문에 짊어진 책임도 남다르다고 봅니다. 여러분은 힘없는 사람들을 자신과 같이 여기고, 어려움에 처해 있는 사람들의 삶을 상상하는 힘을 가지세요. 그리고 여러분의 힘과 영향력을 그들을 위해 사용해 주십시오. 세상을 바꾸는 데 마법은 필요 없습니다. 우리의 마음속에는 이미 세상을 바꿀 힘이 있습니다.

마 내일이 오고, 여러분이 오늘 저의 말을 단 한 마디도 기억하지 못하더라도 고대 로마의 현인이었던 세네카의 말만큼은 꼭 기억하길 바랍니다.

"이야기에서는 이야기의 길이가 긴 것이 중요한 게 아니라 ㉠<u>내용</u>이 얼마나 훌륭한 것인지가 중요하다. 우리의 인생도 마찬가지다." / 여러분은 내면이 충만한 삶을 살기를 기원합니다. 감사합니다.

13 (가)~(마)에 대한 설명으로 알맞지 <u>않은</u> 것은?

① (가): 성취에 대한 욕망에서 벗어날 것을 우회적으로 전달한다.
② (나): 청중의 질문에 답하며 청중과 적극적으로 상호 작용한다.
③ (다): 인성적 설득 전략을 활용해 연설 내용에 신뢰감을 갖게 한다.
④ (라): 상상력을 통해 어려운 사람들을 위해 노력할 것을 당부한다.
⑤ (마): 고대 로마의 현인의 격언을 인용해 주제를 강조한다.

14 (가)~(마) 중, 〈보기〉의 설명에 해당하는 설득 전략이 사용된 문단은?

보기

감성적 설득 전략은 연설자가 청중의 욕망이나 자긍심, 동정심, 분노와 같은 감정에 호소하여 청중을 설득하는 것을 말한다. 연설자는 청중의 마음을 움직일 수 있는 구체적인 사례나 상황 등을 제시하여 청중에게 감동을 주기도 한다.

① (가) ② (나) ③ (다) ④ (라) ⑤ (마)

15 이 연설을 들은 청중의 반응으로 알맞지 <u>않은</u> 것은?

① 더 나은 세상을 만들어야겠다는 책임감이 생겼어.
② 큰 세상으로 나아가는 기로에 선 우리에게 적절한 연설이야.
③ 평소 관심이 있었던 분야에 대한 구체적인 정보를 제공했어.
④ 앞으로 어떻게 살아갈지 고민했는데 연설 내용이 큰 도움이 됐어.
⑤ 연설자가 우리와 비슷한 나이로 돌아간 것을 가정해 말을 하니 더욱 설득력이 있어.

서술형

16 ㉠이 의미하는 바를 (마)에서 찾아 3어절로 쓰시오.

17~20 다음 글을 읽고, 물음에 답하시오.

| 4(1) 단원 |

가 학생의 본분은 공부라지만 그와 함께 적당한 휴식과 놀이도 필요하다. 하지만 청소년들이 놀 수 있는 시간은 부족하고, 마음 놓고 놀 만한 공간은 많지 않다. 운동장이나 놀이터는 청소년의 다양한 욕구를 반영하지 못한다는 점에서 놀이 공간의 역할을 하기에 부족하고, 피시방이나 노래방 등은 쉽게 일탈에 노출될 수 있다는 점에서 우려의 목소리가 높은 공간이다. 그나마 어쩌다 발견할 수 있는 청소년 놀이 문화 시설은 턱없이 부족하거나 접근이 쉽지 않은 것이 현실이다.

나 사람들은 사회 속에서 자신의 소질과 재능을 발견하고, 타인과 어울리고 위기를 극복하는 방법을 익히는 등 삶에 필요한 많은 것을 배운다. 그런데 이러한 배움은 책상에 앉아 공부를 통해 습득하기에는 한계가 있다. 사회성은 지식이 아닌 경험을 통해 체득해야 한다. 사회성을 익히기 위해서는 다양한 만남과 소통 그리고 시행착오의 과정이 필요하기 때문이다.

다 놀이는 재미있다. 놀이 그 자체가 수단이 아닌 목적이기 때문이다. 무엇보다 놀이는 누가 시켜서 하는 행동이 아니라 자신이 좋아서 하는 행동이다. 그래서 놀이를 하는 동안은 누구나 즐겁고 행복하다. 문화, 여가, 오락, 휴식 등을 즐길 수 있는 놀이 공간이 확대되어 다양한 놀이를 할 수 있다면, 청소년들은 각종 스트레스에서 벗어나 삶의 활력을 되찾을 수 있을 것이다.

라 학교 폭력을 비롯한 청소년 범죄가 날로 심각해져 사회 문제가 된 지 오래다. 통계청에 따르면 2016년 기준 소년 범죄자 수는 76,000명에 달한다고 한다. 이는 전체 범죄자 중 3.8 퍼센트에 이르는 높은 수치이다. 또한 청소년의 강력 범죄도 지속적으로 증가하는 추세이다. 물론 그 원인은 매우 복잡하겠으나 놀이 공간이 부족한 것도 하나의 이유라고 할 수 있다.

마 청소년이 나라의 미래라고 하지만 정작 그들에게 필요한 여가 시간과 놀 공간은 부족한 것이 현실이다. 우리 사회는 청소년 놀이 공간을 확대하기 위해 노력해야 한다. 이를 통해 청소년들은 건전한 놀이를 하면서 또래와 유익한 관계를 형성하고 행복한 성장을 이어갈 수 있을 것이다.

17 다음은 이 글의 개요이다. 그 내용이 잘못된 것은?

서론	(가)	청소년의 놀이 공간이 부족함. ········· ①
본론	(나)	청소년들의 경험이 넓어짐. ········· ②
	(다)	청소년의 스트레스 해소에 도움이 됨. ········· ③
	(라)	청소년의 범죄 예방에 효과가 있음. ········· ④
결론	(마)	청소년 놀이 공간을 확대해야 함. ····· ⑤

18 이 글에 활용된 논증 방법으로 가장 알맞은 것은?

① 문제를 제기하고 그에 대한 해결 방법을 제시한다.
② 두 대상의 유사점을 근거로 들어 다른 점도 유사할 것이라고 추론한다.
③ 이미 알려진 일반적인 원리나 법칙에서 구체적인 결론을 이끌어 낸다.
④ 개별적이고 구체적인 사실에서 일반적이고 보편적인 결론을 이끌어 낸다.
⑤ 대상이 지닌 모순 또는 대립 요소를 토대로 개별적인 사실이나 특수한 원리를 이끌어 낸다.

19 (가)~(마) 중, 〈보기〉의 조사 결과를 근거로 활용하기에 가장 알맞은 문단은?

| 보기 |

2015년 통계청 조사에 의하면 우리나라 13~24세 청소년 중 61.4 퍼센트가 생활 속에서 우울, 압박, 분노와 같은 부정적인 정서를 안고 살아간다고 한다. 이로 인해 가슴 통증, 울렁증과 같은 증상을 호소하거나 급기야 학업까지 포기하는 학생들이 점차 늘어나고 있다.

① (가) ② (나) ③ (다) ④ (라) ⑤ (마)

고난도 서술형

20 글쓴이가 이 글을 통해 제기하는 문제를 쓰고, 이에 대한 해결 방법을 서술하시오.

조건

① 해결 방법은 (마)에 제시된 글쓴이의 주장과 관련해 쓸 것

21~24 다음 글을 읽고, 물음에 답하시오.

| 4(1) 단원 |

가 인간이라면 모두 존엄성을 지니고 있습니다. 능력이 뛰어나다고 해서, 외모가 훌륭하다고 해서, 혹은 인성이 좋다고 해서 인간으로서 더 가치 있는 것도 아니며 그렇지 못하다고 해서 가치가 없는 것도 아닙니다. 인간에게 존엄성이 있다는 것은 모든 인간이 가치 있는 존재라는 뜻입니다. 더불어 우리 모두가 이 지구상에 하나뿐인 존재로서 저마다 고유한 정체성을 가지고 있다는 뜻이기도 합니다.

나 독특한 개성을 가지고 살아가는 사람들을 소개하는 텔레비전 프로그램이 있었습니다. 이 프로그램에는 평범하게 살아가는 사람들이 상상하기 어려운 사람들이 많이 나왔습니다. 종이를 먹는 사람, 수입의 대부분을 구두 사는 데 쓰는 사람……. 그런데 이 프로그램에서는 이들을 호기심 어린 눈으로 소개할 뿐 섣불리 비난하지 않았습니다. 그냥 그 자체를 인정합니다. 〈중략〉

이쯤에서 의문이 생길 것입니다. 인간의 존엄성은 도대체 누가 부여한 것일까요? 답은, 우리는 모두 태어나면서부터 자연적으로 존엄성을 부여받았습니다.

다 내가 교실에서 잠시 남과 다른 행동을 할 때 옆에 있던 친구들이 그 모습을 보고 우리 반에 이상한 아이가 있다고 학교에 소문을 냈다고 해 봅시다. 나의 고유한 정체성은 '이상한 것'으로 평가받았고, 인간으로서 내 가치는 훼손되었습니다. 인간으로서 존엄성을 존중받지 못한 것입니다.

라 대한민국 헌법 제10조는 '모든 국민은 인간으로서 존엄과 가치를 가지며'라고 인간의 존엄성을 선언하고 있습니다. 그런데도 우리 주변에서는 인간의 존엄성을 위협하는 일들이 많이 벌어집니다. 때로는 스스로 자신의 존엄성을 훼손하기도 합니다. 가장 대표적인 경우가 자신을 낮게 평가하는 것입니다. '나는 공부 못하는 아이, 쓸모없는 아이, 사랑받을 가치가 없는 아이, 모두가 싫어하는 아이야.'라고 생각하는 것은 자신의 존엄성을 스스로 훼손하는 것입니다.

마 우리는 모두 존엄한 인간입니다. 고유의 정체성을 가진 세상에 하나뿐인 존재입니다. 하루하루 자신을 존엄하게 여기며 살아가야 합니다. 다른 사람도 그러하다는 것을 인정하면서 말입니다.

21 **이 글에 대한 설명으로 알맞지 않은 것은?**

① 다양한 사례를 들어 주장을 뒷받침한다.
② 문답법을 사용해 독자의 호기심을 유발한다.
③ 주장을 강화하기 위해 법 조항을 근거로 제시한다.
④ 일반적이고 보편적인 원리를 제시하며 글을 시작한다.
⑤ 관련 분야의 전문가의 말을 인용해 신뢰성을 확보한다.

22 **다음은 이 글의 논증 과정을 정리한 것이다. ⓐ에 들어갈 내용으로 알맞은 것은?**

인간은 모두 존엄성을 지니고 있다.
⬇
나 자신을 비롯하여 모든 사람은 인간이다.
⬇
ⓐ

① 모든 인간은 가치 있는 존재이다.
② 자신의 고유한 정체성을 훼손해서는 안 된다.
③ 다른 사람들의 독특한 개성을 인정해야 한다.
④ 헌법 제10조는 인간의 존엄성을 선언하고 있다.
⑤ 나 자신을 비롯하여 모든 사람은 존엄성을 지니고 있다.

서술형

23 **이 글과 〈보기〉에 공통적으로 사용된 논증 방법을 쓰시오.**

보기
• 가수들은 노래를 잘해. • 여름이는 가수야. • 그럼 여름이도 노래를 잘하겠네.

24 **논증 방법을 파악해 글을 읽을 때의 효과로 알맞지 않은 것은?**

① 글쓴이의 주장을 정확하게 파악할 수 있다.
② 제시한 근거가 설득력이 있는지 평가할 수 있다.
③ 다양한 관점의 근거를 풍부하게 제시할 수 있다.
④ 근거가 주장을 논리적으로 뒷받침하는지 판단할 수 있다.
⑤ 글의 구조를 파악하며 내용을 체계적으로 이해할 수 있다.

25~27 다음 글을 읽고, 물음에 답하시오.

4(2) 단원

가 얼마 전 평창 동계 올림픽 여자 아이스하키 남북 단일팀에 관한 뉴스를 보았다. 선수들은 같은 말을 쓰는 같은 민족이지만 서로의 언어를 이해하지 못해 의사소통에 어려움이 있었다고 한다. 남한과 북한의 언어는 분단 이후 다른 길을 걸어왔고, 그 결과 남한과 북한의 언어에는 큰 차이가 생겼다. 국립 국어원이 2012년에 펴낸 「탈북 주민 한국어 사용 실태 보고서」에 따르면, 탈북 주민은 남한에서 쓰는 단어의 절반 정도밖에 이해하지 못하는 것으로 나타났다.

나 현재 남한과 북한에는 각각 다른 국어사전이 존재한다. 국어사전은 그 나라 언어의 표준이다. 통일 후에도 국어사전이 두 개라면 불편한 점이 많을 것이다. 현재 남북 학자들이 모여 『겨레말 큰사전』을 편찬하고 있다. 이러한 편찬 작업은 남북의 어휘를 통합하고 집대성하여, 민족 문화를 지키고 민족 문화 공동체의 폭을 넓힐 수 있을 것이다.

다 두 번째로 남북 간의 민간 교류가 활발하게 이루어져야 한다. 언어는 문화의 일부이다. 서로의 문화를 이해하기 위해서는 끊임없는 교류가 필요하다. 민간 차원의 문화 교류를 이어 간다면 더 쉽게 서로의 언어를 이해할 수 있고, 남북한 통합도 앞당길 수 있을 것이다. 예를 들어 남북 단일팀과 같이 스포츠 분야에서 민간 교류가 이루어진다면 서로의 문화를 이해하며 그 분야에서 쓰는 언어를 교류할 수 있을 것이다.

라 세 번째로 기술을 이용해 남북한의 언어 차이를 줄일 수 있는 방법을 다양하게 개발해야 한다. 실제로 우리나라의 한 회사는 남한의 어휘를 북한의 어휘로 바꾸어 주는 앱을 개발하여 탈북 청소년에게 도움을 주고 있다고 한다.

마 『겨레말 큰사전』 편찬을 이어 가고, 민간 교류를 확대하며, 소통에 도움이 되는 다양한 기술을 개발한다면 남북 간의 언어 차이를 줄여 갈 수 있을 것이다. 우리는 같은 언어를 쓰는 한 민족이다. 그러므로 서로의 언어에 관심을 기울이고, 언어 차이를 좁히기 위해 노력함으로써 다가오는 통일 시대에 진정한 통합을 이룰 수 있도록 대비해야 한다.

서술형

25 〈보기〉는 '계획하기' 단계에서의 '미르'의 생각이다. 이를 토대로 이 글의 주제와 예상 독자를 각각 쓰시오.

| 보기 |

미르: 남과 북이 같은 말을 쓴다고 생각했었는데, 같은 언어를 사용하는 민족임에도 언어 차이 때문에 어려움을 겪을 수 있다는 것을 알게 되었어. 남북한의 언어 차이를 좁히기 위해 노력해야 한다는 주장을 담은 글을 써서 우리 반 친구들에게 내 생각을 전달해야겠어.

26 이 글을 쓰는 과정에서 글쓴이가 했을 생각으로 알맞지 않은 것은?

① 수집한 자료 중에서 주장을 뒷받침할 수 있는 내용을 선정해야지.
② 글의 목적을 고려해 '처음 – 가운데 – 끝'의 단계로 개요를 작성하자.
③ 주제와 관련한 사회 현상을 언급하며 글을 시작하는 것이 좋겠어.
④ 남북한 언어의 동질성 회복을 위한 방안을 병렬적으로 제시해야지.
⑤ 앞서 제시한 내용을 요약정리하고 앞으로의 과제를 덧붙이며 글을 마무리하자.

27 (가)~(마) 중, 〈보기〉의 자료를 활용해 글을 썼을 문단으로 적절한 것은?

| 보기 |

2011년 열린 국제 친선 탁구 대회 모습입니다. 남북 탁구 단일팀은 남자 복식에서 우승, 여자 복식에서 준우승을 차지하며, 한겨레의 힘을 보여줬습니다. 스포츠 단일팀 구성에서 보듯, 민간 교류는 정치적 대립을 뛰어넘는 통합의 힘을 발휘합니다.

개성 공단에서는 70년 분단의 세월 동안 많이 달라진 남북의 언어가 자연스럽게 하나가 되어 가고 있습니다. 남측이 주로 써 왔던 외래어를 북측 노동자들도 이해할 수 있는 고유어로 순화한 것이 한 예입니다.

① (가) ② (나) ③ (다) ④ (라) ⑤ (마)

MEMO